日超検
腹部超音波テキスト

第3版

日本超音波検査学会 監修
関根智紀・南里和秀 編集

医歯薬出版株式会社

執筆者一覧（執筆順）

杉田清香	（すぎたきよか）	海上ビル診療所　医療部　超音波検査科・検体生理検査科
関根智紀	（せきねともき）	総合病院国保旭中央病院　診療技術局　超音波検査室
丸山憲一	（まるやまけんいち）	東邦大学医療センター大森病院　臨床生理機能検査部
南里和秀	（なんりかずひで）	静岡県立静岡がんセンター　生理検査室
米山昌司	（よねやままさし）	静岡県立静岡がんセンター　生理検査室
白石周一	（しらいししゅういち）	東海大学医学部付属八王子病院　臨床検査技術科
山本真一	（やまもとしんいち）	東海大学医学部付属八王子病院　臨床検査技術科
西川　徹	（にしかわとおる）	金澤なかでクリニック

日超検腹部超音波テキスト第2版執筆者
関根智紀／南里和秀／白石周一／木内清恵／竹内浩司／山口秀樹／岩下淨明／長谷川雄一／浅野幸宏／米山昌司　編集：関根智紀・南里和秀

日超検腹部超音波テキスト第1版執筆者
関根智紀／土居忠文／佐久間浩／長谷川雄一／南里和秀／枥尾人司／白石周一／来住野修／椿　哲弥／木内清恵／山下安夫／竹内浩司／岩下淨明／山崎良兼　編集：関根智紀・南里和秀

第3版の発刊にあたって

　本書の初版発刊は2002年5月で，2014年6月には第2版を発刊しました．当学会監修の超音波テキストとしましては，心臓超音波テキストが2001年5月に初版を，2009年2月に第2版，2021年5月に第3版を発刊しました．また，血管超音波テキストは初版が2005年3月で，2018年3月に第2版を発刊しました．このたび，腹部超音波テキストも初版から21年，第2版からはや9年が経過し，心臓超音波テキストに続いて第3版を発刊することとなりました．当会監修の超音波テキストは，いずれも平易にわかりやすくてかつ奥の深い，まさに実践的なテキストとして，版を重ねて広く受け入れられているものと自負しています．

　腹部領域に限ったことではありませんが，超音波診断装置を含めた超音波医学の技術的進歩はめざましく，従来の機能の高性能化だけでなく，新たな機能，診断ツールが次々に開発され，それらを用いた検査領域，判定基準，検査手法に拡張や変化がみられ，とくに近年ではAIを用いての学習成果を応用したアシスト機能もリリースされており，まさに日進月歩の言葉そのままといった状況です．しかし，その前提には，探触子を握る検者の技量が存在することは間違いありません．昨今，猛威をふるった新型コロナウイルス感染症は，リアルな研鑽が不可欠である超音波検査に大きな影響を及ぼし，これまでの学会のあり方も根本から大きく揺さぶられました．最近ようやく各種企画の現地開催を復活することができ，WEBとリアル両面でそれぞれの利点を活かした運用が定着しつつあります．

　そのようななか，気鋭の執筆陣が技術的なノウハウを惜しみなく詳述する超音波テキストのシリーズ共通の方針を踏襲しつつ，数々の新たな知見を盛り込んだ本書第3版のずっしりとしたリアルな重みを超音波検査に携わる皆様に感じていただき，検査室の傍らに置いて困った時に頼れるテキストとしてご活用くだされば無上の喜びであり，本書が今後のステップアップにつながることを願ってやみません．

　末尾となりましたが，たいへんご多忙ななか多彩な内容をご執筆いただき書籍にまとめていただきました編集・執筆陣の皆様，多大なる助言を賜りました医歯薬出版（株）の皆様に心より御礼申し上げます．

2023年12月

　　　　　　　　　　　　　　　一般社団法人日本超音波検査学会理事長　尾羽根範員

第 3 版の序文

　本書は，2002 年に第 1 版，2014 年に第 2 版の発行と，多くの読者のご支持をいただき版を重ねてまいりました．超音波検査は，日常の臨床に迅速かつ適切に対応することが求められています．本書では，日常診療で遭遇する頻度の高い疾患および重要性の高いと思われる疾患についての超音波画像を中心とした解説を基本としてきました．しかし，近年ではさらに新たな検査法の登場や種々の診療ガイドラインや取扱い規約などの改変が生じています．さらに，超音波検査機器および技術の進歩も目覚ましく，本書においても時代の進歩に即した内容が求められるようになりました．このような状況を受け，このたび基本的な骨組みは前版に準じながらも，日常臨床に即応するため第 3 版を発刊することとしました．

　腹部の検査は骨盤腔も検査範囲となることも多いため，今回の改訂では検査範囲を骨盤腔まで広げ腹部全体とし，大動脈，膀胱，前立腺，婦人科領域まで網羅しています．また，健診領域も含めており，さらに総合画像診断も視野に入れ，CT，MRI，PET などの画像も収載に努めました．初学者でもわかりやすいよう，画像中の矢印を多用し理解度を深める工夫をしました．消化管領域は本書では急性腹症の重複部分を簡素化し，第 2 章に統合しました．

　各領域の執筆者については，日本超音波検査学会の腹部専門部会の委員を中心に臨床現場で活躍されている方にお願いし，最新の内容になっています．また，初版から今回の 3 版まで編集を担っていただいた関根智紀先生とともに制作にかかわることができたことは感慨深いものがあります．

　本書が新たなエビデンスに対応した活きた実用書として，超音波検査に携わるさまざまな分野・領域の医療関係者に広く活用され，患者さんへの診療の糧として日常臨床の向上につながれば幸いです．

2023 年 12 月

編集　南里和秀・関根智紀

第2版の発刊にあたって

　本書の初版は，2002年5月に日本超音波検査学会の監修のもとに発刊され，1万5000部を超えるご愛用を受け，好評裡のうちに約12年が経過しました．超音波検査に携わる多くのコメディカルや医師などの広く職種を超えた医療従事者の支持，共感をいただき，当学会としても超音波検査を広く普及させることができました．また，我々が目指す社会貢献の一環としても，少しでも役立つことができたことを大変喜ばしいことと感謝しております．

　近年，超音波装置および技術の進歩は目覚ましく，超音波画像がフルデジタル化になり，ハーモニック，コンパウンド技術なども加わり，得られる画像が大きく変化し，肝臓では深部減衰の少ない均質化した画像が得られるようになりました．質的診断を目的とした造影超音波検査も日常検査に取り入れられ，さらに超音波画像とCTやMRIで得られた画像とを同期させるフュージョンイメージなど，超音波検査の使われ方も多岐にわたってきております．また，診断基準やガイドラインなども目まぐるしく変化してきており，そのような背景のなか，読者から改訂の要望の声も聞かれるようになりました．当学会としても，時代の進歩に即するように改訂の必要性を考え，編者も再編し，改訂に全力をあげて取り組んできました．

　本書は平易で分かりやすいことを基本コンセプトとしているため，この第2版も初版の編集方針はそのまま踏襲することとしました．すなわち，新しい手法を取り入れながらも，超音波検査を行う方々のための実践的で，検査の手順やコツなどを容易に習得できるガイドブックであること．そして，この1冊で腹部領域をコンパクトに要約し検査を行う際に知っておかなければならない検査の進め方，装置の調整法などの技術的な面から解説するという編集方針になっております．引き続き，本書が超音波検査に携わる皆様方の日常検査に利用され役立つ書になることを心から願っております．

　終わりに，改訂にあたりその労をつくされた執筆者の皆様にお礼を申し上げるとともに，初版から引き続いて第2版の編集，発刊に際しご担当いただいている医歯薬出版（株）第一出版部取締役塗木誠治氏と，法野崇子氏に心から感謝の意を申し上げます．

　2014年6月

　　　　　　　　　　　　　　一般社団法人　日本超音波検査学会理事長　南里和秀

第2版の序文

　2002年5月，日本超音波検査学会は「腹部超音波テキスト」を発刊した．当時は，超音波検査法が広く普及し始めた時代でもあった．多くの皆様から超音波検査を正しく適切に行うためにも，基本走査法や計測法および検査のコツなど，検査情報を多く盛り込んだ教科書の必要性が高まり発刊する運びとなった．今，発刊されてから12年が経過したが，超音波検査を行う方々の厚い信頼とご支持をいただけたことを大変嬉しく感謝している．しかし，臨床医学の発展は目覚ましく，また超音波診断装置の技術の進歩にもあわせるように，本書においても時代に即した記載が求められるようになってきた．

　超音波検査のもつ最大の特徴は，簡便性が高いこと，侵襲性がないこと，1回の検査で効率よく多臓器の情報が得られること，そしてスクリーニングから精密検査までの情報が得られることである．ただ，最近の検査の場では，さらなる検査情報の提供が求められるようになってきた．より小さな病変を発見すること，臨床に病変の程度を提供すること，初回の検査から血流情報を得ること，主病変のみならず背景病態までを観察すること，治療のための情報を提供することなどである．そのために，超音波検査の技術習得にもより具体的な変化が求められるようになっている．すなわち，走査力（病変を見逃さない），推察力（病態そして検査目的から考える），判読力（理屈と根拠から判読する能力），知識力（臨床医学の知識を得る），文書力（臨床側がわかる報告書の作成），経験力（経験そして技量）である．

　今回の改訂版では，基本的な骨組みは前版に準じながらも，これらの部分が養えるよう，腹部超音波検査のテキストとして必要な事項が豊富に収載されるようにした．　同時に，感染対策，電気的な安全対策，患者への対応として患者の心理やコミュニケーションスキルなど，重要視される分野についても求められることを記載した．

　本書の発行に際して，お忙しいなかをご執筆いただいた皆様に心より感謝すると同時に，編集から発行そして多大なアドバイスをいただいた医歯薬出版（株）の皆様に心から感謝の意を申し上げる．

　本書が腹部超音波検査を志す者の中心的な書になることを心から願うものである．

　2014年6月

関根智紀・南里和秀

第1版の発刊にあたって

　2002年5月，日本超音波検査学会は「心臓超音波テキスト」に引き続き「日超検　腹部超音波テキスト」を発行した．超音波検査法は疾患の診断と病態の把握に有用であるが，その検査情報量は検者の知識と走査技術，さらに経験に左右されるといわれている．日本超音波検査学会では，このような問題にいち早く取り組み，超音波検査の基本走査法や計測法，さらに判読ポイントを中心に検査のコツやワンポイントアドバイスなどを多く盛り込んだ教科書の必要性を受けて腹部超音波テキストを作成した．いま，本テキストが発行されてから7年が経過したが，超音波検査を行う方々に厚い信頼とご支持をいただけていることを大変嬉しく感謝している．

　さて，超音波検査は超音波診断装置の小型化と高性能化によって，いまでは中央検査室のみならずベッドサイドに至るまで幅広く展開されている．これは，超音波検査のもつ最大の特徴である，簡便性が高いこと，患者への侵襲がないこと，1回の検査で効率よく多臓器の情報が得られることなどが寄与している．ただ，中央検査室で行う場合と異なり制約を受けることも多く，救急外来などでは緊迫したなかでの検査となり，検者の知識と技術および経験が問われる検査法にもなっている．さらに最近では，感染対策，電気的な安全対策，患者への対応として患者の心理やコミュニケーションスキルなど重要視される分野も加わってきた．今回，このような視点からベッドサイド検査について求められることを新たに記載した．

　本書は，これまでどおり超音波検査を行う臨床検査技師，診療放射線技師，看護師，その他腹部超音波検査を学ぼうとする医師などが検査を行う際に知っておかねばならない検査の進め方，装置の調整法，基本走査法，検査のコツなどが容易に習得できるようになっている．

　本書の発行に際して，お忙しい中をご執筆いただいた皆様に心より感謝すると同時に，編集から発行そして多大なアドバイスをいただいた医歯薬出版（株）の皆様に心から感謝の意を申し上げる．

　本書が超音波検査を志す者の中心的な書になることを心から願うものである．

2009年9月

日本超音波検査学会

第1版の序文

「心臓超音波テキスト」に続き「腹部超音波テキスト」を刊行する運びとなった．計画から5年の歳月を要したが，この刊行本2冊は我々技師が，超音波検査を行う上での検査の進め方，操作法を簡潔にまとめ，また何か技術的なことで困った場合に開けば必ず役立つテキストに仕上げることができたのではないかと自負している．本邦で超音波検査が検査室で行われるようになって30数年経つだろうか，当時は水浸法によるBモード断層法が行われていたように記憶する．胆石や腎結石の検出に，また乳腺腫瘍の悪性度の同定に利用されていた．数年後，コンタクトコンパウンドスキャン方式の装置が開発されると即座にそれらが主流となった．従来の機械式スキャンではなく，自らの手でプローブを持ち体表面をなぞるようにスキャンして胆石などを検出する方法である．患者の呼吸調節，スキャン速度，タイミング，機器条件等を上手く調整しないと胆石を捉えることができない，まさにこれぞエコーテクニックの真髄であったが，それらを熟達するのが魅力であった．現在のリアルタイム断層装置で育った方達にとっては，想像を絶する世界であろう．その後，スキャンコンバータ方式の画像蓄積型モニターの出現により，操作・記録がきわめて簡便となり，瞬く間に腹部エコー検査が日本全土の病院に広がったことを記憶している．

その当時から，本学会の前身である日本超音波検査技術研究会の創始者，北里大学病院古木量一郎先生はこの分野での先駆者であり，我々技師の指導者であった．古木先生や他の諸先輩方のご努力により超音波検査が技師の手で行えるように関係学会を奔走され，技師が主体である本学会の礎を築かれた．現在では超音波検査が医師から技師の手に委ねられ，超音波検査士としての資格が急速に拡がりをみせたことは周知のことである．

1974年に本会が発足し，今年でちょうど28年目を迎えようとしている．歳でいえばまさに働き盛りのエネルギッシュな年齢である．本会は今まさに盛会となり，会員数は8000名を越えた．そんな熱き同胞達の声に押され，また支えられながら本書が誕生した．「心臓超音波テキスト」でも申し上げたが，これから腹部エコーを学ばれる会員，あるいはすでに実際に検査を実施されている会員の方たちに少しでも役立ってもらえるように，撮り方・考え方を中心とした事柄をできるだけわかりやすく，またかゆいところに手の届くところまで執筆していただけるように依頼した．新進気鋭の先生方からこの道のオーソリ

ティの先生方まで幅広く選択し，本学会で実施している超音波検査講習会など
で講演していただいた内容を，またハンズオンセミナーで実施していただいた
テクニックの極意をも記述していただいたつもりである．

　本書が，腹部超音波検査の技術テキストとして会員の皆様方に少しでもお役
に立てば幸いである．また，エコー検査が本会とともに，今後さらに発展・普
及していくことを執筆者一同，心から願うものである．

平成14年3月

書籍編集委員長　増田　喜一

日超検 腹部超音波テキスト 第3版 CONTENTS

執筆者一覧 …………………………………………………………………………………………… ii
第3版の発刊にあたって ………………………………………………………………………… iii
第3版の序文 ………………………………………………………………………………………… iv
第2版の発刊にあたって ………………………………………………………………………… v
第2版の序文 ………………………………………………………………………………………… vi
第1版の発刊にあたって ………………………………………………………………………… vii
第1版の序文 ………………………………………………………………………………………… viii

第1章　腹部超音波検査の進め方　　　1

I 超音波検査の基本 ……………………… 1
　1．超音波検査の実際 …………………… 1
　　1）前処置と検査の準備 ……………… 1
　　2）超音波検査の流れ ………………… 2
　　3）検査の体位 ………………………… 3
　　4）呼吸法の工夫 ……………………… 3
　　5）プローブの走査法 ………………… 3
　2．画像の表示法 ………………………… 4
　3．装置の取り扱い ……………………… 5
　　1）使用目的に応じた
　　　 超音波診断装置の選択 …………… 5
　　2）装置の調整 ………………………… 5
　4．アーチファクト ……………………… 6
　　1）多重反射 …………………………… 6
　　2）サイドローブ ……………………… 6
　　3）鏡面現象 …………………………… 6
　　4）レンズ効果 ………………………… 7
　　5）断面像の厚み
　　　 （スライス幅に関係するアーチファクト）…… 7
　　6）音響陰影 …………………………… 8
　　7）音響増強 …………………………… 8
　　8）外側陰影 …………………………… 8

II 解剖 ……………………………………… 9
　1．肝臓 …………………………………… 9
　　1）肝葉の境界 ………………………… 9
　　2）肝内脈管 …………………………… 9
　　3）肝の区域分類 ……………………… 10
　2．胆道 …………………………………… 11
　　1）胆嚢 ………………………………… 11
　　2）胆管 ………………………………… 11
　3．門脈系 ………………………………… 12
　4．脾臓 …………………………………… 12
　5．膵臓 …………………………………… 13
　　1）膵臓 ………………………………… 13
　　2）隣接する脈管 ……………………… 13
　　3）膵管 ………………………………… 14
　　4）膵の発生における腹側膵と背側膵 …… 14
　6．腎臓 …………………………………… 14
　　1）腎臓 ………………………………… 14
　　2）脈管 ………………………………… 15
　7．尿管 …………………………………… 15
　8．副腎 …………………………………… 15
　9．膀胱 …………………………………… 15
　10．前立腺 ……………………………… 15
　11．子宮 ………………………………… 16
　12．卵巣・卵管 ………………………… 17

III 基本走査法と他の画像診断の特徴 …… 17
　1．腹部の基本走査法 …………………… 17
　　1）走査の手順 ………………………… 17
　　2）肝臓を主体に ……………………… 17
　　3）胆嚢と胆管を主体に ……………… 21
　　4）脾臓を主体に ……………………… 21
　　5）膵臓を主体に ……………………… 22
　　6）腎臓を主体に ……………………… 23

- 7）腹部大動脈を主体に ……………………… 25
- 2．他の医用画像機器（モダリティ）の特徴 ……………………………………… 25
  - 1）X線CT（computed tomography：コンピュータ断層撮影）……………… 25
  - 2）MRI（magnetic resonance imaging：磁気共鳴画像診断装置）………… 25
  - 3）PET（positron emission tomography：陽電子放出断層撮影）……… 26

Ⅳ 超音波ドプラ法 …………………………… 27
- 1．ドプラ法 ………………………………… 27
  - 1）ドプラ効果とは ……………………… 27
  - 2）ドプラの公式と角度補正 …………… 27
  - 3）ドプラ法の種類と特徴 ……………… 27
- 2．ドプラ装置の調整法 …………………… 29
  - 1）ドプラ法の基本設定 ………………… 30
  - 2）パルスドプラ法による動脈血流速波形の解析 ……………… 30
- 3．ドプラ法とアーチファクト …………… 32
  - 1）鏡像によるアーチファクト ………… 32
  - 2）twinkling アーチファクト ………… 32
  - 3）腹水や尿流でみられるカラー表示 … 32
  - 4）スライス幅でみられるカラー表示 … 32
  - 5）モーションアーチファクト ………… 32
  - 6）折り返し現象（エイリアシング）… 32
  - 7）ブルーミング（はみ出し現象）…… 33
- 4．ドプラ法の活用 ………………………… 33

Ⅴ 健診領域における超音波検査 ………… 33
- 1．超音波けんしん（健診・検診）に求められるもの ……………………………… 33
  - 1）けんしんエコーの特徴 ……………… 33
  - 2）見逃しの実情 ………………………… 33
  - 3）見逃しをしないための取り組み …… 33
- 2．各臓器の基準値と計測方法 …………… 35

第2章　症状からみた腹部超音波検査　38

Ⅰ 腹痛をみる ………………………………… 38
- 1．腹痛を訴える患者 ……………………… 38
  - 1）腹痛を訴える患者の部位別にみられる疾患 ……………… 38
  - 2）突然に発症する疼痛 ………………… 38
  - 3）急性腹症と紛らわしい疾患 ………… 38
  - 4）腹痛の診断精度を高めるために …… 38
- 2．腹痛の発生メカニズム ………………… 38
  - 1）痛みの原因 …………………………… 38

Ⅱ 超音波検査時に患者から得られる情報 … 45
- 1．問診により得られる情報 ……………… 45
  - 1）患者との会話 ………………………… 45
  - 2）服用歴 ………………………………… 46
  - 3）月経歴 ………………………………… 46
- 2．患者をみて得られる情報 ……………… 47
  - 1）視診 …………………………………… 47
  - 2）触診 …………………………………… 47
- 3．腹膜刺激徴候により得られる情報 …… 48
  - 1）腹膜刺激徴候の有無 ………………… 48
  - 2）腹膜炎 ………………………………… 48
- 4．嘔吐により得られる情報 ……………… 49
  - 1）嘔吐と腹痛 …………………………… 49
  - 2）嘔吐物の性状 ………………………… 49
- 5．下痢と便秘により得られる情報 ……… 49
- 6．腹腔内の液体貯留により得られる情報 … 50
  - 1）腹水の貯留の有無 …………………… 50
  - 2）血性腹水の有無 ……………………… 51

Ⅲ 臨床検査値から得られる情報 …………… 52
- 1．血液生化学・尿検査 …………………… 52
  - 1）血液生化学検査 ……………………… 52
  - 2）尿検査 ………………………………… 52
  - 3）リパーゼとアミラーゼ ……………… 55

Ⅳ 至急検査の報告 …………………………… 56

Ⅴ 症状からみた疾患 ………………………… 57
- 1．黄疸 ……………………………………… 57
  - 1）黄疸の分類 …………………………… 57
  - 2）閉塞性黄疸患者の訴えと症状 ……… 57
  - 3）ビリルビン代謝（腸肝循環）……… 57
  - 4）黄疸の診かたと超音波検査手順 …… 57
- 2．血尿 ……………………………………… 58
  - 1）血尿の原因が尿路系悪性腫瘍 ……… 58
  - 2）血尿の原因が血管性腎病変 ………… 60
  - 3）血尿の原因がその他の病変 ………… 60
- 3．発熱 ……………………………………… 61
- 4．腹部膨満感 ……………………………… 61

- Ⅵ 臓器の損傷 ·································· 62
  - 1. 各臓器にみられる損傷 ······················ 62
    - 1) 症状 ····································· 62
    - 2) 超音波検査の所見 ······················ 62
  - 2. FAST（focused assessment with sonography for trauma） ················ 62
- Ⅶ 消化管をみる超音波検査 ············· 65
  - 1. 消化管病変を探し出す超音波検査 ········ 65
    - 1) 消化管をみるスクリーニング検査と精密検査 ································ 65
    - 2) 消化管の異常像 ························· 65
    - 3) 大腸壁の層構造 ························· 66
  - 2. 胃と十二指腸の超音波検査 ················ 66
    - 1) 腹部食道から十二指腸球部までの観察の流れ ······························ 66
    - 2) 十二指腸下行部から水平部までの観察の流れ ······························ 66
    - 3) 胃の各部位の観察法 ··················· 67
    - 4) 体位変換で胃と十二指腸の観察を向上させる ······························ 67
  - 3. 大腸の超音波検査 ···························· 70
    - 1) 上行結腸から下行結腸までの観察の流れ ······························ 70
    - 2) S状結腸から直腸までの観察の流れ ··· 70
    - 3) 回盲部から虫垂までの観察の流れ ······ 70
    - 4) 大腸の各部位の観察法 ················ 70
    - 5) 体位変換で空腸と下行結腸の観察を向上させる ······························ 70
  - 4. 年齢と体型およびバリエーションなどにみる消化管の描出ポイント ··············· 73
    - 1) 年代別の代表的な消化管疾患 ········ 73
    - 2) 体型による肝の形状と胃の位置 ······ 73
    - 3) 横行結腸の位置と描出のポイント ······ 73
    - 4) 虫垂の位置と描出のポイント ··········· 74
    - 5) 検査のスタートはヘルニアの有無から ·································· 74
- Ⅷ 臓器別の腹痛疾患 ························ 75
  - 1. 肝臓 ··· 75
    - 1) 急性肝炎 ································· 75
    - 2) 肝腫瘍の破裂 ·························· 75
    - 3) 肝膿瘍 ··································· 76
    - 4) 感染性肝嚢胞 ·························· 76
    - 5) 門脈ガス血症 ·························· 77
  - 2. 胆嚢・胆道の疾患 ···························· 77
    - 1) 急性胆嚢炎 ······························ 77
    - 2) 無石胆嚢炎 ······························ 79
    - 3) 気腫性胆嚢炎 ·························· 79
    - 4) 捻転による急性胆嚢炎 ················ 80
    - 5) 肝外胆管結石（総胆管結石） ········· 80
  - 3. 膵臓 ··· 81
    - 1) 急性膵炎 ································· 81
    - 2) グルーブ膵炎 ·························· 82
    - 3) 自己免疫性膵炎 ························ 82
    - 4) 膵癌 ····································· 83
  - 4. 脾臓 ··· 83
    - 1) 脾梗塞 ··································· 83
    - 2) 脾腫 ····································· 84
  - 5. 泌尿器領域の疾患 ···························· 85
    - 1) 尿管結石 ································· 85
    - 2) 水腎症 ··································· 86
    - 3) 腎盂腎炎 ································· 87
    - 4) 膀胱炎 ··································· 87
  - 6. 消化管 ·· 88
    - 1) 急性虫垂炎 ······························ 88
    - 2) 大腸憩室周囲炎 ························ 90
    - 3) 腸閉塞 ··································· 91
    - 4) 胃切除後輸入脚症候群 ················ 92
    - 5) 胃・腸アニサキス症 ····················· 92
    - 6) 消化管穿孔 ······························ 93
    - 7) 腸重積 ··································· 95
    - 8) 虚血性腸炎 ······························ 97
    - 9) 偽膜性腸炎 ······························ 98
    - 10) 肥厚性幽門狭窄症 ··················· 98
    - 11) 急性胃粘膜病変 ······················ 99
    - 12) 炎症性腸疾患 ·························· 99
    - 13) 便秘 ···································· 101
  - 7. 腹部血管 ······································· 102
    - 1) 腹部大動脈瘤 ·························· 102
    - 2) 大動脈解離 ······························ 102
  - 8. 産婦人科領域 ·································· 103
    - 1) 卵巣出血 ································· 103
    - 2) 異所性妊娠（子宮外妊娠） ············ 103
    - 3) 卵巣嚢腫茎捻転 ························ 103
    - 4) 子宮内膜症 ······························ 103
    - 5) Fitz-Hugh-Curtis症候群 ············ 103

第3章 各臓器における超音波検査の進め方 104

1 肝臓 104
Ⅰ 肝臓の検査ポイント 104
1. びまん性肝疾患 104
   1) 肝サイズ 104
   2) 肝縁の評価 104
   3) 肝表面の評価 104
   4) 実質エコーレベル，エコーパターン評価 104
   5) 肝内脈管の評価 104
   6) 肝外所見 104
2. 肝腫瘤の検査ポイント 104
   1) 形状 104
   2) 内部エコー 105
   3) 境界・輪郭 105
   4) 辺縁 105
   5) 後方エコー 105
   6) 外側陰影 105
   7) 腫瘤と脈管の関係 106
   8) 背景肝の状況（びまん性肝疾患の有無） 106

Ⅱ 肝臓の病変 106
1. 急性肝炎 106
2. 急性肝不全/劇症肝炎 108
3. 慢性肝炎 110
4. 肝硬変 114
5. 脂肪肝 116
6. 代謝異常・遺伝性疾患 121
7. 特発性（非硬変性）門脈圧亢進症 123
8. 肝外門脈閉塞症/門脈海綿状変形 124
9. 肝内門脈-肝静脈短絡 124
10. うっ血肝 125
11. 肝硬度測定（超音波エラストグラフィ） 126
    1) 超音波エラストグラフィの種類 128
    2) SWE測定における注意点 129
    3) SWEの実際の役割 129
    4) ウイルス性肝疾患におけるSWEのカットオフ値 130
12. 肝性ポルフィリン症 130
13. 日本住血吸虫症 131
14. 肝エキノコックス（包虫）症 132
15. 肝膿瘍 133
16. 肝囊胞 134
17. 胆管過誤腫 136
18. 肝内石灰化 137
19. 肝血管腫 138
20. 肝血管筋脂肪腫 140
21. 肝細胞腺腫 141
22. 限局性結節性過形成 144
23. 肝細胞癌 145
24. 肝内胆管癌/胆管細胞癌 149
25. 粘液性囊胞性腫瘍 152
26. 胆管内乳頭状腫瘍 152
27. 転移性肝腫瘍 154
28. 肝芽腫 157
29. 肝損傷 159
30. 門脈ガス血症 160

2 脾臓 163
Ⅰ 脾臓の検査ポイント 163
Ⅱ 脾臓の病変 164
1. 脾腫 164
2. 副脾 164
3. 脾囊胞 166
4. 脾リンパ管腫 167
5. 脾血管腫 168
6. 脾過誤腫 169
7. 脾サルコイドーシス 169
8. 脾SANT 169
9. 脾膿瘍 171
10. 脾石灰化 171
11. ガムナ・ガンディ結節 171
12. 脾外傷，脾損傷 172
13. 脾梗塞 172
14. 脾動脈瘤 173
15. 脾腎短絡路 174
16. 脾血管肉腫 174
17. 脾悪性リンパ腫 175
18. 転移性脾腫瘍 176

3 胆嚢・胆管 …… 178
I 胆嚢の検査ポイント …… 178
1. 大きさ：腫大，萎縮，虚脱 …… 178
2. 壁：肥厚，性状 …… 178
3. 隆起性病変 …… 180
4. 血流評価（ドプラ所見） …… 180

II 胆嚢の異常像 …… 180
1）位置 …… 180
2）形態 …… 180
3）大きさ …… 180
4）胆嚢壁 …… 181
5）胆嚢周囲 …… 181

III 胆嚢の病変 …… 181
1. 胆嚢結石症 …… 181
2. 胆嚢コレステロールポリープ …… 182
3. 胆嚢腺筋腫症 …… 183
4. 急性胆嚢炎 …… 185
5. 気腫性胆嚢炎 …… 186
6. 胆嚢捻転症 …… 186
7. 黄色肉芽腫性胆嚢炎 …… 187
8. 慢性胆嚢炎 …… 188
9. 陶器様胆嚢 …… 188
10. 胆嚢癌 …… 189
    1）腫瘤・隆起を呈する胆嚢癌 …… 190
    2）壁肥厚を呈する胆嚢癌 …… 191
    3）内腔に充満する胆嚢癌 …… 191
    4）胆嚢癌と鑑別を要する胆嚢病変の診断ポイント …… 191

IV 胆管の検査ポイント …… 193
1. 胆管拡張と閉塞機転 …… 194
2. 胆管壁の肥厚 …… 194

V 胆管の病変 …… 194
1. 総胆管結石症 …… 194
2. 肝内結石症 …… 194
3. 胆道気腫 …… 196
4. 胆管炎 …… 196
    1）急性胆管炎 …… 196
    2）IgG4 関連硬化性胆管炎 …… 196
    3）原発性硬化性胆管炎 …… 197
5. Mirizzi 症候群 …… 197
6. 先天性胆道拡張症 …… 198
7. 膵・胆管合流異常 …… 199
8. 胆管癌 …… 199
9. 胆管内乳頭状腫瘍（IPNB） …… 203

4 膵臓 …… 204
I 膵臓の検査ポイント …… 204
1. 位置・大きさ …… 204
2. 内部エコー …… 204
3. 膵管の走行異常 …… 205
4. 膵管の拡張 …… 205
5. 膵周囲の血管構造と異常所見 …… 205

II 膵臓描出のコツ …… 206

III 膵臓の病変 …… 209
1. 脂肪腫 …… 209
2. 膵の奇形 …… 210
    1）輪状膵 …… 210
    2）異所性膵 …… 211
3. 急性膵炎 …… 211
4. 慢性膵炎 …… 214
5. 腫瘤形成性膵炎 …… 215
6. 自己免疫性膵炎（IgG4 関連膵疾患） …… 215
7. グルーブ膵炎 …… 217
8. 膵神経内分泌腫瘍 …… 218
9. 膵嚢胞性疾患 …… 221
    1）まれな腫瘍性嚢胞 …… 221
    2）二次性嚢胞 …… 221
    3）先天性嚢胞 …… 221
10. 漿液性腫瘍 …… 221
    1）漿液性嚢胞腺腫 …… 221
    2）漿液性嚢胞腺癌 …… 223
11. 粘液性嚢胞腫瘍/粘液性嚢胞腺腫/粘液性嚢胞腺癌，非浸潤性/粘液性嚢胞腺癌，浸潤性 …… 223
12. 膵管内乳頭粘液性腫瘍/膵管内乳頭粘液性腺腫/膵管内乳頭粘液性腺癌，非浸潤性/膵管内乳頭粘液性腺癌，浸潤性 …… 226
13. 膵管内管状乳頭腫瘍 …… 228
14. 充実性偽乳頭状腫瘍 …… 228
15. 浸潤性膵管癌 …… 229
    1）膵癌の死亡率 …… 229
    2）膵癌のリスクファクター …… 229
    3）膵癌の症状と検査データ …… 230
    4）膵癌の占拠部位 …… 230
    5）膵癌の神経浸潤 …… 230
    6）膵癌の切除可能性の

チェックポイント ……………………………… 232
16. 膵上皮内腫瘍性病変/低異型度膵上皮内腫瘍性病変/高異型度膵上皮内腫瘍性病変/同義語：上皮内癌 …………………………… 234
17. 腺房細胞腫瘍 ………………………………… 235
18. 膵芽腫 ………………………………………… 236
19. 転移性膵腫瘍 ………………………………… 236
20. 悪性リンパ腫 ………………………………… 237

5 腎臓・副腎 …………………………………… 239
5-1 腎臓・尿管 ………………………………… 239
Ⅰ 腎臓の検査ポイント ……………………… 239
Ⅱ 腎臓の病変 ………………………………… 239
1. 位置異常 ……………………………………… 239
2. 形態異常 ……………………………………… 240
   1) 腎形成不全 ……………………………… 241
   2) 馬蹄腎 …………………………………… 241
   3) 重複腎盂尿管 …………………………… 241
3. 腎実質の異常所見 …………………………… 242
   1) 慢性腎臓病 ……………………………… 242
   2) 急性腎障害 ……………………………… 243
   3) 海綿腎 …………………………………… 244
4. 腎盂・腎洞部の異常所見 …………………… 244
   1) 水腎症 …………………………………… 244
   2) 腎外腎盂 ………………………………… 245
   3) 膿腎症 …………………………………… 245
   4) 腎洞脂肪腫症 …………………………… 245
5. 腎結石・腎石灰化 …………………………… 245
   1) 腎結石 …………………………………… 245
6. 腎の囊胞性疾患 ……………………………… 247
   1) 単純性腎囊胞（いわゆる腎囊胞）…… 247
   2) 傍腎盂囊胞 ……………………………… 247
   3) 腎杯憩室 ………………………………… 247
   4) 複雑性腎囊胞 …………………………… 248
   5) 後天性囊胞性腎疾患 …………………… 249
   6) 多囊胞性異形成腎 ……………………… 249
   7) 常染色体優性多発性囊胞腎 …………… 250
   8) 常染色体劣性多発性囊胞腎 …………… 251
7. 腎の充実性腫瘍 ……………………………… 251
   1) 血管筋脂肪腫 …………………………… 251
   2) オンコサイトーマ ……………………… 252
   3) 腎細胞癌 ………………………………… 252
   4) 腎盂癌 …………………………………… 255
   5) Wilms 腫瘍 ……………………………… 255
   6) 転移性腎腫瘍 …………………………… 256
8. 腎の炎症性疾患 ……………………………… 256
   1) 腎盂腎炎 ………………………………… 256
   2) 急性限局性細菌性腎炎 ………………… 256
   3) 腎膿瘍 …………………………………… 257
   4) 気腫性腎盂腎炎 ………………………… 257
   5) 腎結核 …………………………………… 258
9. 腎損傷 ………………………………………… 258
   1) 腎損傷 …………………………………… 258
10. 腎の血管性疾患 ……………………………… 259
    1) 腎動脈瘤 ………………………………… 259
    2) 腎動静脈瘻 ……………………………… 260
    3) 腎梗塞 …………………………………… 261
    4) 腎動脈狭窄症 …………………………… 261
    5) Nutcracker 現象 ………………………… 262

Ⅲ 尿管の異常・病変 ………………………… 263
1. 尿管の閉塞性疾患 …………………………… 263
   1) 尿管結石 ………………………………… 263
   2) 尿管腫瘍 ………………………………… 263
   3) 周囲病変による尿管の狭窄・閉塞 …… 263
2. 尿管の形態異常 ……………………………… 264
   1) 重複腎盂尿管 …………………………… 264
   2) 尿管瘤 …………………………………… 264

5-2 副腎 ……………………………………… 265
Ⅰ 副腎の走査方法 …………………………… 265
1. 右副腎の走査方法 …………………………… 265
   1) 右肋間走査 ……………………………… 265
   2) 右肋弓下走査 …………………………… 265
2. 左副腎の走査方法 …………………………… 265
   1) 左肋間走査 ……………………………… 265
   2) 心窩部横走査 …………………………… 265
   3) 左季肋部縦走査 ………………………… 266
   4) 左背部からの走査 ……………………… 266

Ⅱ 副腎の病変 ………………………………… 266
1. 副腎の良性腫瘍 ……………………………… 266
   1) 副腎腺腫 ………………………………… 266
   2) 褐色細胞腫 ……………………………… 267
   3) 副腎囊胞 ………………………………… 267
   4) 骨髄脂肪腫 ……………………………… 267
2. 副腎の悪性腫瘍 ……………………………… 268
   1) 副腎皮質癌 ……………………………… 268
   2) 悪性リンパ腫 …………………………… 268

3）転移性副腎腫瘍 268
4）神経芽腫 269
3．その他の副腎病変 269

6 前立腺，膀胱，婦人科 271
6-1 前立腺 271
I 前立腺の検査ポイント 271
1．正常像 271
1）位置 271
2）大きさ 271
3）形状 271
4）内部構造 271
2．異常像 272
1）腫大と形状 272
2）内部 272
II 前立腺の病変 272
1．前立腺肥大症 272
2．前立腺結石 272
3．前立腺炎・膿瘍 273
4．前立腺嚢胞 273
5．前立腺癌 274
6-2 膀胱 275
I 膀胱の検査ポイント 275
1．正常像 275
1）位置 275
2）構造，大きさ 275
2．異常像 275
1）壁の肥厚 275
2）内腔の異常 275
3）その他 275
II 膀胱の病変 276
1．膀胱結石 276
2．膀胱炎 276
3．膀胱肉柱形成 277
4．膀胱憩室 277
5．膀胱癌 278

6-3 婦人科 279
I 子宮の検査ポイント 279
1．正常像 279
1）位置 279
2）大きさ，区分 279
3）形状 279
4）内部エコー（筋層，内膜） 279
2．異常像 279
1）形態 279
2）腫大 280
3）子宮内膜，内腔 280
II 子宮付属器（卵巣・卵管）の検査ポイント 280
1．正常像 280
1）位置 280
2）大きさ，形状 280
3）内部エコー 280
2．異常像 280
1）腫大（腫瘤） 280
2）卵管拡張 280
3）腹水貯留 280
III 子宮および子宮付属器の病変 281
1．子宮筋腫 281
2．子宮腺筋症 281
3．子宮頸癌 283
4．子宮体癌 283
5．子宮留水腫，子宮留血腫，子宮留膿腫 284
6．骨盤内感染症 284
7．卵巣腫瘤 285
8．卵巣腫瘍茎捻転 285
9．卵巣出血 286
10．異所性妊娠 287

第4章 造影超音波検査の進め方 289

1．造影超音波検査（CEUS）の目的（用途） 289
2．CEUSの撮像方法 289
　1）harmonic imaging法 289
　2）amplitude modulation imaging（power modulation）（AM）法 290
3．CEUSの検査体制 291
4．ソナゾイドの調製方法 291
5．投与方法 291
6．描出方法 291
7．フォーカス 291
8．音圧 292

- 9. フレームレート（fps） ……………… 292
- 10. 記録方法 ………………………………… 292
- 11. 肝腫瘍のCEUSの時相（phase）……… 292
- 12. CEUSによる肝腫瘍の鑑別診断 ……… 294
- 13. 症例 ……………………………………… 294
    - 1）進行肝細胞癌（古典的肝細胞癌）…… 294
    - 2）高分化型肝細胞癌 …………………… 295
    - 3）肝内胆管癌 …………………………… 296
    - 4）混合型肝癌 …………………………… 297
    - 5）転移性肝腫瘍 ………………………… 297
    - 6）リンパ腫（転移性リンパ腫も含む）… 300
    - 7）肝血管腫 ……………………………… 300
    - 8）肝細胞腺腫 …………………………… 301
    - 9）限局性結節性過形成（focal nodular hyperplasia：FNH）………………… 301
- **まとめ** ……………………………………… 302

索引 ……………………………………… 303

第1章　腹部超音波検査の進め方

I　超音波検査の基本

1．超音波検査の実際

　超音波検査は，検者がリアルタイムに画像を描出し疾患や病態を予測しながら進めていく検査であるため，検者の技量が検査結果に大きな影響を与える．加えて，被検者の体格や消化管ガスの量，息止めや体位変換への協力など，被検者の状態から受ける影響も大きい．このように，検者・被検者双方への依存性が高い超音波検査においては，双方の事前準備が検査の質的向上に直結する．前処置や検査の流れについてはあらかじめ被検者に説明し，理解と協力を得ておく．

1）前処置と検査の準備（表 1）

　腹部超音波検査の質的向上を図る目的から，被検者には前処置や事前準備の必要性を説明し協力を得る．

（1）食事制限

　食事の摂取は，胃内への食物の貯留，消化管ガスの増加，胆囊の収縮などにより検査精度に悪影響を及ぼすため，空腹での検査が望ましい．午前中に検査を行う場合には，前日の 22 時以降は固形物や乳製品を摂取しない．午後に検査を行う場合には，検査の 6 時間前までに軽く食事を済ませ，その後固形物や乳製品を摂取しない．脱水予防のため，水・白湯などの水分摂取は検査の 2 時間前まで可能とするが，200 mL 程度を目安とする（参照：腹部超音波検診判定マニュアル改訂版（2021 年）[8]）．

（2）常用薬の服用

　事前に主治医に相談するよう指示することが望ましい．糖尿病治療に用いる血糖降下薬やインスリン製剤は，食事制限により低血糖を起こすおそれがあるため，一般的には中止する．降圧薬，抗不整脈薬，強心薬，抗精神薬など，中止しない方がよい薬については検査の 2～3 時間前を目安に少量（200 mL 程度）の水で服用する．

（3）他検査との組み合わせ

　同日に上下部消化管検査（上下部内視鏡，胃透視，注腸など）を行う場合には，これらより先に

表 1　被検者の前処置と検査の準備

食事	午前の検査：絶食 午後の検査：検査の 6 時間前までに軽く済ませる
飲水	検査の 2 時間前まで可（水・白湯，200 mL 程度）
常用薬	服用の可否は事前に主治医の指示を仰ぐ 必要に応じ検査の 2～3 時間前を目安に少量（200 mL 程度）の水で服用する 一般的に糖尿病の治療薬は中止する
同日の検査	消化管検査よりも先に実施する
排尿	下腹部の検査では排尿を我慢し膀胱を充満させておく
着衣	上衣と下衣が分れたもの

超音波検査を施行する．バリウムを用いた検査の後は消化管内にバリウムが数日間残留することがあるため，超音波検査の3～4日前までに施行する．

（4）尿溜め（膀胱充満法）

泌尿器科領域（膀胱・前立腺）や婦人科領域（子宮・卵巣）を検査対象とする場合には，排尿を我慢し膀胱充満状態を維持したうえで検査を行うことで，詳細な観察が可能になる．個人差はあるが，目安としては検査の1時間前に500 mL程度の水分を摂取し，その後は排尿をせず尿を溜めておくよう指示する．

（5）検査時の着衣

腹部領域の検査には，上衣と下衣が分かれた着衣（検査着）が好ましい．上・下腹部をそれぞれ分けて観察しやすく，検査に不要な部位は着衣によって覆うことができるため被検者の心理的負担が軽減される．

2）超音波検査の流れ

（1）事前準備

検査目的の把握，他検査データや過去データの確認，現病歴・既往歴の確認などを行い，事前に可能なかぎりの情報を収集しておく．同時に装置に被検者名，年齢，被検者番号（カルテ番号）などの情報を取り込み，被検者を検査室に呼び入れる前の準備を整える．検査に使用するゼリーや，ゼリーを拭き取るウエットタオルは温めておくと被検者に不快感を与えない．室温は，肌を露出する被検者に配慮して設定する．また，検者の検査環境も検査精度に大きく関与することから，適切な環境下で検査が行えるよう事前に整備しておく．なお，検査精度を保つためには装置のメンテナンスも重要である．日本超音波検査学会標準化委員会が作成した手順を参考に，安全管理に努めたい（機器のメンテナンス：https://www.jss.org/committee/standard/04.html）．

（2）被検者の確認と情報収集

検査室に入室した被検者には名前をフルネームで名乗っていただき，検査モニタに表示された情報と相違がないか確認する．生年月日も合わせて確認することで被検者の取り違いを防止する．本人確認が終われば検者自身も名を名乗り，被検者の不安を取り除くよう心がける．続いて，自覚症状の有無や身体所見の問診を行い，検査精度向上につながる重要な情報を得る．これらは良好なコミュニケーションを心がけながら行う．

（3）検査の説明

超音波検査の受診経験のない被検者には，ゼリーの塗布，検査時の体位，検査中の呼吸指示や体位変換，プローブでの圧迫の必要性などを伝え，これらに協力が得られるかどうかが検査精度に大きく関与することを理解いただいてから検査を開始する．初学者で検査のダブルチェックを要する場合には検査の前に説明し，あらかじめ被検者の承諾を得ておくと不要なトラブルを避けられる．

（4）検査中の対応

被検者に伝わりやすいように指示を出し，被検者の状態によっては息止めや体位変換に苦痛を伴うことがあるため配慮を怠らない．プローブでの圧迫が必要な際には，「ガスを移動させるため圧迫します」「臓器に近づいて観察するため強く押します」「強い痛みを感じる時には教えてください」とその都度声をかけ，苦痛がないか確認しながら検査を進める．部屋の照度は，モニタの観察に支障がなく，被検者の表情が観察できる程度の明るさに設定する．胃充満法を施行する場合には，この後の検査に影響がないことを確認し，飲水の必要性を説明したうえで行う．

（5）検査終了後の処理

記録した画像に不備・不足がないことを確認し，被検者に検査の終了を伝える．被検者には検査に協力いただいたことに対するねぎらいの言葉をかけ，次の流れについて説明する．検査結果に関する質問については，記録した画像を確認した後，主治医へ報告することを伝え，医師から説明を

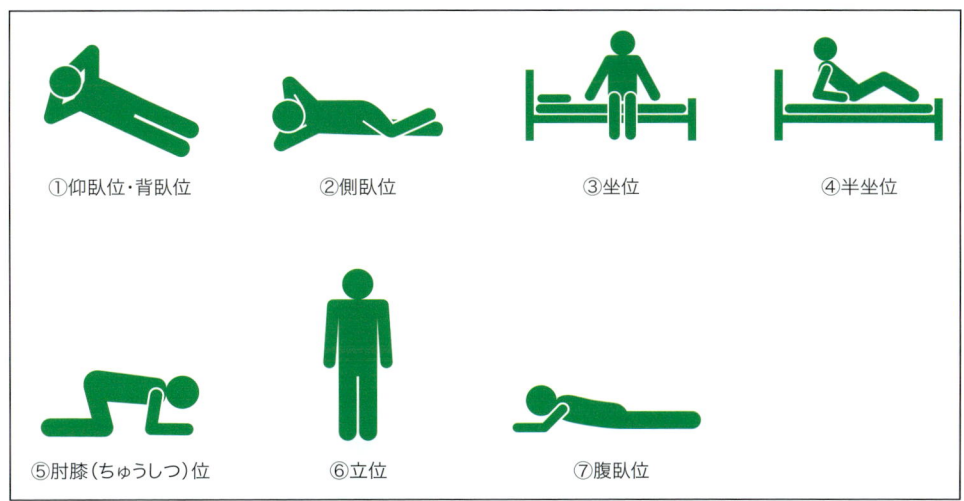

図1　超音波検査の体位

受けていただくよう依頼する．検査結果報告書は，依頼目的に合った内容で簡潔に記載するよう心がける．緊急性がある所見についてはただちに主治医に報告する．検査終了時にはプローブやケーブルをはじめ，ベッドや枕，荷物置きやドアノブなど，被検者が触れたと思われる部分はすべて環境クロスなどを用いその都度消毒・清拭し，検査室を退出する前に室内の整理整頓を行う．

3) 検査の体位（図1）

　腹部超音波検査で基本となる体位は仰臥位であるが，検査条件を良好にするため複数の体位を取り入れ，積極的に体位変換を行いながら検査を進める．両腕は頭上に組ませると，肋骨の間隔が広がり肋間走査の観察がしやすくなる．肩に痛みがある被検者では無理に腕を挙上させず，腕が走査の妨げにならないよう胸上に置いてもらうとよい．坐位や側臥位ではその角度によっても描出能が変化する．坐位では，上体にひねりを加えると検査条件が変化する場合もある．

　体位を変えることにより，消化管ガスを移動させる，臓器を重力方向に下げる，対象をプローブに近づける，胆石・胆泥などの可動性を確認できるなど，描出能や診断能の向上に結びつけることが可能になる．

4) 呼吸法の工夫

　腹部臓器の大半は肋骨に覆われて超音波が届きづらいことから，多くの場合は腹式呼吸によって横隔膜を下げ，吸気位で息止めをして観察する．女性は胸式呼吸になりやすいため，自然な呼吸から次第に深い呼吸に誘導したり，鼻からゆっくり息を吸うよう指示するなどの工夫が必要である．一方，左右の肋間走査で肝臓や脾臓の横隔膜下付近を観察する際には，呼気位にすると肺の影響を減らすことができる．消化管ガスの影響を強く受ける場合には，腹圧をかけて息止めするとガスを排除できることがある．被検者の状態とモニタ画面の両方をみながら呼吸を調節し，描出能を向上させ死角の少ない検査を心がける．

5) プローブの走査法（図2）

　腹部超音波検査で用いる基本的なプローブ走査は，平行走査，扇動走査，回転走査の3とおりであるが，実際にはこれらを組み合わせながら対象臓器を隈なく観察する．また，圧迫を加えてプローブを対象に近づけながら観察すると，より鮮明な画像を得られるだけでなく，消化管ガスを排除しながら検査を進めることができる．超音波ビームの有効な通り道を見極め，適宜圧迫強度を調整しながら走査を行う．

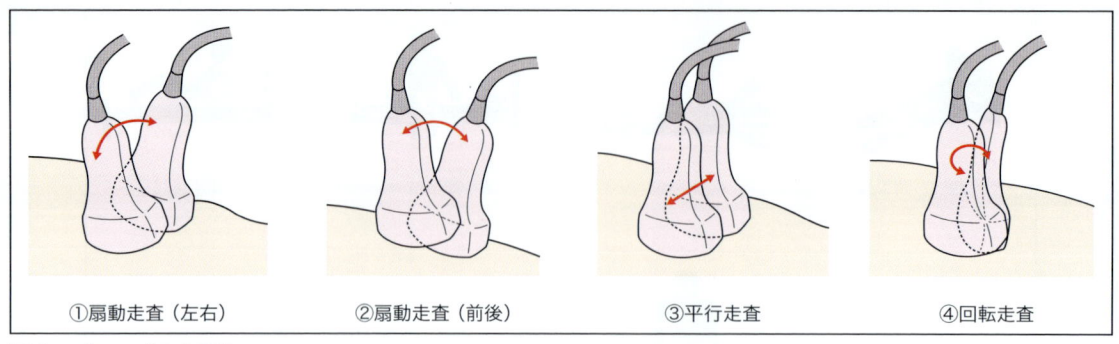

図2 プローブの走査法

①扇動走査（左右） ②扇動走査（前後） ③平行走査 ④回転走査

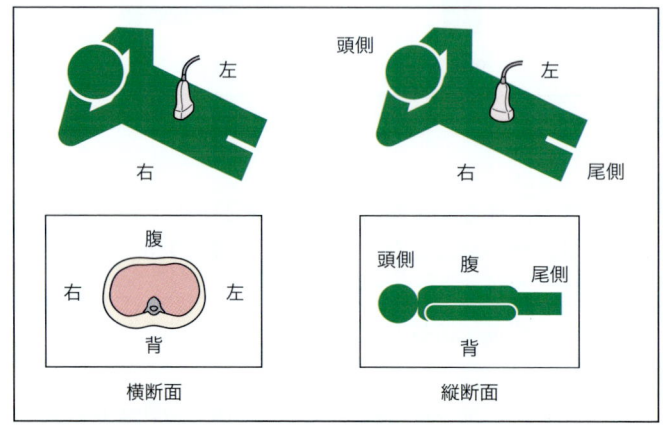

図3 画像の表示法
横断走査では，被検者の右側を画面の左側に描出する．
縦断走査では，被検者の頭側を画面の左側に描出する．

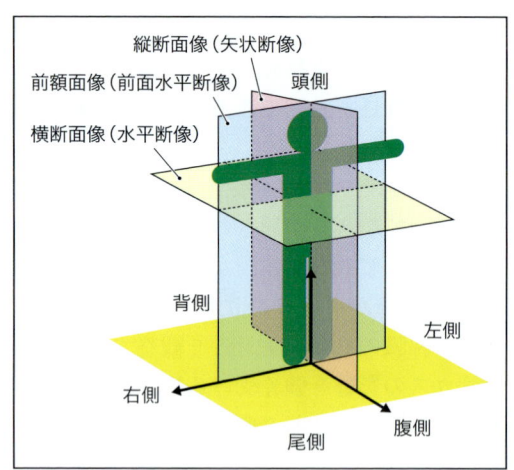

図4 方向の表現と断面の表現

2. 画像の表示法（図3，4）

　超音波画像をモニタ画面に表示する際，腹部領域では次のように表示するのが一般的である．横断走査では仰臥位の被検者を尾側（足側）から見上げたように表示し，被検者の右側が画面の左側になる．縦断走査では被検者の頭側が画面の左側になる．斜断走査の場合にはその角度によって，横断像に近いものは横断走査に，縦断像に近いものは縦断走査に準じて表示する．

3. 装置の取り扱い

1）使用目的に応じた超音波診断装置の選択

　超音波診断装置は，多くのメーカーから様々なスペックのものが販売されており，それぞれに特徴をもたせて製造されている．装置サイズや搭載機能は使用する場所や検査の対象臓器などによって適性が異なり，使用目的に応じたスペックのものを選択する．

2）装置の調整

　超音波診断装置の操作パネルには，装置に搭載された機能を実行するためのボタンが配備されており，モニタ上には検査中の設定条件が表示されている．それぞれが意味することを理解したうえで検査に臨む必要がある．

（1）モニタの調整

　事前に行うべき重要なことのひとつで，これが不適切であるとゲインやダイナミックレンジも正しく調整できなくなる．正しい情報が表示されず，検査結果にも影響を与えかねない．モニタに表示される画像の見え方は，使用する部屋の明るさによって変化するため注意して調整する．

（2）ゲイン（gain）の調整

　画面全体の明るさを調整する機能で，生体から得られた超音波の反射信号を微弱な電気信号に変換し，電気回路によって増幅させて表示する．低すぎるゲインは画像が暗く不明瞭になり，微弱なエコーの反射は表示されなくなる．高すぎるゲインは画像が明るくギラついた感じになり，ノイズやアーチファクトが現れて分解能の悪い画像になる．エコー輝度は超音波の反射信号の強度に依存するため，被検者が変わるたび，また同一被検者であっても走査法や観察部位によってゲインの調整が必要になる．一般的には肋骨弓下走査に比べ肋間走査でエコー輝度が低下するため，肋間走査時は少しゲインを高くするとよい．胆嚢や脈管の内腔が無エコーの状態で描出されるように設定し，観察を行いながら適宜調整する．

（3）ダイナミックレンジの調整

　ダイナミックレンジとは，入力信号の強さを対数増幅する時の幅のことで，dB（デシベル）で表す．白黒画像（グレースケール）で表示される信号の範囲を調整し，対象に合わせ最適に設定する．ダイナミックレンジを狭く（小さく）すると，輝度の範囲が狭まりコントラストがついた硬い画像になる．反面，輝度差が大きくなりギラついた印象になる．ダイナミックレンジを広く（大きく）すると，輝度の範囲が広くなり階調度に富んだきめ細かな柔らかい画像になる．反面，輝度差が少なく全体的にグレー調で単調な印象になる．

（4）STC（sensitivity time control）の調整

　深度別のゲインを調整する機能で，画面全体のエコー輝度を一定にすることができる．腹部領域では，STCのつまみを中間位に揃えた画像記録が推奨されている．深さによるエコーの減衰がみられる場合や，音響増強によるエコー輝度の上昇で後方が可視化しづらい場合に，補正・調整が可能である．現在の装置では，STCの自動調整機能が搭載されているものもある．

（5）フォーカスの調整

　フォーカスとは超音波の焦点（ピント）のことで，超音波ビームはフォーカスポイントで最も細く収束するため，画像の分解能が向上する．観察したい深さに適宜フォーカスを移動させることで，より明瞭に描出できる．現在では，フルフォーカス機能が搭載された装置も登場している．

（6）プリセットの作成

　超音波診断装置は，メーカーが組み込んだ規定値の設定（デフォルト設定）で出荷されるが，利用目的や使用環境に応じ複数の設定を組んでおくことができる．被検者の体型に合わせた条件や，病変の視認性を高める設定など，ボタンをワンタッチするだけで切り替えることができる．ダイナミックレンジや視野深度（depth）の他，エコーエンハンス，ガンマ特性，空間コンパウンド，スペク

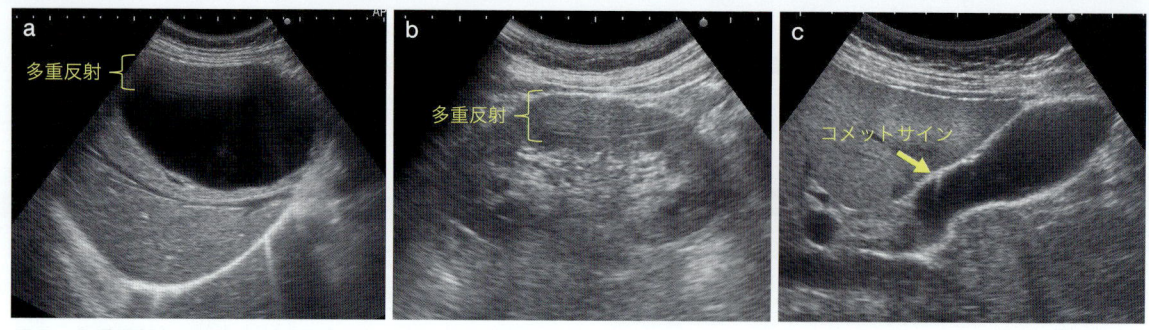

図5　多重反射とコメットサイン
　a：肝囊胞内に出現した多重反射．b：腎臓の実質内に出現した多重反射．c：コメットサイン．胆嚢腺筋腫症やコレステロールポリープなどで認められる．

クルリダクション，走査線密度など，画質に関係するパラメータは多数あるため，メーカーの担当者と相談しながらプリセットを組み，条件の異なる被検者に対し常に適切な設定で検査できるよう準備しておく．

4. アーチファクト

　アーチファクトとは，超音波の特性によって生じるものであり「実際には存在しないのに表示される像」と定義される．超音波の画像には必ずといってよいほどアーチファクトがつきまとうが，画像に悪影響を及ぼすものばかりでなく，診断に有用な情報を与えるものもある．超音波の物理的なメカニズムとアーチファクトの発生原理を理解し，実像との鑑別を行う．なお，アーチファクトは，超音波の特性以外にプローブの損傷や交流障害によっても発生する．

1）多重反射（図5）

　超音波ビームが皮下組織の腹膜，筋膜などの境界で強く反射し，さらにそれぞれの間での反射が繰り返され，反射面の整数倍の距離で等間隔に幾重にも表示される現象である．呼吸による変化がなく，一定の位置に存在することで鑑別できる．胆嚢や膀胱のような内腔に反射体のない臓器に出現すると診断の妨げになるが，実質臓器の表面近くにおいても目につきにくいが多重反射が生じている．一方，コメットサインとよばれる彗星の尾引き現象に似た像も多重反射の一種で，診断に有用なアーチファクトである．対応法としては，プローブによる腹壁への圧迫強度を変える，プローブと腹壁の接する角度を変える，体位変換によりプローブと腹壁との距離をとる，フォーカスの位置を変える，プローブを高周波数にする，ティッシュハーモニックイメージングに切り替えることなどで軽減される．近距離音場のSTCを下げると多重反射は減少するが，本来の必要な信号も同様に減少していることを認識しておく．

2）サイドローブ（図6）

　超音波パルスは，意図した方向に強いパワーで放射されるメインローブ（主極）だけでなく，斜め横方向にも音圧の弱いサイドローブ（副極）が放射されている．この方向に反射物体が存在すると，ここからの反射波が受信され，あたかもメインローブ内に存在したかのように表示される．超音波ビームの入射方向や角度を変化させる，体位変換を行い多方向から走査するなどして，再現性の有無を確認し鑑別する．対応法としては，目的領域のSTCを下げる，ゲインを下げる，ダイナミックレンジを狭くする，ハーモニックイメージングを使用することなどで軽減される．

3）鏡面現象（図7）

　横隔膜のように超音波を強く反射する平面が存在すると，それが鏡の役割を果たして超音波を反射し，浅部にある像がその反射面の深部に反転して表示される現象であり，発生した像を鏡像（ミ

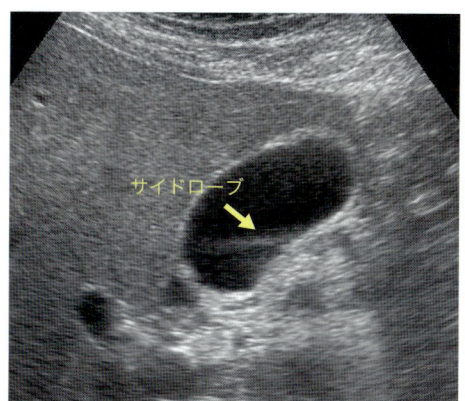

図6　胆嚢内腔にみられるサイドローブ

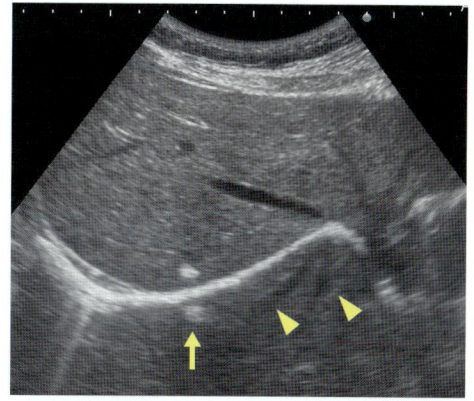

図7　鏡面現象
横隔膜を境にして，肝内の高エコー腫瘤（矢印）と肝静脈（矢頭）が肝外にも出現している．

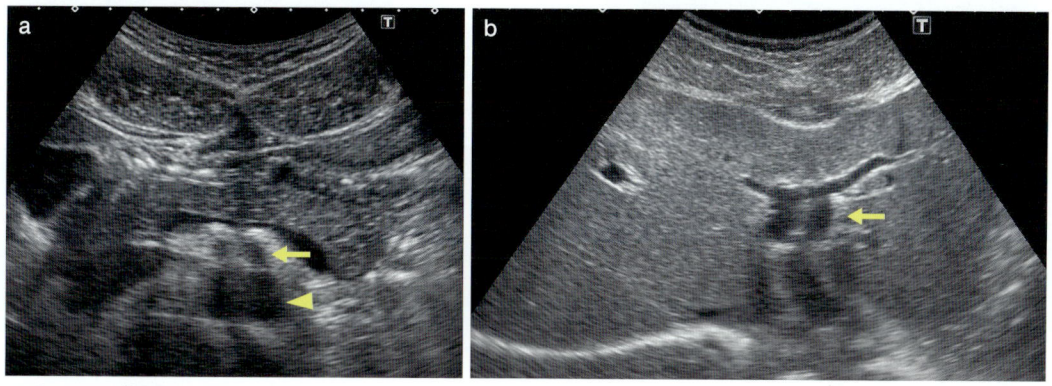

図8　レンズ効果
　a：腹直筋と腹膜前脂肪による音響レンズが作られ，その背面に存在する上腸間膜動脈（矢印）と腹部大動脈（矢頭）が二重像として描出されている．
　b：腹直筋と腹膜前脂肪による音響レンズが作られ，その背面に存在する門脈左枝臍部（矢印）が二重像として描出されている．

ラーイメージ）とよぶ．超音波ビームの進行方向に対し斜めに横切る反射体が存在すると発生しやすい．実例では，横隔膜を境にして肝内の実像が横隔膜を挟み等距離の胸腔内に出現することがあるが，肝外の領域は腹腔内であるためアーチファクトと認識できる．対処法は，プローブの走査角度を変えることで除去が可能である．

4）レンズ効果（図8）

　超音波は，音速の異なる組織の境界線を斜めに通過する時，スネルの法則により光と同じように屈折する．屈折を生じさせる組織の組み合わせを音響レンズとよび，音響レンズによる屈曲をレンズ効果という．レンズ効果によって超音波が正中側に屈折し，本来の音波と屈折した音波が同一のプローブに戻るため，1つしかない反射体が二重の虚像として描出されることがある．実例では，腹直筋と脂肪組織によって音響レンズが作られ，その背面に存在する構造物が二重にみえたり，横に広がったように描出されることがある．対処法は，プローブを傾け，異なる方向から超音波ビームを投入することにより消失する．

5）断面像の厚み（スライス幅に関係するアーチファクト）（図9）

　超音波ビームは画面の奥行き方向にも幅をもち，一断面をスライスしているようにみえても，実際には一定の厚みをもった断層像である．その厚みのなかにある構造物はすべて同一断面上に存在

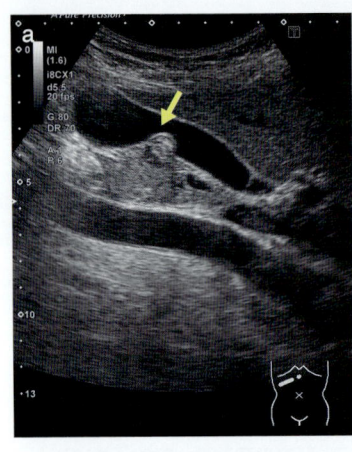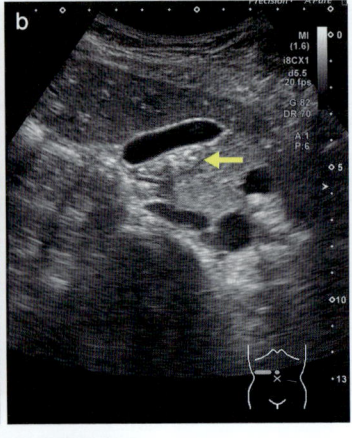

図9 断面像の厚み（スライス幅に関係するアーチファクト）
a：胆嚢内に隆起性病変があるように描出されている（矢印）．
b：走査方向を変えると，胆嚢に接する十二指腸であることが分かる（矢印）．

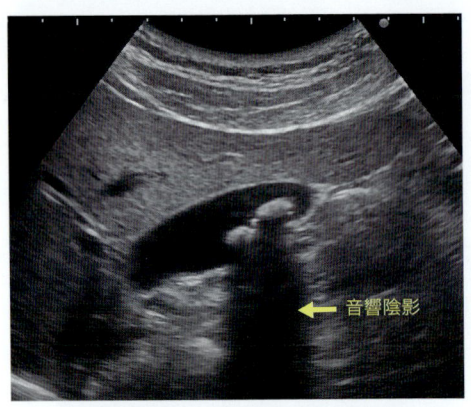

図10 胆嚢結石の後方に生じた音響陰影

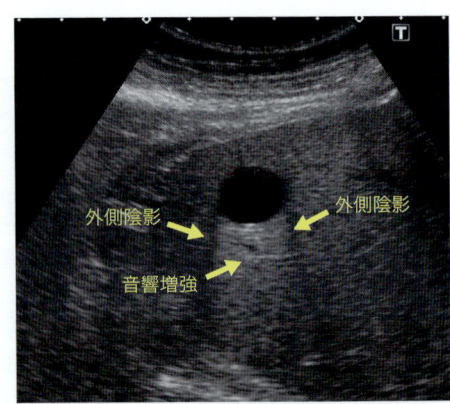

図11 肝嚢胞でみられた音響増強と外側陰影

するかのように表示されることがある．実例では，胆嚢近傍の消化管ガス像が胆嚢内腔に描出され，結石や腫瘍と見誤ることがある．対応法は，プローブを90°回転させる，プローブの圧迫強度を変える，体位変換によって多方向から走査するなどして再現性の確認を行う．

6) 音響陰影（図10）

超音波を強く反射する物体や，強く吸収する物体の後方には超音波が到達しないため無エコーとなる．この現象を音響陰影とよぶ．生体内では結石，骨，消化管ガスなどの後方にみられる．胆嚢結石や肝内結石では診断に役立つが，音響陰影の発生する部位は死角となり診断の妨げになる場合もあり，多方向からの走査でカバーする．空間コンパウンド機能で軽減されることもある．

7) 音響増強（図11）

超音波ビームが減衰や反射の少ない組織を通過すると，その後方には周囲に比べて輝度の高い領域ができることがある．これを音響増強という．いったん発射された超音波パルスは，普通は減衰するばかりで増強されることはないが，均一な液体成分で満たされた嚢胞などは，内部での反射が少なく減衰もわずかであるため，嚢胞の後方には周囲より強いパワーを保ったまま超音波パルスが到達する．虚像ではあるが診断に有用な現象であり，音響増強の有無は腫瘤の性状診断や鑑別診断に役立つ．

8) 外側陰影（図11）

音響陰影のひとつで，超音波の屈折と全反射により生じる現象である．球状組織の外側後方に形成されるため外側陰影とよばれる．辺縁平滑で周囲と音響インピーダンスの異なる球状組織の辺縁では超音波ビームの屈折が大きくなり，加えて入射角が臨界角をこえるため全反射してしまう．す

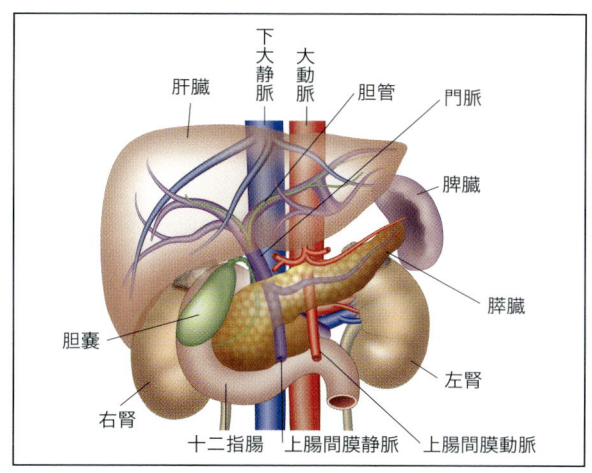

図12 正面からみた腹部臓器

ると，組織の後方には超音波パルスが到達せず無エコーの筋が生じる．実例では，囊胞の側方や，被膜形成を伴う肝細胞癌の側方で生じやすく，腫瘤性状を知る手がかりとなる．なお，簾状エコーや flag sign とよばれる縦縞模様の陰影もこの現象の一種である．くびれた部位からも出現するため，多方向からビームを入射し再現性を確認する．空間コンパウンドによって低減できるが，診断上有用とされる陰影を打ち消してしまうこともあるため注意を要する．

II 解剖（図12）

1. 肝臓

肝臓は，右横隔膜下に位置する腹部最大の臓器であり，重量は個人差があるが体重の約1/50を占め，1,000～1,500 g前後である．

1）肝葉の境界

肝葉の境界は，解剖学的な区分と機能的な区分により分けられる．

解剖学的な境界は，肝鎌状間膜，肝円索，静脈管索によって右葉，左葉，方形葉，尾状葉の4つに分けられる．

機能的な境界は，肝動脈と門脈を主とする血流の支配と胆汁の排出経路によって区分し，左葉と右葉は胆囊窩と下大静脈を結ぶ仮想の線（カントリー線）によって分割されるため，方形葉と尾状葉は左葉に含まれる．

2）肝内脈管

下大静脈に合流する肝静脈，肝門部に出入りする門脈，肝動脈，胆管に大別される．肝に流入する血液の約3/4は門脈（機能性血管）で，約1/4が肝動脈（栄養血管）であり，二重支配を受けるという特殊性がある．肝動脈は門脈に比して細いため，左右の肝動脈の分枝部付近までは超音波検査にて描出可能であるが，肝内の肝動脈は通常描出されない．肝内胆管は肝内門脈枝の分枝と併走している．

（1）肝静脈

肝静脈は，左，中，右の3本に分かれ下大静脈へ流入し，中肝静脈と左肝静脈は合流して共通幹となることが多い．また，副肝静脈とよばれる数本の細い静脈が存在することがあり，尾状葉から直接下大静脈に流入する短肝静脈，後下区域から直接下大静脈に流入する下右肝静脈などがある．

左肝静脈は，外側上区域と外側下区域の境界を作り，左外側から下大静脈へ流入する．中肝静脈

は，カントリー線に一致し左葉と右葉の境界を走行して内側区域と前区域の境界を作り，腹側から下大静脈に流入する．右肝静脈は，右肝区域内を走行して前区域と後区域の境界を作り，右外側から下大静脈に流入する．

 肝静脈の径は下大静脈と同様に呼吸性変化がみられ，呼気時に拡張し，吸気時には収縮する．

（2）肝内門脈

 門脈本幹は膵頭部の背側で上腸間膜静脈と脾静脈が合流し形成され，肝門部において右枝と左枝に分岐する．右枝は前・後区域枝に分かれた後，それぞれ上区域と下区域に分岐する．左枝は肝門部から膵頭側へ走行する水平部と，腹壁方向へ立ち上がる臍部に分かれ，臍部はさらに内側区域と外側区域に分枝する．

3) 肝の区域分類（表2，図13, 14）

 肝の区域は門脈と肝動脈の支配領域により区分され，各区域の境界には肝静脈が走行する．区域分類には，Healey&Schroyの分類（大区分）とCouinaudの分類（細区分）が広く使用されている．

 Healey&Schroyの分類は左右両葉4区域（外側区域，内側区域，前区域，後区域）と尾状葉を合わせた5区域に分類される．

 Couinaudの分類は外側区域，前区域，後区域を上下に分け，8亜区域（S1〜S8）に分類される．左葉の区分は，門脈左枝臍部を境にして，左側の外側区域と右側の内側区域に分けられる．さら

表2 肝の区域分類

	4区域 Healey-Schroy（ヒーリー・シュロイ）の分類	8区域 Couinaud（クイノー）の分類	
肝左葉	外側区域	外側上区域	(S2)
		外側下区域	(S3)
	内側区域	尾状葉	(S1)
		内側区域（方形葉）	(S4)
肝右葉	前区域	前上区域	(S8)
		前下区域	(S5)
	後区域	後上区域	(S7)
		後下区域	(S6)

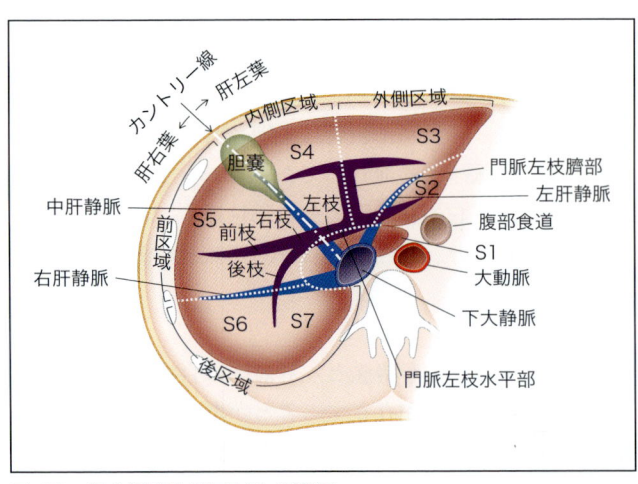

図13 肝内脈管と肝区域との関係

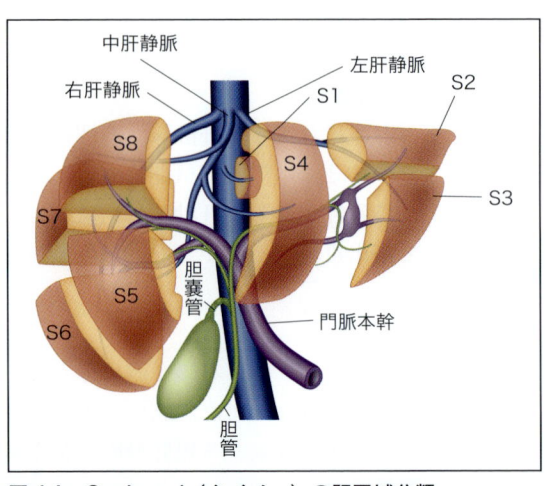

図14 Couinaud（クイノー）の肝区域分類

に，外側区域は門脈左枝臍部から分枝した門脈とその境界を走行する左肝静脈により，外側上区域（S2）と外側下区域（S3）に区分される．内側区域は門脈左枝水平部を境に腹側の方形葉（S4）と背側の尾状葉（S1）に区分される．尾状葉は静脈管索により外側区域と境されて，下大静脈を取り囲むように存在する．

右葉の区分は，右肝静脈を境にして，腹側の前区域（S5，S8）と背側の後区域（S6，S7）に分けられる．前区域と後区域は，それぞれ上区域と下区域に区別されるが明瞭な境界を示す脈管はなく，上区域と下区域を支配する門脈により分けられる．

2. 胆道（図15）

胆道は，肝細胞から分泌された胆汁が十二指腸に流出するまでの経路の総称で，胆管，胆嚢，十二指腸（Vater）乳頭部に区分される．

1）胆嚢

胆嚢は，主葉裂溝の下方にある胆嚢窩に存在する袋状の臓器で，胆汁を一時的に貯めて濃縮する．

頸部，体部，底部に3等分され，頸部はらせん状の胆嚢管を経て肝外胆管へと続く．頸部から体部へ移行する部分は囊状に屈曲し，漏斗部（ハルトマン囊）とよばれる．頸部は胆嚢窩において結合組織で肝に付着し，残りは肝とともに腹膜で覆われる．

胆嚢の大きさは，空腹時で長径60～80 mm，短径20～30 mm，壁厚1～2 mm，容量30～50 mLであるが，摂食後には胆汁が分泌され収縮し，壁厚は4～7 mm程度に肥厚する．

胆嚢壁は内腔側から，粘膜層，固有筋層，漿膜下層，漿膜となり，粘膜筋板と粘膜下層が欠如している．超音波検査では2層または3層に観察できる．粘膜上皮がポケット状に嵌入してできた憩室をロキタンスキー・アショフ洞（Rokitansky-Aschoff sinus：RAS）という．

2）胆管

胆管は，肝で生成された胆汁を十二指腸乳頭部まで流し排出する．肝内では門脈に伴走し，肝門

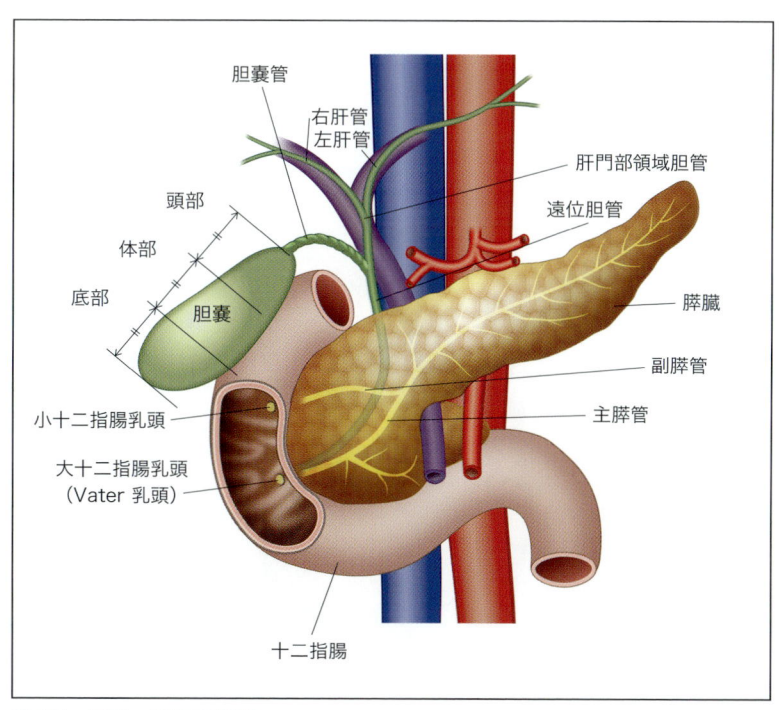

図15　胆嚢・胆管の解剖

部から肝外へ出て合流して左右肝管となり，さらに合流し総肝管を形成する．その後，胆嚢管と合流して三管合流部を形成し，総胆管となって膵頭部内を走行し膵管と合流または隣接して大十二指腸乳頭（Vater 乳頭）部へ開口する．乳頭部は括約筋が取り囲むように存在し，胆汁の流れを調節している．

　胆管は解剖学的に肝内胆管と肝外胆管に分けられ，その境界は門脈左枝臍部右縁と門脈右枝の前後枝分岐点左縁までとする．さらに，肝外胆管は肝門部領域胆管と遠位胆管に区分され，左右肝管合流部直下から十二指腸壁に貫入するまでを二等分した部位で分けられる．その位置は原則として胆嚢管合流部で判断され，胆嚢管合流部より下流を遠位胆管とするが，健常者では胆嚢管を描出できないことが多い．

　胆管径は，拡大画像で前壁エコーの立ち上がりから後壁エコーの立ち上がりまでを計測し，小数点以下を四捨五入して mm 表示とする（後述の図 58）．肝内胆管は最大径 4 mm 以上を拡張，肝外胆管（左右肝管を含む）は最大径 8 mm 以上を拡張とする．胆嚢切除後では肝内胆管は 6 mm 以上，肝外胆管は 11 mm 以上を拡張とする．胃切除後や高齢者では胆管は拡張傾向となる．

3. 門脈系（図 16）

　門脈本幹は，脾静脈と上腸間膜静脈，さらに下腸間膜静脈と左胃静脈および胆嚢静脈などの血液を肝臓へ導く静脈系の血管である．門脈本幹の起始部は，脾静脈と上腸間膜静脈の合流部であり膵頭部の背側から始まる．十二指腸間膜内では肝動脈と総胆管の背側を走行して，肝門部で肝両葉に分岐して肝区域枝となる．肝門部における門脈は肝外であり，左枝ではさらに水平部から臍部までは実際には肝外（肝円索切痕）を走行している．

　脾静脈は，脾門部を起始部として膵尾部の背側から頭部側に走行して門脈に合流し，途中で短胃静脈と下腸間膜静脈などが流入する．

　上腸間膜静脈は，十二指腸の水平部と膵鈎部の腹側を走行し，右結腸，中結腸，回結腸静脈などが流入する．

4. 脾臓（図 17）

　脾は，腹腔の左上部に位置する実質臓器で，長軸は左第 10 肋間に沿うことが多い．脾の上部外

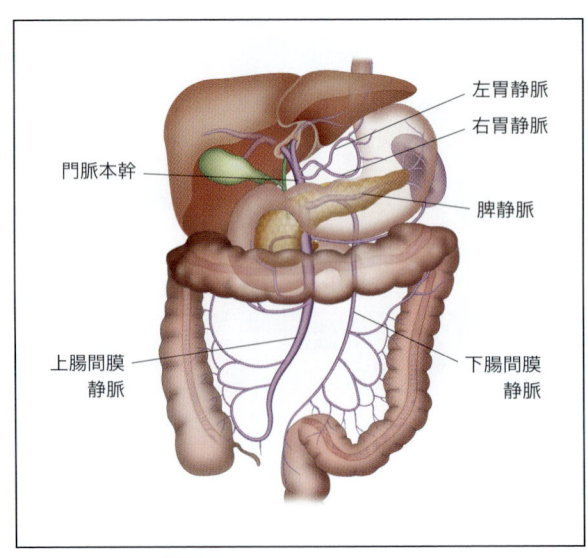

図 16　門脈系の解剖

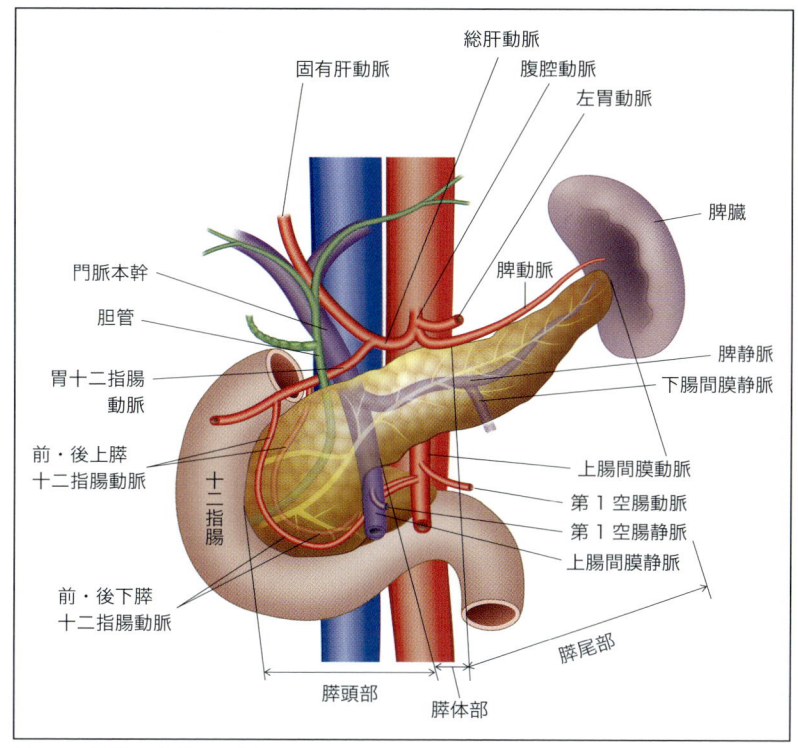

図17　脾臓，膵臓の解剖

側から後面にかけて肺に覆われ，横隔膜に接する．
　脾門部には，脾動脈と脾静脈，およびリンパ管が出入りしている．脾動脈は腹腔動脈幹から分岐して膵尾部の頭背側を走行し脾門部に流入する．脾静脈は脾門部で複数の脾静脈枝が集合して形成され，膵尾部の背側を走行して門脈に流入する．

5. 膵臓（図17）

1）膵臓

　膵臓は，第12胸椎から第2腰椎のレベルで胃の背側に位置する後腹膜臓器である．全長140～160 mm，重量90～100 gで，十二指腸下行部から前腹壁に向かって左斜めに走行し，脊椎を横切り背側に「への字」に弯曲しながら脾門部に向かい徐々に細くなる．解剖学的に頭部，体部，尾部に分けられ，頭部と体部との境界は上腸間膜静脈の左縁，体部と尾部の境界は大動脈の左縁とする．頭部には頸部と鉤部（鉤状突起）を含み，鉤状突起は膵頭部の下縁に突出して存在する．頸部は体部との境界を指し膵切痕に相当する．膵の大きさには個人差があるが，各部位の厚みは頭部30 mm以下，体部20 mm以下，尾部25 mm以下で，頭部は全体に頭尾方向に長く伸び，100 mmにわたって観察されることがある．尾部は加齢に伴って先細りすることが多く，観察しづらくなる．

2）隣接する脈管

　膵頭部の背側に下大静脈が位置している．門脈系は，門脈本幹，脾静脈，上腸間膜静脈がみられ，脾静脈は膵の背側を走行し上腸間膜静脈と合流する．
　膵上縁の高さには腹腔動脈から分岐した総肝動脈と脾動脈がみられ，総肝動脈からは胃十二指腸動脈が膵頭部の前面を走行し，脾動脈は軽く蛇行しながら脾門部に向かい走行する．膵体部の背側には腹部大動脈と，大動脈から分岐した上腸間膜動脈が走行する．

3）膵管（図15参照）

　膵管は主膵管と副膵管からなる．主膵管は膵尾部から頭部に向かって走行し，頭部で総胆管と合流後，大十二指腸乳頭（Vater乳頭）へ開口する．副膵管は膵頸部で主膵管から分岐して，大十二指腸乳頭の上方の小十二指腸乳頭へ開口する．

　超音波検査による正常膵管の径は，体部で2 mm以下である．膵管と類似する超音波像には，肝動脈，脾動脈，胃前庭部の後壁などがある．

4）膵の発生における腹側膵と背側膵

　膵は，胎生期には腹側膵原基と背側膵原基の2つに分かれて発生し，発育途中に融合する．腹側膵は総胆管とともに十二指腸の後方へ回転し，前面に背側膵，後面に腹側膵が位置する．やがて腹側膵と背側膵および膵管に融合がみられ，出生時には1つの臓器として形成される．なお，腹側膵は膵鈎部となる．

6. 腎臓（図18）

1）腎臓

　腎臓は，第12胸椎から第3腰椎ほどの高さで腎周囲腔とよばれる領域に存在する後腹膜臓器である．脊椎を挟んで左右に位置し，右腎は左腎に比べると半〜1椎体ほど低位にある．形状は豆に似た長楕円形を呈し，大きさは成人では長径が80〜120 mm程度，短径が40〜60 mm程度で，加齢により緩徐に小さくなる傾向がある．また，体格が大きい場合には腎サイズも大きい傾向にある．形態的に，上極，中央部，下極に区分され，上極は下極よりもやや内側に位置する．腎の表面は線維性被膜に覆われ，さらに副腎とともに腎周囲脂肪組織，腎筋膜（Gerota筋膜）に囲まれている．

　腎の実質は，皮質と錐体の集合した髄質に大別され，髄質とその周囲の皮質を合わせて腎葉，髄質が腎杯に突出した部分は腎乳頭，髄質の間に挟まれた皮質の部分を腎柱（ベルタン柱）とよぶ．

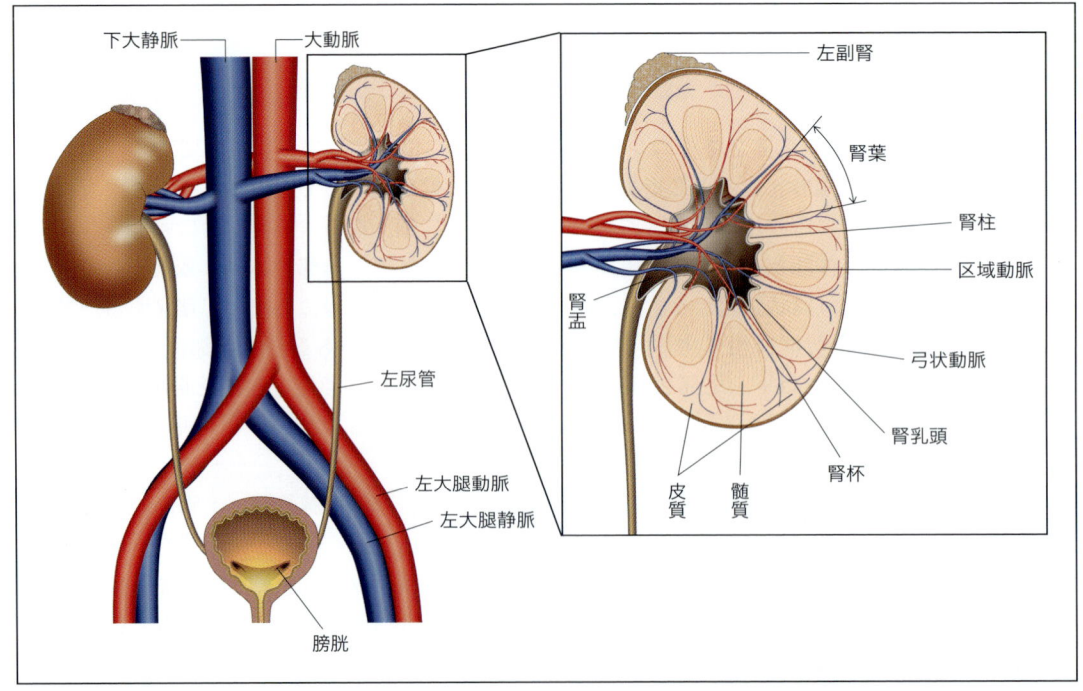

図18　腎臓，副腎，膀胱の解剖

腎洞部には腎盂，腎杯，血管，神経，脂肪組織などが存在し，超音波検査では高エコー域として観察され，腎中心部高エコー像や腎中心部エコー像（CEC：renal central echo complex）とよばれる．

2）脈管

腎動脈は腹部大動脈から分岐し，多くは左右 1 本だが，2 本以上存在する場合もある．腎動脈は腎内で 5 本程度の区域動脈に分岐した後，それぞれが葉間動脈，弓状動脈，小葉間動脈とさらに分岐する．その後，輸入細動脈，糸球体毛細血管，輸出細動脈，尿細管周囲毛細血管から静脈系へと還る．静脈系では，小葉間静脈，弓状静脈，葉間静脈，腎静脈と合流し，右腎静脈は右腎動脈の腹側を走行して下大静脈に入り，左腎静脈は左腎動脈の腹側を走行し，上腸間膜動脈と腹部大動脈の間を通って下大静脈に流入する．左腎静脈には途中で左副腎静脈や左性腺静脈が流入する．

7. 尿管（図18）

尿管は，腎盂と膀胱をつなぐ管腔臓器で，腎臓で生成された尿を膀胱へ運ぶ．長さは 25 cm 程度，内腔は 3〜5 mm 程度である．尿管上部は大腰筋の前面に位置し，総腸骨動脈前面を外から中へと交差して骨盤腔に至る．腎盂尿管移行部，総腸骨動脈との交差部，尿管膀胱移行部の 3 カ所に生理的狭窄部位がある．超音波検査では通常描出されないが，蠕動でわずかに拡張した際には描出されることがある．

8. 副腎（図18）

副腎は，左右それぞれの腎臓上極側に存在する後腹膜臓器で，腎臓とともに Gerota 筋膜に囲まれている．右副腎は右腎上極の頭内側で肝右葉の足方，横隔膜右脚の前方，下大静脈の背側に位置している．左副腎は左腎上極の内側やや腹側に存在し，横隔膜左脚に近接しており，膵臓の背側に位置している．形状は左右でやや異なっており，腹側からみて右副腎は三角形，左副腎は半月形を呈している．固有の線維性被膜に覆われており，皮質と髄質からなる．

副腎の厚みは，健常成人では 3 mm 程度であり，20 代で最も厚く，その後は加齢によって縮小傾向がみられる．

9. 膀胱（図18）

膀胱は，恥骨結合の後方で骨盤底部に位置する臓器で，ボール状の構造を呈する中空器官である．左右の腎臓で生成された尿は尿管を経由し膀胱に運ばれ，尿を一定量貯留した後，尿道を介して体外に排泄される．上方より頂部，体部，底部，頸部に区分し，左右の尿管口と内尿道口が開口する間の領域は膀胱三角部とよばれ底部に相当する．

成人の膀胱容量は 500 mL 程度であるが，250〜600 mL と個人差がある．尿貯留がない膀胱の壁は厚く，尿の貯留とともに壁は容易に伸展し，厚みは薄く均一になる．健常者の膀胱壁の厚さは尿が充満した状態で 3 mm 以下だが，膀胱三角部の壁は正常でもやや厚い．

膀胱の頭側は腹腔で，男性では尾側の膀胱頸部に前立腺が接し，背側には直腸が位置する．女性では膀胱の背側に子宮，卵巣，直腸が位置する．

10. 前立腺（図19）

前立腺は，男性の恥骨結合と直腸の間に位置し，膀胱底部の下面に接する臓器である．形状は左右対称性で栗の実状を呈す．男性ホルモンの関与により精液の一部である前立腺液を作る．成人男性では 3×4 cm 程度の大きさであり，重量は性的成熟後 40〜50 歳頃までは 20 g 前後で，加齢とともに大きくなることがある．中心部には後部尿道と左右の射精管が貫き，前立腺が尿道をぐるりと取り囲むような形状を呈す．

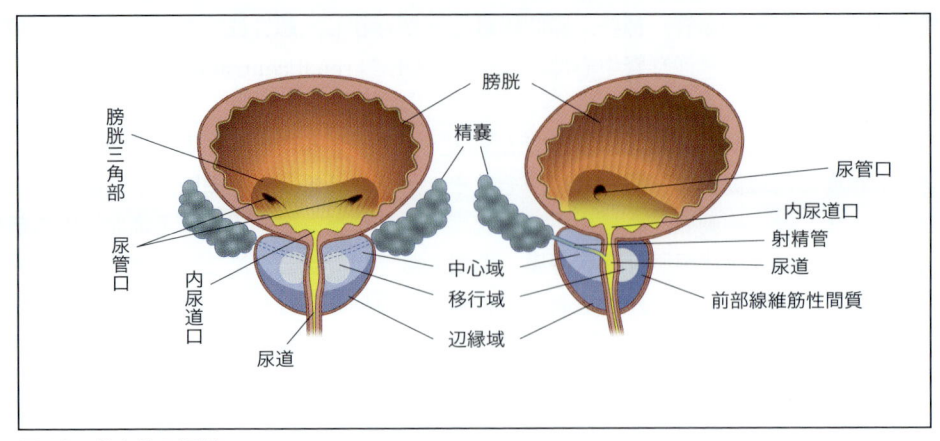

図19　前立腺の解剖

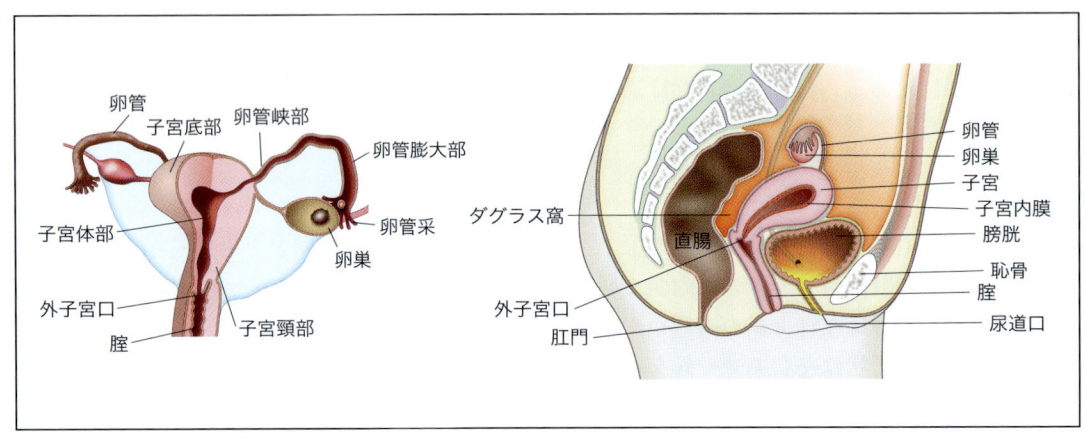

図20　子宮，卵巣，卵管の解剖

　前立腺の内部は解剖学的に以下の4つの構造で構成される（zonal anatomy）．経腹超音波検査では，辺縁域と移行域を認識することは可能だが，中心域と前部線維筋性間質は認識することが難しいことがある．

　辺縁域（peripheral zone）：主に前立腺の背側辺縁部に存在する腺組織．
　中心域（central zone）：射精管周囲を取り囲む腺組織．
　移行域（transition zone）：前立腺尿道近位部周囲を取り囲む腺組織．
　前部線維筋性間質：前立腺前方腹側を占める三日月状の組織．平滑筋と線維組織からなる．

11．子宮（図20）

　子宮は，女性の小骨盤腔のほぼ中央で膀胱と直腸の間に位置する洋ナシ形の臓器で，性成熟期では，長径7〜8 cm，横径約4 cm，厚み2.5〜3 cm程度である．閉経後は萎縮し，長径は3〜4 cm程度となる．上方約2/3を子宮体部，下方約1/3を子宮頸部，体部と頸部の移行部5〜10 mmの部位を子宮峡部とよび，体部は頸部に対して前方に屈曲する．体部の最上部を子宮底とよび，左右両側には卵管が開口する．頸部の下端は子宮腟部とよび，腟に連続する．子宮壁は粘膜，筋層，漿膜の3層からなり，それぞれ子宮内膜，子宮筋層，子宮外膜という．子宮内膜は月経に伴って増殖と脱落を繰り返し，月経時には薄く，その後徐々に厚みを増し，排卵後から月経前に最も厚くなる．

12. 卵巣・卵管（図 20）

　卵巣は，子宮の左右に一対存在する 3 cm 前後の楕円形の臓器で，女性ホルモンを分泌する．皮質と髄質に分けられ，皮質には卵子を含む卵胞が存在する．月経周期に伴って変化し，増殖期に徐々に発育した卵胞は排卵に至り縮小し，黄体に変化する．

　卵管は，子宮底の左右それぞれに開口する片側約 10 cm の管状の器官で，卵管の先端は放射状に広がり卵巣に開口する．超音波検査では通常描出されない．

III 基本走査法と他の画像診断の特徴

1. 腹部の基本走査法

1）走査の手順（図 21）

　走査の手順には，目的の臓器から進める手順と系統立てて進める手順がある．どちらであっても，臓器を隅々まで観察し必要な情報を的確に得ることができればよい．複数臓器が観察対象となる腹部領域の検査においては，系統立てた走査手順で進めたほうが見落としを防ぎ効率も高まると考えられるが，目的臓器に的を絞った検査が有効な場合もあり，依頼目的や被検者の状態に合わせ適宜対応する．走査手順や記録断面については全国的に統一されたものはなく，様々な方法が提唱され，時代の変遷とともに変化している．ここでは，日本超音波検査学会標準化委員会編「消化器領域の走査法の標準化の改訂版（2022. 8）」をもとに示す（https://www.jss.org/committee/standard/doc/standardization_syokaki.pdf）．

　体位は仰臥位（背臥位）が基本となるが，超音波検査は体位によっても描出能が大きく変わるため，仰臥位での観察が十分でない場合には適宜体位変換を取り入れる．

2）肝臓を主体に

（1）心窩部縦断走査（図 22，23）

　プローブを剣状突起下よりやや左側へ縦に置き，吸気位にて腹部大動脈を描出する．腹部大動脈の腹側に肝左葉外側区域を描出し，肝臓が描出されなくなるまで左側に扇動走査を行う．肝左葉の形態，特に肝表面の凹凸不整，肝縁の鈍化，尾状葉の腫大を観察するのに適しており，あわせて用手圧迫による肝の変形の程度も確認するとよい．外側上区域が死角になりやすいため，心臓がみえ

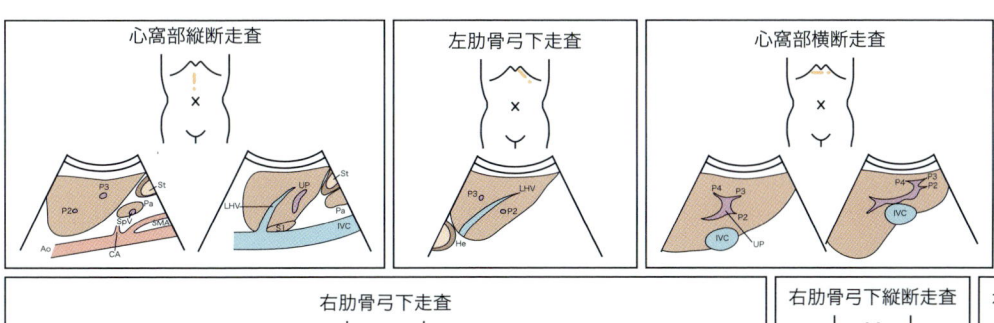
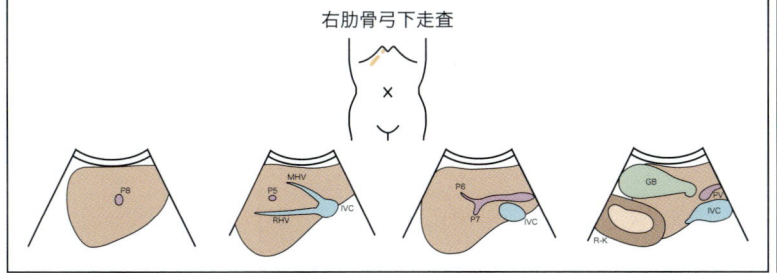
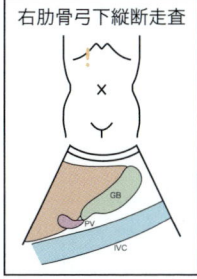
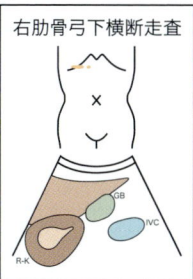

図 21　走査法の標準化　※走査部位の順番は，走査手順を示すものではない．

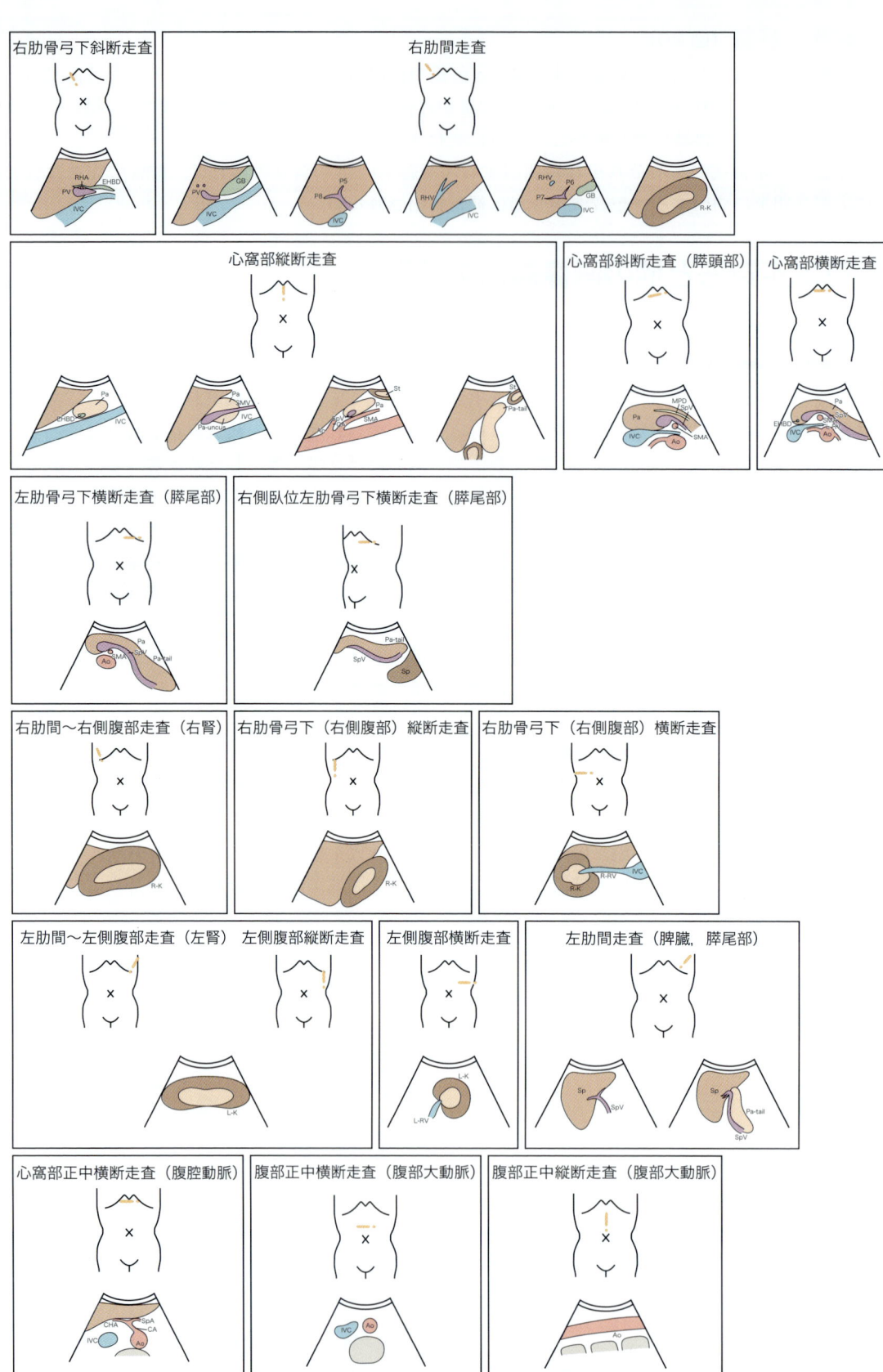

図21 走査法の標準化（つづき） ※走査部位の順番は，走査手順を示すものではない．

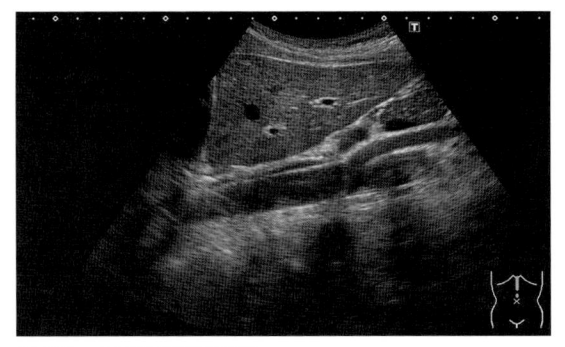

図22　心窩部縦断走査①

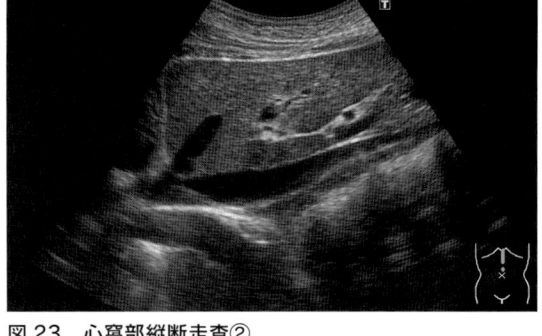

図23　心窩部縦断走査②

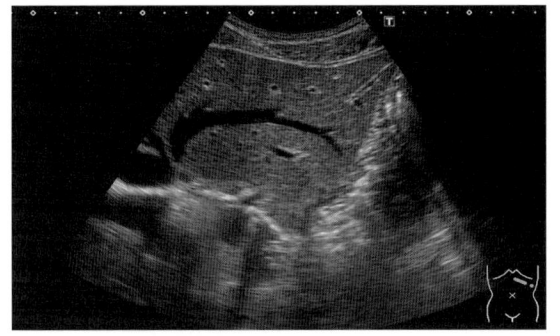

図24　左肋骨弓下走査

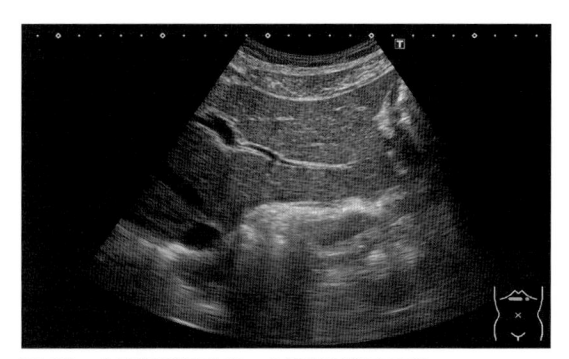

図25　心窩部横断走査～心窩部斜断走査①

るところまで十分にプローブを傾ける．
　次に，プローブを右側に扇動走査を行うと肝左葉内側区域が描出され，深部には尾状葉が描出される．肝左葉内側区域では下大静脈が描出されなくなるまで走査する．

(2) 左肋骨弓下走査（図24）
　プローブを左肋骨弓下縁に沿って上向きに寝かせた状態で置き，吸気位にて肝左葉外側区域の左端から内側区域に向かって肝左葉が描出されなくなるまで扇動走査を行う．痩せた人や肝腫大の症例で，肝左葉外側区域がより左側に伸びている場合に有効な走査方法である．

(3) 心窩部横断走査～心窩部斜断走査（図25，26）
　プローブを心窩部に横に置き，吸気位にて肝左葉外側区域を中心に上端（心臓がみえる位置）から下端（膵臓がみえる位置）まで扇動走査および平行走査を行う．プローブを最も寝かせた状態から少しずつ起こしていくと左肝静脈が描出され，さらに起こしていくと門脈左枝臍部および外側区域枝と内側区域枝が描出される．さらにプローブを腹壁に対してほぼ垂直になるまで起こした状態で足側へ滑らせるように平行走査を行う．

(4) 右肋骨弓下走査（図27～29）
　プローブを右肋骨弓下縁に沿って置き，吸気位にて肝右葉が描出されなくなるまで扇動走査および平行走査を行う．プローブを最も上向きに寝かせ，えぐり走査で右葉のドーム直下を観察し，そこから少しずつ起こしていくと右・中肝静脈，その間に門脈前区域枝が描出され，さらに起こしていくと門脈水平部と胆嚢が順次描出される．さらに，プローブの位置を徐々に右肋骨弓下縁に沿って右側へ移動させ同様の走査を繰り返し行い，肝右葉の辺縁までくまなく観察する．
　肝右葉頭側のドーム部と右側肝縁は死角になりやすいため，十分にプローブを傾け観察する．なお，描出困難な場合は左側臥位での観察が有効である．

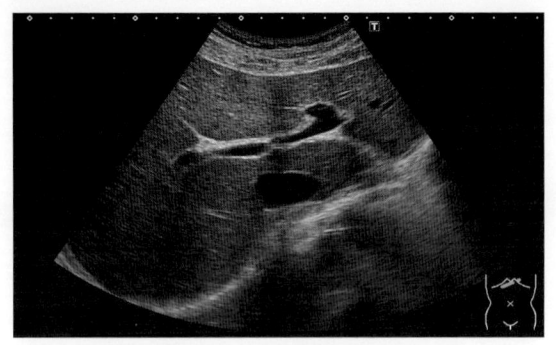

図26 心窩部横断走査～心窩部斜断走査②

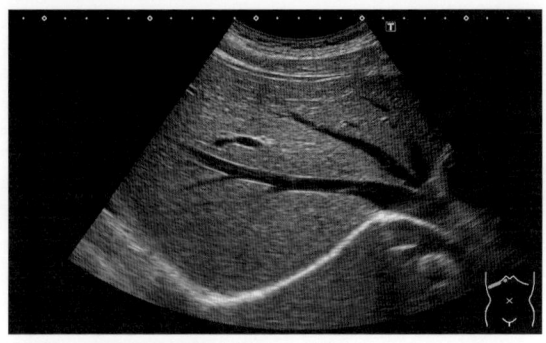

図27 右肋骨弓下走査①

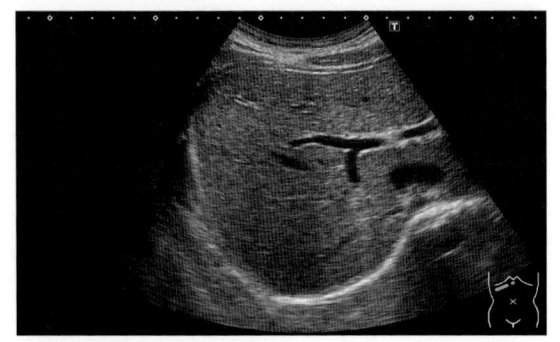

図28 右肋骨弓下走査②

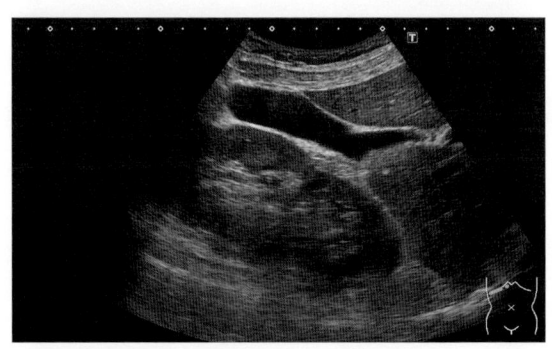

図29 右肋骨弓下走査③

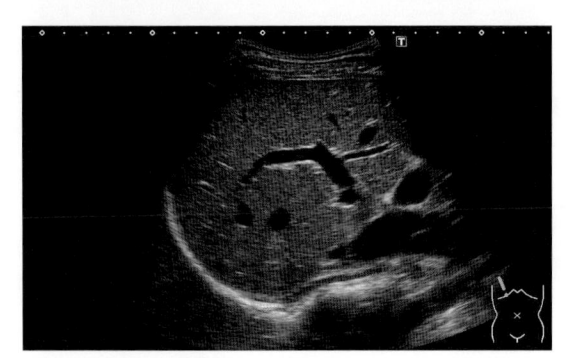

図30 右肋間走査①

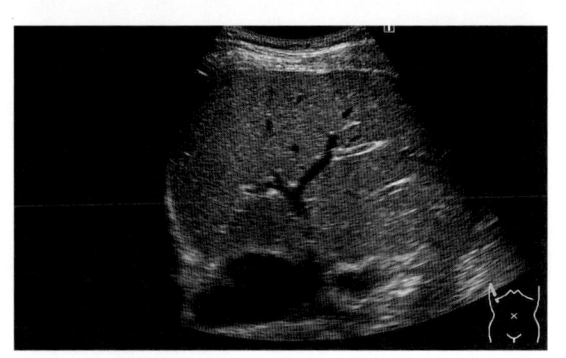

図31 右肋間走査②

(5) 右肋間走査（図30, 31）

　プローブを右肋間に置き，呼吸を調節しながらそれぞれの肋間において肝右葉が描出されなくなるまで扇動走査を行う．右横隔膜下は肺のガスの影響を受けやすいため，観察部位に応じて呼吸を調節しながら走査を行う．呼気位または軽めの吸気位にてプローブをやや腹側寄りの肋間に置くと，門脈前区域枝から前上区域枝と前下区域枝が分岐する断面が描出される．この位置でプローブを左側に傾けると中肝静脈が比較的長く描出され，さらに1～2肋間ほど背側にずらすと右肝静脈が描出される．この断面でプローブを少し起こすと，門脈後上区域枝と後下区域枝が分岐する断面が描出され，さらにプローブを足側に移動すると肝右葉に接する右腎が描出される．また，プローブを肋間の腹側に置くと，胆嚢が描出される．

　この走査法は，食後，肥満あるいは臓器が挙上している症例や，右肋骨弓下における肝右葉や胆嚢の観察が不十分な場合には特に有用となる．

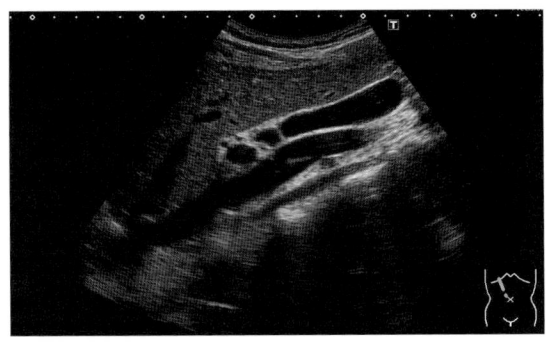

図32　右肋骨弓下縦断走査

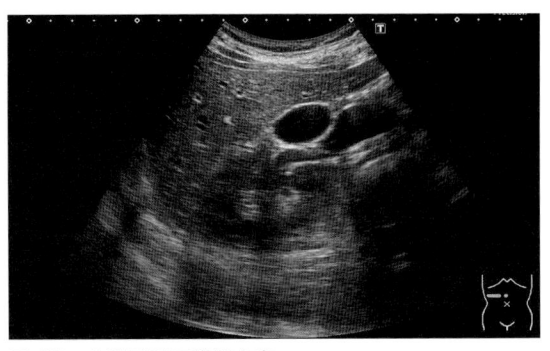

図33　右肋骨弓下横断走査

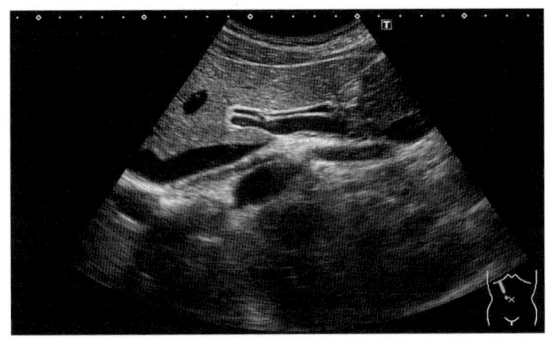

図34　右肋骨弓下斜断走査①

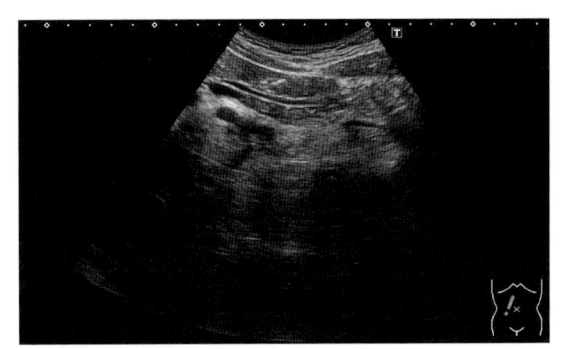

図35　右肋骨弓下斜断走査②

3）胆嚢と胆管を主体に
（1）右肋骨弓下縦断走査（右季肋部縦断走査）（図32）

　プローブを右肋骨弓下に縦に置き，吸気位にて胆嚢長軸像を描出し，胆嚢が描出されなくなるまで扇動走査および平行走査を行う．描出困難な場合は左側臥位で行う．
　この走査で得られる断面は，肝縁の鈍化や突出の有無の確認，肝右葉の前後径の計測にも適している．

（2）右肋骨弓下横断走査（右季肋部横断走査）（図33）

　プローブを右肋骨弓下に横に置き，胆嚢短軸像を描出し，胆嚢が描出されなくなるまで扇動走査および平行走査を行う．門脈水平部を描出し，その腹側にある左右肝管を描出する．そのまま足側にプローブを平行移動し，肝外胆管を短軸で観察する．可能であれば膵内からファーター乳頭まで観察を行う．描出困難な場合は左側臥位で行う．

（3）右肋骨弓下斜断走査（図34，35）

　プローブを右肋骨弓下に斜めに置き，門脈本幹およびその腹側に位置する肝外胆管の走行を観察する．遠位胆管はプローブを少し足側に移動し，時計方向に回転させて縦断走査で観察する．描出困難な場合は左側臥位で行う．

4）脾臓を主体に
（1）左肋間走査（図36，37）

　プローブを左肋間の背側寄りに置き，脾臓が最大になるよう描出する．肋間を移動させながら，脾臓が描出されなくなるまで扇動走査を行う．いずれも呼吸を随時調節しながら左横隔膜下を観察する．膵尾部は，脾臓を音響窓として脾静脈を線状に描出するとその走行に沿って観察される．さらにプローブを足側に移動すると左腎が描出される．

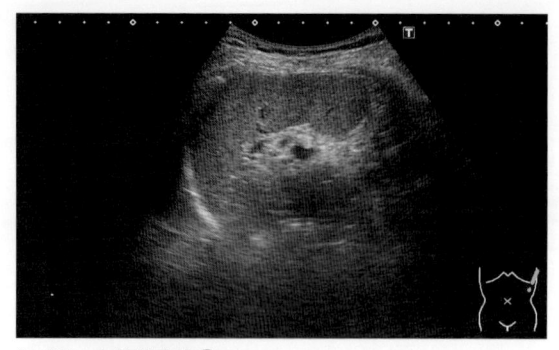

図36　左肋間走査①

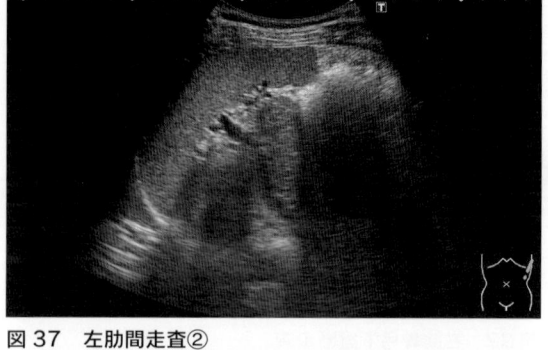

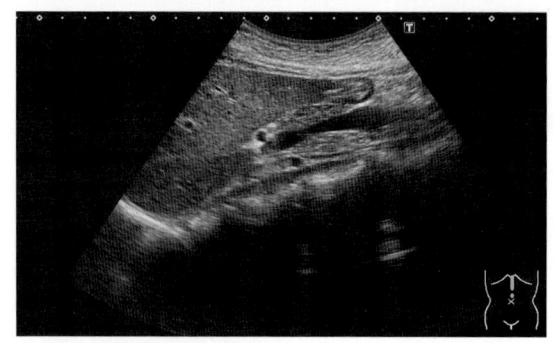

図37　左肋間走査②

図38　心窩部縦断走査①

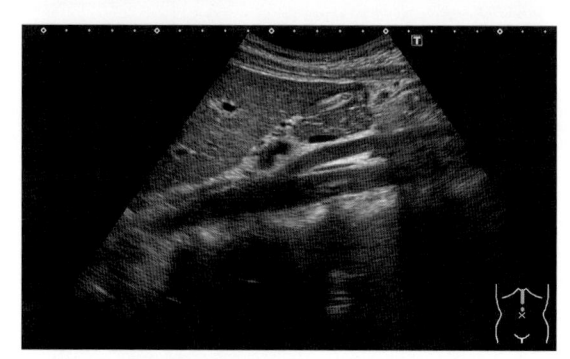

図39　心窩部縦断走査②

5）膵臓を主体に

（1）心窩部縦断走査（図38，39）

プローブを剣状突起下に縦に置き，呼吸を調節しつつ圧迫を加えながら腹部大動脈および上腸間膜動脈を描出する．上腸間膜動脈分岐部の腹側に存在する膵体部を中心に，膵頭部は十二指腸が描出されるまで，膵尾部は膵臓が描出されなくなるまで扇動走査および平行走査を行う．膵頭部を観察する際には，下大静脈と上腸間膜静脈の間に位置する鉤状突起の観察も忘れずに行う．ただし，痩せた人ではプローブで強く圧迫すると膵臓が潰れてしまい描出困難になる場合があるので注意する．消化管のガスにより描出困難な場合は，左右側臥位や坐位，胃充満法を用いる．また，膵臓が浅い位置に存在する場合は，高周波プローブを用いた観察が有効である．

（2）心窩部斜断走査（図40）

プローブを剣状突起下に左斜めに置き，肝臓を音響窓にして膵頭部長軸像を描出し，膵臓が描出されなくなるまで扇動走査および平行走査を行う．膵頭部下縁の病変は見逃しやすいため，十二指腸水平部が描出される位置まで走査を行う．また，膵頭部は下大静脈の右縁よりさらに右側へ伸びるため，十二指腸下行部が描出される位置まで走査を行う．膵内胆管や主膵管も同時に観察する．

（3）心窩部横断走査（図41）

プローブを剣状突起下に横〜左斜めに置き，肝臓を音響窓にして膵長軸像を描出し，膵臓が描出されなくなるまで扇動走査および平行走査を行う．主膵管も同時に観察する．深吸気よりも軽めの吸気や呼気位のほうが明瞭に描出されることがあるため，随時呼吸調節を行う．呼吸以外にも下腹部を膨らませてもらうとよい．プローブで強く圧迫すると，痩せた人では膵臓が潰れて描出困難になるが，太った人や消化管ガスの多い人では強い圧迫によりガスを避け，膵臓をプローブに近づけて描出することができる．消化管のガスなどにより描出困難な場合は，坐位や胃充満法を用いる．主膵管を計測する場合には拡大し，その走行に合わせるようにプローブを調節し記録する．

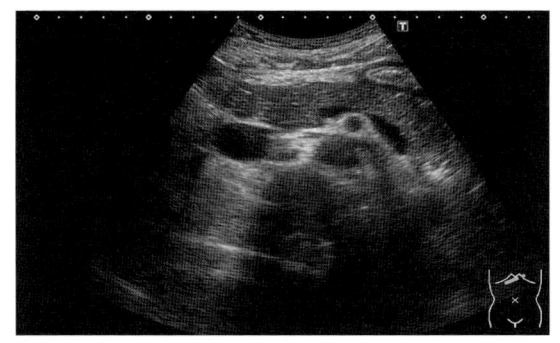

図40　心窩部斜断走査

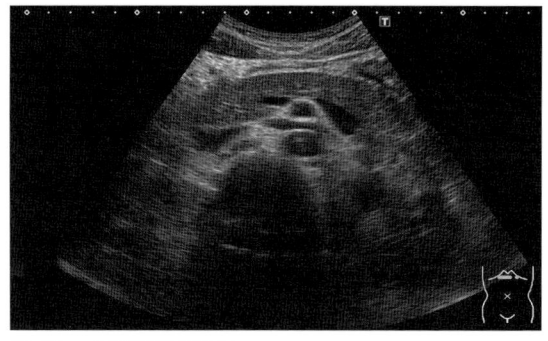

図41　心窩部横断走査

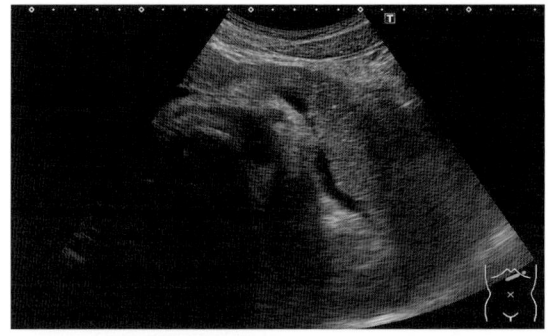

図42　左肋骨弓下横断走査

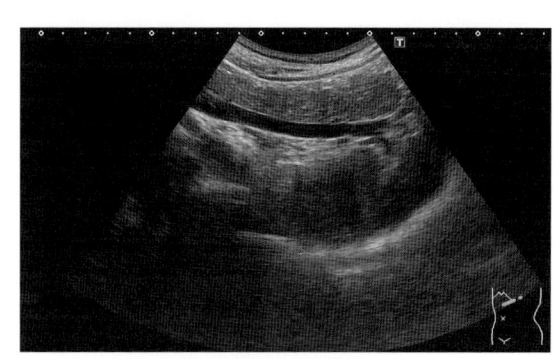

図43　右側臥位左肋骨弓下横断走査

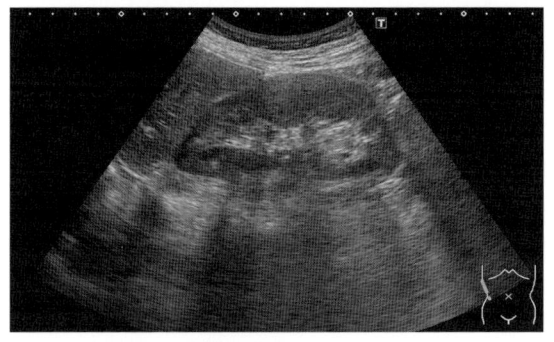

図44　右肋間～右側腹部走査

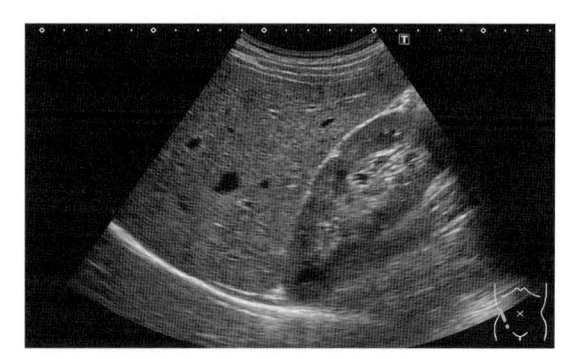

図45　右肋骨弓下（右側腹部）縦断走査

（4）左肋骨弓下横断走査（図42, 43）

　プローブを左肋骨弓下に横に置き，吸気位にて脾動静脈を描出し，その腹側にある膵体部～尾部を観察する．さらにプローブを左側に移動させ，膵尾部が脾門部に接するところまで扇動走査および平行走査を行う．消化管のガスなどにより描出困難な場合は，右側臥位や坐位，胃充満法を用いる．膵臓は頭部に比べ尾部の方がやや頭側に位置するため，長軸像の描出にはプローブを左斜めに当てると全体像が観察しやすい．

6）腎臓を主体に

（1）右肋間～右側腹部走査，右肋骨弓下走査（図44～46）

　プローブを右肋間～肋骨弓下に縦に置き，吸気位にて右腎の長軸像を描出し，腎臓が描出されなくなるまで扇動走査および平行走査を行う．プローブを右肋骨弓下に縦～やや斜めに置き，肝右葉と右腎を同時に描出すると肝腎コントラストとよばれる断面が得られ，肝臓と右腎実質とのエコーレベルの対比が行える．この時，腎臓が肝臓の背面に位置する断面は避け，肝臓と腎臓が同じ高さ

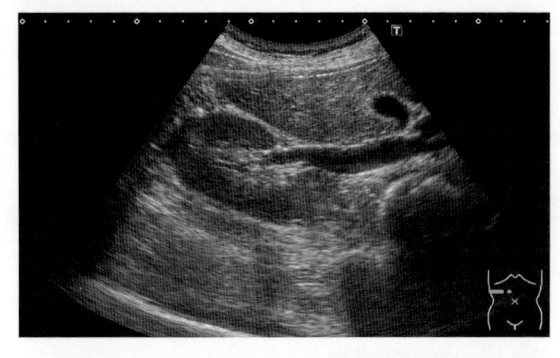

図46 右肋骨弓下（右側腹部）横断走査

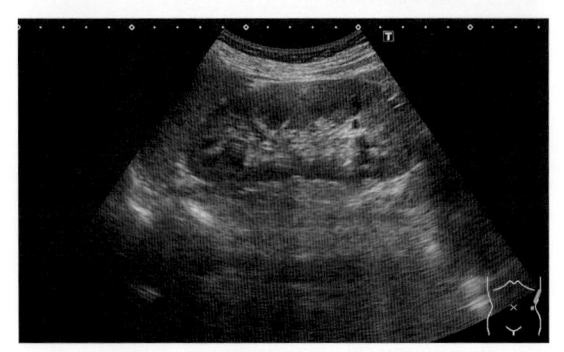

図47 左肋間〜左側腹部走査

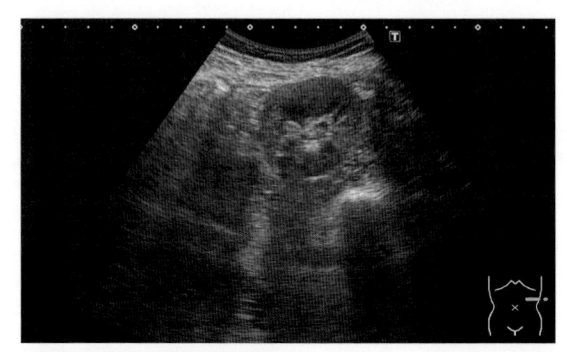

図48 左側腹部横断走査

になるような断面で評価する．
　同様に，プローブを右肋骨弓下縁に横に置き，右腎の短軸像を描出し，腎臓が描出されなくなるまで扇動走査および平行走査を行う．
　右腎の下極側は，上行結腸などの消化管ガスに覆われて観察が不十分になることがあるため，プローブを可能なかぎり背側に置き，超音波ビームを腹側へ傾けるようにして観察するとよい．最大吸気位だけでなく呼吸のレベルを調節しながら，ガスと肋骨を避けるようにして観察する．呼吸による腎の移動が少ない場合には，下腹部を膨らませて腹圧をかけてもらうとよい．また，左側臥位もしくは左半側臥位，腹臥位での観察を取り入れて死角を減らす．

（2）左肋間〜左側腹部走査（図47，48）
　プローブを左肋間〜左側腹部の背側寄りに縦〜やや斜めに置き，吸気位にて左腎の長軸像を描出し，腎臓が描出されなくなるまで扇動走査および平行走査を行う．左腎は右腎に比べ半〜1椎体ほど高い位置にあり，上極側は肋骨の影響を受けるため，肋間からも観察する．プローブを左肋間方向に縦〜やや斜めに置き，脾臓と左腎を同時に描出すると脾腎コントラストとよばれる断面が得られ，脾臓と左腎実質とのエコーレベルの対比が行える．
　同様に，プローブを左側腹部に横に置き，左腎の短軸像を描出し，腎臓が描出されなくなるまで扇動走査および平行走査を行う．
　下行結腸などの消化管ガスに覆われ観察が不十分な場合には，プローブを可能なかぎり背側に置き，超音波ビームを腹側へ傾けるようにして観察する．最大吸気位だけでなく，呼吸のレベルを調節しながら端まで観察する．呼吸による腎の移動が少ない場合には，下腹部を膨らませて腹圧をかけてもらうとよい．また，右側臥位もしくは右半側臥位，腹臥位にした背側からの観察を取り入れて死角を減らす．仰臥位や右側臥位での腹側からの走査では，プローブによる強めの圧迫を行い，消化管ガスの影響を軽減させて観察するとよい．

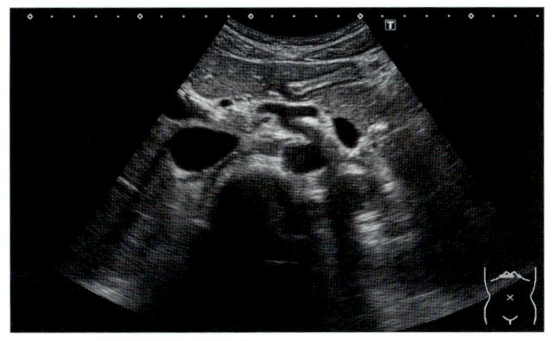

図49　心窩部正中横断走査

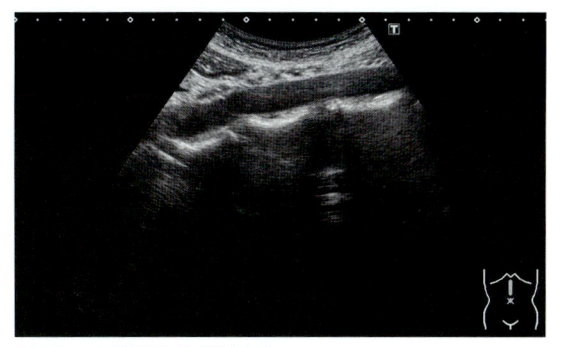

図50　心窩部正中縦断走査

7) 腹部大動脈を主体に
(1) 心窩部正中横断走査（図49）
　プローブを心窩部正中に横に置くと，腹腔動脈から総肝動脈と脾動脈の分岐が描出される．そのまま腹部大動脈の短軸像を描出し，総腸骨動脈の分岐部まで足側へ平行走査を行う．大動脈瘤や解離，石灰化，蛇行，周囲リンパ節腫大の有無を観察する．
(2) 心窩部正中縦断走査（図50）
　プローブを心窩部正中やや左側に縦に置き，腹部大動脈の長軸像を描出し，腹腔動脈と上腸間膜動脈の分岐部から総腸骨動脈の分岐部まで足側へ移動させながら平行走査および扇動走査を行う．大動脈瘤や解離，石灰化，蛇行，周囲リンパ節腫大の有無を観察する．

2. 他の医用画像機器（モダリティ）の特徴
　腹部領域の画像診断には超音波診断装置のほかにも様々なモダリティが用いられ，ここではそれらの特徴について解説する．
1) X線CT（computed tomography：コンピュータ断層撮影）
　CT検査は，X線を照射し得られた情報を解析処理して身体の断面を撮影する検査で，X線の透過率の違いを白黒の濃淡で表示する．X線が吸収されやすい骨のような部位は白く，X線が吸収されにくい空気などは黒く表示される．一度に広範囲の撮影ができ，非造影検査と造影検査に分けられる．
　非造影検査（単純CT）は，一般的なスクリーニングとして用いられる場合が多い．造影検査は，ヨード造影剤を静脈内に注射した後に撮影を行うことでより濃淡のついた画像が得られるため，病変部を明瞭に描出することができる．造影剤を投与する前後の画像を比較して診断を行うが，造影剤を静注し臓器が十分造影された時相で撮影する検査と，造影剤を急速静注し動脈や静脈が造影される数十秒から分単位の変化を撮影するダイナミック検査がある．ダイナミック検査では，造影前と造影剤注入開始後から時間の経過を追って同じ部位を繰り返し撮像し経時的変化を観察する．臓器によって撮像のタイミングは異なり，肝臓癌における撮像フェーズを例にとると，造影剤静注約30〜40秒後の動脈相，約60〜80秒後の門脈相（肝実質相），約3〜5分後の平衡相（遅延相，後期相）に分けられる（図51）．
2) MRI（magnetic resonance imaging：磁気共鳴画像診断装置）
　MRI検査は，強力な磁石で作られた筒のなかに入り，磁気の力を利用して身体の断面を撮影する検査で，体内に存在する無数の水素原子核（プロトン）が発する信号から画像を描出し，縦・横・斜めなど自由な断面が撮像できる．磁場を使うため放射線被曝がないのが特徴だが，信号収集に時間を要し，一般にCT検査よりも撮影時間が長い．装置が強力な磁場を発生しているため，ペース

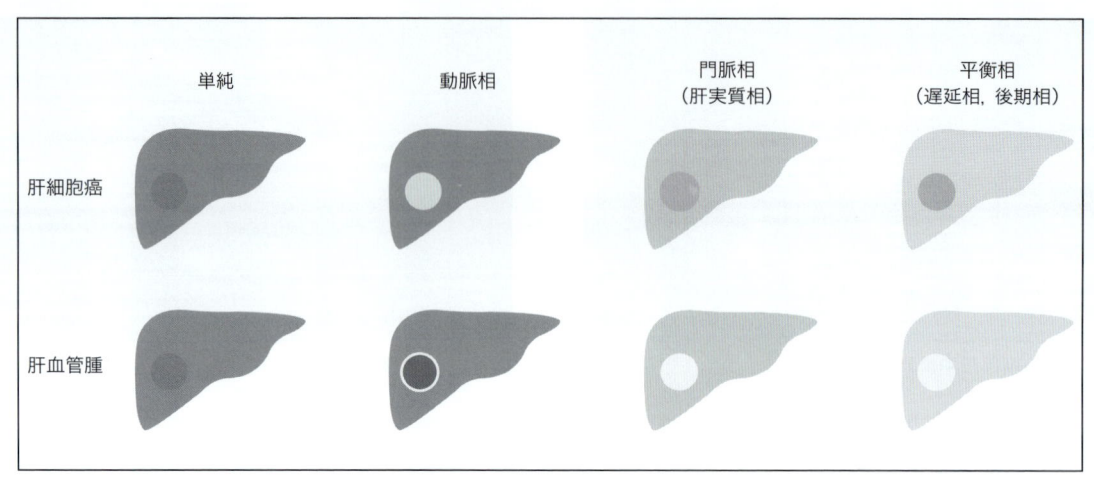

図 51　造影 CT における肝細胞癌と肝血管腫の経時的変化
肝細胞癌：血液が豊富なためすぐに造影剤が入り，すぐに抜ける．
肝血管腫：腫瘍内血流速度が遅いためゆっくりと造影剤が入り，その後しばらく抜けていかない．

表3　MRIの画像表示

	T1 強調画像	T2 強調画像
脂肪組織	白	白
水・液性成分	黒	白
多くの病変	やや黒	やや白
空気・骨	黒	黒
血流	黒	黒
特徴	身体の解剖学的な構造がみやすい	病変の存在を知ることができる

高信号は白く，低信号は黒く表示される．

メーカーや磁性体金属が体内にあると撮影できない．骨や空気による悪影響がなく，テスラ（磁力の大きさを表す国際単位）の数値が大きいほど質の高い画像が得られる．脳血管のスクリーニング検査（脳ドック）や整形領域のほか，胸腹部，心臓，耳鼻科分野など全身で広く有用性を発揮し，CT 同様，非造影検査と造影検査に分けられる．なお，MRI 装置を用いて胆嚢，胆管，膵管を同時に描出する検査を MRCP（magnetic resonance cholangiopancreatography：磁気共鳴胆管膵管撮影）とよぶ．

　通常 MRI 撮影では，T1 強調画像，T2 強調画像の 2 種類をセットで撮影し，この 2 種の画像では身体のなかで強調される組織が異なるため，それぞれの画像から各組織を特定することができる．黒くみえる場合を低信号，白くみえる場合を高信号と表現する（表3）．

3）PET（positron emission tomography：陽電子放出断層撮影）

　PET 検査は，癌細胞が正常細胞より数倍多くブドウ糖を取り込むという性質を利用した画像診断法で，微量の放射性物質を含んだブドウ糖（^{18}F-FDG）を体内に点滴投与後，専用カメラで撮影することにより体内の細胞の活動状況を画像化する．^{18}F-FDG が集積した細胞は発光したように表示され，一度の撮影で全身をくまなく調べることができ，癌のスクリーニング検査に用いられる．早期癌の発見，癌の悪性度や転移・再発の診断のほか，脳や心臓血管の疾患にも有用とされる．

　近年は，PET 単体だけでなく，CT 検査と組み合わせた PET-CT，MRI 検査と組み合わせた

PET-MRIも用いられ，より精度の高い診断が得られるようになった．

Ⅳ 超音波ドプラ法

1. ドプラ法

超音波検査は，Bモードによる形態的評価に加えて，ドプラモードを用いることにより血行動態の評価が可能である．リアルタイムかつ無侵襲に血流を観察できるドプラ法によって，超音波検査の診断能は飛躍的に向上した．現在ではほぼすべての超音波診断装置にドプラ機能が搭載され，日常臨床の場で用いられる機会も多いが，適切な設定条件を行わなかった場合，かえって誤った情報として認識してしまうこともある．ボタンひとつで手軽に用いることができるが，正確な情報を得るためには基本的事項を正しく理解しておくことが大切である．

1）ドプラ効果とは（図52）

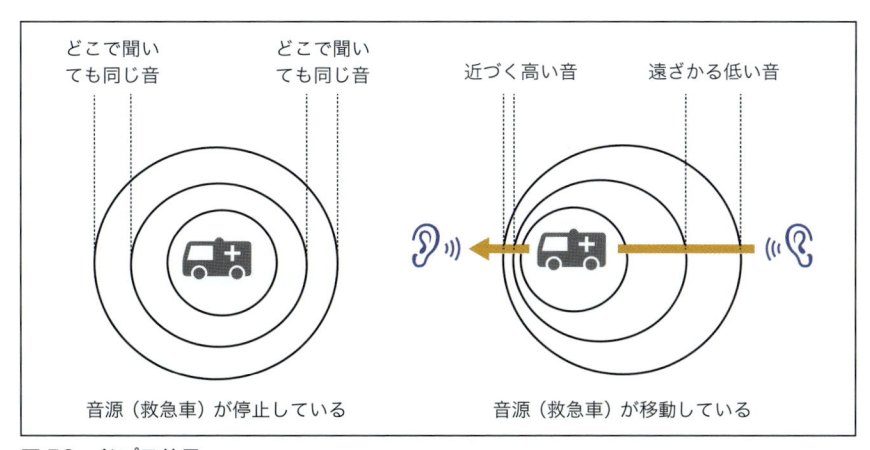

ドプラ効果とは，物体が遠ざかっている場合や近づいている場合，その物体から発生する音の波長が変化する現象である．日常生活で経験する例に救急車のサイレン音があり，救急車が近づいてくる時には高い音に聞こえたサイレンが，遠ざかっていくと低い音に聞こえるのは，救急車が通り過ぎた瞬間に周波数が変化しているためである．

超音波診断装置では，送信した音が動いている物体で反射し，反射した音波は物体の移動速度に比例した周波数偏移（周波数の変化）を生じることから，その変化分を調べて物体の移動速度を求めている．つまり，血管内を流れる血球に超音波が当たると，ドプラ効果により戻ってくる超音波の周波数に変化がみられ，血流情報を得ることができる．

2）ドプラの公式と角度補正（図53，54）

血球から反射して戻ってきた受信周波数（$f_0 + f_d$）とプローブから送信された送信周波数（f_0）の差をドプラ偏移周波数（f_d）とよび，プローブに近づいてくる血流は"＋"（受信周波数が送信周波数より高い），遠ざかる血流は"－"（受信周波数が送信周波数より低い）で表示される．超音波診断装置では，得られたドプラ偏移周波数を血流速度V（m/秒またはcm/秒）に換算して表示している．

血流速度は，ビーム入射角度θが60°をこえると測定誤差が急激に大きくなるため，観察時にはプローブの位置やスキャン方向を調整して，血管とドプラビームとの角度θを60°以内とする．

3）ドプラ法の種類と特徴（表4，5）

ドプラ法には，カラー表示系と波形分析系があり，波形分析系のうち腹部領域ではパルスドプラ

図52 ドプラ効果

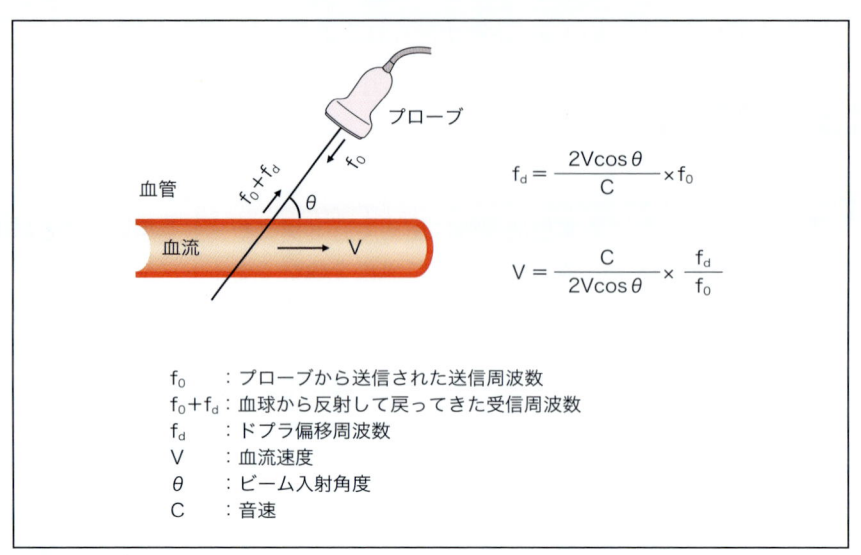

図 53　ドプラの公式

f_0　：プローブから送信された送信周波数
$f_0 + f_d$：血球から反射して戻ってきた受信周波数
f_d　：ドプラ偏移周波数
V　：血流速度
θ　：ビーム入射角度
C　：音速

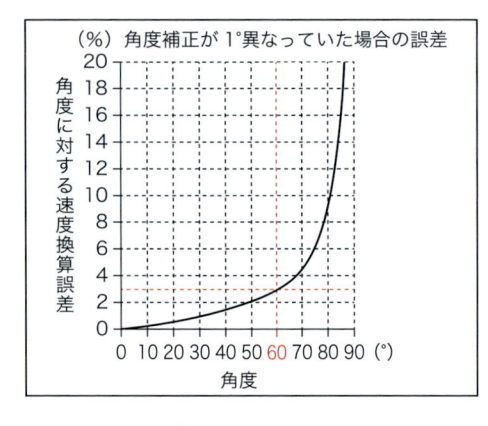

$$f_d = \frac{2V\cos\theta}{C} \times f_0$$

$$V = \frac{C}{2V\cos\theta} \times \frac{f_d}{f_0}$$

表4　ドプラ法の種類

波形分析系	カラー表示系
パルスドプラ 連続波ドプラ	カラードプラ パワードプラ 高精細（ワイドバンド）ドプラ

図54　角度補正の誤差

角度補正が60°をこえると1°の違いによる誤差が指数関数的に上昇する．

表5　ドプラ法の特徴

	特徴	長所	短所
パルスドプラ法	血流解析を行う 血流波形を表示する 血流速度を計測する	任意の血管の血流速度を計測することができる 速度分布を表示することで拍動波（動脈波形），定常波（静脈波形）の評価ができる 低速血流の評価に適す（腹部，体表など）	測定可能な深度や速度には制限がある
カラードプラ法	血流速度の平均値を表示する 血流方向を判別する 血流速度を描出する	プローブに近づいてくる血流を赤系色，遠ざかる血流を青系色に色分けして表示できる 流速が速くなるにつれて明るい色に表示される	超音波ビームと血流の方向が直交する部位ではカラー表示が欠損することがある パワードプラに比べ感度が低い
パワードプラ法	血流の信号量（パワー）を表示する 血管走行を描出する	反射強度が色の明るさの変化で表示される 信号量を血球量に比例させて表示される 細い血管や低速血流の検出ができる 角度依存性が少なく蛇行した血管も一本の血管として描出される	一般的にカラーは単色系で血流の方向が判別できない 動きによるアーチファクトが出やすい

法を用いるのが一般的である．カラー表示系は，診断装置の進化とともに様々なモードが開発されている．

(1) パルスドプラ法

超音波パルスの送信と受信を一定周期で交互に繰り返す方法で，得られたドプラ信号の FFT（fast Fourier transform）解析を行い，波形で表示する．断層像で目的の血管にサンプルボリュームを設定することができるため，任意の血管の血流速度を計測することができ，拍動波は動脈による波形，定常波は静脈による波形を表す．測定可能な深度や速度には制限があり，腹部や体表の低速血流の評価に適す．

ドプラ偏移周波数はパルス繰り返し周波数（PRF：pulse repetititon frequency：1秒間あたりのパルスの繰り返し回数）の影響を受け，測定可能な流速は PRF で決まる．PRF の 1/2 をこえる速い速度の血流を観察すると折り返し現象（エイリアシング）が発生し，FFT の血流表示が反対向きの流れとして折り返って表示されるため，ゼロシフトを行う，PRF を高くする，プローブと血流の入射角度 θ を大きくするなどの調整を行う．この折り返し現象が起こり始める周波数をナイキスト（Nyquist）周波数という．

(2) カラードプラ法

カラードプラ法は，パルスドプラ技術を使用し，B モード像の関心領域（ROI：region of interest）内で刻々と変化する血流速度分布をカラー血流マッピングとしてリアルタイムに表示する方法である．方向，平均流速，パワー，分散の4つの情報を得ることができる．プローブに近づいてくる血流は赤系色，遠ざかる血流は青系色に表示され，流速が速くなるにつれて色は明るくなる．血流速度に乱れがある場合を分散とよび，黄色を混ぜた色で表示される．平均流速が PRF の 1/2 をこえる速い速度の血流を観察すると折り返し現象（エイリアシング）が発生し，血流の色が反転して表示される．

ドプラ法には角度依存性があるが，カラードプラ法では $\theta = 0°$ で画像化されており，超音波ビームと血流の方向が直交する部位ではカラー表示が欠損することが多い．そのため，血流の定量的評価にはパルスドプラ法を使用する．

(3) パワードプラ法

パワードプラ法は，カラードプラ技術を用いて得られたドプラ偏移信号の反射強度をカラー化している．ROI 内の血流を単色で表示し，反射の強さを色の明るさの変化で表示する．反射強度は角度に依存しないため，蛇行した血管であっても1本の血管として描出される．折り返し現象による色の反転がないため，PRF を低く設定でき，低速血流の検出が可能である．

(4) 高精細ドプラ法

パワードプラ法よりさらに詳細な血流表示を可能にしたもので，高精細ドプラ法あるいは広帯域（ワイドバンド）ドプラ法とよばれ，メーカーごとに独自の名称を用いている．

広帯域のカラードプラ送受信信号によって分解能を高め，血管からのはみ出し（ブルーミング）を少なくし，高フレーム数で微細な血流を表示する．血流方向を色分けして表示し，並走する血流を分離して観察することができる．最近のさらなる技術進化により，低い流速域で血流描出の妨げとなっていた血流以外の対象物から生じる不要なドプラ信号（モーションアーチファクト）の抑制を可能とし，低流速血流の検出能を向上させた．造影剤を用いなくても非侵襲的に血流の評価が可能な，新たな血流イメージング技術として位置づけられている．

2. ドプラ装置の調整法

ドプラ検査施行時の画面には，様々な機能の条件設定が表示されている．正確な情報を得て正しく評価するためには，画面に表示されている項目を理解したうえで適正な条件設定を随時行う必要

がある（図55）．

1）ドプラ法の基本設定（表6）

ドプラ法の評価を正しく行うための基本設定を**表6**に示す．まずは，基本となるBモード画像を適切に調整することが大切である．

2）パルスドプラ法による動脈血流速波形の解析（表7，図56，表8）

パルスドプラ法は，Bモードの画面上にサンプリングポイントを置き，その箇所の偏移周波数を求め血流速度として評価している．パルスドプラ法で得られた血流波形の分析をFFT解析とよび，血管の状態を反映した様々な指標を求めることができる．一般に悪性腫瘍では血管抵抗が高く，シャントを形成する腫瘤やシャント血流そのものでは血管抵抗が低い．PI（拍動係数），RI（抵抗係数）

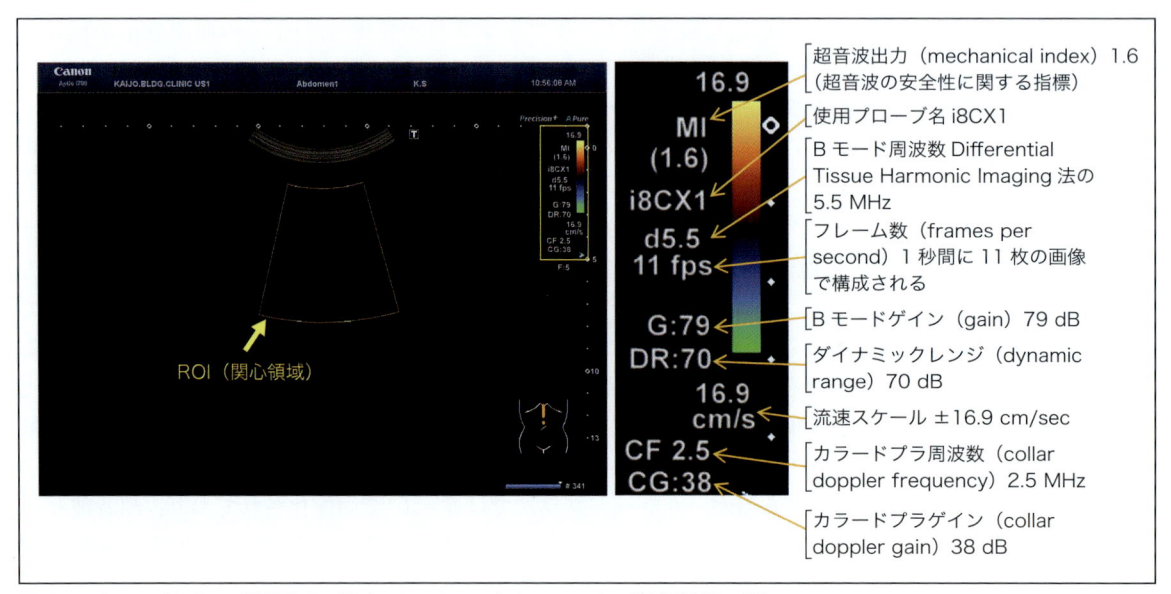

図55　カラードプラの画面表示（キヤノンメディカルシステムズ社製装置の例）

表6　ドプラ法の基本設定

① Bモード画像の調整	観察部位を浅部に描出し，対象を拡大する Bモードゲインは低めに設定し，血流表示の視認性を高める
② 参考周波数の選択	深部の病変であれば低周波を選択する 浅部の病変であれば高周波を選択する （低速血流の検出は高周波が適すため，対象をできるだけ浅部に描出する）
③ フォーカスの調節	病変のやや深部に設定する
④ カラーエリア（ROI）の設定	必要最低限まで狭めてリアルタイム性を高める
⑤ カラーゲインの調節	やや高め（ノイズが出現するところ）まで上げたあと徐々に下げ，ノイズがやや残るレベル〜ちょうど消失するところに調整する
⑥ 流速レンジの調整	やや低めのレベルから徐々に上げていき，折り返し現象が生じないところに設定する モーションアーチファクトなどのノイズが多い場合は流速レンジを少し高くする
⑦ MTI（moving target indication）フィルタの設定	必要に応じ手動で調節し，クラッタをカットする
⑧ 角度補正	入射角度θは60°以内とし，可能なかぎり小さく設定する
⑨ サンプルボリューム	血管内径をこえない程度に設定し，血管中心部と血管壁近くの両方の血流をとらえる

表7 パルスドプラ法による動脈血流速波形の解析

Vs = PSV (peak-systolic flow velocity) = Vmax (maximal velocity)	収縮期最高血流速度	1心拍中の収縮期最高血流速度
Vd = EDV (end-diastolic flow velocity) = Vmin (minimum velocity)	拡張末期血流速度	1心拍中の拡張期最高血流速度
TAMV (time-averaged maximum flow velocity) = Vmean (mean velocity)	時間平均最高血流速度	最高血流速波形の時間平均値．1心拍分の血流速度の最高血流速度波形をトレースし，1心周期で除して求められる．
TAV (time-averaged flow velocity)	時間平均血流速度	1心拍内，あるいは一定時間内で平均した流速値．1心拍分の平均血流速度波形をトレースして得られる．
TAVmean	時間的空間的平均血流	TAVの平均値．血流信号の最も反射の強い部分の流速変化を表す．
PI (pulsatility index)	拍動係数	収縮期最高血流速度（PSV）−拡張末期血流速度（EDV）/平均最大血流速度（TAMV）動脈血流速度から算出される指標であり，末梢の血管抵抗（血液の流れにくさ）を反映する．RI値に比べ情報量が多い．
RI (resistance index)	抵抗係数	収縮期最高血流速度（PSV）−拡張末期血流速度（EDV）/収縮期最高血流速度（PSV）動脈血流速度から算出される指標であり，末梢の血管抵抗を反映する．拡張末期血流速度が0であれば1となる．
AT (acceleration time)		動脈血流波形の立ち上がりからピークまでの加速時間
PT (periodic time)		1心拍時間
ATI (acceleration time index)		加速時間（AT）/1心拍時間（PT）動脈血流波形の立ち上がりからピークまでの加速時間AT（acceleration time）が1心拍中に占める割合を示す．ピーク位置が後ろにずれるほどATIの値は大きくなる．

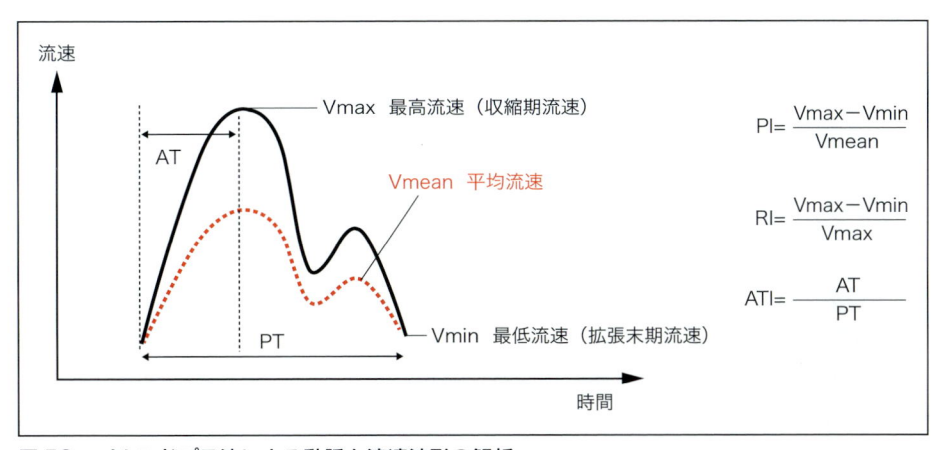

$$PI = \frac{Vmax - Vmin}{Vmean}$$

$$RI = \frac{Vmax - Vmin}{Vmax}$$

$$ATI = \frac{AT}{PT}$$

図56 パルスドプラ法による動脈血流速波形の解析

表8 各種インデックスが表す血管の変化

Vmax の上昇	PI, RI の上昇
血管の狭窄部位 末梢の血流需要の増加 末梢でのシャントの存在 シャント血流	末梢インピーダンスの上昇 末梢血管の狭窄性変化 臓器の線維化，硬化，内圧の上昇
Vmax の低下	PI, RI の低下
末梢側の高度狭窄による抵抗の増加 断面積の拡大（動脈瘤，血管腫） 中枢側の高度狭窄による damped shape	末梢インピーダンスの低下 腫瘍などによる血管床の増加 シャントの存在 中枢側の高度狭窄による damped shape

ともに良悪性間で数値のオーバーラップを認めるため単独での鑑別能は高くはないが，FFT解析は診断の補助的役割を果たすものとして用いられる．また，通常の血流は末梢になるにつれて血管抵抗が減少するため，PI，RIの評価については測定部位が重要となる．なお，RIはどのような波形であっても拡張末期血流速度が0であれば1になってしまうため，波形の評価としてはPIの方が優れている．

3. ドプラ法とアーチファクト

ドプラモードもBモードと同様にアーチファクトがみられる．超音波の原理をもとにドプラモードのアーチファクトを理解することが，真の血流情報を得る検査につながる．

1) 鏡像によるアーチファクト

横隔膜を鏡面として実像と対称的な位置に血管の血流シグナルの虚像が表示されることがある．鏡面効果の原理はカラーモードもBモードと同様であるが，カラーモードは色付けされるため，Bモードよりも明瞭に描出される．

2) twinkling アーチファクト

結石などの微小反射体で生じたランダムノイズの反射信号の差を，装置が誤ってカラー表示することに起因する．結石や石灰沈着に認められることが多く，血流がない部位にモザイク状にカラー表示されたコメットサインがみられる．

3) 腹水や尿流でみられるカラー表示

腹水が呼吸に伴って肝表面や腸管の間などの狭い腔を移動する時や，尿管口から膀胱内に尿が流入する時（尿噴流エコー像）などに，流れの方向に対応したカラー表示がみられる．

4) スライス幅でみられるカラー表示

スライス幅でみられる原理はBモードと同様である．超音波ビームにはある程度の厚みがあるため，本来の血管や腫瘍の周囲を走行する血管があると同一画面でカラー表示がされる．腫瘍の近傍を走行する血管があたかも腫瘍内に存在する血管のように表示されたり，胆嚢内腔のように本来血流のないところにカラーシグナルが認められることがある．

5) モーションアーチファクト

血流の動きだけでなく，臓器の呼吸移動，消化管の蠕動やガスの動き，動脈の拍動などによってもドプラ偏移が生じるため，モザイク状のカラーノイズを認めることがある．

6) 折り返し現象（エイリアシング）

平均流速がPRFの1/2をこえる速い速度の血流を観察すると，折り返し現象（エイリアシング）が発生する．カラーモードでは血流の色が反転して表示され，FFT波形では血流表示が反対向きの流れとして折り返って表示される．

7）ブルーミング（はみ出し現象）

　カラードプラ表示やパワードプラ表示で，ゲイン設定が高すぎた際にみられる血流のはみ出し現象で，実際の血管径よりも太くカラー表示される．この現象は，ワイドバンドドプラ法ではほとんどみられない．

4. ドプラ法の活用

　ドプラ検査は，その特異性から，明確な目的のもとに進めなければ中途半端な検査になってしまう．目的を定め，ターゲットを絞って検査を進めることで有用な情報が得られる．検査を進めるうえでドプラ検査が有効な例として，①嚢胞性病変と血管性病変との鑑別，②腫瘍性病変と非腫瘍性病変との鑑別，③腫瘍性病変の血行動態，④血管性病変の精査，などがあげられる．

Ⅴ 健診領域における超音波検査

1. 超音波けんしん（健診・検診）に求められるもの

1）けんしんエコーの特徴

　超音波けんしんの歴史を紐解くと，1970年代後半，人間ドックにおけるX線胆囊造影に代わる安全な検査として始まり，その後診断装置の進歩とともに1980年頃から集団検診に導入されるようになった．現在では，胆嚢を含む腹部臓器のみならず，乳腺，甲状腺，頸部血管など，対象とされる臓器は多領域にわたる．超音波けんしんは，癌や癌を合併しうる疾患の早期発見を目的とした"検診"と，脂肪肝や腎結石など生活習慣病の早期発見も含めた"健診"に分けられる．この両者の役割を果たす"けんしん"エコーは，健康診断のツールとしてもはや一般的なものとなっている．

　けんしんエコーの最大の目的は，無症状の受診者に潜む小さな異常を早期に発見することにある．加えて，全国どの施設においても同じクオリティの検査を提供できるよう努めなければならない．時間的制約があるなか，多くの受診者を対象とし小さな病変を確実に拾い上げ，同時に過剰診断となりうる拾い過ぎを避けるためには，精度を担保されたエキスパートがその能力を十分発揮できる適切な環境下で検査を行うことが望まれる．この点については，けんしんエコーの質的向上と均質化，検査結果の共通化を謀り，精度評価や有効性評価を行うことを目指して作成された「腹部超音波検診判定マニュアル改訂版（2021年）[8]」を参照されたい．

　一方，受診者側は正常の確認，異常がないこと，万が一異常があったとしてもできるだけ軽微であることを望んでいる．受診者に訪れる通常年に1回の受診のチャンスを，検者である我々が潰してしまわぬよう，技術や知識の日々の鍛錬はもとより，適切な判断力と，検査精度に直結する高いホスピタリティを備えておきたい．けんしんエコーは，疾病の診断と早期発見の手段として行われるばかりでなく，より健康になるための基準を示すことにも大きな使命がある．

2）見逃しの実情（図57）

　見逃しが生じる背景には，みえやすい部分にたまたま描出された所見だけを拾い上げているにすぎず，アーチファクトなどに隠される微細病変や描出しづらい部位に存在するもの，音響インピーダンスの差が小さいものは容易に見逃してしまうという実情がある．検者は，見逃しが起こりやすい部位と原因を理解し，それを回避できる十分なテクニックを備えたうえで検査に臨む．また，新たに出現した所見の拾い上げだけでなく，経年変化への気付きも重要な要素になる．逐年検診受診者の過去画像を確認せずに検査を終えれば，それがそのまま見逃しにつながることもある．加えて，経年変化が見逃されることのないよう鮮明な記録画像を残す必要があることはいうまでもない．

3）見逃しをしないための取り組み

　スクリーニング検査として行われるエコーの検査手技に，けんしんも臨床も大きな違いはない．

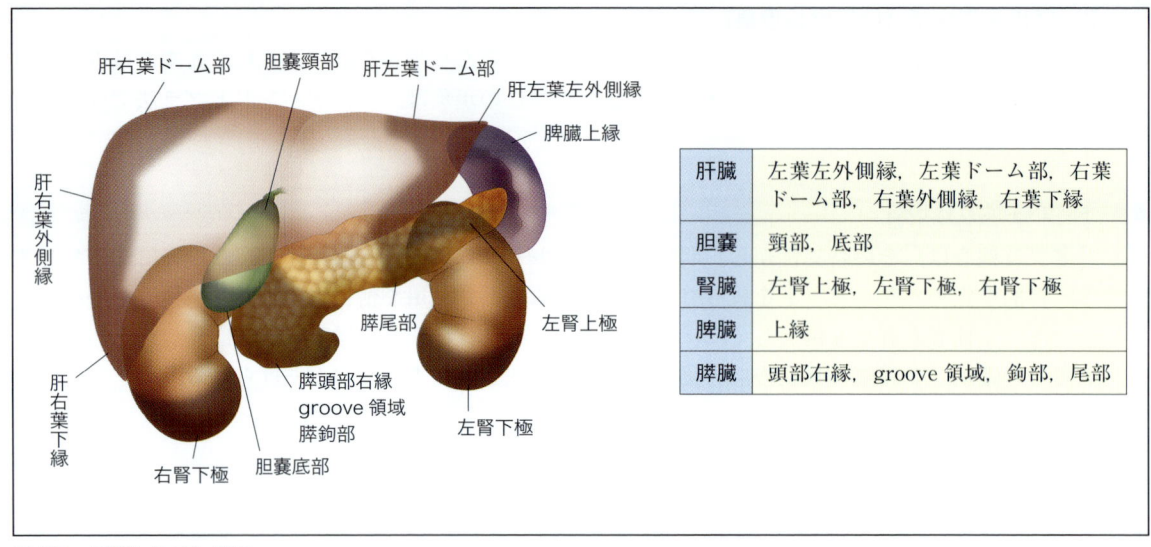

図57 見逃しやすい部位

肝臓	左葉左外側縁，左葉ドーム部，右葉ドーム部，右葉外側縁，右葉下縁
胆囊	頸部，底部
腎臓	左腎上極，左腎下極，右腎下極
脾臓	上縁
膵臓	頭部右縁，groove 領域，鉤部，尾部

臓器の端と表面は見逃されやすいことを意識し，体位変換や呼吸調節を駆使した多方向からの走査を心がける．臓器から突出した病変も想定し，目的の臓器がみえなくなるまで画面から目を離さず観察を行う．

表9 各臓器の基準値と計測方法

部位		基準値	備考
肝臓	肝内胆管径	4 mm ＜未満	（胆囊切除後）6 mm ＜未満
胆囊・胆管	胆囊短径	36 mm ＜未満	
	胆囊壁厚	4 mm ＜未満	体部肝床側にて最大壁厚
	肝外胆管径	8 mm ＜未満	（胆囊切除後）11 mm ＜未満 拡大画像で胆管の前壁エコーの立ち上がりから後壁エコーの立ち上がりまでを計測（図58）
	肝外胆管壁厚	3 mm ＜未満	
膵臓	膵臓短径	≦10 mm 以上 30 mm ＜未満	
	主膵管径	3 mm ＜未満	体部にて最大短径 拡大画像で主膵管の前壁エコーの立ち上がりから後壁エコーの立ち上がりまでを計測（図59）
脾臓	最大径	10 cm ＜未満	長軸像で描出し最大径を計測（図60） （※脾臓の大きさに関しては年齢・体格により基準値にも幅がある）
腎臓	長径	≦8 cm 以上 12 cm ＜未満	腎外に突出する囊胞は長径の計測に入れず，本来の腎実質の存在が想定される長径を測る（図61）
腹部大動脈		30 mm ＜未満	大動脈径の計測は，日本超音波医学会用語・診断基準委員会：超音波による大動脈病変の標準的評価法 2020 に準じる（図62）
リンパ節	短径	7 mm ＜未満	

（日本消化器がん検診学会　超音波検診委員会　腹部超音波検診判定マニュアルの改訂に関するワーキンググループ，他：腹部超音波検診判定マニュアル改訂版（2021年）．日本消化器がん検診学会誌，60：134～178，2022 を元に作成）

けんしん独自の走査技術などは存在せず，対象臓器を隈なく観察し，みていない部位を作らない走査法を身につけることに尽きる．ただ漠然とプローブを動かすのではなく，見逃しやすい部位を意識し，消化管ガスなどの障害物に遭遇した際には死角を減らして観察できる高いテクニックが求められる．

　見逃しのない検査を行うため，同一施設内においてはすべての検者が同じ走査手順と記録断面で検査を進めることが望ましく，誰がみても理解できるよう客観性のある記録を心がける．走査手順については，全国的に統一された手法はなく様々な方法が提唱されるが，系統立てた走査のなかでも見逃しやすい部位を意識した手順や記録断面を設定し，みていない部位を作らない．一連の走査のなかでも被検者の条件によっては途中で体位を変えて観察する必要が生じることから，仰臥位（背臥位）を基本とし，適宜体位変換を加えた走査手順を構成しておくのが望ましい．一度完成された手順も，常に最新のガイドラインを取り入れ，適宜ブラッシュアップすることを怠らない．同一施設内における手順の統一化は，検査中の見逃しだけでなく経年変化の発見にも役立ち，画像判読時の見逃しや間違いの防止にもつながり効率が高まる．一方，けんしんという性質上，一度にたくさんの検査を行うことを求められるが，検査に必要とされるだけの時間は確実に確保されなければならない．

2. 各臓器の基準値と計測方法

　ここでは，腹部超音波検診判定マニュアル改定版（2021年）に定義されるものを提示する．小数点以下は四捨五入する（**表9**，**図58〜62**）．

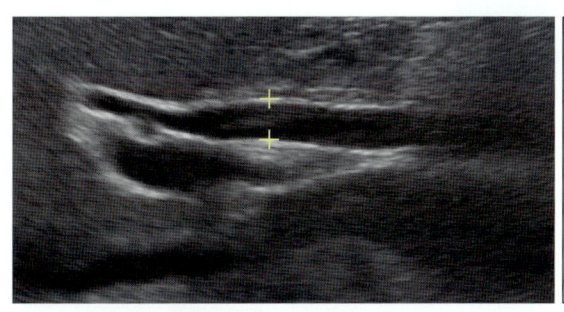

図58　胆管径の測定法

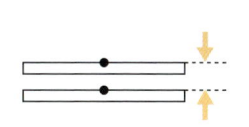

前壁エコーの立ち上がりから後壁エコーの立ち上がりまでを測定し，小数点以下は四捨五入してmm表示とする．

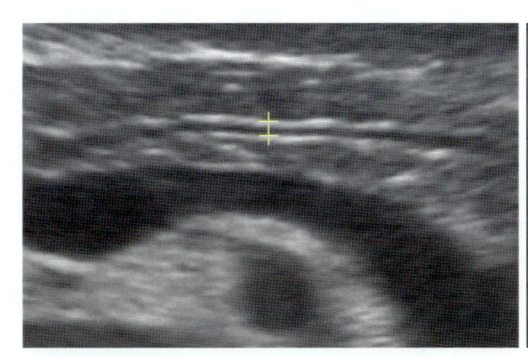

図59　膵管径の測定法

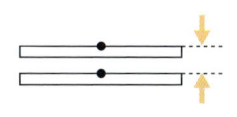

前壁エコーの立ち上がりから後壁エコーの立ち上がりまでを測定し，小数点以下は四捨五入してmm表示とする．

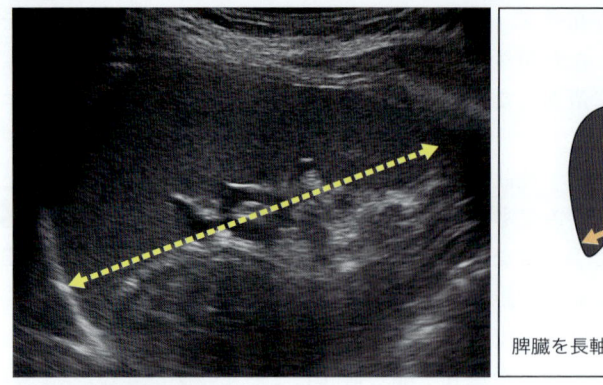

図60　脾臓の計測法

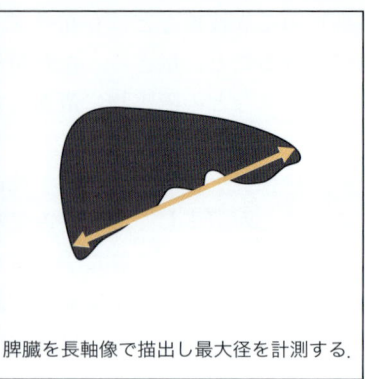

脾臓を長軸像で描出し最大径を計測する．

図61　腎長径の測定法

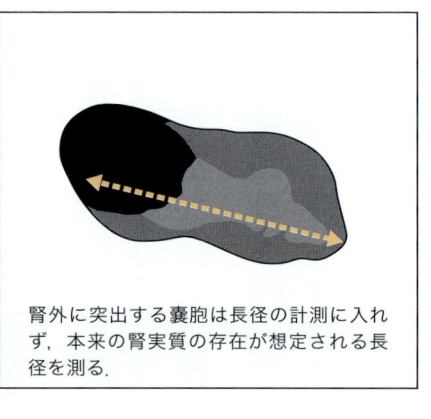

腎外に突出する囊胞は長径の計測に入れず，本来の腎実質の存在が想定される長径を測る．

瘤最大部
長軸像
直交最大径

瘤最大部
短軸像の長軸直交断面
直径（円形）あるいは短径（楕円形）

全周性拡張の場合

非直交断面
最大部　　直交断面
非直交断面

直径
直交断面　　直径

非直交断面
短径

青矢印が最大径
外膜間（外一外）径を計測

図62　紡錘状瘤径の計測
（日本消化器がん検診学会　超音波検診委員会　腹部超音波検診判定マニュアルの改訂に関するワーキンググループ，他：腹部超音波検診判定マニュアル改訂版（2021年）．日本消化器がん検診学会誌，60：175，2022より転載）

参考文献

1) 日本超音波検査学会監修：日超検 腹部超音波テキスト第2版．医歯薬出版，2014．
2) 日本超音波検査学会編：超音波基礎技術テキスト．超音波検査技術，**37**（7）（特別号）：2012．
3) 遠田栄一，谷内亮水：腹部超音波スクリーニング―見落としをしないコツ．医歯薬出版，2004．
4) 土居忠文：腹部超音波検査勉強法．超初心者のための超音波検査講習会テキスト．幸千回，2010．
5) 森　秀明：初学者のためのわかる腹部エコー第2版．所見からみた超音波鑑別診断．文光堂，2016．
6) 岡庭信司編：レジデントノート増刊．できる！使いたくなる！腹部エコー．**22**（14）：羊土社，2020．
7) 竹原靖明監修・編集：USスクリーニング．医学書院，2008．
8) 日本消化器がん検診学会，超音波検診委員会 腹部超音波検診判定マニュアルの改訂に関するワーキンググループ，他：腹部超音波検診判定マニュアル改定版（2021年）．日本消化器がん検診学会誌，**60**：2022．

（杉田清香）

第2章 症状からみた腹部超音波検査

I 腹痛をみる

　腹痛を生じる疾患は，一般的に消化管に起因するものが多い．しかし，腹痛の原因は泌尿器系，婦人科系，循環器系，さらに全身疾患に起因するものまである．
　本章では，超音波検査の前段階で，腹痛を訴える患者の診かたと代表的な疾患について述べる．

1. 腹痛を訴える患者

1）腹痛を訴える患者の部位別にみられる疾患
　腹痛を訴える疾患では，腹部の各部位に特徴的な症状がみられる．このため，腹痛の部位別にみられる疾患を把握しておくことは，疾患を絞り込むために大切である（**図1，2，表1〜9**）．

2）突然に発症する疼痛
　突然に発症して，かつ強い症状を訴える病態に急性腹症（広義）がある．大動脈瘤の破裂や大動脈解離，消化管穿孔や臓器の虚血（腸間膜動脈閉塞，卵巣茎捻転）などがあげられる．緊急性の高い疾患であり，緊急手術やそれに代わる迅速な対応が求められる．さらに，突然の発症には胆管や尿管の閉塞もみられる．これらに比べると少し緩徐な発症になるが，急性虫垂炎や大腸憩室周囲炎もあげられる．

3）急性腹症と紛らわしい疾患
　腹部疾患以外でも腹痛は起こるので，急性腹症との鑑別に注意する．症状を引き起こす原因に，①腹腔外臓器に起因するもの，②全身疾患に起因するものがあげられる．腹腔外臓器には，心血管系，食道系，呼吸器系，鼠径陰部系，筋骨格系があげられる．全身疾患では，血液疾患，膠原病疾患，アレルギー，中毒，感染症，内分泌疾患などがある（**表10**）．

4）腹痛の診断精度を高めるために
　超音波検査は，腹痛の初期対応に多くの情報を提供する．診断精度を高めるには，走査技術と判読力の他に，患者の病態を把握することが大切である．超音波検査の依頼票にある検査目的だけでは十分とは言い難い．このため，超音波検査者も検査時に患者をみて，会話をしながら，可能なかぎり情報を得る努力が必要であり，そのスキルをもつことで腹痛の診断精度が高められる．
　診断精度を高める第1ステップは，疼痛部位，現病歴，輸血歴，海外渡航歴，居住歴，手術既往歴などを聞き出すことである．第2ステップは，症状に対しての確認，観察部位の正常像と異常像を把握することである．実際の臨床現場では，第1ステップと第2ステップを同時に行うことが多い．スキルを養うには，先輩の技師について経験知を習得することも一手法である．

2. 腹痛の発生メカニズム

1）痛みの原因
　腹症の診かたは，腹痛の発生メカニズムを学ぶと理解がしやすくなる．痛みの原因は，内臓痛と体性痛および関連痛と放散痛に分けられる（**表11**）．

2 症状からみた腹部超音波検査

①右季肋部
②心窩部
③左季肋部
④右側腹部
⑤臍部
⑥左側腹部
⑦右腸骨部
⑧下腹部
⑨左腸骨部

鎖骨中線
肋骨弓
臍
上前腸骨棘

腹部の9区分

右上腹部痛　（表1）
心窩部痛　　（表2）
左上腹部痛　（表3）
右下腹部痛　（表4）
臍下部痛　　（表5）
左下腹部痛　（表6）
臍周囲痛　　（表7）
腹部全体痛　（表8）
腹痛と背部痛（表9）

疼痛からみた腹部区分

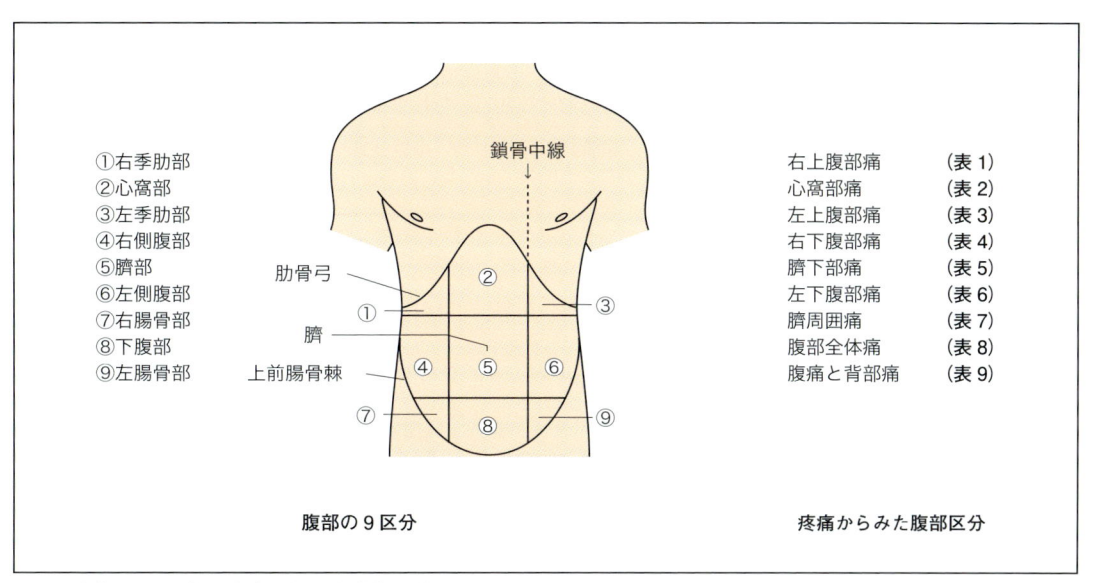

図1　腹部の9区分と疼痛からみた腹部区分

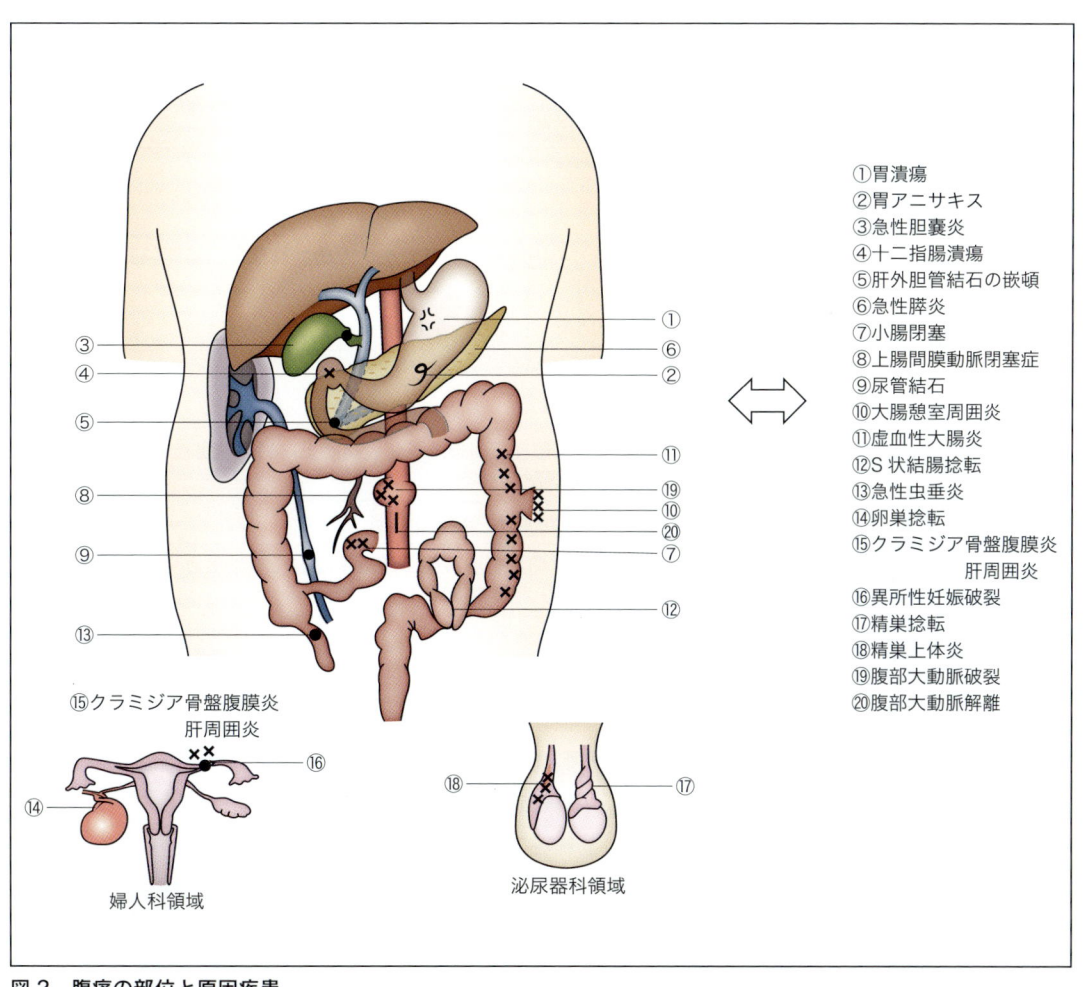

①胃潰瘍
②胃アニサキス
③急性胆囊炎
④十二指腸潰瘍
⑤肝外胆管結石の嵌頓
⑥急性膵炎
⑦小腸閉塞
⑧上腸間膜動脈閉塞症
⑨尿管結石
⑩大腸憩室周囲炎
⑪虚血性大腸炎
⑫S状結腸捻転
⑬急性虫垂炎
⑭卵巣捻転
⑮クラミジア骨盤腹膜炎
　　肝周囲炎
⑯異所性妊娠破裂
⑰精巣捻転
⑱精巣上体炎
⑲腹部大動脈破裂
⑳腹部大動脈解離

⑮クラミジア骨盤腹膜炎
　　肝周囲炎

婦人科領域

泌尿器科領域

図2　腹痛の部位と原因疾患
（髙木　篤，他：すぐ・よく・わかる　急性腹症のトリセツ．p.5, 医学書院, 2020 をもとに作成）

表 1　右上腹部痛を訴える患者に疑われる疾患

消化器系疾患	急性胆嚢炎，胆管炎，肝膿瘍，急性肝炎，肝腫瘤，胃潰瘍，十二指腸潰瘍，急性膵炎，大腸炎，大腸憩室周囲炎，急性虫垂炎
泌尿器科疾患	腎盂腎炎，腎結石，尿管結石，腎梗塞，副腎梗塞
産婦人科疾患	特記する疾患なし
血管系疾患	急性冠症候群，心筋炎，心内膜炎，心外膜炎，大動脈解離，上腸間膜動脈解離
その他の疾患	呼吸器疾患（肺炎，肺塞栓，膿胸），Fitz-Hugh-Curtis症候群

表 2　心窩部痛を訴える患者に疑われる疾患

消化器系疾患	胃潰瘍，十二指腸潰瘍，急性胆嚢炎，腸閉塞，急性虫垂炎，胆管炎，肝膿瘍，急性肝炎，肝腫瘤，急性膵炎，大腸炎，大腸憩室周囲炎
泌尿器科疾患	腎盂腎炎，腎結石，尿管結石，腎梗塞，副腎梗塞
産婦人科疾患	特記する疾患なし
血管系疾患	急性冠症候群，心筋炎，心内膜炎，心外膜炎，大動脈解離，上腸間膜動脈解離，上腸間膜動脈閉塞
その他の疾患	呼吸器疾患（肺炎，肺塞栓，膿胸）

表 3　左上腹部痛を訴える患者に疑われる疾患

消化器系疾患	食道炎，胃潰瘍，脾梗塞，脾腫，脾破裂，脾膿瘍，脾動脈瘤，大腸憩室周囲炎，虚血性腸炎，腸閉塞，急性膵炎，膵腫瘍
泌尿器科疾患	腎盂腎炎，腎結石，尿管結石，腎梗塞，副腎梗塞
産婦人科疾患	特記する疾患なし
血管系疾患	急性冠症候群，心筋炎，心内膜炎，心外膜炎，大動脈解離，上腸間膜動脈解離，上腸間膜動脈閉塞
その他の疾患	左胸郭内疾患（左下肺肺炎，左気胸，左膿胸）

表 4　右下腹部痛を訴える患者に疑われる疾患

消化器系疾患	急性虫垂炎，大腸炎，大腸憩室周囲炎，炎症性腸疾患，過敏性腸症候群，急性胆嚢炎，急性膵炎，鼠径ヘルニア
泌尿器科疾患	尿管結石，尿路感染症，前立腺炎，精巣上体炎
産婦人科疾患	異所性妊娠，子宮内膜症，卵巣嚢胞破裂，卵巣茎捻転，卵巣出血，骨盤腹膜炎，付属器膿瘍（卵管・卵巣膿瘍），付属器炎
血管系疾患	動脈解離，動脈瘤破裂
その他の疾患	腸腰筋膿瘍，後腹膜出血

表 5　臍下部痛を訴える患者に疑われる疾患

消化器系疾患	急性虫垂炎，大腸炎，大腸憩室周囲炎，炎症性腸疾患，過敏性腸症候群
泌尿器科疾患	尿管結石，腎盂腎炎，膀胱炎
産婦人科疾患	異所性妊娠，子宮内膜症，子宮筋腫，卵巣腫瘍，卵巣茎捻転，骨盤腹膜炎，卵巣出血
血管系疾患	特記する疾患なし
その他の疾患	特記する疾患なし

表 6 左下腹部痛を訴える患者に疑われる疾患

消化器系疾患	便秘,消化管閉塞,大腸悪性腫瘍,大腸憩室周囲炎,ヘルニア,大腸炎(感染性・虚血性),炎症性腸疾患
泌尿器科疾患	尿管結石,尿路感染,前立腺炎,精巣上体炎
産婦人科疾患	異所性妊娠,子宮内膜症,卵巣嚢胞破裂,卵巣茎捻転,卵巣出血,骨盤腹膜炎,付属器膿瘍(卵管・卵巣膿瘍),付属器炎
血管系疾患	動脈解離,動脈瘤破裂
その他の疾患	腸腰筋膿瘍,後腹膜出血

表 7 臍周囲痛を訴える患者に疑われる疾患

消化器系疾患	急性虫垂炎(初期),小腸の急性閉塞,単純な腸の疝痛,急性膵炎
泌尿器科疾患	特記する疾患なし
産婦人科疾患	特記する疾患なし
血管系疾患	腸間膜動脈閉塞症,冠動脈症候群,腹部大動脈瘤,内臓動脈解離
その他の疾患	脊髄癆,急性緑内障による腹痛,尿膜管遺残症

表 8 腹部全体の腹痛を訴える患者に疑われる疾患

消化器系疾患	消化管穿孔,消化管閉塞(絞扼性),急性胃炎,急性腸炎,臓器損傷,急性膵炎
泌尿器科疾患	特記する疾患なし
産婦人科疾患	特記する疾患なし
血管系疾患	大動脈瘤破裂,大動脈解離,腸間膜動脈閉塞症,腸間膜静脈血栓症
その他の疾患	中毒(鉛,ヒ素など),IgA 血管炎(Henoch-Schönlein purpura),両側肺炎,急性ポルフィリン症など

表 9 腹痛と背部痛を訴える患者に疑われる疾患

消化器系疾患	急性膵炎,慢性膵炎,胆石症,急性胆嚢炎,脾梗塞
泌尿器科疾患	腎結石,尿管結石,腎梗塞
産婦人科疾患	特記する疾患なし
血管系疾患	大動脈瘤破裂,大動脈解離
その他の疾患	帯状疱疹,圧迫骨折,腸腰筋膿瘍

(急性腹症診療ガイドライン出版委員会:急性腹症診療ガイドライン 2015. pp.35〜38,医学書院,2015 をもとに表 1〜9 を作成)

ひとくちメモ (1) 急性腹症とは

①一般的には 1 週間以内の急性な発症で,放置すれば重篤な全身症状を呈するため,可及的早期に緊急手術の適応やそれにかわる迅速な初期対応を求められる腹部(胸部等も含む)疾患群の総称である.
②単にお腹が痛いという腹痛とは病態が異なる.
③代表的な疾患に,急性膵炎,上腸間膜動脈閉塞症,大動脈瘤破裂,大動脈解離,消化管穿孔,腸管壊死,腹腔内出血,急性冠症候群,異所性妊娠(女性)がある.

表10 急性腹症と紛らわしい腹部と後腹膜以外の疾患

起因	領域	疾患名
腹腔外臓器	心血管系	急性冠症候群，心内膜炎，心外膜炎，心筋炎，大動脈解離，大動脈瘤破裂
	食道系	食道攣縮，食道炎
	呼吸器系	肺炎，胸膜炎，膿胸，気胸，肺動脈血栓塞栓症
	鼠径陰部系	精索捻転，精巣上体炎，鼠径・大腿・閉鎖孔ヘルニアの嵌頓
	筋骨格系	神経根症，脊髄または末梢神経の腫瘍，脊椎の変形性関節症，椎間板ヘルニア，椎間板炎，腸腰筋膿瘍，骨髄炎，肋骨すべり症候群
全身疾患	血液疾患	急性白血病，溶血性貧血，鎌状赤血球症，リンパ腫
	膠原病疾患	SLE，関節リウマチ，皮膚筋炎，結節性多発動脈炎，食物アレルギー
	アレルギー	IgA血管炎（Henoch-Schönlein purpura），血管性浮腫，好酸球性腸炎
	中毒	過敏性反応（クモ刺傷，爬虫類毒，昆虫毒など），鉛中毒
	感染症	連鎖球菌咽頭炎，帯状疱疹，骨髄炎，結核，チフス熱
	内分泌疾患	糖尿病性ケトアシドーシス，急性副腎不全，甲状腺機能亢進症，ポルフィリン症，尿毒症
	その他	急性緑内障，腹部てんかん，腹性片頭痛，精神疾患，異物，熱中症，家族性地中海熱，婦人科臓器疾患（排卵痛）

SLE：systemic lupus erythematosus，全身性エリテマトーデス．

（1）内臓痛

①特徴と原因

内臓痛の特徴は，消化管，尿管，胆管といった管の閉塞による物理的な痛みである．発生は内胚葉由来の内臓であり，原因は閉塞を解除しようとする管腔臓器の痙攣，拡張，収縮である．管腔臓器の内圧の上昇により平滑筋への刺激が交感神経を通じて大脳皮質に伝えられる．発生部位は消化管，肝臓や腎臓など被膜をもつ固形臓器である．神経支配は自律神経系で，求心路は交感神経あるいは副交感神経であり，知覚神経は関与しない．

②患者の訴えと症状

患者の訴えは，痛みが弱いうちは"なんとなく痛い"，"うずくような鈍痛"と表現される．さらに，絞られるような押されるような痛みもみられる．腹部の局所ではなく広範であいまいなことが多い．このため，圧痛点が不明瞭で把握することが困難，"そのあたりが痛い"という表現が多い．食事や排便にも影響がみられる．腎と尿管を除く腹部臓器が両側性の神経支配を受けているため，腹部の正中に対称性に感じる．痛みは体動や振動で変化がないので，患者は痛みでじっとしていられず，のたうち回ることもある．腹膜刺激症状と筋性防御はみられない．痛みは間欠性で，波のある周期性であることが多い．痛みの初期には悪心，嘔吐，発汗などがみられることもあり，腸蠕動音は亢進しやすい．体位変換や歩行に影響されないので，患者の体位には輾転反側がみられる．

③疾患と治療

内臓痛をきたす疾患には，腸炎，過敏性大腸症候群，腸閉塞，胆石発作，尿管結石などがある．なお，急性虫垂炎の痛みは，初期には内臓痛であり心窩部〜臍部にみられるが，やがて体性痛になると右下腹部に移動する．

治療は，主として保存的治療で済むことが多い．

表11 腹痛のメカニズム

分類	内臓痛	体性痛
特徴	消化管，尿管，胆管といった管の閉塞による物理的な痛み 内臓痛の段階では炎症は内臓側を覆う臓側腹膜にとどまる	炎症が壁側腹膜に達した腹膜炎，炎症が管の内側から外の膜に波及，管の破綻による流出の化学的な刺激による痛み
発生	内胚葉由来の内臓	中胚葉由来の腹膜
原因	管腔臓器の痙攣，拡張，収縮で生じる	壁側腹膜，腸間膜，小網などに炎症や刺激
発生部位	消化管，肝臓や腎臓など被膜をもつ固形臓器	皮膚，筋肉，結合組織など
神経求心性線維	C 線維（無髄性，細径，$0.4 \sim 1.2\,\mu m$）	A-δ 線維（有髄性，太径，$2 \sim 5\,\mu m$）
神経支配	自律神経系	体性神経系
求心路	交感神経	脳脊髄神経性求心性線維
知覚神経	関与しない	関与する
局在	正中線上に対称性 一定部位にびまん性（非限局性） 局所でなく広範であいまいなことが多い	非対称性 部位不定（限局性） ピンポイントで限局的
圧痛点	不明瞭	明瞭
触診	圧痛点の把握が困難（そのあたりが痛い）	圧痛点の把握が可能（そこが痛い）
食事や排便の影響	影響がある	影響が少ない
痛みの性質	なんとなく痛い・うずくような鈍痛（キリキリ，シクシク） 絞られるような，押されるような痛み	ナイフを突き刺すような鋭い痛み（ギリギリ，ズキズキ） 局所に明瞭な持続痛が体動に伴い増悪する
痛みが振動で増強	なし	あり
腹膜刺激症状	なし	あり
筋性防御	なし	あり
痛みの持続性	間歇性，周期性（波がある）のことが多い	持続性のことが多い（ずっと痛い）
自律神経反射症状	痛みの初期に悪心，嘔吐，発汗などあり	伴わないことが多い（激痛時は別，脂汗）
腸蠕動音	亢進しやすい	低下しやすい
体位変換や歩行	影響されない〜軽減しやすい	体動で増悪しやすい〜増悪する
患者の体位	輾転反側	静臥
治療	主として保存的 手術は禁忌が多い	迅速な初期対応が必要 手術の適応もあり

（2）体性痛

①特徴と原因

体性痛の特徴は，炎症が壁側腹膜に達した腹膜炎，炎症が管の内側から外の膜に波及，管の破綻により流出した消化管の内容物などによる腹膜炎が起こる痛みなので，化学的な刺激による痛みである．発生は中胚葉由来の腹膜であり，壁側腹膜，腸間膜，小網などの炎症や刺激により生じる．刺激は脳脊髄神経を通じて大脳皮質に伝えられる．発生部位は皮膚，筋肉，結合組織などである．神経支配は体性神経系で，求心路は脳脊髄神経性求心性線維であり，知覚神経が関与する．

②患者の訴えと症状

患者の訴えは，痛みがピンポイントで限局的，非対称性で部位不定である．"ナイフを突き刺す

表12　原因臓器から離れたところに生じる関連痛

主となる病変	関連痛の部位
胆石	右肩甲骨直下
虫垂炎	心窩部，臍周囲
精巣捻転	下腹部
横隔膜の刺激	同側の肩部
心筋梗塞	左腕内側，右肩，右上肢

ような鋭い痛み"，"ギリギリ，ズキズキ"と表現される．このため，圧痛点は明瞭で"そこが痛い"という表現が多い．痛みは振動により増強し，腹膜刺激症状と筋性防御がみられ，持続性である．吐き気や悪心，冷や汗といった症状は伴わないことが多いが，激痛になると脂汗をみることもある．腸蠕動音は通常低下する．体位変換や歩行に影響されるので，静臥となる．

③疾患と治療

体性痛をきたす病態は腹膜炎であり，消化管の穿孔，急性膵炎などがあげられる．治療は迅速な初期対応が必要となり，手術の適応もある．

(3) 関連痛と放散痛

関連痛は，罹患臓器に原因する疼痛が皮膚に伝わり，痛みや知覚過敏を起こすことである．放散痛は，その臓器から離れたところに伝播する．これは，炎症などが強くなってくると脊髄後根で同一脳脊髄神経側に刺激が漏れて，その神経分節に属する皮膚領域に関連して痛みを自覚するようになる．

関連痛は，原因臓器により特徴的な部位がみられ，診断上有力な手掛かりとなる．反面，腹痛の原因疾患の局在部位をわかりにくくしている一面もある．関連痛では，痛みの部位に原因疾患がないことが起こりうるので注意が必要である．関連痛の一例として，虫垂炎の痛みは心窩部と臍周囲に，胆嚢の痛みは右肩甲骨下にもみられる．（表12）．

ひとくちメモ (2) 疝痛とは

①内臓痛の出現パターンの1つに，痛みが周期的に反復することがあり，これを疝痛と表現する．
②疝痛は，空洞状となる胃，腸管，腸，子宮，膀胱，および管状となる胆道，腎盂，尿管などが通過障害や閉塞を生じた時，壁（平滑筋）の異常な収縮により起こる．
③疝痛のパターンには痛みの上下の振幅・周期があり，疾患ごと，また閉塞部位による特徴がみられる．

ひとくちメモ (3) 横隔膜の痛みは例外

①横隔膜の痛みは内臓痛である．しかし，管の痛みではなく膜の痛みとなる．
②横隔膜は，腹腔側は腹膜に，胸腔側は胸膜に覆われている．このため，炎症の性質は，体性痛を有しながら，関連痛としては内臓痛の性質も有している．
③疝痛はなく，炎症による持続的な痛みでありながら，肩への関連痛がみられる．

II 超音波検査時に患者から得られる情報

1. 問診により得られる情報

1）患者との会話

　医師は診察時に問診を行い，カルテに患者情報を記載する．通常なら，超音波検査者はカルテをみることで患者情報を把握できる．ただ，腹部症状を訴える患者を目の前にした時，超音波検査者に患者を診るスキルがあると，検査前の患者情報が増加して検査が円滑に進められる．腹痛が強い時やバイタルサインが不安定な時にていねいに会話をする余裕はないので，普段から会話のスタイルを組み立てておくとよい．

　ここでは，問診により得られる情報と，患者をみて得られる情報および具体的な患者からの情報についてあげる（表13）．

（1）基本となる患者の情報

　腹痛を生じている部位，腹痛の性状，痛みの移動，急激に生じたか，痛みが増強してきたか，嘔吐や血便，下痢あるいは便秘を伴っているかなど，これらの基本情報を得たうえで検査を進めることが望ましい．

　その他の情報としては，薬の服用歴，月経歴，視診，触診，腹膜刺激徴候，既往歴（手術歴）などがあげられる．

（2）腹痛を生じている部位

　痛みの部位は鑑別診断に有用である．例えば，急性胆嚢炎は右上腹部に痛みを生じる．急性虫垂炎では，心窩部の不快感から始まり右下腹部へと痛みの移動がみられる．大腸憩室周囲炎が進めばピンポイントの痛みとなる．胃・十二指腸潰瘍では上腹部に不快感や痛みをもたらし，急性膵炎では背部に痛みが広がる．

（3）痛みの発生

　痛みの発生は，突然か徐々にか，間欠か持続か，さらに持続時間などが重要な情報となる．例え

表 13　超音波検査時に患者から得られる情報

1．問診により得られる情報　　1）患者との会話　　　　（1）基本となる患者情報　　　　（2）腹痛を生じている部位　　　　（3）痛みの発生　　　　（4）痛みの強さ　　　　（5）痛みの変化　　　　（6）腹痛に伴って他の症状が目立つ時　　2）服用歴　　3）月経歴	3．腹膜刺激徴候により得られる情報　　1）腹膜刺激徴候の有無　　　　（1）筋性防御　　　　（2）筋強直　　　　（3）板状硬　　　　（4）筋性防御と筋強直の鑑別　　2）腹膜炎
2．患者をみて得られる情報　　1）視診　　2）触診　　　　（1）腹部深触診　　　　（2）腹部浅触診　　　　（3）打診痛　　　　（4）反跳痛　　　　（5）プローブを用いた間接的な触診　　　　（6）咳嗽試験　　　　（7）踵落とし試験	4．嘔吐により得られる情報　　1）嘔吐と腹痛　　2）嘔吐物の性状
	5．下痢と便秘により得られる情報
	6．腹腔内の液体貯留により得られる情報　　1）腹水の貯留の有無　　　　（1）腹水の分類　　　　（2）腹水が生じる時　　　　（3）腹水の診かた　　2）血性腹水の有無

ば，穿孔や腹膜炎による痛みは突然に生じて最初から強い．

（4）痛みの強さ

痛みの強さは疾患の重症度に比例しやすい．特に，突然に発症する疾患では顕著である．胆嚢結石や尿管結石の嵌頓，腸間膜動脈の閉塞では強い痛みがみられるが，胃腸炎などでは痛みが激しくないことが多い．

ただし，痛みの感じ方には主観的な一面もあり，個々の性格の違いやこれまでの痛み経験の有無によって，さらに患者の年齢や普段の健康状態にも影響される．ときに，高齢者では痛みの訴えが軽いようなことも経験する．安易な判断をしてしまうと危険である．

（5）痛みの変化

痛みの軽減と増悪を聞き出すことも重要である．例えば，消化性潰瘍では食事で痛みが軽減して，食後数時間して再び痛みが出現することがある．急性膵炎での痛みは，坐位では軽減するが臥位になると悪化することがある．

（6）腹痛に伴って他の症状が目立つ時

腹痛に伴って他の症状が目立つ時，例えば嘔吐あるいは下痢が目立って生じている時は，ノロウイルス腸炎，カンピロバクター腸炎などの可能性を考える．体重の減少を伴っていると悪性腫瘍，持続する悪心と嘔吐では腸閉塞が疑われる．また，便通の異常では大腸の疾患が疑われる．手術歴がある場合は，腸閉塞が疑われるので，それらを認識しながら検査を進めることが大切である．

既往歴では，尿管結石，胆嚢結石，胃・十二指腸潰瘍などは再発例が多くみられるので有用な情報となるが，既往歴がなくとも同様の痛みが過去にあったかどうかについて確認すべきである．

2）服用歴

投与されている薬剤の情報も有用である．代表的な薬剤にNSAIDs（non-steroidal anti-inflammatory drugs）とステロイドがある．NSAIDsは，非ステロイド性抗炎症薬であり，抗炎症作用，鎮痛作用，解熱作用を有する薬剤の総称である．NSAIDsの副作用は共通してみられるものと，個々のNSAIDsに特異的にみられるものがある．NSAIDsの服用により，上部消化管の潰瘍，出血と穿孔のリスクがある．なかでも高齢の男性でその傾向があるといわれている．腹痛患者でNSAIDsの服用がある時は，消化管の潰瘍も考慮する．

ステロイド薬投与中の患者は，症状がマスクされることがある．

その他，高齢者の抗菌薬服用では偽膜性腸炎があげられる．腸粘膜に偽膜形成をみる抗菌薬起因性腸炎である．原因は，抗菌薬投与により腸内細菌叢が変化して増殖するクロストリジオイデス・ディフィシル（*Clostridioides difficile*）などの菌毒素である．抗菌薬投与中に高熱と白血球増多がみられ，腹痛，下痢，血便などの腸炎症状を伴えば本症が疑われる．服用歴から得られる情報は多い．

3）月経歴

婦人科領域の腹痛には卵巣出血，子宮内膜症，機能性月経痛などがある．月経歴によりおおよその月経周期が推定可能である．月経中の腹痛には，機能性および器質性月経困難症があげられる．

機能性月経困難症は，初経後2～3年より始まり，思春期女子に多い．月経の初日および2日目頃の出血が多い時にみられやすい．器質性月経困難症には，子宮内膜症，子宮腺筋症が含まれる．

卵巣出血は，排卵日，黄体期での発症が多い．月経周期が長い女性では，次回の月経開始予定日よりさかのぼることで推定できる．

妊娠関連の急性腹症には，妊娠6週頃より異所性妊娠（子宮外妊娠）があげられる．患者が妊娠を否定しても妊娠例がみられるので，問診だけで妊娠を除外することは困難である．

2. 患者をみて得られる情報

1) 視診

　腹部の視診により，手術創と腹部の陥凹および膨隆，さらに臍の異常と皮膚黄染および腹壁静脈の怒張などを評価できる．

　手術創の有無といっても，最近では腹腔鏡を用いた手術も多く，手術創の確認が容易でない．患者と会話ができるなら積極的に聞き出す努力も必要である．初心者のピットフォールとして，胆嚢切除後であるにもかかわらず胆嚢を描出しようと探している．そして胆嚢切除後にみられる肝外胆管の軽度な拡張を一方的に病的な拡張と決めつけてしまうことがある．

　腹部の陥凹は主にるいそうに伴う．膨隆は皮下脂肪や内臓脂肪の他に，病的な腹水や腹腔内腫瘤，あるいは複数の原因の組み合わせを考える必要がある．

　臍は皮下脂肪や内臓脂肪で深在化するが，腹水や臍部にまで及ぶ腹腔内腫瘤では潜在化や反転が生じる．なお，臍の視診では，尿膜管膿瘍による膿の貯留や臭いにも気をつける．

　黄疸の患者にも注意が求められる．超音波検査時の検査室の明るさは50～150ルクスと薄暗く設定されており，腹部の皮膚の黄染がわかるとはかぎらない．このため，最初に明るい検査室へ入ってきた時に患者の眼球黄染に気付くスキルを養っておく．視診とは異なるが，黄疸症例で気になる時は患者に尿の色を聞くことも大切である．教科書的にはビリルビン尿は黄色いと表現されるが，黄疸が高度になると，褐色尿のために患者からは血尿が出ているとか，お醤油のような色とかの訴えもあるので注意する．

　腹壁静脈の怒張を認めた場合は，指で圧迫してみると血行動態が推測できる．

2) 触診

　超音波検査と触診は無関係のように思われるが，検査の場では患者の腹部症状にあわせて行われている．触診には，直接手を触れて腫瘤や病変をよみとったり，筋性防御などの反射の情報を得る方法と，間接的にプローブで疑わしい部分を圧迫して患者の反応をみる方法がある．

(1) 腹部深触診

　直接の触診の目的は，胆嚢，肝臓，脾臓，膀胱，腹部大動脈などの臓器の腫大と腹腔内腫瘤の検知である．現在は，超音波検査で観察すると容易に確認ができるが，触診の知識と技術を習得しておくことも大切である．

　腹部大動脈瘤の触診は，患者を仰臥位にして膝を屈曲させるなどして腹部の緊張を取り除いた状態で行うとよい．腹部大動脈瘤の診断は，大動脈の拍動の幅であり，拍動の強さではない．触知を左右する要因は，動脈瘤の大きさと患者の腹囲である．なお，触診といっても大動脈瘤を強く圧迫するのは危険である．

(2) 腹部浅触診

　腹部の浅い部分で得られる触診の情報は，筋性防御と筋強直および反跳痛の腹膜刺激徴候である．腹膜炎を疑う時は，腹部に軽く手を置いて，患者が呼吸によって腹壁を上下させるのに抵抗するように圧を保ってみていく．ポイントは，深触診のように強く押し込まないことである．硬い抵抗感があれば腹膜炎を疑うが，汎発性腹膜炎では板状硬となることもあるので注意する．

(3) 打診痛

　打診は，肋骨や背部など胸郭や硬い筋肉で覆われた部位に用いる．叩打部位に左手掌を当てて，右手で拳を作り小指側で軽く叩打する．炎症部位は他部位と比較して強い疼痛反応がみられる．叩打部位は，肝では右季肋部，脾では左季肋部，膵尾部や腎では肋骨脊柱角周辺である．

(4) 反跳痛

　反跳痛をみる時は，疼痛部位に腹膜を押し下げるように圧をかけてみる．そして10秒ほど一定の力で押し続けてみて痛みに順応した時に，急に圧迫を離して痛みが誘発されるかどうかを患者の

発言や表情から確認する．反跳痛は壁側腹膜の刺激徴候であるので，必ずしも腹膜炎の存在を決定するものではない．

（5）プローブを用いた間接的な触診
直接の触診とは異なるが，疑わしい部分を描出して，プローブで同部を押して患者の反応をみる手法である．例えば，sonographic Murphy sign，これは超音波検査で胆嚢を確実に描出して，プローブによって胆嚢を圧迫することで疼痛の有無をみていく急性胆嚢炎を診断する時の手法である．なお，同一のMurphyという単語で表現されるものにMurphy徴候があって，混同されることがある．これは，右季肋部を圧迫しながら患者に深呼吸をさせると，痛みのために吸気が途中で止まってしまう現象である．いずれも急性胆嚢炎を疑って診断するための触診（広義）となる．

（6）咳嗽試験
患者に意図的に深く咳をしてもらい，この時に腹部振動によって発生する腹痛の有無を確認する．患者がしかめ面をしたり，手を腹部にもっていくような動作をすれば有所見とする．ただし，腹筋痛でもみられるので注意する．

（7）踵落とし試験
踵落とし試験も間接的方法であるが，後腹膜炎を含めた腹膜炎全体のスクリーニングとして簡便で感度が高い．患者は立位になり，つま先立ちをした後に勢いよく踵を落とすことで，腹部振動が加わり，その時の腹痛の有無で評価する．

3．腹膜刺激徴候により得られる情報

1）腹膜刺激徴候の有無
腹膜刺激徴候とは，壁側および臓側腹膜に炎症などが波及して，刺激されている時に生じる徴候である．確認には，筋性防御，筋強直，板状硬などがあげられ，腹膜刺激徴候がみられると腹膜炎が示唆される．

（1）筋性防御
筋性防御は，腹筋の随意的な収縮である．患者が痛みを自覚しているために自分の意思で腹筋に力を入れて痛みを和らげようとする徴候である．このため，腹痛以外でもみられることがある．例えば，恐怖，不安，外部からの寒冷刺激によってもみられる．

（2）筋強直
筋強直は，腹膜の炎症に反応した腹筋の不随意的収縮である．このため，患者が意識的に制御できない．腹壁の腹膜に激しい炎症が及ぶと，同部位の筋肉が患者の意思とは関係なく反射的に収縮して常に硬い状態になる．

（3）板状硬
板状硬は，炎症が腹膜全体に及んで，腹部全体が板のように硬くなる重症汎発性腹膜炎の所見である．

（4）筋性防御と筋強直の鑑別
筋性防御と筋強直の鑑別には，患者の意識をそらしてみるのもよい．筋性防御は患者の恐怖感などによっても引き起こされるので，会話などによって腹部から意識をそらすと改善することがある．また，時間的な余裕がないかもしれないが，時間をおいて確認する方法もある．

2）腹膜炎
癌性腹膜炎以外の炎症性腹膜炎の病態を疑う時，腹膜刺激症状の有無が重要な所見となる．圧痛点の強い疼痛では，膿瘍などによる限局性腹膜炎が疑われる．限局性腹膜炎では特定部位の打診痛を認めるようになる．例えば，Fitz-Hugh-Curtis症候群（肝被膜炎）では肝叩打診が，腎盂腎炎や膵炎などの後腹膜炎では背部叩打診が有用となる．

4. 嘔吐により得られる情報

1) 嘔吐と腹痛

　吐き気は，脳の嘔吐反射中枢が刺激されて生じる．吐き気の後に起こる嘔吐は，体が有害なものを排除する防御システムともいえる．その原因は多岐にわたるが，消化管の機能障害による嘔吐が多い．その他には，抗悪性腫瘍薬などの薬剤，細菌やウイルスの感染，異物の誤飲，暴飲・暴食，乗り物酔い，糖尿病などの全身性疾患，さらに妊娠初期などの体内の代謝の変化などがあげられる．このように，嘔吐の原因は広範囲だが，腹痛と結びつけて頻度の高い消化管疾患を考える．

　消化管には，消化物を先へ送るための蠕動という運動機能がある．この蠕動運動に障害が生じることによる代表的な疾患に腸閉塞がある．管腔臓器が閉塞されると消化管内では内容物が滞り，便とガスが充満する状態となり，吐き気と疝痛発作を生じるとともに嘔吐が誘発される．

　消化管の潰瘍穿孔による嘔吐は，急激な痛みとともにみられるが，長時間持続することはまれである．ところが，急性膵炎では腹腔神経叢への反射刺激が大きくなるので，嘔吐反射は持続する．卵巣茎捻転では痛みに伴って吐き気や嘔吐などの消化器症状がみられるようになる．

2) 嘔吐物の性状

　腹痛時には，嘔吐の有無の他に嘔吐物の性状にも注意する．食物残渣様の嘔吐物は，吐き気や痛みに起因するものか，胃の出口の閉塞を疑う．小腸の閉塞による嘔吐物は，最初は胃内容物であるが次第に胆汁が混ざるようになり，最終的に糞便臭の液体になってくる．このように，嘔吐物の性状は閉塞部位の特定をするうえで役立つ．

　また，一般的に表現される嘔吐とは意味合いが異なるが，口腔から体外へ排出されるものに吐血がある．吐血とは，消化管内腔に流出した血液が，肉眼的に明らかな出血と確認できる状態で口腔から体外へ排出されることをいい，Treitz靭帯より口側の上部消化管からの出血を意味する．食道からの出血や大量の胃・十二指腸からの出血では鮮血が，胃内に溜まった血液では胃内の塩酸によってヘモグロビンが塩酸ヘマチンに変化するため黒褐色のコーヒー残渣様のものが吐出される．

5. 下痢と便秘により得られる情報

　腹痛の診断に，下痢の有無と回数を知ることは有用である．同時に，便秘症あるいは便が出ないという情報も腸閉塞を疑うことになるので重要である．このため，患者の訴えとして下痢と便秘の有無とその性状を聞くことは大切である（表14，15）．

　下痢は，腸管粘膜側に病変がみられて，消化管の蠕動に低下がないことが示唆される．下痢の回

表14　下痢の病態と疾患

	腸管運動亢進	腸管運動低下	炎症性下痢	分泌性下痢
病態	急速に腸管内を通過して吸収障害が起こる	細菌の異常な増殖で胆汁酸の脱抱合を生じて脂肪と水分の吸収障害が起こる	腸の炎症で壁の透過性が亢進 滲出液が腸管に出る 血性下痢が多い	腸管粘膜の分泌が亢進 水様性下痢が多い
急性疾患			細菌性大腸炎 ウイルス性大腸炎 偽膜性大腸炎 虚血性大腸炎	エンテロトキシンによる腸炎 　赤痢菌，コレラ菌 　黄色ブドウ球菌，*C.difficile* 　腸管出血性大腸菌
慢性疾患	過敏性腸症候群 甲状腺機能亢進症	糖尿病 全身性強皮症	炎症性腸疾患 　Crohn病 　潰瘍性大腸炎 　放射線性腸炎 　腸結核	内分泌腫瘍

表15 慢性的な便秘症の分類

原因	病態	具体的な便秘の病態	主な原因，疾患名
大腸の機能性の便秘	大腸通過遅延型	大腸の糞便を輸送する機能が低下 排便回数と排便量が減少	薬剤性（向精神薬，抗コリン薬など） 症候群（代謝・内分泌疾患など） 突発性
	大腸通過正常型	大腸の糞便を輸送する機能は正常 排便回数と排便量が減少	食事摂取量や食物繊維成分の不足など
		排便回数と排便量は減少せず硬便で排便困難	硬便による排便困難
	機能性便排出障害	機能的な病態で直腸にある糞便を十分量に排出できない	骨盤底筋協調運動障害，直腸感覚低下，怒責力低下，直腸収縮低下など
大腸の器質性の便秘	器質性の排出障害	大腸の狭窄で糞便の通過が困難	大腸癌 Crohn病，虚血性大腸炎など
		大腸が慢性的に拡張して糞便の通過が遅れ，排便回数と排便量が減少	大きな結腸
		直腸の形態的な変化によって直腸の糞便を十分に排出できない	直腸瘤，S状結腸瘤 大きな直腸，直腸重積

数が頻回で，その性状が大量の水様性であればほぼ感染性腸炎が疑われる．なお，下痢の回数と量が少ない場合は疾患に特異的とはいえない．

骨盤内で炎症が直腸に接して存在する時，例えば急性虫垂炎や膿瘍および骨盤内炎症性疾患（PID）などでも下痢が起こりうる．ただし，このような時にはテネスムス症状なので便意の割には量が少ない．

急に便が出なくなるような状態では，大腸捻転，腸重積，硬便や大腸癌による腸閉塞などが疑われる．患者が下剤などによって大量に便が出たあとに数日間にわたり便が出ないことを病的として訴えてきたり，逆に汎発性腹膜炎のために腸蠕動が低下して麻痺性イレウスのため便が出ないことを単純な便秘と訴えてくることもあるため注意が必要である．

6．腹腔内の液体貯留により得られる情報

1）腹水の貯留の有無

（1）腹水の分類

腹水は，腹腔内に蛋白質を含む体液が貯留したものである．もともと，腹腔内には腸管などをスムーズに動かすために少量（50 mL 程度）の腹水が存在している．このため，腹部の診察や超音波検査などでみえるほどに増加してくると腹水が貯留していると表現される．

腹水は，蛋白質がどのくらい含まれているかにより滲出液と漏出液に分けられる．滲出液は漏出液に比べると蛋白質を多く含む液体で，細菌性腹膜炎，癌性腹膜炎，急性膵炎などで生じる．漏出液は蛋白質が少ない液体で，肝硬変，門脈圧亢進，うっ血性心不全，ネフローゼなどで生じる（**表16**）．

（2）腹水が生じる時

腹水の発生と貯留の原因は，腹水が過剰に産生されるか腹水の排出が妨げられることによる．原因を大別すると，①癌性腹膜炎などによる炎症で起こる場合，②肝硬変，腎不全，心不全などにより血管内の浸透圧が低下し，血管に水分を保持できなくなる場合があげられる．肝硬変では，アルブミンが減少することで血管内に水分がとどまりにくくなり，合併する門脈圧亢進症によって，血管の内圧が高くなると腹水の吸収もできなくなる．

腹水は，少量なら自覚症状はあまりない．大量になるとお腹が膨らんで蛙腹になり腹満感を訴え

表 16　腹水の分類（滲出液と漏出液）

分類	滲出液	漏出液
外見	混濁・血性	透明・淡黄色
比重	＞ 1.018	＜ 1.015
蛋白濃度	＞ 4.0 g/dL	＜ 2.5 g/dL
リバルタ反応	陽性	陰性
腹水 LD/血性 LD 比	＞ 0.6	＜ 0.6
フィブリン析出	多い	少ない
細胞成分	多い（多核白血球，リンパ球）	少ない
原因	血管透過性の亢進（炎症や腫瘍）	門脈圧亢進，膠質浸透圧低下（低アルブミン血症），下大静脈圧亢進，腎糸球体濾過量の減少

たりする．臍は飛び出ることもある．胃が圧迫されて食事がとれなくなったり，吐き気を生じることもある．肺との境界である横隔膜を押し上げるので，肺が膨らみにくくなり息切れを感じることもある．下肢に流れた血液が心臓に戻りにくくなるため，下肢に浮腫がみられることもある．

（3）腹水の診かた

　腹水が貯留しやすい部位は，左右横隔膜下，肝下面，胆嚢周囲，モリソン窩，脾腎窩，左右結腸傍腔，ダグラス窩などである．腹水の発見には超音波検査が優れていて，上腹部ではモリソン窩，下腹部では男性が直腸膀胱窩，女性が直腸子宮窩のダグラス窩で観察しやすい．超音波検査で腹水をみた時，その量は微量，少量，中等量，多量で表現されるが，内部エコーの有無も調べて，滲出性と漏出性，血性腹水，癌性腹水などの情報を少しでも把握できるようにする．

2）血性腹水の有無

　腹水中に血液が混在しているものを血性腹水と表現する．血液の混在する割合は様々で，原因疾患によってわずかに赤色調を示すものから血液そのものまで幅がある．

　血性腹水の原因の多くは悪性腫瘍の癌性腹膜炎であるが，ときに肝細胞癌の破裂により赤血球濃度が高い腹水をみることがある．このような血性腹水を超音波で観察すると，本来は無エコーで描出されるはずの腹水中に，微細なエコーが浮遊するように観察される．

III 臨床検査値から得られる情報

1．血液生化学・尿検査

　超音波検査の診断能を高めるために，血液生化学検査・尿検査などの臨床検査値を理解しておくことが大切である．そのため，中央検査部門では超音波検査所見と血液生化学・尿検査結果を迅速に結び付けられるシステムを構築しておくと便利である．超音波検査を進めていくうえで，30分程度で結果が得られるような血液生化学・尿検査項目との関連を理解しておくと有用である．なお，90分ほどの報告項目になると，AFP，CEA，CA19-9，CA15-3などの腫瘍マーカーも加わるのでさらに貴重な情報となる．

　悪性腫瘍の検索には，各種腫瘍マーカーの疾患別陽性率が有用である（**表17**）．

1）血液生化学検査

　血液生化学検査項目は数多くあるので，腹痛に関与する代表的な項目について記す（**表18**）．

　①血算：白血球数増加は炎症（細菌感染），白血球数減少はウイルス感染の初期．赤血球数とヘモグロビンの低下は出血，血小板数は出血傾向と肝予備能および白血病に関与する．
　②肝胆道系：ALT，AST，ALP，γ-GT，LD，T-Bilなど．
　③炎症反応：CRP値は炎症を示唆する所見で重要となるが，炎症の原因は特定できない．
　④膵酵素：リパーゼ，アミラーゼ．
　⑤悪性腫瘍：LDの上昇，各種の腫瘍マーカーとしてAFP，CEA，CA19-9などの上昇（AFP値の上昇は肝細胞癌の他に胃癌でもみられるので注意する）．

2）尿検査

　尿検査には，一般的な尿試験紙によるものや，妊娠の判定をする尿中hCG（ヒト絨毛性ゴナドトロピン）検査などがある．尿検査は容易に行える検査であるが，いくつかの注意点がある．まず，検体の取り扱いに注意が必要である．検査には中間尿の使用が適切だが，急性腹症の患者では中間尿の採取が困難なこともある．検尿の結果は，運動，発熱，月経など種々の条件にも影響を受ける．このため，細菌尿，白血球尿の結果を受けても膀胱刺激症状などを欠く場合には，外陰部からのコンタミネーション（汚染）の可能性も考慮しなければならない（**表19**）．

（1）尿試験紙による検査

　尿試験紙による検査項目には，蛋白，グルコース，pH，ウロビリノーゲン，ビリルビン，ケトン体，潜血，亜硝酸塩などがある．どの項目も重要であるが，腹痛時には潜血が尿路系結石，ビリルビンが胆道閉塞，亜硝酸塩が尿路感染症の関与を示唆する．

　血尿は，顕微鏡的血尿と肉眼的血尿に分けられる．顕微鏡的血尿は赤血球が≥ 5個/HPFとされ，肉眼的血尿とは尿1,000 mL中に1 mL以上の血液が混在したもので赤〜褐色調を呈する．原因は，糸球体性，非糸球体性に大別される．急性腹症に関与するのは非糸球体性であり，尿路結石やナットクラッカー現象および尿路腫瘍などがあげられる．尿管結石を調べるうえで尿潜血反応は大切である．現在はCT検査が尿管結石のゴールドスタンダードとなっているが，超音波検査も有用である．

　血尿例ではまれであるが，大動脈解離のなかには腎動脈の狭窄や閉塞による腎血流障害の発症が報告されており，臨床的に血尿を呈することがある．

　尿中ビリルビンはウロビリノーゲンとともに評価されるが，腹痛時には胆道閉塞による閉塞性黄疸が示唆される．

　尿中亜硝酸塩は細菌による硝酸塩の還元によって生成される．尿路感染症として膀胱炎や腎盂腎炎などのスクリーニング検査に用いられている．尿路感染症は頻度の高い細菌感染症の一つで，特

表17 各種腫瘍マーカーの疾患別陽性率

腫瘍マーカー項目名	基準値	100⇔90	89⇔80	79⇔70	69⇔60	おおよその陽性率（%）59⇔50	49⇔40	39⇔30	29⇔20	19⇔10	9⇔0
CEA	5.0 ng/mL 以下				膵	腸・肺	腸・肺・卵	胃・肝・胆	食・乳・胃・卵	前・甲	
BFP	75 ng/mL 以下		肝	膵・胆	睾・卵	肝・膵・胆・腎	肺・腎・子	肝・胆	食・胃・腸		
TPA	70 U/mL 以下				前・腸	肺・胆・膀・食	胃・腎・子	膀・乳	甲		
AFP	10.0 ng/mL 以下			肝				肝			
AFP-L3%	10.0%未満					肝					
PIVKA-II	40 mAU/mL 未満		膵					胆	膵		
CA19-9	37.0 U/mL 以下		膵	胆		肝		胃・肝			食・乳
Span-1	30 U/mL 以下			膵・胆・肝				胃・腸	肺・腸	肺・胆	膀・乳
DUPAN-2	150 U/mL 以下				膵・卵		肺	胆	胃・胆・腎・前		
SLX	38 U/mL 以下			膵	膵	胆	乳	腸・肝・子・卵	胃・肝・腸・肺	食	
NCC-ST-439	7.0 U/mL 以下					肝・胆	腸・子 乳(転移例)	胃・肝・腸・肺	食		
エラスターゼ1	100~400 ng/dL						食				
CYFRA	3.5 ng/mL 以下			肺(扁平上皮)	肺(扁平上皮)	子		胆	胃・卵		肝
SCC	1.5 ng/mL 以下				肺(小細胞)	肺(小細胞)					
ProGRP	81 pg/mL 未満	神									
NSE	16.3 ng/mL 以下				卵	胃・腸	膵・胆・乳	胆	肝・膵	肝・肺	乳・甲
CA72-4	4.0 U/mL 以下					胃(再発例)	腸・子		腸・膵		
STN	45 U/mL 以下				膀		卵・胆・子		前・子		
尿中NMP22	12.0 U/mL 未満			前					腎		
PSA	RIA法：4.0 ng/mL 以下 *カットオフ値：10.0 ng/mL EIA法：1.8 ng/mL 以下 *カットオフ値：3.6 ng/mL		前	前							
γ-Sm	4.0 ng/mL 以下		前								
PAP	3.0 ng/mL 未満								胃・膵	腸・肝	
CSLEX	8.0 U/mL 未満				乳(転移例)		胆	膵	肺・子・胃	食	腸
CA15-3	25.0 U/mL 以下				乳(再発・転移)		肝	肝	胃	腸	
BCA225	160 U/mL 以下					膵			卵	膵	胃・肺・子
CA125	35.0 U/mL 以下		卵			肝・胆	肺(腺癌)	胃・腸	乳・膵	乳	食
GAT	13.6 U/mL 未満				卵				子		

食：食道癌　胃：胃癌　子：子宮頸癌　甲：甲状腺癌　肝：肝癌　膵：膵臓癌　胆：胆嚢・胆管癌　肺：肺癌　前：前立腺癌　膀：膀胱癌　乳：乳癌
卵：卵巣癌　腸：結腸・直腸癌　神：神経芽腫　腎：腎臓癌　睾：睾丸腫瘍

(南里和秀：症状からみた超音波検査.「日超検腹部超音波テキスト.第2版」日本超音波検査学会(監)，関根智紀，南里和秀(編)，p.45，医歯薬出版，2014より引用)
(SRL 腫瘍マーカー集より作成)

表18 腹痛に関与する代表的な血液生化学検査項目

	検査項目	詳細な検査項目
一般的な検査項目	血算	WBC, RBC, Hb, Ht, Plt, MCV, MCH, MCHC
	肝胆道系	AST, ALT, ALP, γ-GT, LD, T-Bil
	腎機能	BUN, Cre
	炎症反応	CRP
	血糖	血糖
	電解質	Na, K, Cl, Ca
	筋逸脱酵素	CK
疾患を疑う検査項目	膵酵素	リパーゼ, アミラーゼ
	意識障害	アンモニア, アルコール
	急性冠症候群	心筋トロポニンT, H-FABP, CPK-MB
	心不全	BNP
	感染症	HBS抗原, HBS抗体, HCV抗体, HIV抗体, 梅毒検査
	敗血症	血液培養
	悪性腫瘍	LD, 各種の腫瘍マーカー

表19 腹痛に関与する代表的な尿検査項目

項目		疾患名など
蛋白	陽性・高値	急性糸球体腎炎, 慢性腎炎, 糖尿病性腎症, ネフローゼ症候群, SLE, 多発性骨髄腫, 膠原病, 妊娠高血圧症候群, 脱水症など
糖	陽性・高値	糖尿病, 二次性糖尿(急性膵炎, 肝障害, 甲状腺機能亢進症, 褐色細胞腫, Cushing症候群), 腎性糖尿など
pH	酸性	発熱, 脱水, 飢餓, 腎炎, 糖尿病, 痛風など
	アルカリ性	尿路感染症, 過呼吸, 嘔吐, 制酸薬服用など
ウロビリノーゲン	増加	肝細胞障害, 溶血性貧血, 便秘・腸閉塞, 心不全, 発熱など
	減少	総胆管閉塞, 肝性黄疸極期, 急性下痢症, 抗菌薬服用, 腎不全など
ビリルビン		肝細胞障害, 肝内胆汁うっ滞, 肝外胆汁うっ滞など
ケトン体		糖尿病, 甲状腺機能亢進症, Cushing症候群, 長期絶食状態, 過脂肪食, 発熱, 嘔吐, 下痢, 脱水症など
潜血		顕微鏡的血尿(腎疾患, 尿路疾患, 白血病, SLE, 大動脈解離など) ヘモグロビン尿(溶血性貧血, DIC, 不適合輸血, 発作性夜間ヘモグロビン尿症) ミオグロビン尿(横紋筋融解症, 悪性症候群, 過激な運動後) ポートワイン尿(ポルフィリン症)
亜硝酸塩		膀胱炎, 腎盂炎

SLE:systemic lupus erythematosus, 全身性エリテマトーデス.
DIC:disseminated intravascular coagulation, 播種性血管内凝固症候群.

に女性に多くみられ,頻尿,膿尿,恥骨上の疼痛,側腹部痛,発熱などの症状もみられる.ただし,高齢者ではもともと尿路感染症に罹患している頻度が高く,ときに65歳以上の女性では,症状の乏しい膿尿から症状のある尿路感染まで多彩である.

ケトン体は,健常人では検出されないが,糖尿病や絶食が続くと脂肪の分解が起こり,尿中のケ

トン体が増加して体が酸性に傾きケトアシドーシスとなる．ケトン体陽性となる原因としては，コントロール不十分な糖尿病，下痢，嘔吐，絶食，発熱などがある．

その他に，特殊な検査となるが，尿中ポルフォビリノーゲン上昇でみられる急性間欠性ポルフィリン症があり，本症では精神症状の他に腹痛と嘔吐および便秘，さらに下痢もみられる．

(2) 尿潜血の試験紙法

尿試験紙における尿潜血反応は，赤血球中のヘモグロビンのペルオキシダーゼ様活性を利用して赤血球を検出している．赤血球のヘモグロビンだけでなく，遊離したヘモグロビンやミオグロビンなどにも反応し陽性を示す．尿試験紙法は，被検者の状態や検査時の要因により，偽陽性，偽陰性を呈することがあるので注意が必要である（表20）．

(3) 尿中 hCG 検査

妊娠の判断に尿中 hCG 検査が用いられる．hCG は，受精卵が着床した時に絨毛細胞から分泌されるため，尿中の hCG を検出することで妊娠の有無が判定できる．

3）リパーゼとアミラーゼ

急性膵炎の診断にリパーゼとアミラーゼの測定は有用性が高い．「急性膵炎診断ガイドライン」でも，急性膵炎の診断にリパーゼとアミラーゼの測定を推奨している．血清アミラーゼは急性膵炎の発症6～24時間以内に上昇し，48時間でピークとなり，5～7日で基準値に戻る．一方リパーゼは，発症4～8時間以内に上昇し，24時間でピークとなり，8～14日で基準値に戻る．半減期もアミラーゼより長く，異常高値が持続する期間もアミラーゼより長い．アミラーゼ測定の有用性は高いが，それ以上にリパーゼ測定の意義は高いと思われる．ただし，検査の現場では，アミラーゼはルーチン検査として測定されているが，リパーゼをアミラーゼと同等に活用している施設は少ないのが現状である．特に，時間外検査となると明らかである．急性膵炎におけるリパーゼの有用性は理解されているが，現状ではアミラーゼのみ測定されていることが多い（表21）．

表20　尿潜血試験紙の偽陰性と偽陽性

偽陰性（血尿あり）	偽陽性（血尿なし）
ビタミンC 　（アスコルビン酸などの還元性物質の存在） 高比重の尿 　（高度の蛋白尿，造影剤など） 薬物が混在 　（ACE 阻害薬）	ミオグロビン尿 ヘモグロビン尿 膿尿 細菌尿 低張尿 アルカリ尿

表21　リパーゼとアミラーゼが上昇する病態

	膵疾患	膵疾患以外
リパーゼの上昇	急性膵炎 慢性膵炎 膵石 膵腫瘍 ERCP 後	急性胆嚢炎 糖尿病性ケトアシドーシス 十二指腸潰瘍 腸管閉塞
アミラーゼの上昇	急性・慢性膵炎 膵炎の合併症として仮性嚢胞と膵膿瘍 膵管閉塞 膵腫瘍 ERCP 後	唾液性疾患（耳下腺炎，導管狭窄，外傷，放射線照射など） 消化管疾患（消化管潰瘍，腸間膜動脈の閉塞，虫垂炎，肝疾患など） 婦人科疾患（異所性妊娠の破裂，骨盤感染，卵巣嚢腫など） その他（腎不全，火傷，アシドーシス，薬剤性，急性大動脈解離など）

Ⅳ 至急検査の報告

　超音波検査の臨床への報告方法は，至急報告と通常報告に大別される．なかでも，至急報告の方法は，それぞれの疾患と病態および施設の取り決めによってその手順が異なっている．

　急性腹症は，放置すれば重篤な全身症状を呈するため，早期に緊急手術の適応やそれに代わる迅速な初期対応の判断が求められる．現在では，血液生化学検査の異常値は，各施設でパニック値として至急報告する手順が決められている．超音波検査で異常がみられた場合も，血液生化学検査と同様に手順を決めて進められれば，臨床へのサービスに直結すると考える．ただし，超音波検査ではパニック値と呼称して一元的に管理されるよりも，①ただちに対応が求められるような危険な状態なので検査を中断してただちに報告すると判断される状況にある，②早めに対応が求められるような状態なので検査後に報告すると判断される状況にある，③緊急性は低いが対応が求められる状態なので検査後に確実に報告する状況にある．このように検査の現場を把握しながら運営されている．

　電話での報告時には，患者の誤認を防ぐために，患者氏名を伝えるだけでなく，患者氏名と検査目的を伝えると確実である．

　超音波検査の担当者は，検査を急がされ，異常な超音波像の場合はその至急報告に対して気持ちが圧し潰されそうなプレッシャーのなかで検査を進めている．それを克服するには，普段からのトレーニング，至急時の検査手順の構築，ダブルチェックが気兼ねなくできる超音波検査室の体制づくりが大切である．

　筆者の経験によると，誤判読を防ぐポイントは，「どんなに急いでいても，結果を導き出したら最初に戻って判読の流れに不自然さがないかどうかを再確認すること」である．間違いが発生する時には，必ずどこかに強引な解釈による不自然さがみられる．検査結果が妥当であると判断できたら，素早く担当医に至急報告の内容を伝えることにより臨床に貢献できる超音波検査となる．

表22　至急報告方法の種類

報告の種類	検査時の内容
ただちに報告	ただちに対応が求められる危険な状態 検査を中断して報告すると判断される
早めに報告	早めに対応が求められる状態 検査後に報告を要すると判断される
伝える報告	緊急性は低いが対応が求められる状態 検査後に確実に報告すると判断される
通常の報告	緊急性はない状態 ルーチン業務として報告

表23　至急報告に伴う項目

報告に伴う項目	項目内の分類
報告するタイミング	ただちに，早めに伝える報告，通常の報告
報告する人物	検者，検査室責任者
報告を受ける人	主治医，依頼医師，専門医，救急医，指名医師
報告の方法	対面口頭，電話報告，超音波報告書，電子カルテ
記録の方法	検査室記録簿，報告書に記載，電子カルテ
検査内容の確認	なし，あり（検査室責任者，依頼医師，専門医など）
結果の報告	指定用紙，定期報告書（時刻，医師名の記載）
検証	なし，あり（検査室責任者，医師など，勉強会）

Ⅴ 症状からみた疾患

1. 黄疸

　黄疸の原因には多くの病態が関与するが，大別すると，溶血性黄疸，肝細胞障害性黄疸，閉塞性黄疸となる．超音波検査で得られる情報の主体は，胆嚢と胆管および肝臓である．なかでも重要視されるのが胆管拡張の有無となる．胆管に拡張がみられたら，閉塞性黄疸が疑われ，閉塞を生じさせている病変を見つけ出す．ここでは，黄疸の分類と，閉塞性黄疸における超音波検査の進め方について解説する．

1）黄疸の分類

（1）肝前性黄疸（溶血性黄疸）

　網内系の細胞でビリルビンの産生が過剰となり，肝での処理の許容範囲をこえた場合や，溶血により赤血球中のヘモグロビンが放出されることで生じる病態である．血中には非抱合型ビリルビン（間接型ビリルビン）が上昇する．間接型ビリルビンの増加は溶血が示唆されるが，溶血がない場合は先天性ビリルビン代謝異常などを考える．

（2）肝性黄疸（肝細胞障害性黄疸）

　肝細胞の機能が低下することでビリルビンの処理能力が下がり，ビリルビンが血中に貯留する病態である．原因には急性ウイルス性肝炎や薬剤性肝炎，さらに肝硬変による肝細胞の壊死などがあげられる．

（3）肝後性黄疸（閉塞性黄疸）

　胆汁の排泄経路に狭窄や閉塞が起こると，通過障害によって胆道内圧が上昇する．そのため，ビリルビンは肝内細胆管から血中へと逆流し黄疸を生じる．ビリルビンが腸へ排泄されなくなるため，血中と尿中の抱合型ビリルビン（直接型ビリルビン）が上昇する．

2）閉塞性黄疸患者の訴えと症状

　胆管結石が十二指腸乳頭部へ嵌頓すると閉塞性黄疸を生じる．この時，胆道内圧が高くなって胆道－静脈逆流現象を生じる．このような病態で十二指腸乳頭部から胆管内への逆行性感染を生じると，胆管炎を引き起こす．症状は，腹痛，黄疸，発熱などがみられるようになる．

3）ビリルビン代謝（腸肝循環）

　赤血球の分解産物により間接型ビリルビンが生成される．間接型ビリルビンは水に溶けないため，血漿中ではアルブミンに結合した状態で輸送される．その後，肝臓は間接型ビリルビンを取り込み，グルクロン酸抱合を受けて，水溶性の直接型ビリルビンになり胆管に流れて腸管へと排泄される．腸管では，細菌によってビリルビンが代謝されてウロビリノーゲンが生成され糞便の色素（便中ステルコビリン）となる．このウロビリノーゲンの約1/3は大腸から再吸収されて，門脈循環により再び肝に戻りビリルビンに再合成される．この流れは腸肝循環とも表現される．

　胆道が閉塞すると，直接型ビリルビンが腸管に排泄できなくなるので血中の直接型ビリルビン値は上昇，ウロビリノーゲンの生成が減るので便の色は白色系となる（**図3**）．

4）黄疸の診かたと超音波検査手順

　黄疸の診かたと超音波検査の手順は確立している．ただ，実際の検査になると胆管の描出が必ずしも良好とはかぎらない．**図4**に，超音波検査室に黄疸の患者が来室した時の検査手順の一例を紹介する．検査のポイントは，肝内胆管の各区域枝がどのように描出されるかの知識を習得しておくこと，正常の胆管枝と拡張した胆管枝の違いを理解し描出のスキルを向上させておくこと，肝外胆管と門脈本幹の走行は途中から別方向となる認識をもつことである．なお，胆嚢管の肝外胆管への合流部が描出できれば，肝外胆管の各部位の把握が容易となる．

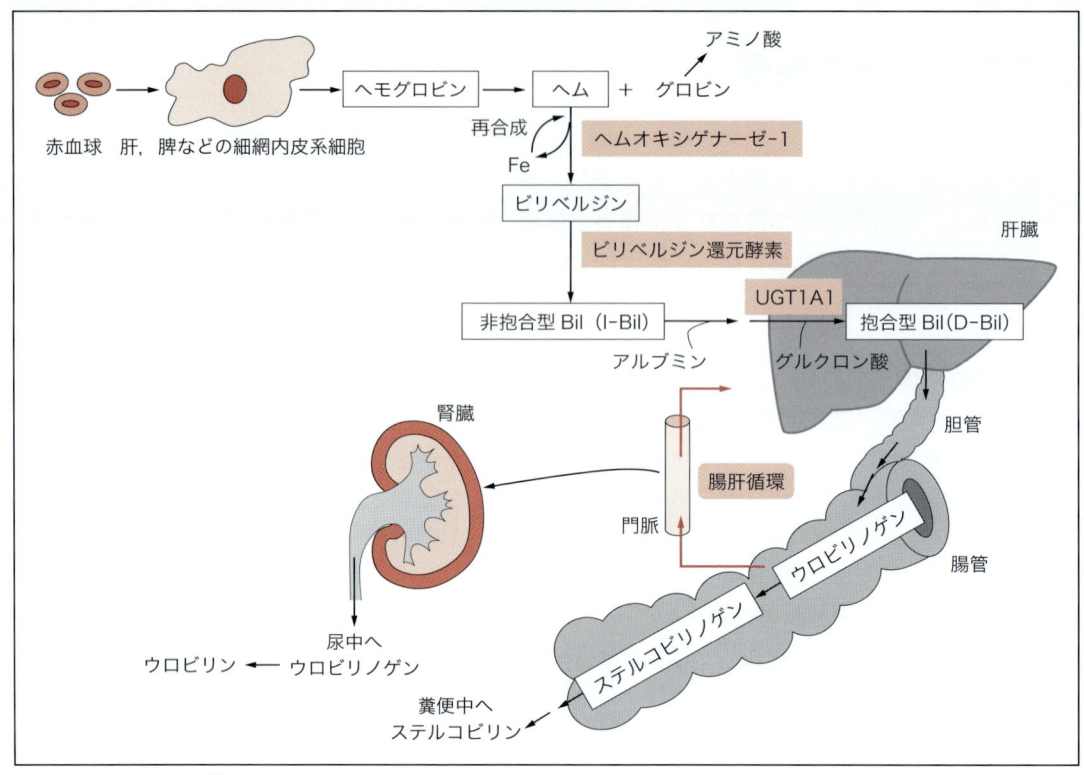

図3 ビリルビン代謝

（戸塚　実，他編：臨床化学検査学．第2版，p.222, 医歯薬出版，2022より引用）

2. 血尿

　血尿の基準は，尿試験紙法で1＋（ヘモグロビン0.06 mg/dL）以上，尿沈渣検査法で赤血球が5個/HPF（400倍拡大1視野）以上とされている．健常人でも1日約100万個の赤血球が尿中に排出されるといわれ，これは尿沈渣で1個/HPF（400倍拡大1視野）ほどの出現率なので，5個以上あれば有意な血尿といえる．

1）血尿の原因が尿路系悪性腫瘍
（1）腎盂癌，尿管癌
　腎盂から尿管にかけての粘膜から発生する尿路上皮癌で，いずれも移行上皮の粘膜で構成されている．腎盂尿管癌の発生頻度は全尿路上皮癌に対して腎盂癌約5％，尿管癌1～2％である．尿管癌の部位別発生頻度は下部尿管73％，中部尿管24％，上部尿管3％ほどである．
　早期ではほとんどが無症状であり，ときに顕微鏡的な血尿を認める．腫瘍が大きくなると無痛性の肉眼的血尿を呈して，尿の流れも障害あるいは閉塞されるので水腎症を呈するようになる．この段階になると，腰背部痛を自覚することがある．

（2）膀胱腫瘍
　早期では無症状であるが，健診などの尿検査で潜血反応を指摘されることがある．腫瘍が大きくなると，自覚症状として無痛性の肉眼的血尿がみられるようになる．膀胱炎を併発すると頻尿や排尿時痛といった刺激症状を自覚することがある．
　膀胱癌の90％以上が尿路上皮癌で，その多くは乳頭状やカリフラワー状を呈し，ドプラ検査で多血性である．腫瘍の増殖形式では，広基性のものが有茎性のものに比べて浸潤傾向が強く，悪性度が高い傾向にある．隣接臓器由来の悪性腫瘍からの膀胱浸潤にも注意する．直腸癌，S状結腸癌，男性では前立腺癌，女性では子宮癌で膀胱への直接浸潤を起こすことがある．

2 症状からみた腹部超音波検査

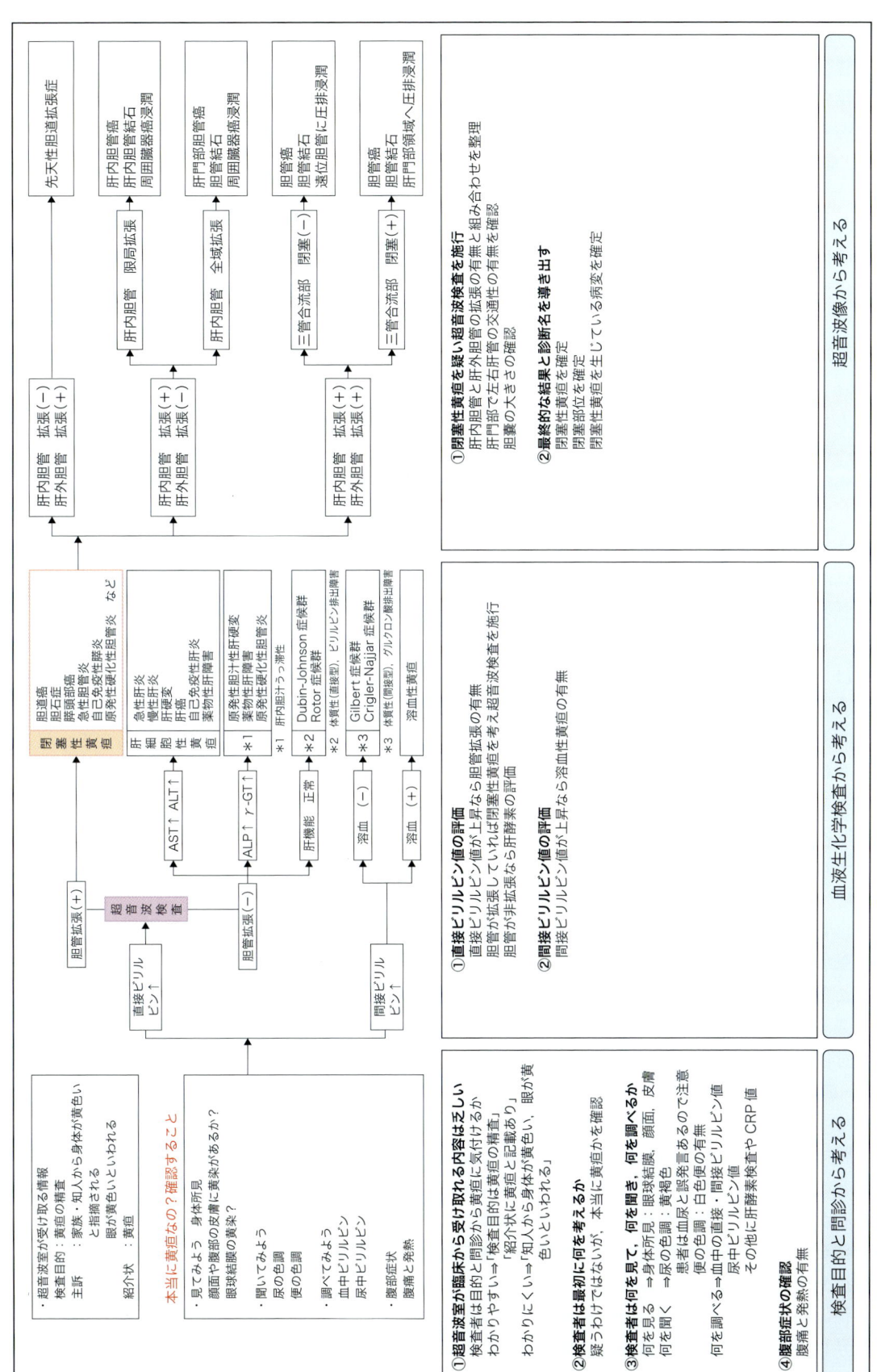

検査目的と問診から考える

① 超音波室が臨床から受け取る内容は乏しい
検査者は目的と問診から黄疸に気付けるか
わかりやすい⇒検査目的は黄疸と記載あり
わかりにくい⇒「知人から身体が黄色い、眼が黄色いといわれる」
患者は出血尿と誤発言あるので注意
便の色調：白色便の有無
何を調べるか⇒血中の直接・間接ビリルビン値
その他に肝酵素検査やCRP値

② 検査者は最初に何を考えるか
疑うわけではないが、本当に黄疸か確認

③ 検査者は何を見て、何を聞き、何を調べるか
何を見る ⇒身体所見：眼球結膜、顔面、皮膚
何を聞く ⇒尿の色調：黄褐色
便の色調：白色便の有無

④ 腹部症状の確認
腹痛と発熱の有無

血液生化学検査から考える

① 直接ビリルビン値の評価
直接ビリルビン値が上昇なら胆管拡張の有無
胆管が拡張していれば閉塞性黄疸を考え超音波検査を施行
胆管が非拡張なら上昇した肝酵素の評価

② 間接ビリルビン値の評価
間接ビリルビン値が上昇なら溶血性黄疸の有無

超音波像から考える

① 閉塞性黄疸を疑い超音波検査を施行
肝内胆管と肝外胆管の拡張の有無と交通性の有無を確認
肝門部で左右肝管の拡張の有無と組み合わせを整理
胆嚢の大きさの確認

② 最終的な結果と診断名を導き出す
閉塞性黄疸部位を確定
閉塞性黄疸を生じている病変を確定

図4 閉塞性黄疸の超音波検査フローチャート

（3）腎細胞癌

腎細胞癌の3症状は，疼痛，血尿，腹部腫瘤といわれている．最近では，健診などにより偶然に発見されることもある．腫瘍の存在する部位にもよるが，大きくならないと血尿がみられないこともある．しかし，肉眼的血尿の訴えがある時には念頭におく疾患である．

2）血尿の原因が血管性腎病変

（1）腎動静脈奇形

腎動静脈瘻（AVF）は，先天性，後天性，特発性に分類され，後天性が約7割を占めている．後天性の原因としては医原性腎損傷が多く，針生検や腎部分切除後などにみられる．その形態は，蔓状型は毛細血管を経ずに屈曲蛇行した異常血管を介して動脈と静脈が連結するもの，動脈瘤型は動脈と瘻孔を形成した静脈の瘤状拡張を呈するものである．蔓状型の約7割には肉眼的血尿がみられる．

（2）ナットクラッカー症候群

ナットクラッカー症候群の患者からの訴えと症状（重い時）には，間欠的な血尿以外に腰痛，貧血，起立性蛋白尿，精巣静脈瘤，卵巣静脈瘤などがある．

本症候群では，左腎静脈が腹部大動脈とその腹側に位置する上腸間膜動脈の間に挟まれることにより，左腎静脈内圧が上昇することによって還流障害が生じて左腎出血が起こる．左腎の毛細血管にうっ血や破綻，さらに出血を生じて血尿がみられる．

以前は，腹部大動脈と上腸間膜動脈との間にみられる左腎静脈の径と，その手前の拡張した左腎静脈の径を計測していたが，最近では側副血行路の形成とカラードプラ検査による血流の向きの確認を加えている．

（3）腎梗塞

患者からの訴えは，梗塞範囲が広い場合は，肉眼的血尿と急激な側腹部痛および背部痛，さらに悪心・嘔吐などである．腎梗塞の多くは，心房細動や心弁膜疾患などの心疾患に起因する．超音波検査の所見は，腎被膜側を底辺とし先端が腎深部に向かう楔状の低エコー領域としてみられるが，やがて梗塞部は吸収されて，腎辺縁の限局的な凹化として残存する．腎辺縁部に凹化がみられたら，梗塞の既往があることが推察される．ドプラ検査では，急性期であれば梗塞部位に応じてカラーシグナルが欠損する．

（4）腎動脈瘤

自覚症状には，高血圧，血尿，腹痛，腎機能低下などがあげられるが，多くは無症状である．腎動脈瘤が破裂すると，血尿や側腹部痛，出血性ショックに陥ることがある．原因は動脈硬化症に伴うことが多いが，外傷や炎症でもみられる．発生部位は腎動脈本幹から腎内の分枝まで起こりうる．超音波検査では病変部が嚢胞性腫瘤として描出されることが多いが，辺縁の石灰化や内部の血栓形成を伴うこともある．ドプラ検査で病変内部の血流シグナルが証明できれば診断は容易である．

3）血尿の原因がその他の病変

（1）尿路の結石

腎で作られた尿が体外に排出される経路を尿路（腎臓，尿管，膀胱，尿道）と称する．この尿路のどこかにミネラルや有機物を含む結石ができる疾患が尿路結石症である．無症状のこともあるが，結石が通過障害や閉塞をきたすと血尿や疝痛および吐き気などがみられる．

結石が存在する部位によって，腎結石，尿管結石，膀胱結石と表現され，二次的な変化として水腎症や腎盂外溢流もみられる．

腎盂外溢流は，腎周囲に尿の溢流が無エコー（echo free space）として認められる．腎盂内圧が上昇して腎杯円蓋部が顕微鏡的に亀裂を生じることにより，尿が腎盂外に溢出し，腎傍組織の浮腫やリンパ液増加に伴う液体貯留によって起こる．後腹膜のGerota筋膜，脂肪組織に炎症の波及も

起こる.

（2）膀胱炎

膀胱粘膜が細菌感染し，その程度が高度になると肉眼的血尿をみることがある.

3. 発熱

発熱をきたす疾患は数多くみられるが，大きく分けると感染症，悪性腫瘍，膠原病（自己免疫性疾患）があげられる．頻度は低いが，薬剤，内分泌疾患，中枢神経疾患などもある.

腹痛に関与する発熱として疾患を絞ると，①肝臓では肝膿瘍，②肝周囲では婦人科感染症であるFitz-Hugh-Curtis症候群，横隔膜下膿瘍，③胆道では急性胆嚢炎と胆管炎，胆汁腫，④腎泌尿器では腎盂腎炎と急性巣状細菌性腎炎（AFBN），⑤後腹膜領域の炎症，⑥手術部位感染などがある．超音波検査はこれらの疾患についても多くの情報を提供できるので，炎症性疾患について日頃から学んでおくことが大切である.

4. 腹部膨満感

患者が訴える腹部膨満感の原因には，①お腹がゴロゴロするような消化管のガス貯留，②胃の運動機能が低下して起こる胃部膨満感，③腹腔内の液体貯留（腹水），腹腔内の炎症，腫瘍などがある．③には，腹水貯留，癌性腹水，腹膜播種，腹膜偽粘液腫，Meigs症候群，omental cake，シュニッツラー転移，卵巣過剰刺激症候群，卵巣嚢腫，卵巣癌などがあげられる．これらの疾患についても超音波検査で多くの情報が得られる.

VI 臓器の損傷

　外傷を受けて腹腔内の臓器に損傷が生じた時には，損傷の程度を判読する．ここでは，日本外傷学会臓器損傷分類を参考に，腹腔内臓器の損傷について解説する．

1. 各臓器にみられる損傷

1）症状

　肝損傷を受けた患者は，軽度な時は受傷時の打撲による右側腹部〜上腹部の痛みを訴える．損傷が高度な時には腹腔内出血を起こすことがある．出血が多量になると，血圧の低下，意識の混濁などの出血性ショックの症状を呈するようになる．

　脾損傷も肝と同様に受傷時の打撲によって左側腹部に痛みを訴える．損傷が高度な時には腹腔内出血を起こす危険性がある．肝損傷と同様，出血が多量なら，血圧の低下，意識の混濁などの出血性ショックも現れる．

　腎損傷も肝・脾損傷と同様に，軽度な場合は受傷時の打撲によって側腹部に痛みを訴える．転倒時にみられる鈍的外傷は，脾・肝損傷に続いて頻度が高い．また，腎生検後には医原性損傷がみられることがある．

2）超音波検査の所見

　日本外傷学会臓器損傷分類（2008）では，損傷分類に記載する共通事項のポイントを被膜と表在性および深在性としている（表24）．肝損傷分類（表25，図5），脾損傷分類（表26），腎損傷分類（表27）を提示する．

　例えば，外傷による肝損傷では，モリソン窩，横隔膜下腔，左右結腸傍腔などに出血がみられず肝実質内の時にはⅠ型の被膜下損傷とし，さらに被膜下血腫（Ⅰa型），実質内血腫（Ⅰb型）に分けている．一方，腹腔内出血はみられるが少ない表在性損傷（Ⅱ型），出血の量も多いⅢ型の深在性損傷（Ⅲa型：単純深在性損傷，Ⅲb型：複雑深在性損傷）に分類している．脾と腎についてもそれぞれ同様な基準が設けられている．

2. FAST（focused assessment with sonography for trauma）

　FASTとは，外傷の初期診療における迅速で簡易な超音波検査法である．目的は，循環の異常を認める傷病者に対する，心嚢腔，腹腔および胸腔の出血となる液体貯留の有無の確認である．同時に，ショックに陥る可能性のある損傷を鑑別するためにも行われる．心膜腔，モリソン窩，右胸

表24　損傷分類に記載する共通事項

| Ⅰ型　被膜下損傷 |
| Ⅰa型　被膜下血腫 |
| Ⅰb型　実質内血腫 |
| Ⅱ型　表在性損傷 |
| Ⅲ型　深在性損傷 |
| Ⅲa型　単純深在性損傷 |
| Ⅲb型　複雑深在性損傷 |

（日本外傷学会臓器損傷分類委員会：肝損傷分類2008（日本外傷学会）．日外傷会誌，2008；22：262．をもとに作成）

表25　肝損傷分類に記載する共通事項

Ⅰ型	肝被膜に損傷はなく連続性が保たれている損傷である Ⅰa型の被膜下血腫とⅠb型の実質内血腫に分けられる
Ⅱ型	創の深さが3cm未満の損傷である．一般的にはGlisson脈管系を損傷することがなく保存的に治療できるが，外側区域と肝門周辺ではGlisson脈管系を損傷することがある
Ⅲ型	損傷の深さが3cm以上の損傷形態である Ⅲa型は創縁や破裂面が比較的simpleで創周囲の挫滅や壊死組織の少ない損傷である Ⅲb型は創縁や破裂面の損傷形態が複雑で，組織挫滅や壊死組織が広範におよぶもの

（日本外傷学会臓器損傷分類委員会：肝損傷分類2008（日本外傷学会）．日外傷会誌，2008；22：262．をもとに作成）

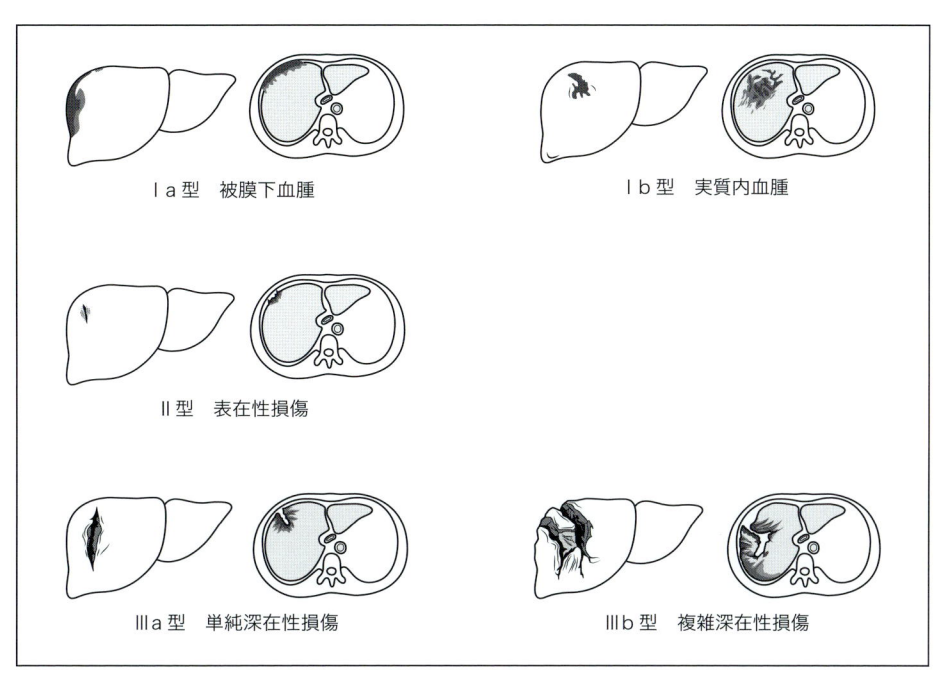

図5 損傷分類（肝）

Ⅰa型　被膜下血腫　　　　　　　　Ⅰb型　実質内血腫

Ⅱ型　表在性損傷

Ⅲa型　単純深在性損傷　　　　　　Ⅲb型　複雑深在性損傷

（日本外傷学会臓器損傷分類委員会：肝損傷分類2008（日本外傷学会）．日外傷会誌，2008；22：262．をもとに作成）

表26　脾損傷分類に記載する共通事項

Ⅰ型	脾被膜の連続性が保たれている損傷である Ⅰa型の被膜下血腫とⅠb型の実質内血腫に分けられる
Ⅱ型	損傷が脾表面からの実質の約1/2の深さ未満の実質損傷のもの
Ⅲ型	損傷が脾表面から実質の約1/2の深さ以上におよぶ実質損傷 Ⅲa型は創縁や創の走行などが比較的単純で，損傷が脾門部領域にかからないもの Ⅲb型は創縁や創の走行などが複雑，もしくは損傷範囲が脾門部領域にかかるもの

（日本外傷学会臓器損傷分類委員会：脾損傷分類2008（日本外傷学会）．日外傷会誌，2008；22：263．をもとに作成）

表27　腎損傷分類に記載する共通事項

Ⅰ型	腎被膜の連続性が保たれていて，血液の被膜外への漏出がない損傷形態 Ⅰa型の被膜下血腫とⅠb型の実質内血腫に分けられる
Ⅱ型	腎皮質に留まると思われる損傷があり，腎被膜の連続性が保たれていない場合で腎外への出血を認めるもの
Ⅲ型	損傷が腎実質の1/2以上の深さにおよぶもので，おおむね腎髄質に達するもの

（日本外傷学会臓器損傷分類委員会：腎損傷分類2008（日本外傷学会）．日外傷会誌，2008；22：265．をもとに作成）

腔，脾周囲，左胸腔，ダグラス窩の順に液体貯留の有無をみていく．
　超音波検査で胸腔内の貯留液を観察する時，腹側方向からの観察では肺が介在するために貯留液を見逃すことがある．貯留が少量の時は重力方向に貯留しているので，可能なかぎり側背部から観察を行うことが大切となる（図6，7）．

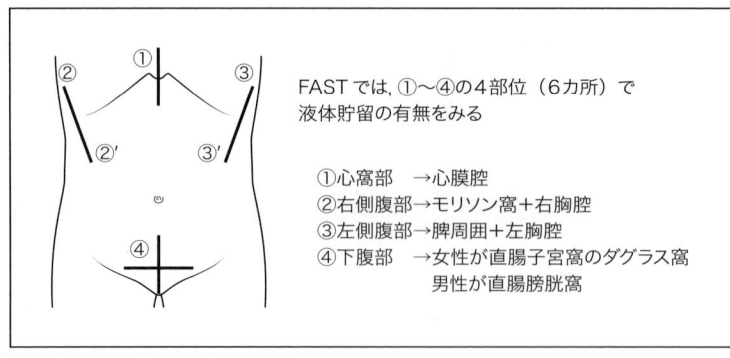

図6 FASTにおける走査部位

FASTでは，①〜④の4部位（6ヵ所）で液体貯留の有無をみる

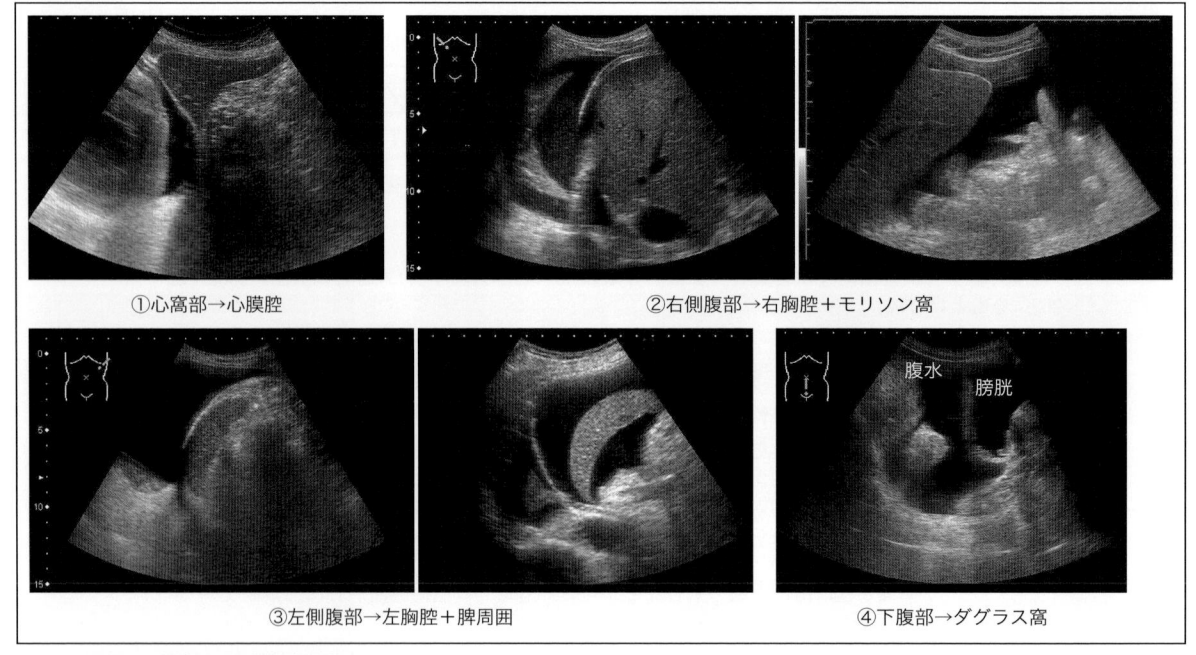

① 心窩部　　→心膜腔
② 右側腹部→モリソン窩＋右胸腔
③ 左側腹部→脾周囲＋左胸腔
④ 下腹部　　→女性が直腸子宮窩のダグラス窩
　　　　　　　男性が直腸膀胱窩

① 心窩部→心膜腔

② 右側腹部→右胸腔＋モリソン窩

③ 左側腹部→左胸腔＋脾周囲

④ 下腹部→ダグラス窩

図7 FASTで観察する液体貯留像
　FASTの観察のポイントは，①素早く（1〜2分）検査すること，②処置中であっても行えること，③最初に異常がみられなくても反復して施行することである．

Ⅶ 消化管をみる超音波検査

　消化管の画像検査では，現在でも内視鏡検査が中心的な役割を担っているのは多くの認めるところである．内視鏡検査は粘膜面を水平方向に観察する検査法である．一方，超音波検査は消化管の壁を縦断方向に観察する検査法である．超音波検査では消化管ガスの影響を受けるが，超音波装置の性能向上と高周波プローブの開発，さらに多くの研究によって消化管領域における超音波検査の走査技術の向上が報告されている．消化管における超音波検査の有用性は，前処置を必要とせずに粘膜から漿膜までの壁構造が観察でき，1回の検査で胃と大腸および関連する他臓器やリンパ節が描出でき，さらに腹水の有無の所見が得られるなど，内視鏡検査や消化管造影では得られない情報を提供できる利点もある．
　ここでは，超音波検査で観察できる消化管の変化と観察方法，胃と大腸のスクリーニング走査の流れについて述べる．

1. 消化管病変を探し出す超音波検査

1) 消化管をみるスクリーニング検査と精密検査
　消化管領域における超音波検査の適応は，①無症状者に対して消化管を広範囲に観察して異常の有無を見つけ出すスクリーニング検査，②有症状者に対して病変の程度と確定診断，さらに病変の周囲への浸潤をみる精密検査まで幅広い（**表28**）．

2) 消化管の異常像
　消化管でみられる異常像を3段階に分けて観察のポイントをあげる．
　第1次所見は，①消化管の径の拡張であり観察の方法としては径を計測する，②消化管壁の肥厚は粘膜表面から漿膜外側までを計測する，③消化管の異常な部位の連続性とスキップ性は病変の発生部の分布を観察する．
　第2次所見としては，④消化管壁の層構造の変化（明瞭化と不明瞭化および消失），⑤消化管壁の各層のエコーレベルの変化，⑥消化管壁の隆起と陥凹，⑦消化管壁の肥厚部の伸展性と硬さ，⑧消化管の内腔径の拡張と狭小化，⑨消化管の腫瘤形成像，⑩消化管の内容物の性状，⑪消化管の内容物のうっ滞，⑫消化管ガスの有無と偏在性，⑬消化管の蠕動運動の有無，⑭消化管の麻痺の状態，⑮消化管の壁外圧迫による変化，⑯消化管への血流情報があげられる．
　第3次所見は，消化管そのものではないが消化管の異常に伴う変化として，⑰腸間膜動脈と静脈の拡張および閉塞，⑱腸間膜の肥厚，⑲腸間膜のリンパ節腫大，⑳周囲の浸出液，㉑腹水貯留と膿瘍形成，㉒憩室炎や虫垂炎などの組織像と推移である（**表29**）．

表28　消化管のスクリーニング検査と精密検査

検査目的	症状	観察のポイント	観察できる消化管の変化
スクリーニング検査	無症状 ときに有症状	異常の有無 異常の部位と分布	粗大病変 進行癌
精密検査	有症状 腹痛 下痢 便秘 貧血 下血	異常の有無 異常の部位と分布 病変の程度を把握 病変の確定診断 病変の周囲への浸潤	正常・異常像 壁の層構造と変化 病変の周囲への浸潤

表29 超音波検査で観察する消化管の変化と観察の方法

消化管の変化	観察の方法
第1次所見 ① 消化管の径の拡張 ② 消化管壁の肥厚 ③ 消化管の異常な部位の連続性とスキップ性	消化管の径を計測 粘膜表面から漿膜までを計測 病変の発生部の分布を観察
第2次所見 ④ 消化管壁の層構造の変化（明瞭化と不明瞭化および消失） ⑤ 消化管壁の各層のエコーレベルの変化 ⑥ 消化管壁の隆起と陥凹 ⑦ 消化管壁の肥厚部の伸展性と硬さ ⑧ 消化管の内腔径の拡張と狭小化 ⑨ 消化管の腫瘤形成像 ⑩ 消化管の内容物の性状 ⑪ 消化管の内容物のうっ滞 ⑫ 消化管ガスの有無と偏在性 ⑬ 消化管の蠕動運動の有無 ⑭ 消化管の麻痺の状態 ⑮ 消化管の壁外圧迫による変化 ⑯ 消化管への血流情報	消化管壁の5層構造を観察 5層構造を低〜高エコーレベル段階で観察 内腔・外側壁の滑らかさと変形を観察 肥厚部の伸展性と可変性の有無 消化管の内腔を計測 腫瘤形成の有無 液状・泥状・固形で分類 内容物の動きの有無を観察 ガスの有無と偏りを観察 蠕動運動を観察 消化管と内容物の動きを観察 外側壁の滑らかさ，圧排，浸潤の有無 超音波ドプラ検査による血流情報の評価
第3次所見 ⑰ 腸間膜動脈と静脈の拡張および閉塞 ⑱ 腸間膜の肥厚 ⑲ 腸間膜のリンパ節腫大 ⑳ 周囲の浸出液 ㉑ 腹水貯留と膿瘍形成 ㉒ 憩室炎，虫垂炎などの組織像と推移	腸間膜動・静脈の径の計測と内腔開在の有無 腸間膜の肥厚の有無と程度を計測 リンパ節の有無と大きさを計測 病変部の周囲における液体貯留を観察 腹腔内の液体貯留を観察 病理像との対比

3）大腸壁の層構造

　大腸の壁は，粘膜，粘膜筋板，粘膜下層，固有筋層，漿膜下層，漿膜と表現される．体外式超音波検査では5層に描出され，第1層は大腸内腔面の境界エコーと粘膜層の一部（高エコー），第2層は粘膜層と粘膜筋板（低エコー），第3層は粘膜下層（高エコー），第4層は固有筋層（低エコー），第5層は漿膜下層と漿膜および漿膜外との境界エコー（高エコー）に相当する（図8）．なお，胃壁の層構造と超音波像についても同様である．

　壁厚の計測は，高周波プローブを用いることが望ましいが，測定部が体表から深部の時やスクリーニング検査では困難なこともある．このような時は，一般的な腹部用プローブ（中心周波数が4.0 MHzほど）でも拡大した画像で層構造が観察できれば評価できる．

2. 胃と十二指腸の超音波検査

1）腹部食道から十二指腸球部までの観察の流れ

　食道胃接合部の描出は，剣状突起下の縦走査で息を吸ってもらうと，肝左葉と腹部大動脈との間に横隔膜脚も含めて描出できる．第4層の固有筋層が低エコーに描出され指標になりやすい．プローブを左肋骨弓下側に傾けて固有筋層を追いながら胃体部まで描出できる．さらに，上腹部から右側へと縦走査を進めると，胃角から胃前庭部，そして幽門筋の筋層の切れ目，さらに十二指腸球部までを連続して観察できる．

2）十二指腸下行部から水平部までの観察の流れ

　十二指腸下行部は，十二指腸球部のガス像を指標にして横走査のまま尾側に下げていくと，膵頭部に接した管腔臓器として描出される．

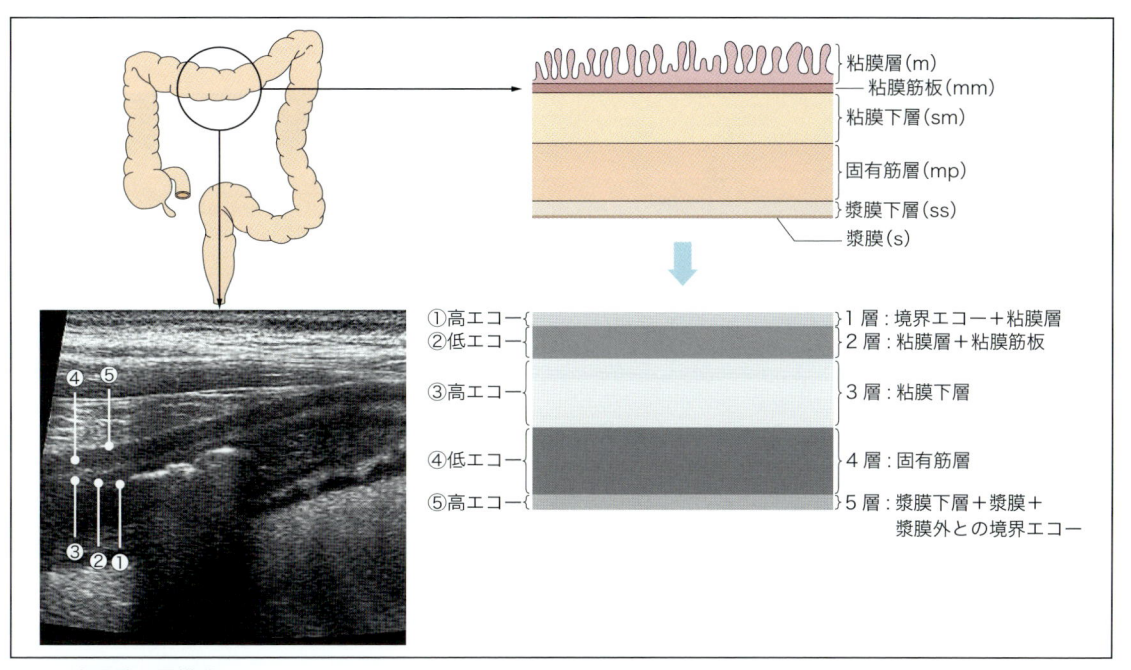

図8 大腸壁の層構造

下行部から正中側へと横走する管腔臓器が十二指腸水平部である．なお，腹部大動脈の前面と上腸間膜動脈との間を横切って走行する消化管は，十二指腸水平部しかない．

3) 胃の各部位の観察法

胃の各部位は図9の方法で観察する．

4) 体位変換で胃と十二指腸の観察を向上させる

体位変換は胃を観察するうえでも有用である．仰臥位での観察は，胃体部から胃体上部の後壁の描出が困難で，壁の伸展も不十分となりやすい．右側臥位にすると，胃体部が右側に移動して胃体上部から胃体中部の前・後壁も伸展するので観察しやすくなる．十二指腸は深部側へと走行するの

ひとくちメモ (4)　飲水法

①飲水法は胃と十二指腸の小さな病変を観察するのに有用である．例えば，早期癌の深達度診断や粘膜下腫瘍の診断に用いられる．
②飲水法の水は脱気水あるいは沸騰させた麦茶などを冷やしたもの，ときには飲料水でも可能である．飲水直後にはエアバルブが多くみえるので患者を少し静止させるとよい．飲水量は200 mLほどあれば目的の検査が進められる．

ひとくちメモ (5)　飲水法の検査体位

①飲水法でみる胃体上部から穹窿部の検査体位のポイントは，左側臥位を用いて観察部に水を溜められるように，そして胃壁が伸展するようにする．
②胃体下部から十二指腸側を観察する時は，水を胃体下部から胃前庭部に貯留させるために坐位を用いる．背もたれのある椅子に腰掛ける，あるいはベッドサイドに腰を掛けてもらうとよい．

1. 腹部食道～胃噴門部 ① ②

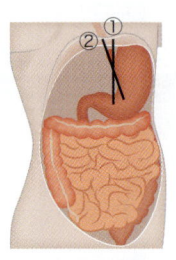

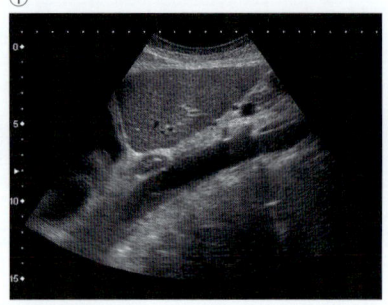

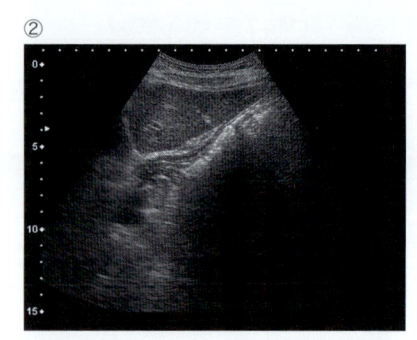

①心窩部縦走査による腹部食道の短軸像
　肝左葉の頭側背側で腹部大動脈との間にリング状で管腔構造として描出される．
②心窩部斜走査による腹部食道の長軸像
　腹部食道から胃噴門部は鳥の逆くちばしに似た形状に観察されるので"beak sign"とよばれる．

2. 胃体部 ① ②

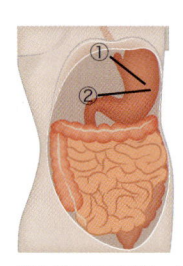

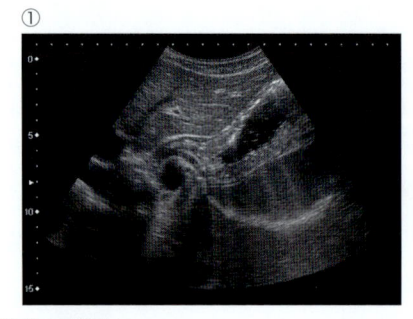

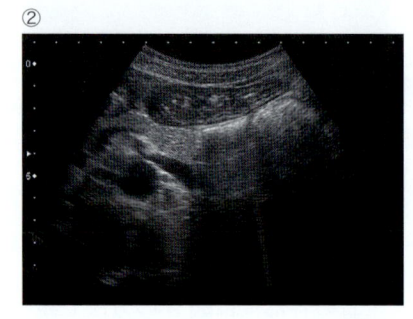

①左肋弓下走査による胃体部の長軸像
　胃噴門部から胃体部が肝左葉の肝縁付近に沿って広がるような形状で観察される．
②上腹部斜走査による胃体部の短～長軸像
　胃体部が膵体尾部の腹側に楕円状に観察され，前壁，後壁，小弯，大弯が観察される．

3. 胃体下部～胃角部 ① ②

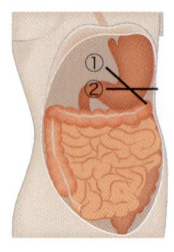

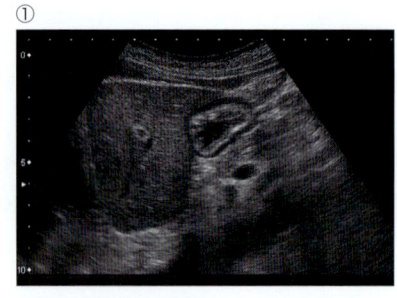

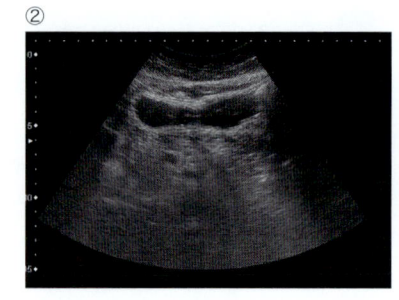

①上腹部斜走査による胃体下部～胃角部の短軸像
　肝左葉の肝縁下面と腹部大動脈との間に胃体下部から胃角部にかけて描出される．
②上腹部横走査による胃体下部～胃角部の長軸像
　膵体部の腹側に胃体下部から胃角部が連続して観察される．

図9　胃の各部位の観察法（1）

4. 胃前庭部

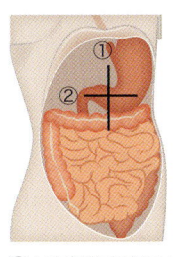

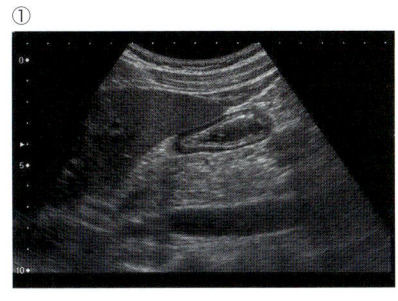

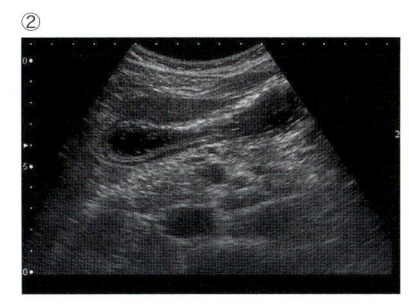

①上腹部縦走査による胃前庭部の短軸像
　肝左葉の肝縁下面と腹部大動脈から下大静脈にかけての腹側に胃前庭部の短軸面が細長く観察される.
②上腹部横走査による胃前庭部の長軸像
　膵体部から頭部の長軸像の腹側に胃角部から連続して胃前庭部が観察される.

5. 胃幽門部〜十二指腸球部

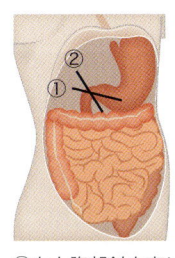

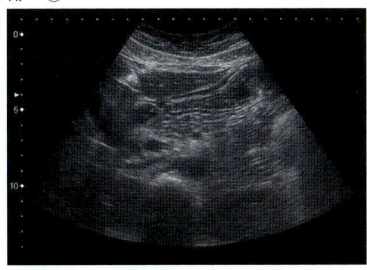

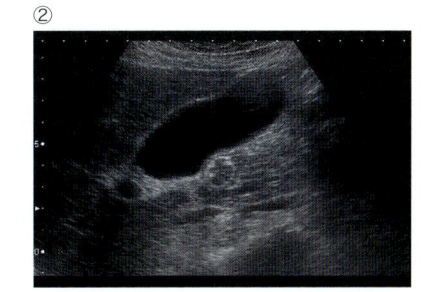

①右上腹部斜走査による胃幽門部〜十二指腸球部
　胃前庭部に続いて胃幽門〜十二指腸球部が観察される.
②右肋間走査による十二指腸球部
　胆嚢頸部の内側に十二指腸球部が描出される.

6. 胃穹窿部

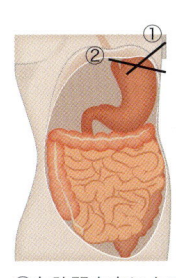

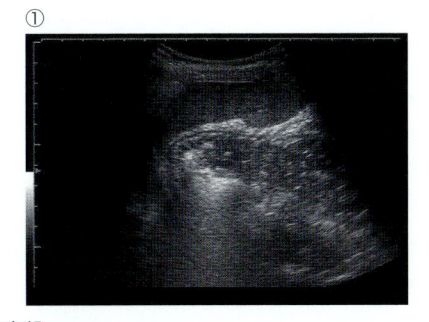

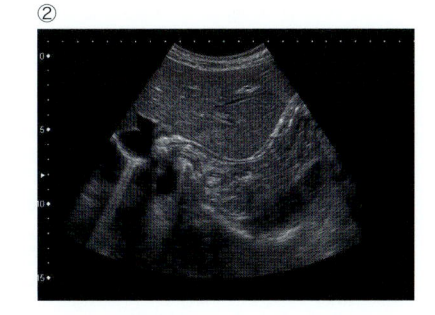

①左肋間走査による胃穹窿部
　脾の下面で内側方向に胃穹窿部が膨らみをもった袋状に描出される.
②心窩部〜左肋弓下走査による胃穹窿部
　胃噴門部から胃体上部を通して胃穹窿部が観察される.

図9　胃の各部位の観察法（2）

で，左側臥位にすると，十二指腸は浅い位置に移動して，体表と平行になりやすい．膵頭部に接する位置関係も理解が容易となり，十二指腸水平部への連続性まで追求しやすくなる．

3. 大腸の超音波検査

1）上行結腸から下行結腸までの観察の流れ

上行結腸の描出は最外側かつ最背側となるが，その腹側にはなにもないので壁側腹膜の直下に動かないガス像を伴って観察される．横断像のまま，プローブをまっすぐに頭側～尾側に移動させると，尾側でガス像がとぎれるところが盲腸，頭側が肝弯曲となる．壁には結腸紐に引っ張られることでハウストラ（結腸膨起）が観察される．

横行結腸への系統的な観察は，上行結腸の肝弯曲から連続して横走する管腔臓器を描出する．これが横行結腸であり，体表の直下を横走する．左側まで追って脾弯曲付近まで観察ができる．簡便な描出法は，心窩部の縦走査から尾側をみると，胃の前庭部，大網を介して次にみえてくるのが横行結腸である．

下行結腸は上行結腸と左右対称に存在する．実際には前面に空腸が被さってくることもある．描出は，最外側かつ最背側の管腔臓器をみつけ，プローブを頭側～尾側に移動させて最終的に腸腰筋を横切ってS状結腸への連続性をみる．その背側には管腔臓器はみられない．

2）S状結腸から直腸までの観察の流れ

S状結腸は，下行結腸からの連続性と腸腰筋を渡るようにして骨盤腔内への走行を追跡する．その特徴は，固定されていないために移動性がみられること，個体差が大きいことである．近接した回腸にガス像があるとS状結腸との区別がまぎらわしい．

実践的な観察では，回腸ではガス像があっても活発に動くが，S状結腸では動かない．連続性の追跡も困難なことが多いので，骨盤腔内をていねいに圧迫しながら，動かないガス像を指標にして観察する．

直腸は，恥骨の直上にプローブを横走査で当てると膀胱の背側に描出される．男性なら膀胱の背側に前立腺がみえて，その背側に直腸が描出される．女性なら膀胱の背側に腟がみえて，その背側に直腸が描出される．膀胱を音響窓として縦・横走査を進めることで異常の有無が確認できる．

3）回盲部から虫垂までの観察の流れ

上行結腸を同定したら，横断像のままに尾側へ移動させると，内側から合流してくる終末回腸とバウヒン弁が描出される．ガスを排除するためにプローブによる圧迫を加えて，そのまま尾側に下げると盲腸と腸腰筋がみえる．この位置で盲腸内側に虫垂開口部，そして右総腸骨動静脈の方向に伸びる虫垂の走行を同定できる．

4）大腸の各部位の観察法

大腸の各部位は図10の方法で観察する．

5）体位変換で空腸と下行結腸の観察を向上させる

空腸は右上腹部で浅部から深部に位置するが，浅部の空腸ガスによって深部の描出能が低下する．右側臥位にすると，深部の空腸が浅部側に移動するとともに，浅部側にみられたガス像が左側に動いて少なくなるので観察しやすくなる．

下行結腸は前面に空腸が被ってきやすいので，消化管ガス像とサイドローブによる虚像の影響を受けやすい．右側臥位にすると，空腸は腸間膜によって動きに自由度があるので，右側に移動して下行結腸に被らなくなり，下行結腸の描出が向上する．同時に下行結腸の位置を浅くできるので観察がしやすくなる．

2 症状からみた腹部超音波検査

1. 回盲部・虫垂

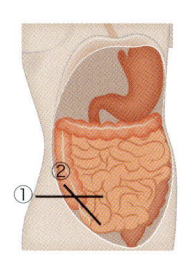

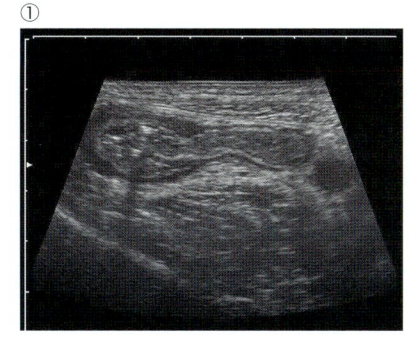

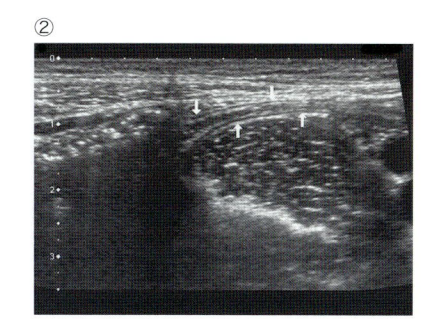

①右下腹部横走査による回盲部
　回盲部・虫垂は先に上行結腸を描出して口側にアプローチすると観察が容易となる．回腸末端と回盲弁（Bauhin 弁）および盲腸部さらに上行結腸の一部が観察される．
②右下腹部斜走査による虫垂の長軸像
　盲腸の内側から右総腸骨動静脈方向となる 3 時から 6 時方向に細長く伸びて観察される．

2. 上行結腸

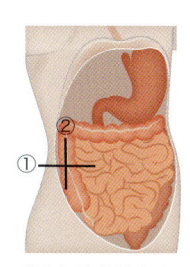

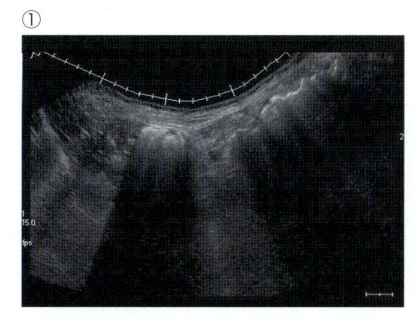

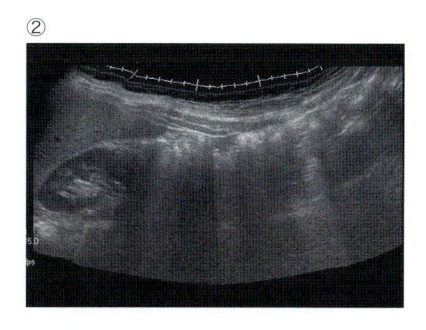

①右側腹部横走査による上行結腸の短軸像
　右側腹部の最外側最背側，かつ右腎の腹側にガス像を有する管腔構造として観察される．
②右側腹部縦走査による上行結腸の長軸像
　右側腹部の最外側にガス像が細長く伸びるように観察される．

3. 横行結腸

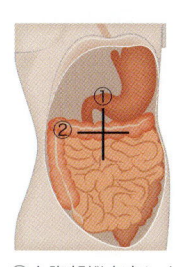

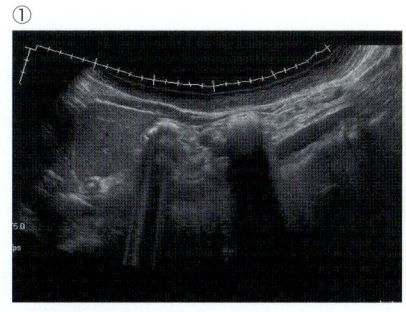

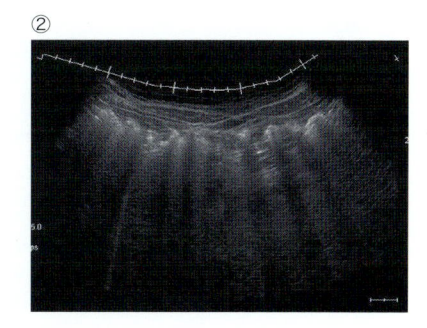

①上腹部縦走査による横行結腸の短軸像
　右結腸曲から中央部そして左結腸曲までガス像を有する管腔構造として観察される．
②上腹部横走査による横行結腸の長軸像
　右結腸曲から中央部そして左結腸曲までガス像が細長く伸びるように観察される．

図 10　大腸の各部位の観察法（1）

4．下行結腸

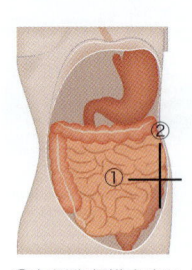

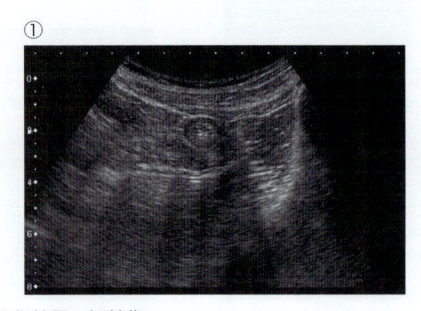

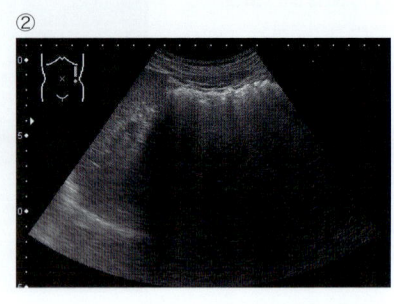

①左側腹部横走査による下行結腸の短軸像
　左側腹部の最外側最背側，かつ左腎の腹側にガス像を有する管腔構造として観察される．
②左側腹部縦走査による下行結腸の長軸像
　左側腹部の最外側にガス像が細長く伸びるように観察される．

5．S状結腸

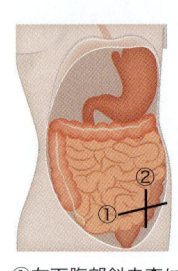

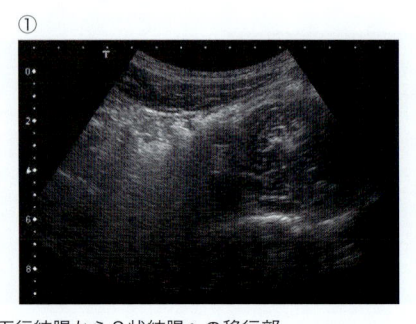

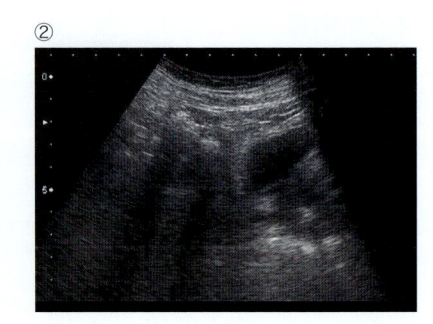

①左下腹部斜走査による下行結腸からS状結腸への移行部
　左腸腰筋の腹側でS状結腸の方向へと伸びるガス像を有する管腔構造として観察される．
②下腹部縦〜横走査によるS状結腸
　下腹部にS状結腸がガス像を有する腸管として観察される．

6．直腸

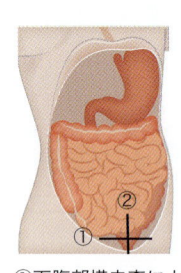

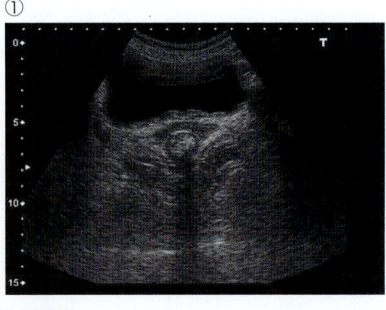

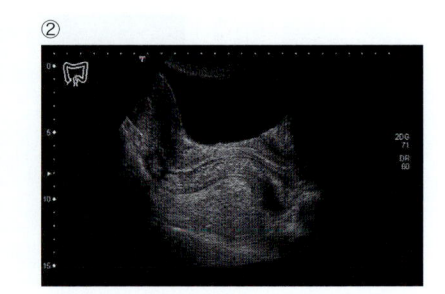

①下腹部横走査による直腸の短軸像
　膀胱の背側に層構造を呈するリング状で管腔構造として観察される．
②下腹部縦走査による直腸の長軸像
　膀胱の背側に細長く伸びる管腔構造として観察される．

図10　大腸の各部位の観察法（2）

表30 年代別にみた消化管の代表的な疾患

年代	消化管の代表的な疾患
新生児期	肥厚性幽門狭窄症，食道胃逆流症，壊死性腸炎，消化管閉塞，腸軸捻転
乳児期（～2歳）	腸重積，ミルクアレルギー，Meckel憩室炎，感染性胃腸炎
幼児期（2～6歳）	回腸末端炎，Meckel憩室炎，感染性胃腸炎，急性虫垂炎
学童期（6～12歳）	急性虫垂炎，回腸末端炎，Meckel憩室炎，感染性胃腸炎，胃・十二指腸潰瘍，炎症性腸疾患
思春期（12～18歳）	急性虫垂炎，過敏性腸症候群，胃・十二指腸潰瘍，炎症性腸疾患，感染性胃腸炎
青年期	虚血性腸炎（女性），胃・十二指腸潰瘍（男性）
高齢者	大腸癌，腸重積（腫瘍）

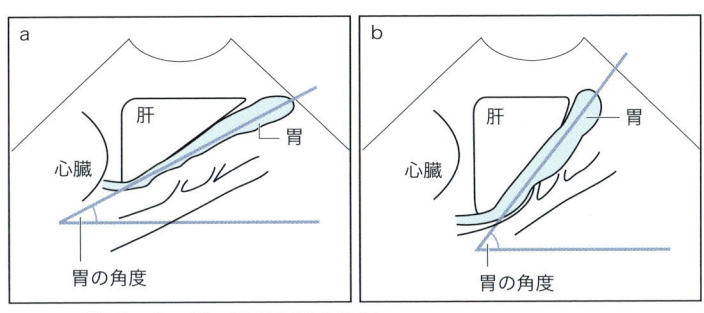

図11 体型による肝の形状と胃の位置
　a：やせ型．肝左葉の下面の角度がなだらかで，胃は固定点となる食道胃接合部から肝縁に沿ってなだらかに位置する．
　b：肥満型．肝臓の下面は鋭く切り立って，胃も同様に切り立つように位置する．

4. 年齢と体型および位置のバリエーションなどにみる消化管の描出ポイント

1）年代別の代表的な消化管疾患

　消化管疾患には，年代別に代表的なものがある．小児では，新生児期に肥厚性幽門狭窄症，乳児期に腸重積やミルクアレルギー，学童期に急性虫垂炎，思春期になると過敏性腸症候群と胃・十二指腸潰瘍などがあげられる．一方，高齢者では大腸癌と腫瘍が原因となる腸重積がみられる（表30）．超音波検査を円滑に進めるには，年代別にみられる疾患を考慮する．

2）体型による肝の形状と胃の位置

　胃の食道胃接合部から胃体部にかけては，肝左葉を音響窓にすると観察がしやすくなる．このため，やせ型と肥満型といった体型による肝左葉の形状を理解しておく．
　やせ型では，腹部の左右径が狭くて頭尾径が長く，前後径が短くなる．このため，肝左葉の形状も頭尾径が長く，前後径が短くなるので，肝下面の角度はなだらかとなる．胃は，肝左葉のなだらかな角度に沿って，食道胃接合部の固定点から肝縁を少し離れたところまで観察される．一方，肥満型の特徴は，腹部の左右径が広くて頭尾径が短く，前後径が長い．このため，肝左葉の形状も下面の角度が鋭く切り立ってくるので，胃も肝左葉に沿って切り立った角度で観察される（図11）．

3）横行結腸の位置と描出のポイント

　上行結腸と下行結腸は後腹壁の壁側腹膜より後方に位置して固定されている．しかし，横行結腸は腹腔内で腸間膜に覆われているが腹壁には固定されていない．このため，横行結腸の位置には自由度がみられ，上腹部を横行するものから骨盤内に落ち込むように位置するものまでみられる．横

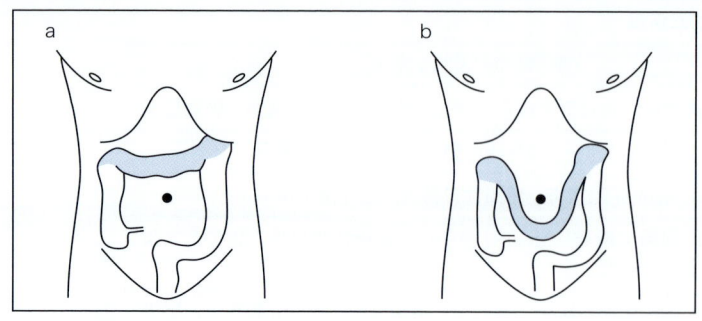

図12　横行結腸の位置と描出のポイント
横行結腸は腸間膜に覆われているが腹壁には固定されていない．このため，aのように横行するものから，bのように骨盤内に落ち込むものまでみられる．

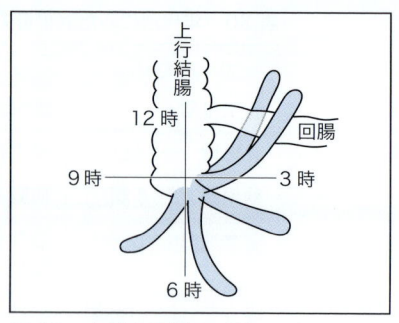

図13　虫垂の位置のバリエーション
虫垂の位置のバリエーションは，起始部は少ないが，その先に伸びる走行で多い．超音波検査では，起始部を同定した後に3時から6時方向にあれば描出がしやすい．

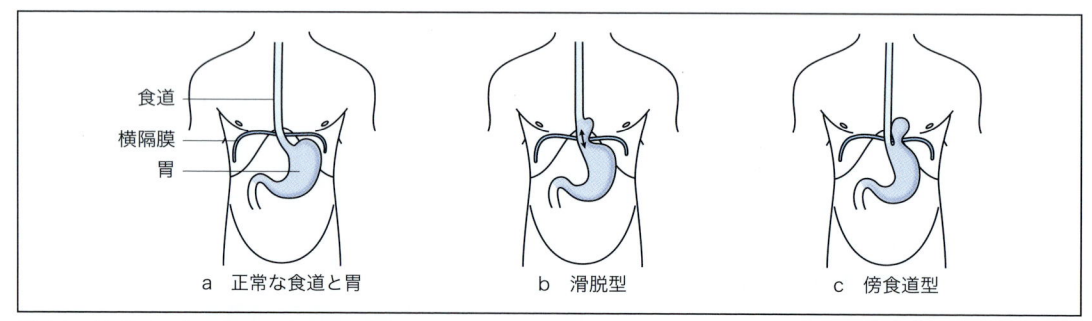

図14　検査のスタートはヘルニアの有無から
aは正常の食道と胃，bは胃と食道の境目がそのまま胸側へ飛び出す滑脱型，cは胃の壁の一部のみが食道の横を通って胸側へ飛び出す傍食道型である．

行結腸の描出のポイントは，縦走査で胃より尾側方向にプローブを移動させてガス像を伴う結腸を探し出すことである（図12）．

4）虫垂の位置と描出のポイント

虫垂の起始部はほぼ同じ位置だが，その先に伸びる走行にバリエーションが多い．報告者によってその頻度にバラツキがみられるが，盲腸下と骨盤腔内および盲腸後，さらに回腸前や盲腸外側などがある．超音波検査で虫垂を描出するポイントは，盲腸部の内側にある起始部を同定し，そこから伸びる管腔構造を描出していく．虫垂の走行が3時から6時方向にみられる時には観察が容易であり，描出能も高い（図13）．

5）検査のスタートはヘルニアの有無から

消化管は，食道胃接合部から観察を始めることが多い．この部分を観察すると，胸腔と腹腔を隔てる横隔膜がみられる．ときに，加齢によって同部の裂孔が弛緩，腹圧の慢性的上昇，肥満，妊娠，喘息など頻繁に咳が出る病気などでは，腹腔内にある胃の入口の一部が横隔膜側に滑り出してヘルニアを起こしやすくなる．高齢者ではその頻度が高いが，自覚症状がないこともある．検査のスタート時に目に飛び込んでくるヘルニア所見なので，描出のポイントとしてあげられる．

食道裂孔ヘルニアには，胃と食道の境目がそのまま胸側へ飛び出す滑脱型と，胃と食道の境目は腹腔にあるものの胃の壁の一部のみが食道の横を通って胸側へ飛び出す傍食道型がある（図14）．

Ⅷ 臓器別の腹痛疾患

　個々の疾患については,「第3章 各臓器における超音波検査の進め方」で解説されている. ここでは, 患者が腹部の症状を訴える代表的な疾患についてまとめる. ポイントは, ①各疾患における症状, ②超音波検査所見である. なお, 痛みを生じる疾患の超音波像はその経過において変化するので, 典型像で説明する.

1．肝臓

1）急性肝炎

（1）症状

　急性肝炎では, ときに腹痛があると表現されることがある. これは, 肝腫大に伴って肝表面を覆っている被膜が引っ張られる伸展痛と考えられる. 急性肝炎の前駆症状は感冒様で, 発熱と咽頭痛および頭痛がみられる. その後, 肝障害から生じる黄疸が現れるようになると, 患者はいつもの風邪と違う, 疲れる, 尿が濃くなったと訴える. 黄疸をみるポイントは, 眼球結膜の黄染, 皮膚の黄染だが, その数日前から尿の色がウーロン茶のように濃くなっている. 患者は, このビリルビン尿を血尿と表現することもあるので注意する. ほぼ同じ時期に, 食欲不振, 全身倦怠感, 嘔気, 嘔吐などの症状もみられるようになる.

（2）超音波検査所見

　急性肝炎の直接所見は, ①肝の大きさ, ②表面, ③肝縁, ④実質, ⑤脈管である. 間接所見は, ⑥胆嚢, ⑦胆管となる.

①大きさ：肝腫大がみられる. 大きさの目安は, 腹部大動脈上で頭尾径 11 cm 以上, 腹背径 6 cm 以上. 右鎖骨正中線上では, 頭尾径 16 cm 以上, 腹背径 13 cm 以上となる.

②表面：平滑である.

③肝縁：肝腫大に伴って先端に鈍化がみられる.

④実質：エコーレベルの低下がみられる. 急性肝炎では肝細胞が浮腫状（風船化：ballooning）となり, 膨化した肝細胞の密集により, 超音波の透過性がよくなるとされている.

⑤脈管：門脈壁にエコー輝度の上昇がみられ, ギラギラと目立つようになる. 実質のエコーレベルが低下すると, 実質と門脈壁との音響インピーダンスの差が大きくなることで境界面でのエコー輝度が強く観察される. また, 門脈枝の周囲のグリソン鞘に炎症細胞が浸潤して, グリソン部分が厚くなることも壁を目立たせる要因となっている. これらの所見は, centri-lobular pattern, starry-sky sign とよばれている.

⑥胆嚢：胆嚢壁の肥厚と内腔の虚脱がみられる. 壁の肥厚は, 肝の炎症の波及, 胆嚢リンパ流のうっ滞, 門脈圧亢進が影響している. 内腔の虚脱は, 急激な肝機能低下によって胆汁の生成が低下することで胆嚢に貯蔵される胆汁量が減少するためと考えられている.

⑦胆管：胆管の径の拡張は認めない.

2）肝腫瘍の破裂

（1）症状

　肝細胞癌は多血性腫瘍であり, ときに破裂（出血）することがある. 破裂により大量の腹腔内出血を伴うことで, 腹痛, ショック, 貧血, 腹部の膨満感などがみられる. 出血量が少ない場合には, 赤血球数, ヘマトクリット値, ヘモグロビンなどのデータが緩徐に低下するため, 直近のデータだけでなく以前のデータと比較する. なお, 肝腫瘍の破裂に伴う出血には, 腫瘍内に留まる症例もみられる.

（2）超音波検査所見

肝腫瘍の破裂の直接所見は，①腫瘍である．間接所見は，②出血源を示唆する部分，③腹水となる．

①腫瘍：肝腫瘍の存在．腹腔内出血を生じる腫瘍は肝被膜下と肝表面から突出する形態．
②出血源：描出が困難なことが多い．ときに隆起凝固徴候（sentinel clot sign）の血腫や凝血塊の存在．
③腹水：血性腹水の存在（通常の腹水は無エコーを呈するのに比べて，血性腹水では赤血球が反射源となることで微細なエコーが浮遊）．

3）肝膿瘍

（1）症状

肝膿瘍の患者からの訴えは，不明熱が続く，右季肋部痛，全身倦怠感である．肝膿瘍は細菌やアメーバが肝に感染して膿瘍を形成したもので，ときに肝腫大がみられることもある（図15〜17）．

（2）超音波検査所見

肝膿瘍の直接所見は，①膿瘍，②膿瘍の性状である．間接所見は，③胸水となる．

①膿瘍：肝膿瘍の存在．
②膿瘍の性状：膿瘍の成熟段階によって多彩な変化がみられる．初期は充実性パターン（特徴的な所見に乏しく不明瞭），その後は混合性パターン（比較的典型），熟してくると混合〜囊胞性パターンを呈する．肝膿瘍が熟してくると，形状の不整，内部の液状化，後方エコーの増強も加わり典型像になる．なお，壊死を伴う転移性腫瘍とは鑑別が必要となる．ガス産生菌による肝膿瘍は，内部にガス像を認め，多重エコーを伴った高エコー像として観察される．
③胸水：反応性に右胸水が生じることがある．

4）感染性肝囊胞

（1）症状

肝囊胞は自覚症状に乏しいが，大きくなってくると膨満感や上腹部の鈍痛がみられる．さらに，囊胞に感染を合併すると発熱がみられる（図18）．

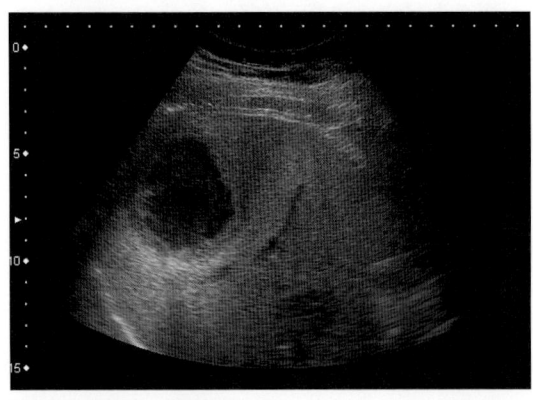

図15 肝膿瘍（囊状型）

70代男性．近医より1週間前からの発熱と悪寒で紹介受診．WBC：18,500/μL，CRP：15.8 mg/dL．肝右葉には58 mmの囊状腫瘤あり．病変の境界部は不明瞭で，内部には浮遊する微細なエコーがみられ，肝膿瘍が疑われた．膿瘍穿刺ドレナージが施行され，膿が吸引された．

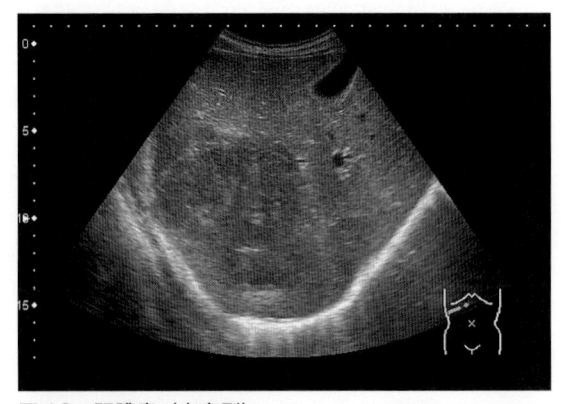

図16 肝膿瘍（充実型）

60代女性．4日前からの発熱で受診．WBC：19,500/μL，CRP：17.8 mg/dL．肝右葉には112×83 mmの腫瘤あり．病変の存在は明確であったが，境界は不明瞭で内部に不規則な低エコー域が混在，充実型なのか囊状型なのか判別が困難であった．臨床症状を加味して充実型の肝膿瘍が疑われ，CT検査を施行して肝膿瘍の診断に至った．

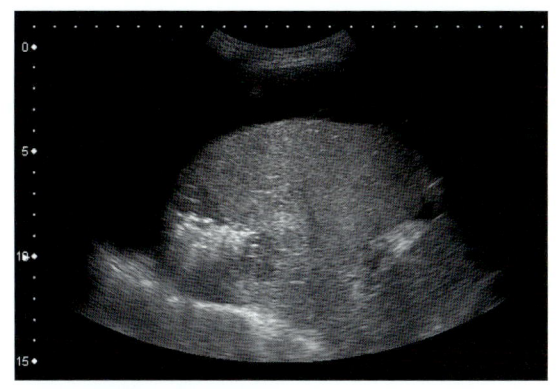

図17　肝膿瘍（ガス産生型）
　60代男性．胃癌腹膜播種があり，発熱（39.2℃）と悪寒がみられた．WBC：20,500/μL，CRP：23.8 mg/dL．肝右葉には67 mmほどの不整形で辺縁部がやや低エコーを呈する肝膿瘍が疑われる所見がみられた．内部には点状〜粒状の高エコー（空気像）が多くみられたので，ガス産生型の肝膿瘍と判読した．

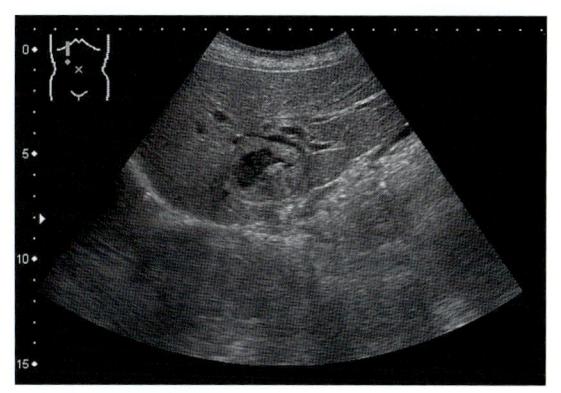

図18　感染性肝囊胞
　40代女性．以前から肝囊胞が指摘されていた．今回，発熱と右季肋部の不快感で内科を受診した．超音波検査では，指摘されていた肝囊胞部に一致して壁肥厚がみられる混合パターンの腫瘤が観察され，感染性肝囊胞と判読した．

（2）超音波検査所見
　感染性肝囊胞の直接所見は，①囊胞，②囊胞の性状，③囊胞壁である．間接所見は，④後方エコーとなる．
　①囊胞：囊胞に内部エコーが生じる．
　②囊胞の性状：感染が生じると，囊胞内に微細なエコーから高低エコーの混在，そして囊胞内に堆積するdebris echoまで多彩な変化をみる．
　③囊胞壁：囊胞壁に軽度の肥厚をみる．
　④後方エコー：充実様にみえても後方増強エコーあり．

5）門脈ガス血症
　門脈ガス血症の原因疾患は肝ではない．超音波検査では間接所見としてガス像が肝（門脈内）で発見されて原因疾患を調べる．そのため，肝（門脈内）でみられる門脈ガス血症について紹介する．

（1）症状
　門脈ガス血症では，便秘のような無症状に近いものから，腸管壊死などの腹腔内疾患が原因となる重篤な症状を呈する．腸管粘膜の血管透過性が亢進状態になり，腸管にあった空気が血管に流れ込むことで門脈内にガスがみられるようになる．門脈ガス血症を生じる病態のなかには重篤な疾患がベースにあることもあるので注意する（図19）．

（2）超音波検査所見
　門脈ガス血症の直接所見は，①門脈内を流れるガス，②肝実質に重なるガスである．
　①門脈内を流れるガス：門脈内をエコーレベルの高い点状のエコーが血流に沿って多数流れる．
　②肝実質に重なるガス：門脈の流れにのったガスは，肝の表面1〜2 cm付近まで流れていくが，超音波画像では肝実質に重なるようにみえ，そのパターンはまるで樹の枝に付着するかのようにガスの高エコーが多数観察される．

2．胆囊・胆道の疾患

1）急性胆囊炎

（1）症状
　急性胆囊炎の症状は，初期には持続性のある心窩部の鈍痛から始まり，発熱と吐き気および嘔吐

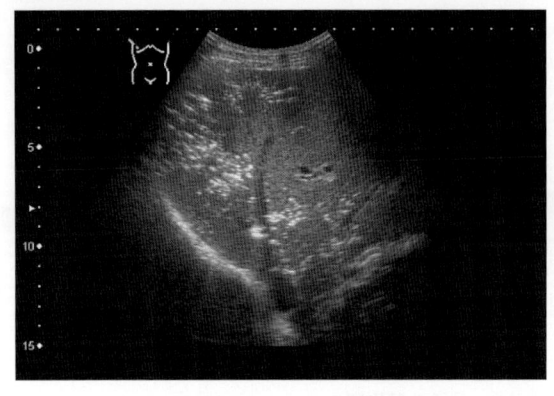

図19 門脈ガス血症
　70代女性．腸管壊死がみられた患者の肝臓（門脈）である．肝内にはキラキラとした点状～粒状の高エコーが多数みられる．その分布は肝右葉そして肝表面1～2 cm付近まで観察された．腸管壊死が原因となってガスが発生した門脈ガス血症である．

表31　急性胆嚢炎の重症度判定

①重症急性胆嚢炎（Grade Ⅲ） （急性胆嚢炎のうち，以下のいずれかを伴う場合は「重症」である） ・循環障害（ドーパミン≧5 μg/kg/min，もしくはノルアドレナリンの使用） ・中枢神経障害（意識障害） ・呼吸機能障害（PaO_2/FiO_2 比 < 300） ・腎機能障害（乏尿，もしくは Cr > 2.0 mg/dL） ・肝機能障害（PT-INR > 1.5） ・血液凝固異常（血小板 < 10万 mm^3）
②中等症急性胆嚢炎（Grade Ⅱ） （急性胆嚢炎のうち，以下のいずれかを伴う場合は「中等症」である） ・白血球数 > 18,000/mm^3 ・右季肋部の有痛性腫瘤触知 ・症状出現後72時間以上の症状の持続 ・顕著な局所炎症所見（壊疽性胆嚢炎，胆嚢周囲膿瘍，肝膿瘍，胆汁性腹膜炎，気腫性胆嚢炎などを示唆する所見）
③軽症急性胆嚢炎（Grade Ⅰ） （急性胆嚢炎のうち，「中等症」，「重症」の基準を満たさないものを「軽症」とする）

（急性胆管炎・胆嚢炎診療ガイドライン2018をもとに作成）

である．また，神経系を通して右肩への放散痛を伴うこともあり，背中に鈍い痛みが現れる．やがて病態が進行してくると，右季肋部に強い痛みが生じて，筋性防御，Murphy徴候がみられるようになる．同時に，腸管の動きも低下してくるために，消化管ガスの貯留によって腹部膨満感，さらにつかえ感を感じることがある．

（2）超音波検査所見
　急性胆嚢炎の直接所見は，①胆嚢の大きさ，②形状，③壁，④内部である．間接所見は，⑤血流，⑥周囲となる．
　炎症を反映した病態は，浮腫性，化膿性，壊疽性胆嚢炎に分けられる．浮腫性は漿膜下層の微小血管の拡張や著しい浮腫を反映する．化膿性は壊死組織に白血球が浸潤し化膿が始まる状態である．壊疽性は胆嚢動脈の血行不良から組織の壊死に陥る状態である．胆嚢壁が脆くなり穿孔をきたし，胆嚢周囲膿瘍も合併する．胆汁の腹腔内への流出が起きれば胆汁性腹膜炎も生じてくる．急性胆管炎・胆嚢炎診療ガイドラインによる重症度判定は，軽症，中等症，重症に分類される（表31，図20～23）．
　①大きさ：胆嚢の腫大がみられる（長径80 mm以上，短径35 mm以上）．
　②形状：緊満する，ときに胆嚢穿孔や結石の嵌頓解除時には虚脱する．
　③壁：びまん性の肥厚（漿膜下の浮腫3 mm以上），すじ状（striations）．

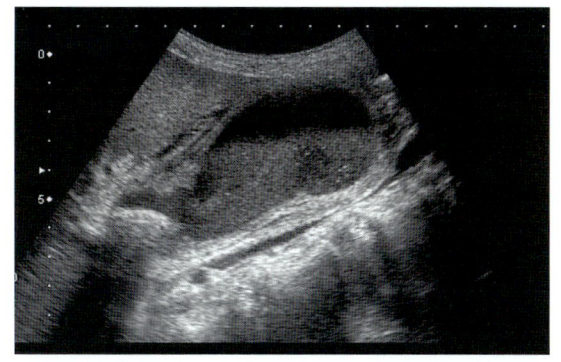

図 20　急性胆囊炎（典型像）
　40代女性．胆囊結石，肥満，糖尿病で通院中である．2日前に右季肋部痛と発熱で来院し，Murphy徴候がみられた．WBC：17,200/μL，CRP：14.8 mg/dL．胆囊は腫大，緊満，壁肥厚，内部に胆泥と結石を認め，sonographic Murphy signもみられたため，急性胆囊炎と判読した．その後，穿刺ドレナージによる治療が施行された．

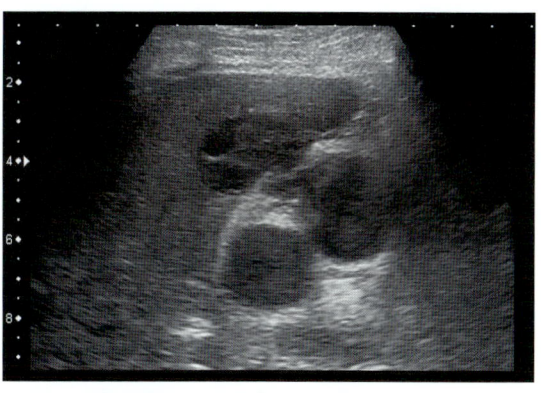

図 21　急性胆囊炎：周囲膿瘍（肝膿瘍）
　40代女性．数日前から右季肋部痛と発熱がみられ，救急外来を受診した．WBC：18,300/μL，CRP：14.8 mg/dL．急性胆囊炎だが，胆囊は虚脱ぎみで体部の壁には断裂がみられ，同部は肝へと連続する不規則な低エコーの膿瘍形成を認め，急性胆囊炎による周囲膿瘍（肝膿瘍）と判読した．

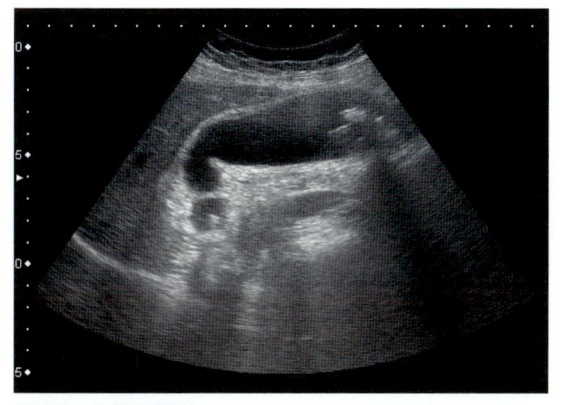

図 22　急性胆囊炎
　40代女性．食事後に右季肋部痛が生じたため救急外来を受診した．WBC：13,500/μL，CRP：4.8 mg/dL．胆囊は腫大して結石も存在しているが，壁の肥厚はみられなかった．急性胆囊炎を疑うも典型的な所見に乏しい段階である．

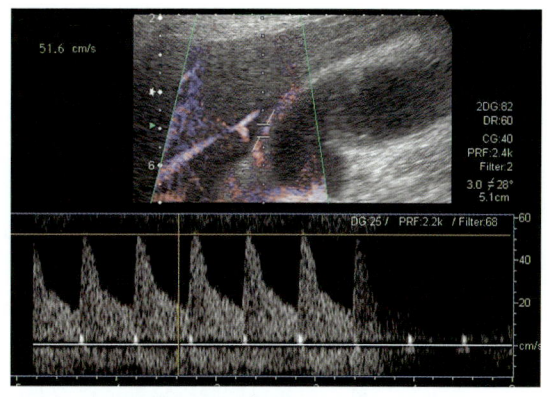

図 23　急性胆囊炎のドプラ検査
　図22と同一症例である．痛みの原因は胆囊と考えていたため，胆囊動脈血流の亢進の有無をドプラ検査で調べることにした．カラードプラでは胆囊動脈が容易に検出され，パルスドプラで最大流速が52 cm/secと亢進がみられた．Bモードでは所見に乏しかったが，血流亢進がみられたので急性胆囊炎の初期段階と判読した．

　④内部：結石，胆泥（debris echo）．
　⑤血流：胆囊動脈の血流亢進．
　⑥周囲：ときに膿瘍形成，脂肪織のエコーレベル上昇．

2）無石胆囊炎
　急性胆囊炎の原因に結石が関与しない胆囊炎である．患者からの訴えは急性胆囊炎と同様である．原因としては，長期絶食後の食事再開時にみられる濃縮胆汁による胆囊管の閉塞，糖尿病，動脈硬化症，肝動脈塞栓術後における胆囊壁の虚血などがあげられる．

3）気腫性胆囊炎
　患者からの訴えは急性胆囊炎と同様である．ただし，本症の患者には糖尿病，動脈硬化，高血圧の既往があることが多い．感染症への抵抗が弱く，血管病変による胆囊壁の虚血性変化も合併する．ガス産生菌による気腫性胆囊炎は胆囊壁の壊死を生じる重篤な急性胆囊炎となる．起因菌には，

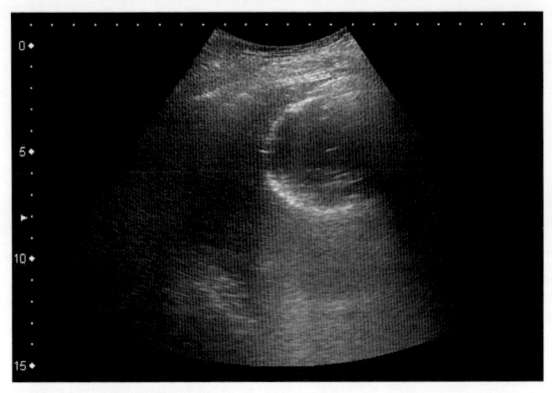

図24 気腫性胆嚢炎
70代男性．近医より急性胆嚢炎の診断で紹介入院．超音波検査時にsonographic Murphy signを認めたが，通常の胆嚢像とは異なっていた．壁は高エコーを呈して一部には多重反射も観察され，壁内のガス像の存在が示唆された．これらの所見と炎症所見を加味して気腫性胆嚢炎と判読した．その後，胆嚢穿刺ドレナージが施行され膿が吸引された．

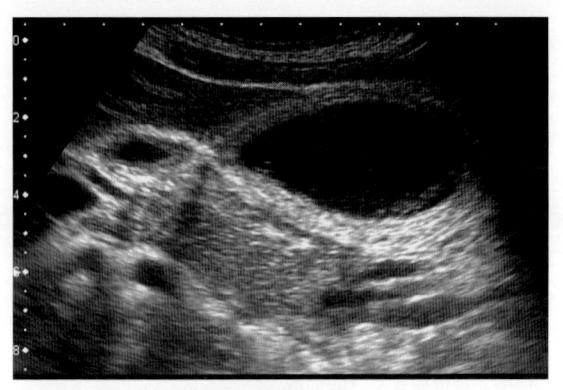

図25 捻転による急性胆嚢炎
10代男性．朝から右季肋部痛が出現して内科を受診した．超音波検査時にsonographic Murphy signがみられ，急性胆嚢炎と診断した．さらに，胆嚢の形状に捻れがみられており，捻れから体底部にかけて腫大と壁肥厚が著明にみられたことから，捻転による急性胆嚢炎と判読した．その後，手術が施行され確診に至っている．

*Clostridium*属が多くみられ，次いで*Escherichia coli*，*Klebsiella*属などが検出される．超音波検査の所見は，急性胆嚢炎像に加えて胆嚢壁にみられるガス像が特徴的である．なお，原因の一つに医原性の肝動脈塞栓術後もある（図24）．

4）捻転による急性胆嚢炎

患者からの訴えは急性胆嚢炎と同様である．病名が表すように，胆嚢に捻転が生じて発症した急性胆嚢炎である．胆嚢の頸部は肝下面で固定されているが，この固定が不十分だと胆嚢が遊走状態となり捻転を生じやすい．捻転が生じると血行障害を起こして急性胆嚢炎となり，急激な壊死性変化が起こって，病態がより重篤となる．

超音波検査の所見は胆嚢に捻転がみられ，捻転部よりも底部側で胆嚢壁に肥厚がみられ，捻転により胆嚢動脈の血流が閉ざされるのでドプラ検査で血流の検出が不良となる（図25）．

5）肝外胆管結石（総胆管結石）

（1）症状

肝外胆管結石であっても結石が嵌頓した状態になければ，あるいは胆汁の流出障害を起こしていなければ無症状である．結石が嵌頓した時に心窩部や右季肋部に痛みを生じる．結石が十二指腸乳頭部に嵌頓すると胆汁の流れが障害され，胆管内に逆行性感染を生じる．細菌の侵入と増殖は，発熱，悪寒を生じるとともに敗血症を起こし，意識障害やショックを伴うようになる（図26，27）．

（2）超音波検査所見

肝外胆管結石の直接所見は，①結石である．間接所見は，②胆管径，③形状，④胆管壁となる．

肝外胆管結石は，左右肝管合流部より下流にみられる．結石は強いエコーで音響陰影を伴って観察される．ただ，胆管結石はおもに胆道感染により生じるため，主成分がビリルビンカルシウムとなる．胆嚢内にみられる石灰化結石に比べるとエコーレベルと音響陰影が弱い傾向にある．なかには，胆嚢結石の移動（落下）もあり，この場合は石灰化の割合も高く明瞭な結石像を呈する．

①結石：胆管内の結石．
②胆管径：肝外胆管に拡張あり（ときに拡張なし）．
③形状：円筒状．
④壁：肥厚なし（ときに肥厚あり）．

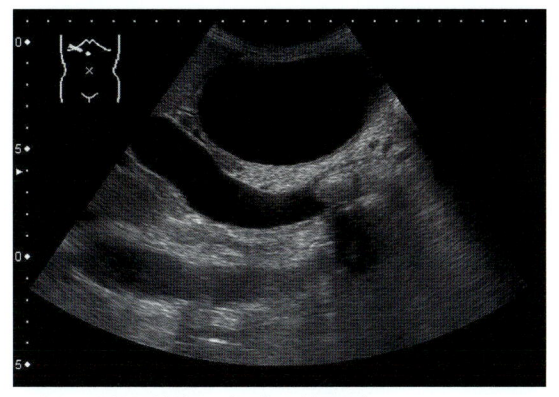

図26 肝外胆管結石（胆管の拡張型）
70代女性．数日前からの発熱と黄疸にて救急外来を受診．WBC：18,100/μL，CRP：8.8 mg/dL．超音波検査では肝内と肝外胆管に拡張がみられ，肝外胆管の径は12～18 mmであった．胆管を末端に追求すると音響陰影を伴う強いエコー（結石）が観察され，肝外胆管結石と判読した．その後に内視鏡的に排石された．

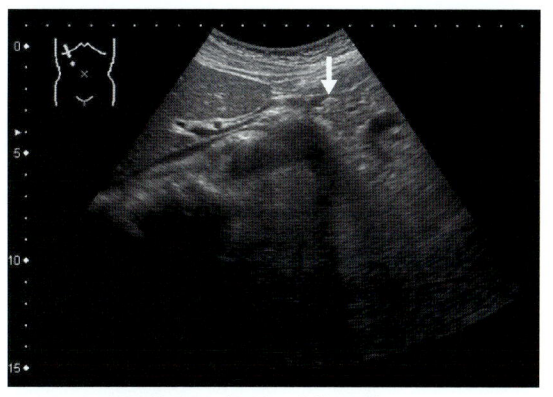

図27 肝外胆管結石（胆管の非拡張型）
50代男性．高血圧にて通院中，定期的な超音波検査で非拡張型の胆管結石（矢印）が偶然に発見された．結石からの音響陰影が明瞭ではないが，胆管結石の生成の主原因は細菌感染などによるビリルビン系で石灰化成分が乏しいこと，結石の大きさが小さいことなどが関与すると考える．本症例は無症状であった．

> **ひとくちメモ (6)　Charcotの三徴とReynoldsの五徴**
>
> ① 胆管結石などが胆管を塞いで胆汁の流れが障害されて感染が起きると急性胆管炎を生じる．症状には，腹痛，嘔吐，黄疸，掻痒感，さらに倦怠感や発熱，悪寒がみられる．
> ② Charcotの三徴は，急性胆管炎の代表的な症状である，腹痛，発熱，黄疸の3つである．なお，Charcotはフランスの神経病学者である．
> ③ Reynoldsの五徴は，急性胆管炎の際にみられるCharcotの三徴に，意識障害とショックを加えた5つである．なお，Reynoldsはアメリカ人で，一般外科医である．
> ④ Charcotの三徴とReynoldsの五徴は，診断技術や治療体系の進歩によって，これらの症状がすべてそろうことが少なくなっている．

3．膵臓

1）急性膵炎

（1）症状

　急性膵炎の初期は，軽い胃痛のような痛みから始まる．その後，時間の経過とともに心窩部を主とする刺すような痛みが現れてくる．痛みが腹部全体に急激に広がり，うずくまってしまうほどの激痛を感じることもある．さらに症状が進行して重症急性膵炎になると，胸水や腹水，意識障害や呼吸困難など非常に重い症状が現れる．呼吸・循環障害を生じる腹部コンパートメント症候群を引き起こすこともある．急性期を過ぎてからは，膵仮性嚢胞の形成と嚢胞への感染をみることがある．発熱と上腹部痛がみられるが，背部まで痛みが広がることもある（図28，29）．

（2）超音波検査所見

　急性膵炎の直接所見は，①膵の大きさ，②実質エコーレベル，③構造，④輪郭である．間接所見は，⑤膵管，⑥周囲，⑦胆管となる．

　①大きさ：びまん性の腫大．
　②実質エコーレベル：実質エコーレベルの低下．

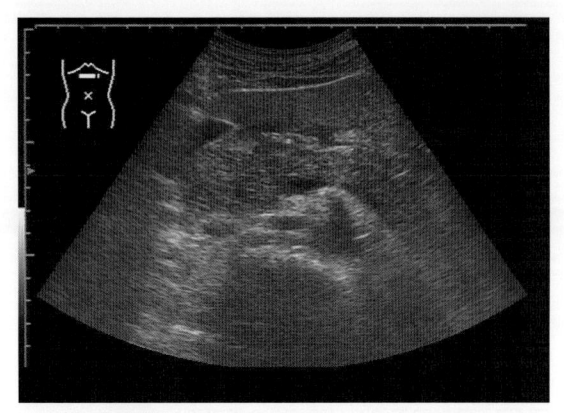

図 28 急性膵炎
50代男性．早朝に上腹部や背部の痛みで救急外来を受診．アミラーゼ：2,380 U/L，P型アミラーゼ：2,290 U/L と高値．膵の大きさは 32 mm，体部 20 mm と肥大．膵管の拡張はない．膵のエコーレベルは低下，膵周囲，特に体部の前面に液体貯留がみられた．臨床症状とアミラーゼの高値も考慮して急性膵炎と判読した．

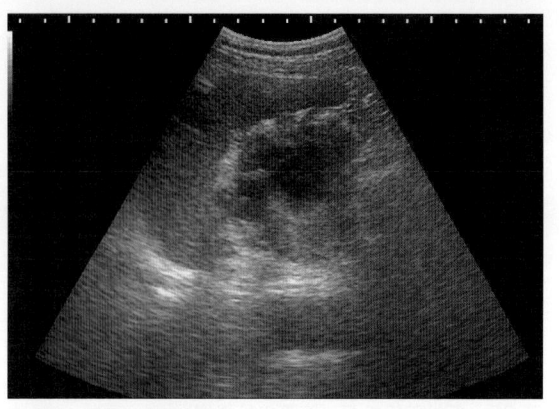

図 29 膵仮性嚢胞
60代男性．急性膵炎の既往歴があり，定期経過観察での超音波検査が施行された．膵尾部の観察は上腹部走査では不十分であった．経脾的に膵尾部を観察すると嚢状病変の存在が確認された．この部分は膵尾部と連続しているため，急性期を過ぎてからの膵仮性嚢胞の形成と判読した．

③構造：比較的均一．
④輪郭：不明瞭化（初期段階に高周波プローブで観察すると，膵表面の浮腫性変化をとらえることができる．膵表面には分葉状構造である表面の凹凸構造が不明瞭化）．
⑤膵管：正常あるいは軽度拡張．
⑥周囲：液体貯留．
⑦胆管：胆管拡張（急性膵炎の原因が胆管結石の嵌頓の時）．

2）グルーブ膵炎

グルーブ膵炎は，膵頭部と総胆管そして十二指腸下行脚に囲まれた溝（groove）に発生する炎症である．このため，反復する嘔吐と膵炎の症状がみられる．グルーブ膵炎の直接所見は，groove 領域の炎症所見と膵頭部の腫大であり，ときに腫瘤様，そして境界不明瞭な低エコー病変として描出されるので，膵頭部領域の悪性疾患が鑑別にあがる．同時に，十二指腸の壁肥厚が観察されて十二指腸狭窄とともに通過障害がみられる．なお，膵管は軽度の拡張にとどまる．

3）自己免疫性膵炎

（1）症状

自己免疫性膵炎の症状は，急性腹症のような腹痛ではなく，慢性膵炎に類似してゆっくりと潜在的に進行することが多いといわれている．患者からの訴えは，二次的に生じる黄疸である．なかには，目が乾く，唾液が少ないなどの訴えがきっかけとなりみつかることもある（**表32**）．

（2）超音波検査所見

自己免疫性膵炎の直接所見は，①膵の大きさ，②形状，③実質エコーレベル，④構造である．間接所見は，⑤膵管，⑥胆管となる．

①大きさ：びまん性の腫大（ときに腫瘤化で膵癌や腫瘤形成型膵炎との鑑別が必要）．
②形状：膵の 1/3 以上にわたってソーセージ状を呈する変化．
③実質エコーレベル：実質のエコーレベルの低下．
④構造：高エコースポットが散在してみられる．
⑤膵管：主膵管の変化は不整狭細像．
⑥胆管：胆管拡張（ときに閉塞性黄疸）．

表32　自己免疫性膵炎の臨床診断基準

> 次のうち2項目以上を満たすものが自己免疫性膵炎とされる
> ①膵腫大（びまん性，限局性），主膵管狭細像
> ②血液検査（高γグロブリン血症，高IgG血症，高IgG4血症，自己抗体のいずれか）
> ③病理検査（膵にリンパ球，形質細胞を主とする著明な細胞浸潤と線維化）
> 　膵癌・胆管癌などの悪性疾患を除外したもの

（自己免疫性膵炎診療ガイドライン2020をもとに作成）

ひとくちメモ (7)　膵管の不整狭細像

①狭細像は閉塞像や狭窄像とは異なる．膵管は通常よりも細くかつ不整を伴う．
②典型像は全膵管の1/3以上で5cmほどにわたり狭細像がみられる．限局性の腫大があっても，その尾側の膵管には著しい拡張は認めない．

4）膵癌

（1）症状

　膵癌の初期は自覚症状がほとんどみられず，癌が進行するにつれて神経叢への浸潤がみられるようになる．患者からの訴えには，心窩部や背中の痛み，体重減少，腹部膨満感，食欲不振，全身の倦怠感などがある．さらに，膵頭部癌の進行により肝外胆管を締め付けることで閉塞性黄疸を生じる．患者が来院するきっかけは，黄疸の出現と背中の張りと痛み，さらに下痢と体重減少が多い．膵癌発症の高リスクには，糖尿病や慢性膵炎，膵管内乳頭粘液性腫瘍（IPMN），喫煙，血縁者の発症などがあげられる．

（2）超音波検査所見

　膵癌の直接所見は，①腫瘍，②輪郭，③内部，④後方エコーである．間接所見は，⑤膵管，⑥胆管，⑦浸潤となる．

①腫瘍：充実性の腫瘍（小さなものは単に低エコーを呈する）．
②輪郭：明瞭，不整．
③内部：不均一，低エコー．
④後方エコー：減弱．
⑤膵管：主膵管は腫瘍の尾側で拡張（数珠状）．
⑥胆管：膵頭部癌では拡張（閉塞性黄疸）．
⑦浸潤：膵周囲の血管浸潤として不整な狭窄と鋸歯状変化，cuff sign．

4. 脾臓

1）脾梗塞

（1）症状

　脾梗塞の訴えは，梗塞部に一致した左季肋部痛，左腰痛である．横隔膜への炎症の波及は，肩甲部への放散痛を感じることもある．脾梗塞は，脾内の動脈血の流れに障害（閉塞）が生じることにより起こり，その末梢組織に乏血性の壊死がみられる．原因には，感染性心内膜炎や心房細動などによる心原性塞栓，高度な脾腫を呈する慢性骨髄性白血病などがある．なかには，治療目的で意図的に脾梗塞を引き起こす脾動脈塞栓術の他，肝細胞癌の治療で肝動脈塞栓術を施行した際に塞栓物質が誤って脾動脈に流入したことなども原因となる（図30）．

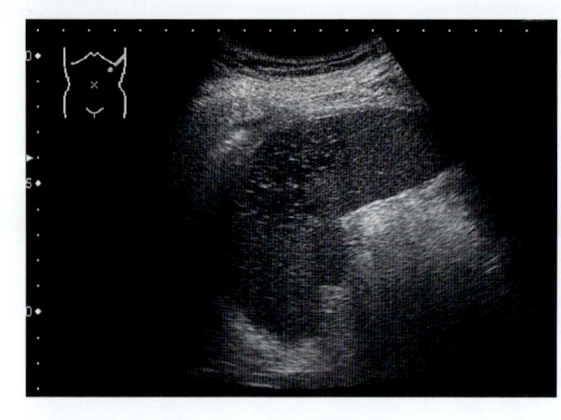

図30 脾梗塞
50代女性．脾は軽度の腫大，脾の上極側の辺縁部に輪郭が不整な類円形からくさび状を呈する低エコー域がみられる．内部には微細な点状の高エコーが混在して観察される．なお，ドプラ検査では血流が検出されなかった．これらの所見より脾梗塞と判読した．

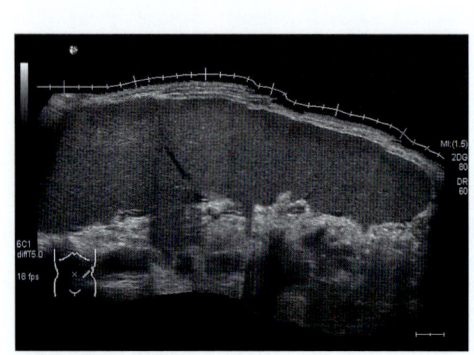

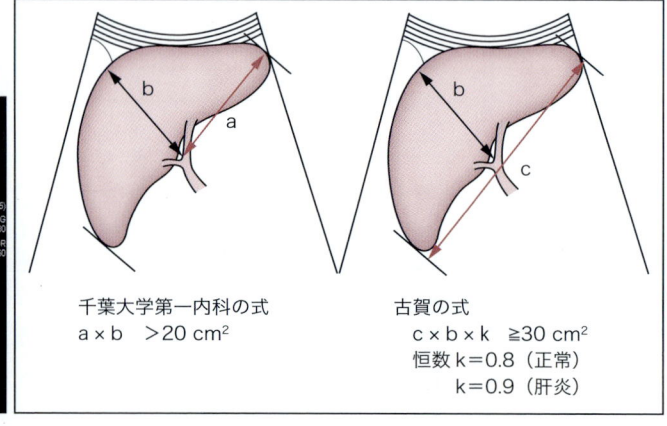

図31 脾腫（高度）
70代男性．慢性骨髄性白血病で通院中，定期検査で超音波検査が施行された．脾は著明に腫大を呈している．腫大は計測により数値化されて客観的に評価されるが，このようにあまりに大きいと計測が困難である．

千葉大学第一内科の式
$a \times b > 20\ cm^2$

古賀の式
$c \times b \times k \geq 30\ cm^2$
恒数 $k=0.8$（正常）
$k=0.9$（肝炎）

（2）超音波検査所見

脾梗塞は脾の辺縁部に生じやすい．超音波像は脾梗塞の輪郭が不整な地図状あるいはくさび状を呈する．梗塞部のエコーレベルは低エコー域としてみられるが，内部には微細な点状高エコーが混在する．ドプラ検査で血流が検出されないことも特徴的な所見である．経過観察において，病変部に囊状変化がみられることもあるが，やがて線維化によってエコーレベルの上昇や瘢痕化をきたす．

2）脾腫

（1）症状

脾腫の原因は他の疾患からの二次的な変化によるものが多い．このため，脾腫そのもので症状を呈することは少なく，認められる症状のほとんどが基礎疾患によるものである．ただし，高度に腫大した脾が胃を圧迫することで早期満腹感，左上腹部の痛みや圧迫感を引き起こすこともある．むしろ，突然かつ重度な疼痛がみられるようであれば脾梗塞が示唆される．他の原因には，脾機能の亢進，異常な血流の増加，異常な蛋白や脂質などの蓄積，良性・悪性細胞の浸潤などがある．

（2）超音波検査所見

脾腫の超音波像は，脾自体の腫大を呈する．腫大は計測により客観的に数値化して評価できる．代表的な計測法には，千葉大学第一内科の式，古賀の式がある（図31）．脾腫が著明な時は，脾周囲に側副血行路が形成されることが多い．頻度の高い短絡路として脾腎シャントがある．

表33 尿管結石の成分と特徴

・シュウ酸カルシウム ・リン酸カルシウム ・リン酸マグネシウムアンモニウム ・尿酸 ・シスチン	①シュウ酸カルシウム，リン酸カルシウムなどから作られるカルシウム結石が全体の約90%を占める． ②尿中のカルシウムの濃度が高くなったり，尿が酸性に近づいたりするとカルシウム結石ができやすくなる． ③尿中のカルシウム濃度が高くなる原因には，血液中のカルシウムの濃度を調節する内分泌系の異常や癌の存在，ステロイドの定期的な処方などがある． ④腹部単純X線撮影では尿酸やキサンチンが写りにくい．

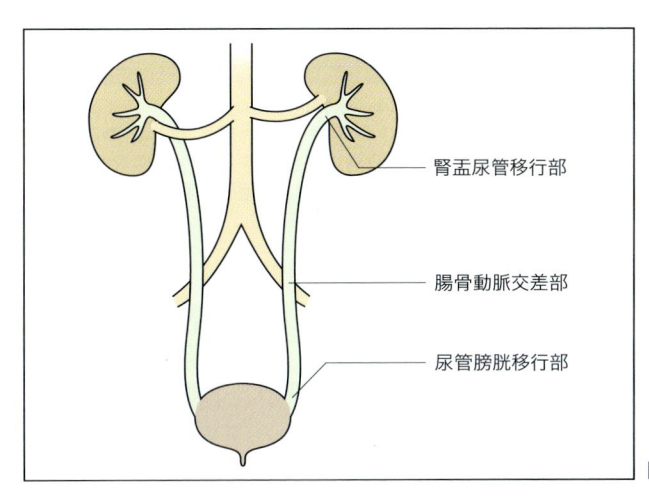

図32 尿管の生理的狭窄部

5. 泌尿器領域の疾患

1) 尿管結石

(1) 症状

尿管結石は，たとえ結石があっても嵌頓した状態になければ，あるいは尿の流出障害がなければ無症状である．結石が尿管の途中でひっかかると，結石を移動させようとする蠕動運動により疝痛がみられるようになる．典型的な症状は，側腹部に我慢できないほどの激しい痛みが波のように押し寄せる．さらに，関連痛として，痛む側腹部と同じ側の背中や肩のあたりにも鈍い痛みが現れる．ときに血尿もみられ，あまりの痛みに吐き気や嘔吐といった症状が現れることもある．

(2) 超音波検査所見

尿管結石の直接所見は，①結石である．間接所見は，②尿管径，③形状，④壁，⑤水腎症となる．
尿管結石は腎から膀胱までの尿管にみられる．結石の基本像は強いエコーで音響陰影を伴って観察される．ただ，胆囊結石のように胆汁に満たされた胆囊内腔に観察されるわけではなく，肝外胆管結石のように径の細い管腔内にみられる．周囲の消化管ガスの影響も受けるので，必ずしも結石の描出が容易かつ明瞭ではない．ただ，結石の成分は様々で，腹部単純X線撮影で確認が困難な成分である尿酸やキサンチンもあるので，超音波検査の有用性は高い（**表33**）．

尿管結石がひっかかりやすい部位は尿管の生理的狭窄部で，腎盂尿管移行部，腸骨動脈交差部，尿管膀胱移行部である（**図32～36**）．

①結石：尿管内の結石．結石は尿管の生理的狭窄部にひっかかりやすい．
②尿管径：拡張あり．
③形状：円筒状．
④壁：肥厚なし（ときに肥厚あり）．

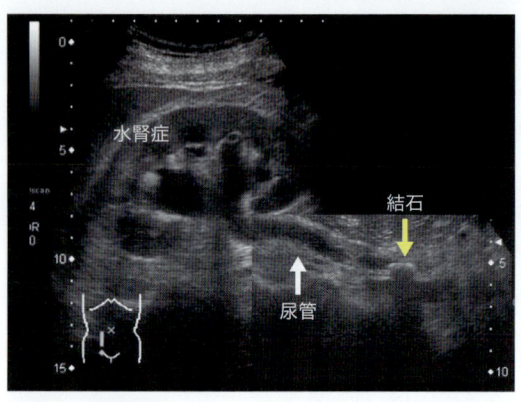

図33　尿管結石
　20代男性．急に側腹部に激しい痛みと血尿がみられ，救急外来を受診した．超音波検査を施行すると，腎盂腎杯と尿管に拡張がみられた．尿管を追求すると，途絶する位置に音響陰影を伴う強いエコー（結石）がみられたため，尿管結石と判読した．

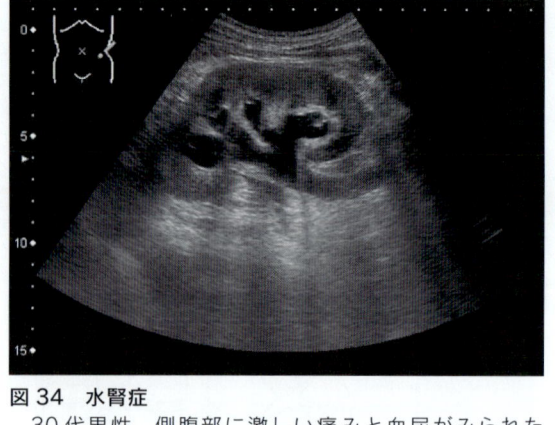

図34　水腎症
　30代男性．側腹部に激しい痛みと血尿がみられた．超音波検査を施行すると，腎盂腎杯と尿管の拡張が観察された．なお，腎盂尿管移行部のあたりに閉塞病変はみられなかった．

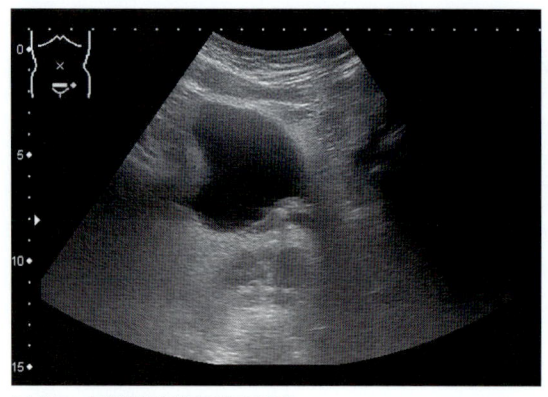

図35　尿管膀胱移行部の結石
　図34と同一症例である．痛みの原因は尿路結石と考えていた．尿管には結石を認めなかったので，尿管膀胱移行部の結石を疑い同部の観察を進めた．尿管膀胱移行部には小さいながらも強いエコー（結石）がみられ，音響陰影を伴って観察された．これらの所見より，尿管膀胱移行部の結石と判読した．

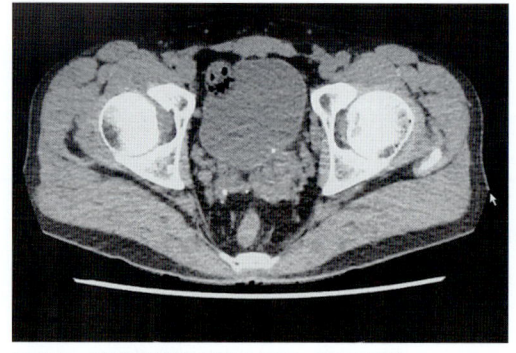

図36　尿管膀胱移行部の結石（CT検査）
　図34と同一症例のCT像である．尿管膀胱移行部には，超音波検査と一致するように小さな結石がみられた．

　⑤水腎症：水腎症を伴うことが多い．
2）水腎症
（1）症状
　水腎症の原因は他の疾患，例えば尿路結石や腫瘍によって腎盂腎杯が拡張する二次的な変化によるものが多い．このため，水腎症の患者は基礎疾患の症状で苦しんでいることが多い．なかには，先天性の狭窄から生じている子どもの水腎症，妊娠後期で圧排により起きる水腎症もある．
（2）超音波検査所見
　水腎症の超音波像は，腎盂の拡張から腎杯の拡張，さらに病態が進むと腎実質の菲薄化も観察される．SFU分類はgrade 0（腎盂の拡張を認めない）を含めて，水腎症の程度をgrade 1（腎盂は軽度に拡張），grade 2（腎杯の拡張はない），grade 3（腎盂・腎杯が大きく拡張），grade 4（腎盂・腎杯の拡張と実質の菲薄化あり）にしている（図37，38）．

図37 水腎症の分類

SFU (The Society for Fetal Urology) 分類
grade 0：腎盂の拡張は認めない
grade 1：腎盂は軽度に拡張している
grade 2：腎盂の拡張は腎内に限局，腎杯の拡張はない
grade 3：腎盂の拡張は腎外まで進展，腎杯も拡張あり
grade 4：腎盂と腎杯の拡張あり，実質は菲薄化している

(Fernbach SK, et al.：Pediatr Radiol 1993；23：478-480)

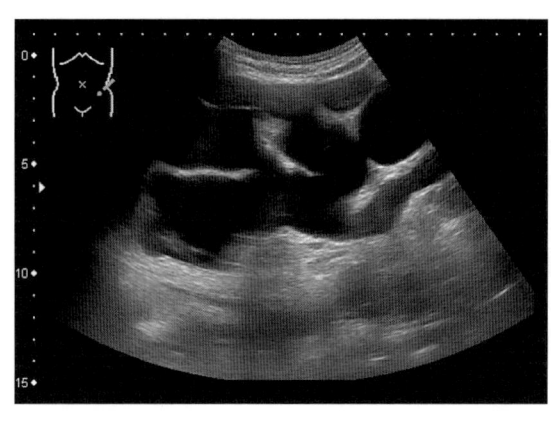

図38 水腎症（高度）
60代男性．腎盂と腎杯の拡張あり，実質は菲薄化している．これらの所見からgrade 4と判読した．

3）腎盂腎炎

(1) 症状

腎盂腎炎は，細菌が膀胱から尿の流れとは逆行性に侵入して生じる感染症である．急激に発症して，臨床症状や炎症所見が強いものを急性腎盂腎炎とよんでいる．腎盂腎炎の症状には強い炎症反応を生じて，高熱（弛張熱）や悪寒戦慄，強い腰痛，肋骨脊柱角部痛（CVA叩打痛），膿尿，細菌尿，血尿，白血球増加，CRP高値などがみられる．

炎症がGerota筋膜や腎周囲腔に及ぶこともある．急性腎盂腎炎が進行した時に，急性巣状細菌性腎炎（AFBN：acute focal bacterial nephritis）を生じることがある．

(2) 超音波検査所見

急性腎盂腎炎の超音波像は，患者からの訴えに反して異常が指摘できない症例から明らかな変化がある症例まで幅が広い．異常像としては，腎腫大，皮髄の明瞭化，腎表面の分葉状構造が消失し滑らかに連続した被膜構造，また，腎盂腎杯壁の軽度の肥厚や腎周囲の脂肪織のエコーレベルの上昇などがみられることもある．AFBNは，初期には低エコー域に，その後は境界不明瞭な混合エコーや高エコー域を呈して，ドプラ検査では限局した血流の欠損域が特徴となる．

4）膀胱炎

(1) 症状

一般的に膀胱炎というと急性単純性膀胱炎を指すが，他に複雑性膀胱炎，出血性膀胱炎，間質性

膀胱炎，放射線性膀胱炎などもある．膀胱炎では，何度もトイレに行きたくなる（頻尿），排尿してもすっきりした感じがしない（残尿感），排尿した後に下腹部や陰部が痛い（排尿痛）などの症状がみられる．他に，尿の混濁と血尿を認めることもある．通常，膀胱炎では発熱を伴うことはなく，発熱を伴う場合には膀胱より上部の腎まで細菌が侵入して炎症を起こしている可能性があるので注意する．

（2）超音波検査所見

　膀胱炎の直接所見は，膀胱壁の全周性にみられる肥厚像である．ただし，軽症では壁肥厚を認めない．間接所見は，通常は膀胱内に貯留している尿は無エコーだが，程度が強いと，微細なエコーの浮遊から，膀胱内に堆積するdebris echoまでみられる．膀胱内を観察する時のポイントは，微細なエコーを描出するためにゲインを高めに調整する．

6. 消化管

1）急性虫垂炎

（1）症状

　急性虫垂炎の症状は少し複雑で，初期の内臓痛から病態が進むと体性痛へと変化する．

　虫垂炎の初期は，虫垂の開口部に炎症あるいは糞石などの異物によって閉塞が生じ，虫垂管腔の内圧が上昇することで，その刺激が内臓求心性神経を介して心窩部や臍周囲の鈍痛として現れる．これは内臓痛で，初期の患者の訴えは虫垂炎の特徴を示さないような悪心・嘔吐，食欲不振，臍の周囲の不快感である．この段階では発熱はほとんどみられない．

　その後，虫垂の管腔粘膜に炎症が起きると，痛みは正中部から右下腹部へと移動して持続的な鈍痛となる．さらに，炎症が虫垂管腔の内側から臓側腹膜に波及することで右下腹部の持続的な鋭い痛みとなる．この時点の痛みは体性痛である．さらに炎症が腹膜に広がると，高熱が出たり，痛みのために歩行が困難になったりもする．このように，急性虫垂炎では，痛みが心窩部から右下腹部に移動するようになる．また，内臓痛から体性痛に変化する．これが急性虫垂炎の特徴的な症状である．

　また，虫垂炎には代表的な圧痛点がある（図39）．超音波検査による虫垂炎の診断率は，感度75〜90％，特異度85〜100％であり，信頼性の高い検査法である．病理学的病期分類に対応した超音波診断も可能になってきている（表34, 図40〜43）．

（2）超音波検査所見

　急性虫垂炎の直接所見は，①虫垂の径，②壁，③内部である．間接所見は，④周囲，⑤腸管，⑥腹水となる．

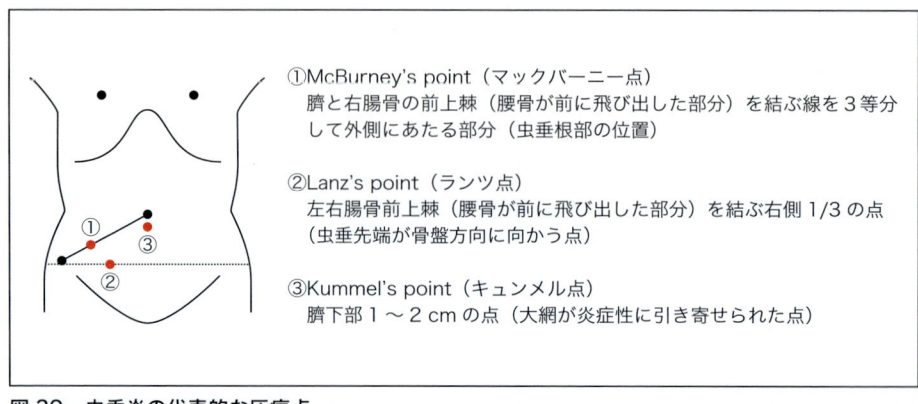

①McBurney's point（マックバーニー点）
　臍と右腸骨の前上棘（腰骨が前に飛び出した部分）を結ぶ線を3等分して外側にあたる部分（虫垂根部の位置）

②Lanz's point（ランツ点）
　左右腸骨前上棘（腰骨が前に飛び出した部分）を結ぶ右側1/3の点（虫垂先端が骨盤方向に向かう点）

③Kummel's point（キュンメル点）
　臍下部1〜2 cmの点（大網が炎症性に引き寄せられた点）

図39　虫垂炎の代表的な圧痛点

表34 急性虫垂炎の病期と超音波所見

虫垂炎の病期		虫垂短軸径	超音波所見
カタル性虫垂炎	炎症が粘膜または粘膜下層までに限局しているもの	6〜8 mm	層構造の連続性は保たれ，粘膜下層に軽度の肥厚を認めるもの
蜂窩織炎性虫垂炎	全層性の炎症性細胞浸潤をみるもの	8 mm 以上	層構造は比較的連続性が保たれ，粘膜下層の肥厚がより明瞭となるもの 膿性腹水（−〜＋）
壊疽性虫垂炎	蜂窩織炎性虫垂炎に虫垂壁の梗塞を起こし部分的壊死に発展したもの	10 mm 以上	層構造は乱れ，不連続となるもの，粘膜下層が消失する例もある 膿性腹水（＋〜＋＋）
穿孔性虫垂炎	壊疽性虫垂炎の所見に穿孔を伴う．穿孔に伴い辺縁の形状が不整となる 腹水，膿瘍，イレウスの出現をみる 虫垂の短軸径は 10 mm 以上（穿孔による減圧で正常径を示すものあり）		

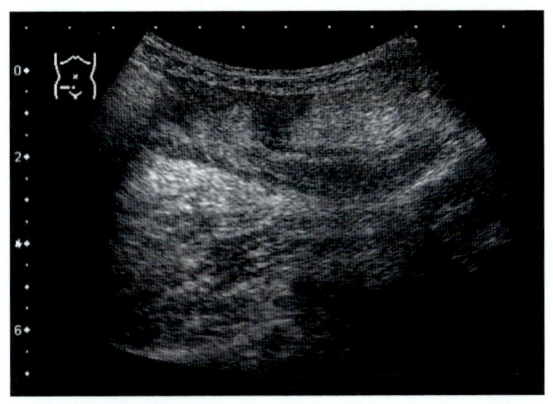

図40 急性虫垂炎

10代男性．数日前から痛みがみられるようになり，痛みは正中部から右下腹部へと移動してMcBurney点に圧痛を認めるようになった．WBC：17,500/μL，CRP：11.8 mg/dL．超音波ではやや拡大して観察する．虫垂は10〜12 mmに腫大して，壁の肥厚とやや不明瞭化がみられ，急性虫垂炎と判読した．

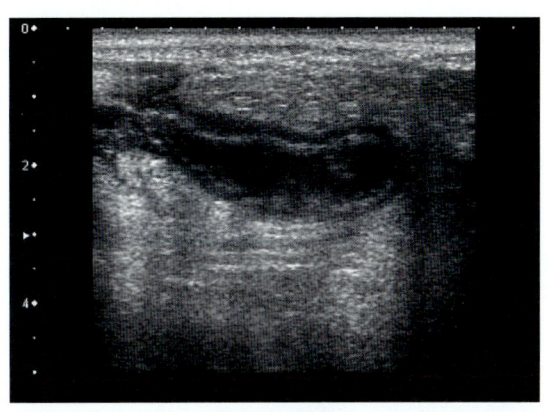

図41 急性虫垂炎（高周波で観察）

図40と同一症例である．詳細な情報を得るために高周波リニア型プローブで検査を進めた．基本的な判読はコンベックス型プローブと同様であるが，壁を含めて詳細な情報が得られた．壁は層構造がみられるものの部分的に断裂が生じるかのように不整不鮮明となっている．カタル性よりも炎症が進んで蜂窩織炎を疑うものであった．

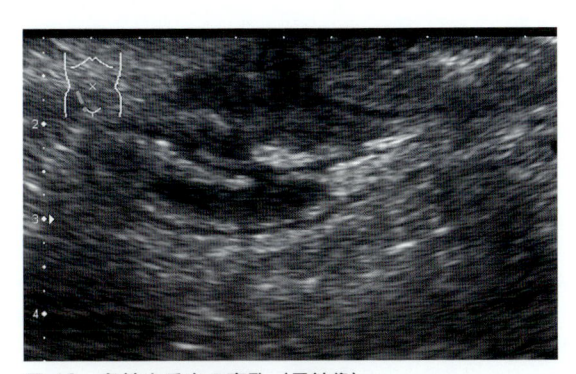

図42 急性虫垂炎の穿孔（長軸像）

30代女性．数日前からMcBurney点に圧痛がみられていたが，前夜からは痛みがやわらぐように感じられたとのこと．虫垂を高周波リニア型プローブで描出すると壁の一部に明らかな断裂がみられ，この部分を主に周囲へと広がる低エコーな液体貯留像が観察される．

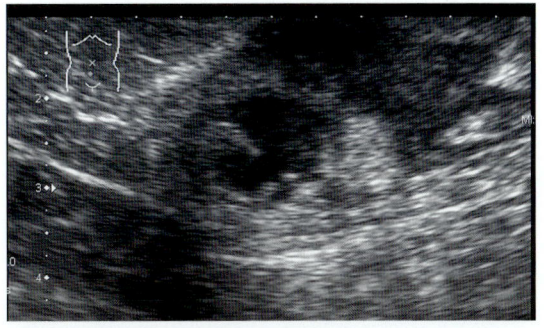

図43 急性虫垂炎の穿孔（短軸像）

図42と同一症例である．虫垂を短軸像で描出すると，明らかに壁が断裂して穿孔している部分が観察された．同部から周囲へと広がる液体貯留像は微細なエコーを伴う膿瘍貯留として観察され，急性虫垂炎の穿孔と周囲膿瘍と判読した．

①虫垂の径：虫垂径に拡張あり（6 mm 以上を拡張）．
②壁：層構造の温存，粘膜下層の肥厚とエコーレベルの上昇．病態が進むと層構造の破綻．
③内部：ときに虫垂結石（糞石）．
④周囲：回盲部，上行結腸への炎症の波及による浮腫性の壁肥厚．虫垂周囲の膿瘍形成，回盲部付近のリンパ節腫大．腸間膜や大網などの炎症波及による周囲の高エコー域．
⑤腸管：限局した腸管の麻痺．
⑥腹水：回盲部周囲とダグラス窩に腹水貯留．

2）大腸憩室周囲炎

（1）症状

　大腸憩室は無症状であるが，憩室に便などが詰まって炎症が生じた憩室周囲炎になると痛み，圧痛，発熱，吐き気，嘔吐，下痢などがみられる．ときに消化管出血を伴うが，頻度はそれほど高くない．罹患部位が上行結腸なら，患者からの訴えとあわせて急性虫垂炎が鑑別にあがってくる．憩室周囲炎は保存的治療でほとんどが改善するが，頻回に再発する時や広汎に腹膜炎をきたす時には手術適応となる．発症直後の急性期には超音波検査とCT検査が有用であり，注腸X線，大腸内視鏡検査は炎症を増悪させるため禁忌である（図44，45）．

（2）超音波検査所見

　大腸憩室周囲炎の直接所見は，①腸管壁から連続性する憩室の変化である．間接所見は，②周囲となる．

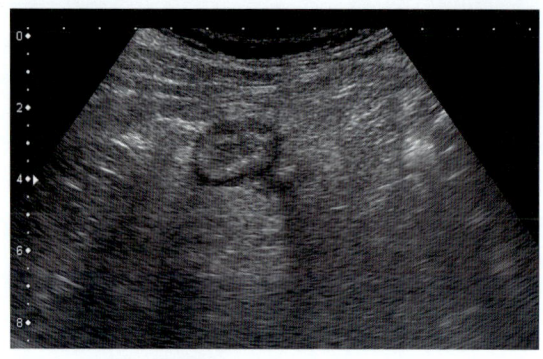

図44　大腸憩室周囲炎
　60代男性．右側腹部に圧痛を認め，WBC：14,500/μL，CRP：7.2 mg/dL．超音波検査では上行結腸の壁から連続して突出する低エコーな部分，そして同部に音響陰影を伴う強いエコーが観察された．超音波所見と臨床所見を考慮して大腸憩室周囲炎と判読した．

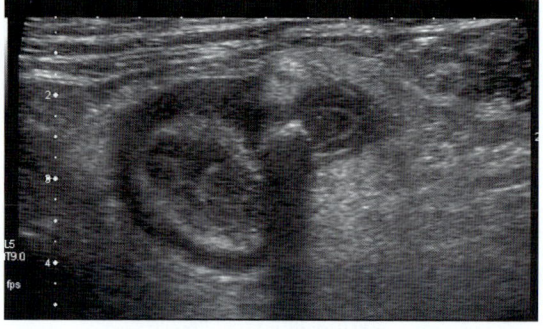

図45　大腸憩室周囲炎（高周波で観察）
　図44と同一症例である．詳細な情報を得るために高周波リニア型プローブで検査を進めた．憩室周囲炎の変化として，大腸壁より腸管外へ突出する腫瘤，同部の高エコー像，腫瘤周囲のエコーレベル上昇（周囲脂肪織炎，大網の集簇像）が観察された．

> **ひとくちメモ（8）　大腸憩室周囲炎**
>
> ①大腸憩室の発生機序は，血管が腸壁を貫く部位（結腸間膜紐の外側の2列，対結腸間膜紐の両側2列）が脆弱であり，腸管内圧の上昇が加わると粘膜が腸管壁の血管貫通路を通り漿膜側に突出する．
> ②憩室壁は粘膜と粘膜筋板および漿膜からなる．筋層は欠如しているか，ときには菲薄な縦走筋が残存することもある．
> ③憩室の好発部位は，日本では右側が約70％と多くを占めるが，欧米ではS状結腸憩室が約80％を占める．

> **ひとくちメモ（9）　大腸憩室周囲炎の検査ポイント**
> ①腫瘤内にみられる高エコー像は，ガスや糞石などを反映している．
> ②筋層を貫く線状の高エコー像は，脱出した粘膜が合わさっている部分である．
> ③憩室は，腸管を短軸像で観察すると判読が容易である．
> ④憩室の周辺の腸管も炎症の波及により軽度の肥厚がみられるが限局性である．
> ⑤憩室そのものは炎症を伴わないため周囲の変化を認めない．

①憩室の変化：大腸壁より腸管外へ突出する腫瘤．筋層を貫く線状の高エコー像．腫瘤内の高エコー像（ガス，糞石）．弧状の血管像．
②周囲：腫瘤周囲の膿瘍形成．腫瘤周囲のエコーレベル上昇（周囲脂肪織炎，大網の集簇像）．

3）腸閉塞

（1）症状

腸閉塞では，腸の内容物や腸内で発生したガスが停滞するため，吐き気や嘔吐，お腹の張り（腹部膨満感），痛みの症状，便が出ない，おならが出ないなどの症状がみられる．なかには，腹痛や腹部膨満感，排便の停止の訴えが弱い場合もあるが，嘔吐は初期段階から多くみられる．腸閉塞のなかでも絞扼性では，突然の腹痛で発症して痛みも強く，嘔吐や発熱，腹部膨満感が現れる．患者の容体も重篤化してくるので，緊急手術になることも少なくない（図46，47）．

（2）超音波検査所見

腸閉塞の直接所見は，①腸管の径，②腸管の内容物，③腸管の動き，④腸管壁，⑤腸管の血流である．間接所見は，⑥腹水となる．

①腸管の径：腸管に拡張あり（小腸，大腸）．
②腸管の内容物：腸管内容物の充満，腸管内容物の to and fro の動き，腸管内容物の to and fro の動きの減弱あるいは停止（絞扼性）．
③腸管の動き：蠕動運動．ときに蠕動運動の低下と消失（絞扼性に注意）．
④腸管壁：小腸を同定（Kerckring 襞），大腸を同定（ハウストラ）．Kerckring 襞の崩壊（絞扼性）．

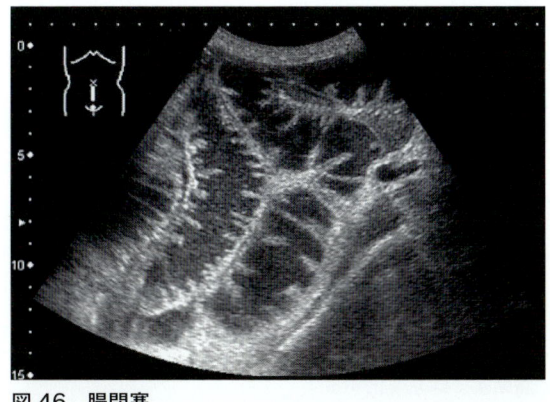

図46　腸閉塞
60代女性．患者からは，吐き気，嘔吐，腹部膨満感，便が出ない，おならが出ないなどの訴えがあった．腸管には明らかな拡張がみられたので，腸閉塞の判読が容易であった．腸管には Kerckring 襞がみられたので拡張している腸管は小腸と判断され，内容物は活発に to and fro の動きがみられた．

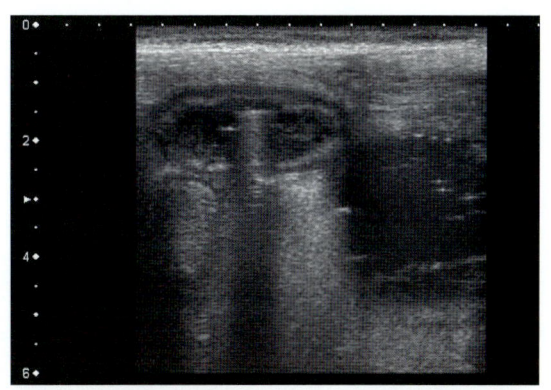

図47　腸閉塞（絞扼性）
70代男性．腸閉塞の診断のもとに超音波検査が施行された．患者容体は悪かった．図46との相違点は，Kerckring 襞が乏しく多くが欠落している．腸管の動きが鈍く，内容物の to and fro がみられない．腸管には堆積物がみられることであった．動きのない腸管は重篤であり，本例は絞扼性の状態であった．

⑤腸管の血流：進行例では壁内の血流が減弱あるいは消失（絞扼性）．
⑥腹水：腹水（特に絞扼性）．

4）胃切除後輸入脚症候群

　輸入脚症候群は，Billroth Ⅱ法あるいは Roux-en-Y 吻合法（**図 48**）による胃再建術後の輸入脚の捻転，屈曲，狭窄〜閉塞，癒着，腫瘍などにより閉塞機転が生じて，吻合部の十二指腸側となる輸入脚に胆汁・膵液を含む十二指腸液が貯留して拡張がみられる病態である．

　胃切除後輸入脚症候群は，不完全閉塞による慢性では，背部放散痛を伴う心窩部痛と上腹部膨満感などがみられることが多く，吐物に胆汁が混入し，嘔吐によって腹部症状は消失する．完全閉塞による急性では，上腹部痛と無胆汁性嘔吐などがみられ，短期間に腹膜刺激症状や頻脈，ショック症状を生じる．

　胃切除後輸入脚症候群は，術後の経口摂取直後，あるいは数年を経てから発症するものもある．胃切除の既往があって輸入脚の再建が行われている場合は本症候群を疑うことが重要である．

　超音波検査では，十二指腸に著明な内腔の拡張と胆道系の拡張がみられる（**図 49**）．

5）胃・腸アニサキス症
（1）症状

　胃・腸アニサキス症の患者からの訴えは突然の腹痛である．アニサキス症は，魚介類に寄生する

ひとくちメモ（10）　腸閉塞とイレウス

①従来，日本では腸閉塞とイレウスが同一のものとされて，病態が異なる機械的・機能的イレウスもまとめて表現されることが少なくなかった．しかし，海外ではイレウスとは機能的イレウス（腸管麻痺）のみを指し，従来の機械的イレウスはイレウスではなく腸閉塞と呼称されている．このような背景から，日本でも分けて扱われるようになってきている．

②機械的とは，器質的な病変によって腸管の内容物が通過しない状態である．代表的なものに，腹部手術後の癒着によって形成された索状物（バンド）により腸管が締め付けられた状態，腸管の閉塞に加えて血流障害を伴う絞扼性，腸管がヘルニア内に入り込んで腸管が閉塞した状態，腸管が捻じれる腸捻転，腹部にみられる腫瘍によって閉塞した状態などがあげられる．

③機能的とは，腸管の麻痺や痙攣および腹膜炎さらに腸の動きをつかさどる神経の機能異常などにより，腸管の動きが円滑でなくなり腸管の内容物が流れない状態である．

ひとくちメモ（11）　腸閉塞検査のポイント

①腸閉塞の診断は，腹部単純 X 線写真で容易であるが，腸閉塞のなかでもガス像の少ない時や腸管の動きを確認するには超音波検査が有用である．
② Kerckring 襞の肥厚の有無は原因検索に有用である．
③血流障害は基本的には静脈閉塞で腸管壁が肥厚し，動脈閉塞では菲薄化する．
④大腸は解剖学的に Kerckring 襞は認めずハウストラがみられる．
⑤超音波検査は腸閉塞の有無およびその病態の程度も診断できる．
⑥閉塞部には，索状物（バンド），腸管のねじれ，腫瘤あるいは異物，腸重積などがみられる．
⑦索状物（バンド）の描出は，ときに可能であるが，一般的には困難である．

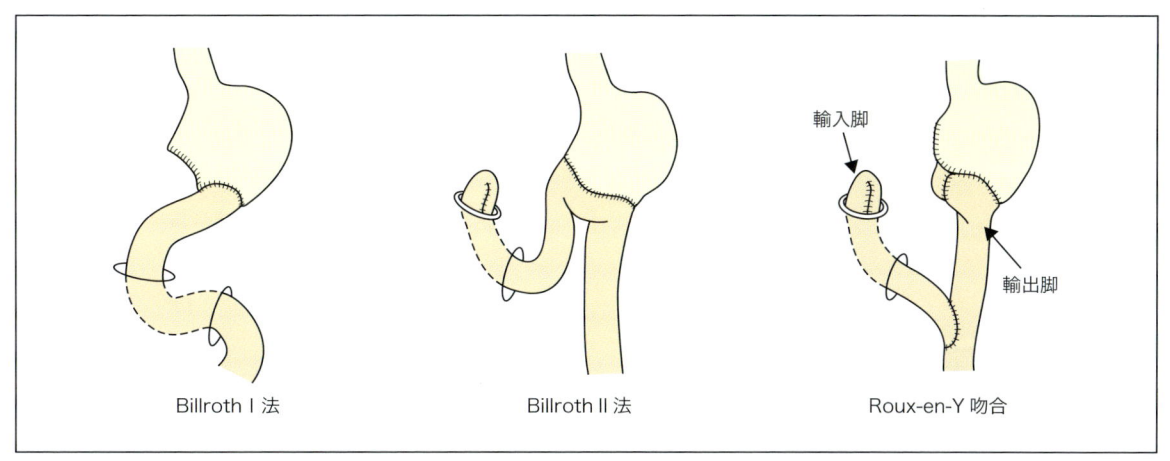

図48　胃再建術式
(南里和秀：症状からみた超音波検査.「日超検 腹部超音波テキスト．第2版」．日本超音波検査学会（監），関根智紀，南里和秀（編）．p.68，医歯薬出版，2014より引用）

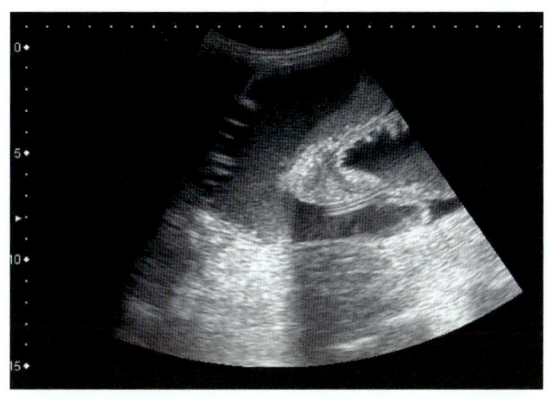

図49　胃切除後輸入脚症候群
　70代女性．胃癌手術（StageⅢB），Roux-en-Y再建術後補助化学療法，10日前に腹膜播種による腸閉塞に対してバイパス術施行．肝門部付近で十二指腸は著明に拡張し，Kerckring襞と内容物の停滞が観察されて胃切除後輸入脚症候群と診断された．超音波検査では十二指腸に緊満を有する著明な拡張と胆道系の拡張が認められた．

アニサキスの幼虫を摂取して，その幼虫が主に消化管の壁に刺入してアレルギー反応のもとに腹痛などを起こす感染症である．原因となる魚介類の摂取から，胃アニサキス症では3〜8時間後に強い痛み，嘔気，嘔吐を起こす．腸アニサキス症では腹痛は摂取後1〜3日後であるが，ときに腸閉塞を合併することがあり，腸閉塞の症状も加わる．

　アニサキス症は胃が9割以上，次いで小腸となるが，まれに大腸そして消化管から腹腔に入り込んで（腸管外アニサキス症）症状を起こすこともある（**図50〜53**）．

（2）超音波検査の所見
　胃・腸アニサキス症の直接所見は，①虫体である．間接所見は，②胃・腸の壁肥厚，③Kerckring襞，④腹水，⑤腸閉塞となる．
　①虫体：アニサキス虫体そのもの（細長い管腔の虫体）．
　②胃・腸の壁肥厚：主に粘膜下層の肥厚，筋層の肥厚は認めない．
　③Kerckring襞：浮腫（小腸アニサキス症）．
　④腹水：主に腸アニサキス症．
　⑤腸閉塞：腸アニサキス症で起こる．

6）消化管穿孔
（1）症状
　胃・十二指腸穿孔の患者からの訴えは，突然かつ強い疼痛である．重度かつ汎発性の腹痛と圧痛

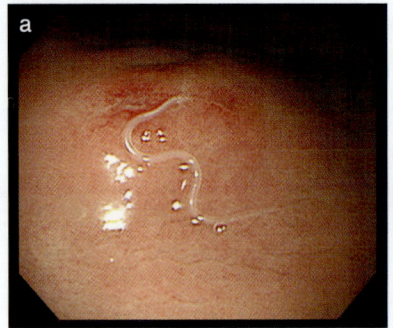

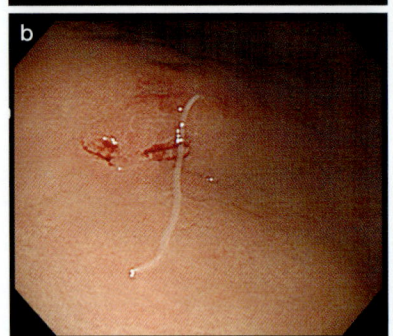

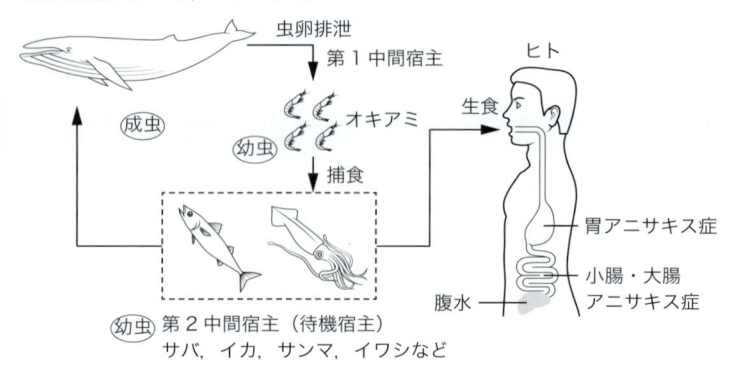

図50 アニサキス虫体（a, b）と生活史（c）

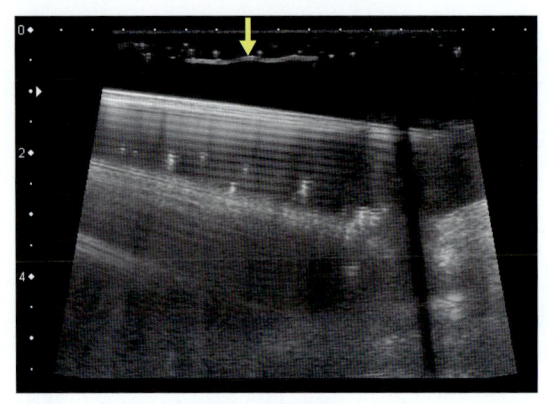

図51 アニサキス虫体の水槽実験
　胃アニサキス症から摘出したアニサキス虫体を伸ばした状態で水槽に入れて，実際の超音波検査と同様に観察をしてみた．アニサキス虫体（矢印）は細長い管腔状に描出されている．

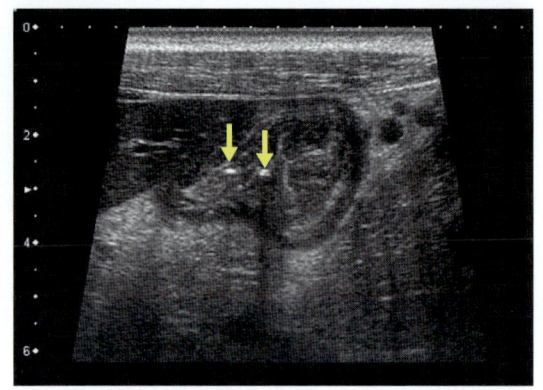

図52 胃アニサキス症
　40代男性．普段から健康であったが，前夜にイワシの酢漬けを食べた後に心窩部痛が出現した．超音波検査で胃底部に浮腫がみられ，同部に2本の線状エコー（矢印）が断片的に描出されたが，観察を進めていくと連続性がみられた．臨床経過と超音波像から胃アニサキス症が疑われた．

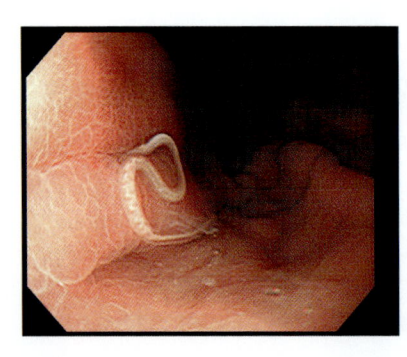

図53 アニサキス虫体（摘出前）
　図52と同一症例である．胃内視鏡が施行されてアニサキス虫体がみつけられた．超音波検査でアニサキス虫体の疑いが2本の線状エコーで断片的にみられたのは，アニサキス虫体が蛇行していたためと考えられ，超音波像と一致すると思われる．

> **ひとくちメモ (12)　胃・腸アニサキス症のポイント**
>
> ①中間宿主として様々な魚介類があげられるが，代表的なものはイワシ，サバ，イカ，カツオ，サンマ，ヒラメ，タラ，ニシン，マスである．
> ②アニサキスの終宿主は，クジラやイルカ，アザラシなどの海産哺乳類である．
> ③アニサキスの幼虫は加熱や冷凍（目安は－20℃で24時間以上）で死滅するが，一般的な調理方法である酢漬けや塩漬け，わさび漬けでは生存が可能である．
> ④寄生部位により，胃アニサキス症，小腸アニサキス症，大腸アニサキス症に分けられる．
> ⑤腸アニサキス症は胃アニサキス症に比べると腹水の出現がみられる．最初に患者をみた時に，元気なわりには腹水がみられるのが不自然と感じる．
> ⑥腹水中には好酸球が多く含まれる．

表35　穿破，穿孔，穿通の違い

穿破（せんぱ）	壁を貫いていること
穿孔（せんこう）	壁を貫いてその外の空間に漏れ出ること 管腔臓器の壁に全層性の穴が開く・開いた状態のこと
穿通（せんつう）	壁を貫くが壁の外側が空間ではなく組織がある状態 管腔臓器に穴が開いた部位が隣接する組織あるいは臓器により被覆された状態

および腹膜刺激症状を伴った急性腹症にも進展し，ときにショックの徴候がみられることもある．疼痛は肩に放散痛として生じることもある．穿孔により消化液が腹腔内に流出することで腹膜炎を生じ，腹部所見として板状硬および反跳痛がみられるようになる．このため，患者の歩く姿勢は特徴的な前かがみのことが多い．

　消化管穿孔はどの部位にも生じるが，胃・十二指腸潰瘍の穿孔が代表的である．なお，消化管分野では，穿破，穿孔，穿通といった類似した用語が用いられるので違いを理解しておきたい（**表35，図54～57**）．

（2）超音波検査所見

　消化管穿孔の直接所見は，①消化管の穿孔部分である．間接所見は，②腹腔内遊離ガス（free air），③腹水となる．

　腹腔内遊離ガスは最も腹側に集まるので，観察には，仰臥位で肝左葉と腹壁の間をみるようにする．消化管が後腹膜に位置する十二指腸下行～水平脚，上行・下行結腸，S状結腸，直腸では，後腹膜腔にガスが存在することになるため観察が難しい．

①穿孔部分：潰瘍部は白苔と潰瘍底の強いエコー，浮腫の低エコーから構成される．穿孔部は潰瘍部から漿膜側に貫通する線状の高エコー．漿膜の辺縁不整像や大網組織の集積を示す壁外周辺高エコー域があれば穿通を疑う．
②腹腔内遊離ガス：胃・十二指腸の穿孔では，胃内ガスは穿孔部を通って腹腔内に流出し，遊離ガスとして観察される．
③腹水：病態により腹水を認める．腹水があれば腹膜炎も示唆される．

7）腸重積

（1）症状

　患者は1～3歳未満の小児に多いので，親が気づいて受診することが多い．症状は，腹痛，嘔吐，血便といわれているが，発症の初期からこれら3症状が揃うことは多くはなく，最初は腹痛を訴え

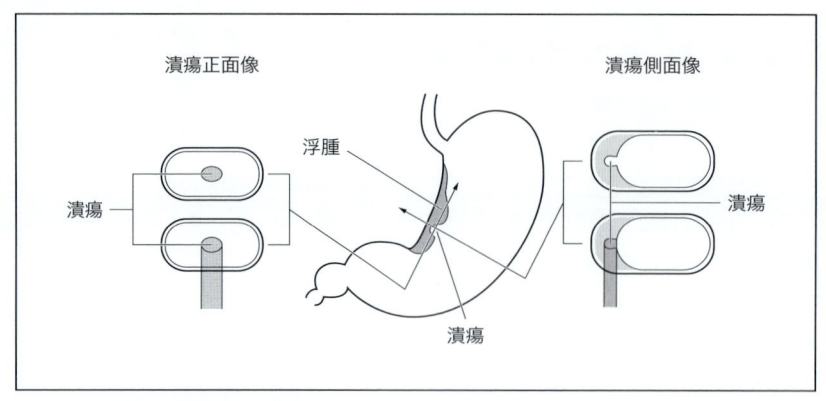

図54 胃潰瘍の正面像と側面像
胃潰瘍の正面像と側面像である．超音波検査の画像も同様に描出される．

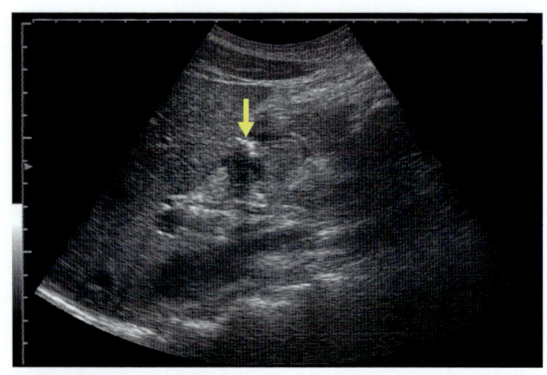

図55 胃穿孔（胃潰瘍）
30代男性．前夜から突然の強い疼痛がみられた．患者が検査室に入室する時の歩行姿勢は前かがみであった．超音波検査では胃壁に低エコーを呈する浮腫変化がみられた．また，同部には強いエコー（矢印）が壁を貫通するように漿膜側へと伸びて観察された．胃潰瘍の穿孔パターンと判読した．

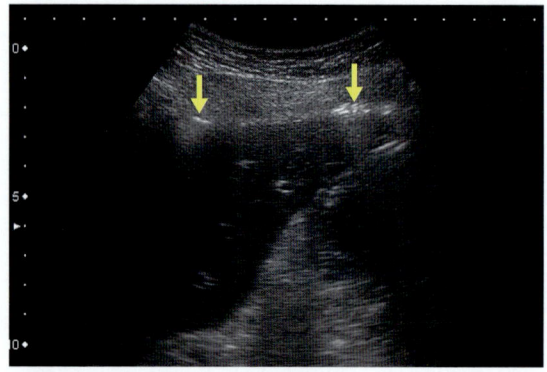

図56 腹腔内遊離ガス（胃潰瘍）
図55と同一症例である．肝左葉から右葉にかけての肝表面に多重エコーを伴う強いエコー（矢印）が断片的にみられた．いわゆる腹腔内遊離ガス像であり，潰瘍穿孔部から流出した遊離ガスと判読した．

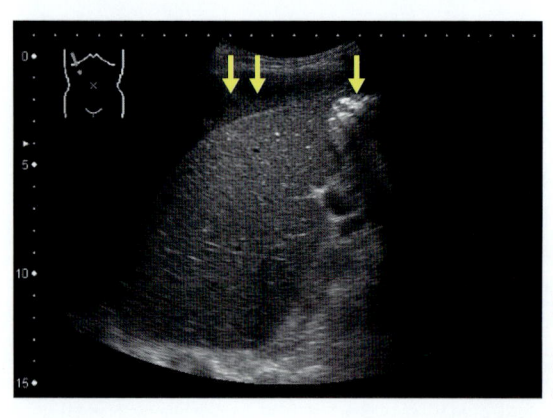

図57 胃穿孔の肝表面液体貯留（胃癌）
70代男性．胃癌，消化管穿孔で腹膜炎を併発，腹腔内には混濁した液体貯留（矢印2本）と腹腔内遊離ガス像（矢印）がみられた．

る．子供は痛みを表現することが困難なために，痛みにあわせて泣いたり泣き止んだりを繰り返す．具体的には，数分から十数分の間隔で痛みが強くなったり弱くなったりを繰り返す．乳児なら，なんとなく元気がない，不機嫌，哺乳力が弱い，いつもと比べて泣き方が激しいという表現も加わる．発症して時間が経つと，嘔吐や血便がみられる．血便は粘血便で「イチゴゼリー状の粘血便」とも

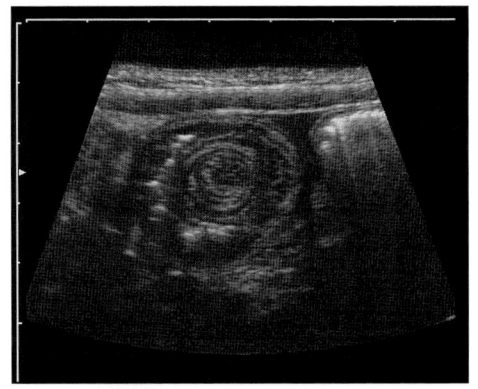

図 58　腸重積

1 歳男児．前夜からなんとなく元気がなく不機嫌，嘔吐や血便がみられるようになり受診した．なお，血便はイチゴゼリー状であった．超音波検査を施行すると腸管の短軸像では層状構造，同心円状の配列がみられた．腸管壁が重なるリング状に描出されて標的様に観察されることから，腸重積と判読した．

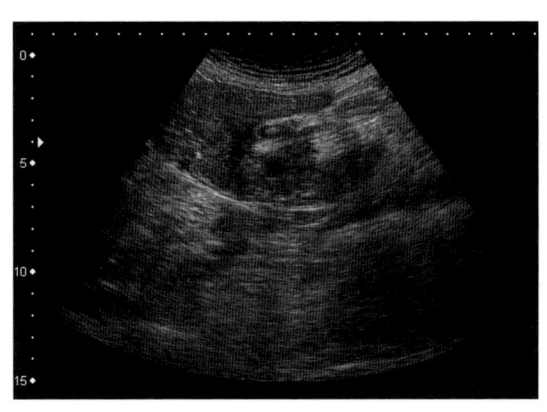

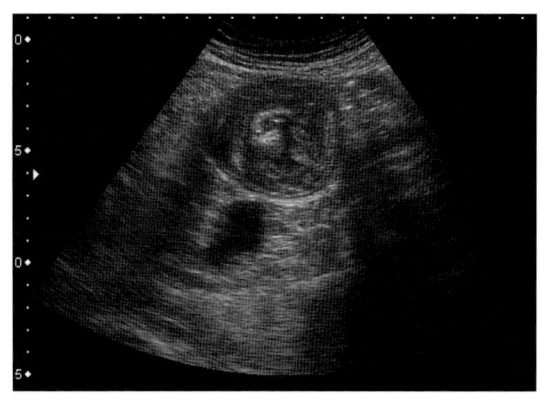

図 59　腸重積で原因が癌（短軸像）

70 代男性．腸閉塞症状で救急外来を受診．超音波検査を施行すると腸管の短軸像では層状構造，同心円状の腸重積パターンが観察されたが，壁の一部には層構造がみられない壁肥厚部がみられた．成人の腸重積の原因は腫瘍が多いので，本症例も腫瘍を疑われた．

図 60　腸重積で原因が癌（長軸像）

図 59 と同一症例である．腸重積と腫瘍様にみられた部分を 2 方向から長軸像で観察した．明らかに単純な multiple concentric ring sign，target sign とは異なり，層構造を認めない壁肥厚部分が重積部に観察された．腸重積の原因を短軸像と長軸像から観察することで，腸重積を生じている腫瘍を判読できた．

表現される．腸重積は，臨床症状と年齢から診断を予想できる疾患の一つである（図58〜60）．

（2）超音波検査所見

　腸重積の超音波検査所見は，重積部の multiple concentric ring sign，target sign である．腸管の一部がそれに連なる腸管内腔に嵌入した状態で，短軸像でみると層状構造，あるいは同心円状の配列から標的様にみられる．腸管壁が重なるリング状に描出される．

　腸重積の大きさは直径で 3 cm 以上になるので，腸管が観察できれば見逃すことは少ない．腸重積の発生部位で比較的多いのが回腸→結腸，回腸→回腸→結腸，回腸→盲腸であり，まれなのは小腸→小腸，結腸→結腸である．小児の腸重積は回盲部に 7 割ほどが発生する．ときに，小腸では小腸→小腸の腸重積において活発な動きを呈して嵌入したり解除したりして観察されることがあるが，このような重積は臨床的に問題視される腸重積とは病態が異なるものである．なお，成人の腸重積の原因は腫瘍が多いので，重積の他に腫瘍や転移病変についても注意する．

8）虚血性腸炎

（1）症状

　虚血性大腸炎は，主幹動脈の閉塞による腸間膜動脈閉塞症もあるが，ここでは結腸動脈末梢枝の粘膜下層や粘膜固有層の細血管レベルの急性虚血性循環障害を生じた区域性病変をとりあげる．症

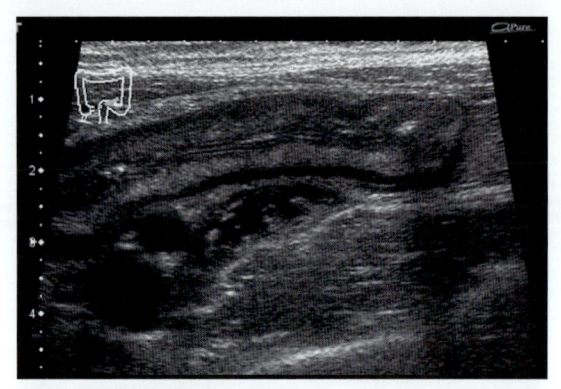

図61　虚血性大腸炎
　40代女性．突然の左側腹部痛で血便の訴えあり．超音波検査で下行～S状結腸の壁に肥厚がみられた．結腸は区域性の病変，腸管の壁は肥厚，炎症の主座が粘膜下層，粘膜下層は低エコーな浮腫性肥厚，粘膜と粘膜下層との境界が不明瞭化などの所見より，虚血性大腸炎と判読した．なお，1週間後の再検では浮腫性肥厚の改善がみられた．

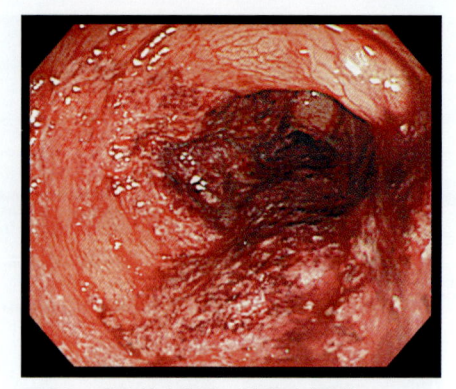

図62　虚血性大腸炎（大腸内視鏡）
　図61と同一症例である．大腸内視鏡が施行されて虚血性大腸炎と診断され，超音波検査の情報と一致した．

状は，左下腹部痛，下痢に続いて血便がみられるようになるが，急性腸間膜虚血症に比べると軽度で出現が緩徐である．患者は，40～60歳ほどの女性に多くみられるが，ときに動脈硬化の関与がなく，血管攣縮や腸管性要因が考えられるような若年者の発症もみられる．罹患部位は下行結腸が多く，次いでS状結腸，横行結腸である（図61，62）．

（2）超音波検査所見
　虚血性腸炎の直接所見は，①結腸，②腸管壁である．間接所見は，③周囲となる．
　①結腸：区域性病変（15cmほど），下行結腸に好発する．
　②腸管壁：壁は肥厚して，炎症の主座が粘膜下層にあり，粘膜下層は低エコーな浮腫性肥厚，粘膜と粘膜下層との境界が不明瞭化している．一過性型の多くは1週間前後で浮腫性肥厚が消失する．
　③周囲：周囲の脂肪織にエコーレベルの上昇がみられる．

9）偽膜性腸炎
　偽膜性腸炎の症状は，下痢，粘血便ときに血便，さらに発熱である．偽膜は黄白色の扁平あるいは半球状の低い隆起で，炎症物質が粘膜表面に付着したものである．偽膜を形成した腸炎を偽膜性腸炎と総称する．その多くは，抗菌薬の使用により腸内細菌叢が乱れ，*Clostridioides difficile* が増殖（菌交代現象）することで産生される毒素が起こす腸炎である．なお，他の病原微生物による感染性腸炎や虚血性腸炎でも，偽膜や偽膜様所見を呈することがある．
　発生部位は左半結腸に多く，高齢者に好発し，壁は高度に肥厚して層構造は温存されているが偽膜層がみられる（図63，64）．

10）肥厚性幽門狭窄症
（1）症状
　患者は生後3～8週の乳児で，症状はミルクの摂取後にみられる噴水状の嘔吐である．嘔吐物は胆汁を含まない．病状が進行した状態では，体重増加の停止，栄養障害，脱水もみられるようになる（図65～67）．

（2）超音波検査所見
　肥厚性幽門狭窄症の直接所見は，①胃幽門筋の肥厚である．間接所見は，②胃内容物の流れ，③

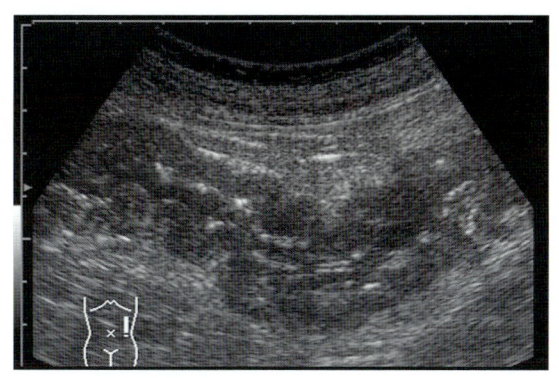

図 63　偽膜性腸炎
　70代男性．抗菌薬の使用後に下痢と腹痛がみられ，超音波検査が施行された．下行結腸の腸管壁が高度に肥厚して不整であり，層構造は温存されているが偽膜層がみられた．

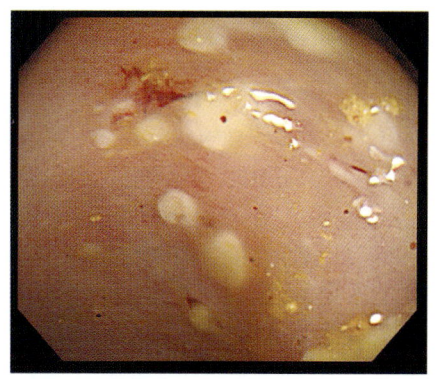

図 64　偽膜性腸炎（大腸内視鏡）
　図63と同一症例である．大腸内視鏡が施行されて偽膜性腸炎と診断され，超音波検査の情報と一致した．原因菌は Clostridioides difficile であった．

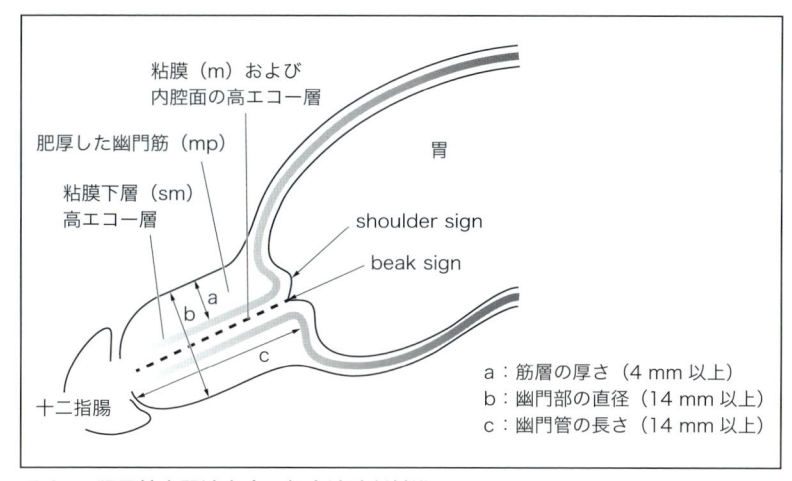

図 65　肥厚性幽門狭窄症の超音波診断基準

胃となる．
①胃幽門筋の肥厚：直径，厚さ，幽門管の長さ．肥厚した胃幽門部の beak sign．肥厚した胃幽門部の shoulder sign．
②胃内容物の流れ：胃幽門部での胃内容物の通過障害．
③胃：通過障害のため胃内腔の拡張．

11）急性胃粘膜病変

　患者は，心窩部に急に痛みを自覚して，吐き気や嘔吐，さらに腹部の膨満感なども訴える．ときに，嘔吐物に血液が混じるほど症状が強いこともある．胃の粘膜が障害されて，発赤や浮腫，びらん，ときに潰瘍や出血などを認める．

　急性胃粘膜病変の原因としては，精神的・肉体的なストレス，薬剤（抗菌薬，痛み止めとしてNSAIDs，アスピリン，抗悪性腫瘍薬など），アルコールやコーヒーなどがあげられる．

　超音波検査では，幽門前庭部に壁の肥厚が多くみられ，炎症による変化は粘膜下層の浮腫が主体となって観察される（**図68**）．

12）炎症性腸疾患

　炎症性腸疾患は，腸の粘膜に炎症を引き起こす病気の総称である．一般的にはCrohn病と潰瘍

> **ひとくちメモ (13)　肥厚性幽門狭窄症の検査ポイント**
> ①生後3〜8週の乳児に噴水状の嘔吐がみられる時は，肥厚性幽門狭窄症を疑うべきである．
> ②肥厚性幽門狭窄症の診断は，腹部超音波検査によって幽門筋の肥厚（典型例では4 mm以上，正常は2 mm未満）と幽門部の直径（14 mm以上），幽門管の延長（14 mm以上）を認める．
> ③超音波検査時には，幽門部の動きと，胃内容物の十二指腸への流れも観察する．
> ④高周波リニア型プローブを活用すると詳細な観察が行える．
> ⑤鑑別すべき疾患に食道胃逆流症があるが，漏れるように吐くことで鑑別できる．
> ⑥胃のガスが観察に影響する時は，ミルクや5％ブドウ糖液を飲ませるとよい．
> ⑦検査の基本体位は仰臥位であるが，右側臥位も加えると胃内容物が幽門側に移動するので観察がしやすい．

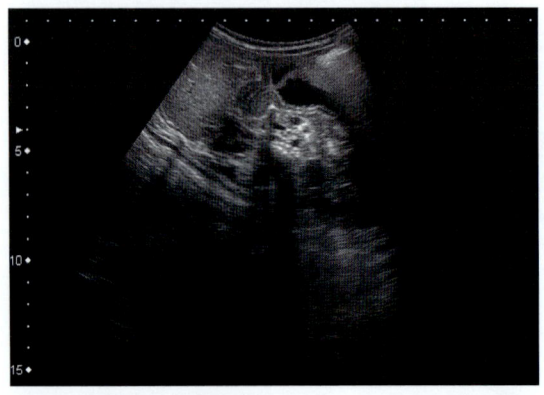

図66　肥厚性幽門狭窄症
　生後6週女児．噴水状の嘔吐のため来院．超音波検査を施行すると胃内容物が多くみられた．幽門部を観察すると腫瘤様に観察され，肥厚性幽門狭窄症が疑われた．

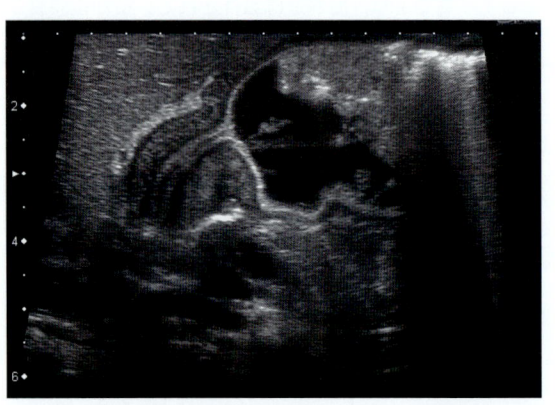

図67　肥厚性幽門狭窄症（高周波プローブで観察）
　図66と同一症例である．詳細な情報を得るために高周波リニア型プローブで検査を進めた．基本的な判読はコンベックス型プローブと同様である．高周波プローブを使用することで，幽門筋の肥厚と幽門部の直径および幽門管の延長まで詳細に観察できる．

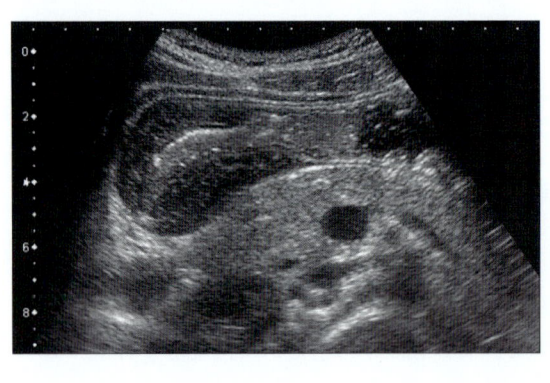

図68　急性胃粘膜病変
　30代女性．前夜から心窩部痛が急に出現し，同時に吐き気や嘔吐さらに腹部の膨満感などもみられた．嘔吐は血液も混じるほど強いものであった．超音波検査が施行され，胃壁の肥厚は主として幽門前庭部であり，粘膜下層の浮腫が主体となって層構造が観察されていたので，急性胃粘膜病変と判読した．

性大腸炎を指し，感染性胃腸炎などの疾患は含まない．
　症状は，腸に関連する下痢，腹痛，血便と，腸には関連しない結膜炎や口内炎および関節炎や皮疹がみられる．さまざまな症状が良くなったり悪くなったりを繰り返すのが特徴である．
　超音波検査の目的は，下痢，腹痛，血便の原因検索として，ときに腸管の通過障害や癌の発生に伴う観察が求められる．Crohn病と潰瘍性大腸炎の特徴を表36にまとめた．
　Crohn病は，若年者に好発する原因不明の肉芽腫性疾患である．Crohn病は潰瘍性大腸炎と異

表36　Crohn 病と潰瘍性大腸炎の特徴

	Crohn 病	潰瘍性大腸炎
発症年齢 男女比 症状 生検組織学的検査	10代後半〜20代 2対1とやや男性に多い 腹痛，下痢，発熱，体重減少 肛門周囲膿瘍，痔瘻 アフタ性口内炎 非乾酪性類上皮細胞肉芽腫	10代後半〜30代前半 1対1とほぼ同じ粘血便の繰り返し 下痢，腹痛，体重減少 しぶり腹（テネスムス） 粘膜にびまん性炎症細胞浸潤
病変の形態 罹患の部位 罹患の範囲	非連続性病変（skip lesion） 消化管のどの部位にも起こる 回盲部に好発 小腸型 小腸・大腸型 大腸型	連続性病変 直腸から始まり連続性に広がる 左側大腸炎型 亜全大腸炎型 全大腸型 直腸炎型
壁 潰瘍 縦走潰瘍* 狭窄 瘻孔 腸管の周囲	高度の肥厚 壁構造は温存〜消失 全層性の低エコー性壁肥厚 層構造は不明瞭で浮腫性の肥厚（活動期） 瘻孔や周囲膿瘍の形成に伴う変化 壁内の血流は活動期に増強 深い （＋） （＋） （＋） 周囲の炎症は著明	中等度（重症例では高度） 壁構造は温存〜不明瞭 鉛管状を呈する腸管像 潰瘍の出現（重症例） 白苔の出現（重症例） 壁内の血流は活動期に増強 浅い 重症例でみられる （－） （－） 脂肪織の肥厚

*：縦走潰瘍とは，腸管の長軸方向（縦）に沿って4〜5cm以上の長さを有する潰瘍である．

なり，大腸だけでなく口から肛門まで消化管のどの部位にも炎症を引き起こす．症状は，腹痛（特に右下腹部痛もしくは臍下部痛），下痢，発熱，体重減少，肛門病変（肛門周囲膿瘍，痔瘻など），アフタ性口内炎，関節炎（徐々に進行），腹部腫瘤などがみられる．超音波像の特徴は，全層性に障害がみられ，低エコー性の壁肥厚かつ非連続性・区域性（skip lesion）病変である．縦走潰瘍，狭窄，瘻孔，腸管周囲への炎症の波及がみられる．敷石像も特徴的であり，潰瘍に囲まれた粘膜が盛り上がり丸い石を敷いたような状態を呈する．

潰瘍性大腸炎は，主に大腸粘膜を侵し，びらんや潰瘍を形成する原因不明のびまん性炎症性疾患である．症状は，繰り返す粘血便，下痢，腹痛，発熱，体重減少，しぶり腹（テネスムス）などがみられる．経過中に再燃と寛解を繰り返し，長期にわたり広範に大腸を侵す時は大腸癌のリスクが高まる．超音波像の特徴は，直腸から連続性・びまん性に粘膜〜粘膜下層に限局した炎症がみられる．大腸はハウストラ（結腸膨起）が消失して鉛管状にみえる．

13）便秘

便秘は，本来体外に排出すべき便を快適に排出できない状態である．便秘の患者からの訴えと症状は，排便回数が少ないことによる腹痛や腹部の張り感，便が硬いことによる排便困難感，強くきむ必要性，残便感などがある．原因は多岐にわたるが，消化管に何らかの形状の異常がある器質性便秘と，消化管自体に形状の異常はないが排便機能に異常がみられる機能性便秘に大別される．たかが便秘されど便秘であり，患者にとっては苦しい症状を呈して，救急外来を受診する疾患の一つにもあげられる．

超音波検査では，便塊がまるで大きな胆石であるかのように観察される．便塊は強いエコーで表現され，音響陰影を伴う（図69）．

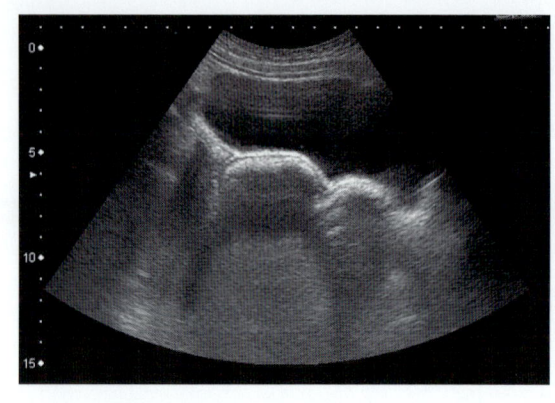

図 69　便秘症
70 代女性．患者からは便が出ないという訴えがあった．超音波検査を施行すると膀胱の背面の S 状結腸に，まるで大きな胆石があるかのように，音響陰影を伴う強いエコー（便塊）が観察された．

7. 腹部血管

1）腹部大動脈瘤

（1）症状

腹部大動脈瘤は，自覚症状が乏しいまま大きくなることがほとんどである．痩せている患者では，腹部大動脈瘤が大きくなると「こぶ」が目立つとか，腹部を触った時に「こぶ」の中を流れる血流の拍動を感じることがある．

症状は，腹部大動脈瘤の破裂が差し迫った時，持続する強い腹痛や腰痛が起こることがある．瘤が破裂すると後腹膜腔，腹腔内に急速に出血を認め，激烈な腰痛，腹痛を訴えて短期間にショックに陥り，意識消失，心停止に至る．

腹部大動脈は，一般的には正常径が約 2 cm なので，3 cm 以上になると腹部大動脈瘤と診断される．具体的には，紡錘状形態では限局性の拡張が正常部位の 1.5 倍以上に拡大したもの，囊状瘤では大動脈壁の一部が局所的に拡張したものとされている．

（2）超音波検査所見

腹部大動脈瘤の破裂という表現ではあるが，超音波所見では大きな動脈瘤と周囲後腹膜に血腫が確認されるが，破裂孔が確認されることは少ない．腹部動脈瘤の所見をみるうえで，瘤の径といくつかの用語の理解および評価項目を認識しておくことが大切である．

① AC sign：大動脈瘤壁在血栓の内部に形成される三日月状の無エコー領域であり，大動脈解離と間違いやすいエコー所見である．壁在血栓の一部が溶解されて生じると考える．
② 血栓：血管内に生じた凝血塊．
③ 血腫：血管外への出血で血液が 1 カ所に溜まり，凝固して腫瘤状になったもの．
④ マントルサイン：外膜の外側に外膜よりもやや低輝度な厚い層で瘤周囲の低輝度部分．
⑤ 評価項目：血管径（狭窄，拡張，瘤径），血管壁や内腔の状態（プラーク，血栓，潰瘍形成，フラップの有無など）などである．瘤径は長軸像と短軸像で計測する．大動脈周囲では血管周囲や外膜の肥厚像（マントルサインなど），周囲臓器との関係などを確認する．特に動脈周囲に液体貯留像を認める際は感染の有無を確認する．血管が蛇行している場合には径を大きく評価してしまうことがあるため，楕円ではなく正円に近い正確な最大短径で計測する．瘤と腎動脈分岐部との位置関係も重要な所見である．

2）大動脈解離

症状は背部の激痛で，高血圧症患者や高齢者で多くみられる．解離とは「動脈壁が中膜のレベルで，動脈走行に沿って二層に剥離し，二腔となった状態」である．フラップ（内膜と「中膜の一部」を含む動脈壁の一部）により，本来の動脈腔（真腔）と動脈壁内に新たに生じた腔（偽腔）の二腔を形成する．両腔は亀裂（真腔から偽腔への入口部，偽腔から真腔への再入口部）を介して交通し

ている．偽腔はしばしば拡大して解離性大動脈瘤を形成する．大動脈弓からの解離の発生が多いが，肺ガスの影響で超音波診断が困難なことが多い．解離した動脈は順行性の血流を示す真腔と，逆行性の血流を示す偽腔とに分けられる．カラードプラ検査は表示色の違いにより情報を得られ，鑑別に役立つ．

8. 産婦人科領域

1）卵巣出血

卵巣出血の症状は主に下腹部痛である．出血の程度により症状の程度が異なるが，腹痛は突然に起こり，持続性である．腹痛は出血した卵巣付近（右側が60〜80％と高頻度）にみられることが多い．出血量が多い場合，腹膜刺激により下腹部全体に痛みが広がり，悪心や嘔吐，下痢などの症状を伴うこともある．さらに出血が多くなると，血圧低下と顔面蒼白およびショック状態をきたすこともある．

2）異所性妊娠（子宮外妊娠）

異所性妊娠とは，受精卵が子宮内膜以外に着床することである．受精卵の成長が進み卵管破裂（卵管着床時）を起こすと，強い下腹部痛と腹腔内出血による貧血，血圧低下，頻脈，顔面蒼白，発汗，悪心・嘔吐，意識障害などのショック状態となる．異所性妊娠は正常妊娠と同様に，妊娠検査薬での陽性反応が認められる．陽性反応があるにもかかわらず妊娠6週頃までに超音波検査で胎嚢が認められないことで強く疑われる．

3）卵巣嚢腫茎捻転

卵巣嚢腫茎捻転は，卵巣嚢腫に合併する急性疾患である．卵巣自体は動いても周囲を巻き込むことはないが，大きな卵巣嚢腫のもとでは捻れて周囲の血管を巻き込むことがある．捻れが元に戻らないと卵巣周囲の血流が悪くなり組織が壊死する．症状は突然の激しい痛みである．痛みに伴い，悪心や嘔吐，下痢などを伴うこともある．一般的には性器出血をみることはない．

4）子宮内膜症

子宮内膜症は，子宮内腔以外の部位に子宮内膜が発生することで発症する．卵巣が約80％と多いが，子宮筋層，卵管，膀胱，腹膜，ダグラス窩，子宮表面，子宮仙骨靭帯，直腸などにもみられる．早期の段階では月経中を中心に下腹部の痛みが強くなる．進行すると周囲の組織と癒着を引き起こし，月経痛が悪化するだけでなく，慢性的な腰痛や下腹部痛などもみられる．

5）Fitz-Hugh-Curtis 症候群

女性生殖器から進入した病原体により，骨盤内腔炎から肝周囲炎に至る感染症である．右季肋部痛を主症状とする．特に肝と腹膜との癒着や，肝周囲などの壁側腹膜の肥厚像が観察される．骨盤内炎症性疾患は，右傍結腸溝を介して上行性に肝被膜へ波及する．

参考文献

1) 南里和秀：症状からみた超音波検査．「日超検腹部超音波テキスト．第2版」．日本超音波検査学会（監），関根智紀，南里和秀（編）．pp.42〜90, 医歯薬出版，2014.
2) 関根智紀：大腸がんの診断・治療における臨床検査技師の役割．3) 超音波検査．*Medical Technology*, 43（6）：570〜580, 2015.
3) 関根智紀：新超音波検査　消化管．ベクトル・コア．2006.

（関根智紀）

第3章 各臓器における超音波検査の進め方

1. 肝臓

I 肝臓の検査ポイント

1. びまん性肝疾患

1) 肝サイズ

種々の計測法が報告されており，どれも一長一短がある．経過観察するうえで統一性をもたせるためにも，各施設で基準を決めておくことをおすすめする．

2) 肝縁の評価

正常例では鋭角に描出されるが，腫大した肝臓の多くで肝縁の鈍化を認める．術創などの影響で肝左葉縁の評価が困難な場合には，右葉で評価するのも一つの方法である．

3) 肝表面の評価

表面の不整は，背景とする肝疾患によって多少の違い（微細な不整や大きな凹凸像）があるが，不整が観察された時点で肝硬変への進展を疑う．腹壁直下にある肝表面を観察するコツとして，多重反射の影響を受けやすいことから，あまり圧迫走査を行わずに観察する（高周波プローブによる観察も有用）．また，腹側の肝表面だけでなく，肝下面（裏面）の不整についても評価を行う．なお，高齢者では accessory fissure によるやや大きめな凹凸像が横隔膜面に多くみられることがあるため，腫瘍などと見誤らないよう注意が必要である．

4) 実質エコーレベル，エコーパターン評価

エコーレベルの上昇（脂肪肝など）や低下（急性肝炎など），さらには均一もしくは粗雑であるかについて確認する．

5) 肝内脈管の評価

静脈系血管である肝静脈や門脈は低圧系であり，肝硬変などによる門脈圧亢進に伴い，拡張や狭小化といった口径不同がみられるようになる．このような例では，カラードプラを用いて門脈血流が求肝性もしくは遠肝性なのかを必ず確認する．また，肝動脈は門脈血流低下に伴う代償性変化として拡張や蛇行が認められる．

6) 肝外所見

脾腫の有無，胆嚢所見（壁の肥厚や内腔の虚脱），門脈側副血行路の有無，総肝動脈および肝門部周囲のリンパ節腫脹の有無，腹水の有無などの所見を確認する．カラードプラを用いることで，Bモードでは発見できないようなわずかな門脈側副血行路を確認することができる．

2. 肝腫瘤の検査ポイント（図1）

1) 形状

腫瘤の形状は，円形（正円または丸い形状のもの），類円形（正円ではない丸い形状のもの），分葉状，不整形などと表現される．いくつかの腫瘤が合わさっているような場合には，多結節状や塊

図1　肝腫瘍の検査ポイント
(藤本武利：超音波用語と所見．わかりやすい科学的表現．*Jpn. J. Med. Ultrasonics*, **43**：33〜38, 2016より引用)

状といった表現が用いられる．

2）内部エコー

　腫瘍の内部エコーの評価は，肝実質のエコーレベルを基準として比較する．肝実質よりエコーレベルの低いものを低エコー，肝実質と同等であれば等エコー，そして肝実質よりエコーレベルが高いものを高エコーとする．さらに，内部エコーが均一もしくは不均一であるかを評価する．腫瘍内に明らかにエコーレベルが異なるものが存在している場合には混合エコーと表現する場合もある．

3）境界・輪郭

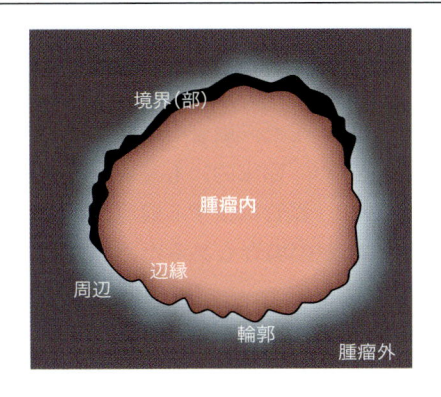

　腫瘍と非腫瘍部または臓器と他臓器などの接面（margin, border, boundary）を指し，これらが明らかに区別できる場合を明瞭とし，区別できない場合を不明瞭とする．また，輪郭とは，腫瘍や臓器などの境界を連ねる線を指す．

4）辺縁

　腫瘍や臓器の境界の内側部分を指し，この部分が低エコーの帯状を示す場合を辺縁低エコー帯，高エコーの帯状を示す場合を辺縁高エコー帯とよぶ．注意点として，辺縁低エコー帯は線維性被膜の形成や細胞が密な部分で現れやすいとされているが，腫瘍に圧排された正常肝実質の腫瘍周辺（腫瘍や臓器に隣接する領域）が低エコーを呈する場合は辺縁低エコー帯とは表現しない．また，血管腫でみられる辺縁高エコー帯（marginal strong echo）は，腫瘍内部の音響インピーダンスの差により生じた境界部の高エコーの縁取りを指すが，肝細胞癌でも bright loop とよばれる高エコー帯を呈することがあるので注意が必要となる．

5）後方エコー

　腫瘍そのものの音響学的性質（透過性の違い）によって，腫瘍の後方にはエコーの増強や減弱が起こる．一般に，肝嚢胞や細胞密度の高い腫瘍などの超音波の透過性がよいものでは後方エコーの増強がみられ，石灰化を伴う腫瘍や線維成分が豊富な腫瘍では音響インピーダンスが高くなるため後方エコーは減弱する．なお，周囲と同等のエコーレベルであれば不変と表現する．

6）外側陰影

　超音波が音速の異なる組織の接面を通過する際に生じる屈折により発生する．球状で境界面が明瞭で平滑な腫瘍（肝細胞癌や肝嚢胞）で発生しやすく，腫瘍側面から後方に音響陰影を認める．

7）腫瘍と脈管の関係

　肝内脈管（血管，胆管）の異常像（圧排，拡張，途絶など）は腫瘍の存在を示唆するだけでなく，質的診断の手がかりになる．腫瘤像が明瞭ではなくても胆管拡張がみられれば肝内胆管癌を，門脈内に腫瘍塞栓を認めれば肝細胞癌の可能性が疑われる．また，脈管への圧排や浸潤所見の有無に関する情報は，その後の治療にも大きく影響してくるため，臨床的にも意義が大きい．腫瘍と周囲の脈管との関係を観察するにはドプラ検査が必須であり，脈管に接する嚢胞性腫瘍が門脈−肝静脈短絡（P-V shunt），動脈−門脈短絡路（A-P shunt）などの場合もあるため，慎重に観察する必要がある．

8）背景肝の状況（びまん性肝疾患の有無）

　肝腫瘍を認めた際に，基礎疾患としてびまん性肝疾患が存在するかどうかの判定は非常に重要である．初回の超音波検査で肝血管腫に特徴的な所見を認めたとしても，慢性肝炎〜肝硬変を示唆する所見を伴う例で，安易に肝血管腫と判断して経過観察を行うべきではない．腹部超音波検診判定マニュアル改訂版（2021年）でも，肝縁鈍化・実質の粗造なエコーパターンおよび肝表面の結節状凹凸のすべてを認める慢性肝障害では要精検となっている．

II 肝臓の病変

1. 急性肝炎　acute hepatitis（図2〜4）

　急性肝炎とは，主に肝炎ウイルスが原因で起こる急性のびまん性疾患であり，肝炎ウイルスにはA，B，C，D，E型の5種類が確認されている．肝炎ウイルスではないものの，EBウイルス（Epstein-Barr virus：EBV）による伝染性単核球症や，サイトメガロウイルス（cytomegalovirus：CMV）感染に伴う肝障害も知られており，さらには，急性肝炎様に発症する自己免疫性肝炎（autoimmune hepatitis：AIH）や，抗菌薬，解熱鎮痛抗炎症薬，精神神経領域薬などで肝障害をきたす薬物性肝障害（drug-induced liver injury：DILI）がある．

　肝炎ウイルスが体内に侵入してから症状が出現するまでの潜伏期間は3〜8週間であることが多いが，B型肝炎ウイルス（hepatitis B virus：HBV），C型肝炎ウイルス（hepatitis C virus：HCV）感染では6カ月間程度の潜伏期間を有する場合がある（表1）．また，感染しても自覚症状なく経過する症例もある．急性肝炎の前駆症状として，いわゆる感冒様症状（発熱，咽頭痛，頭痛

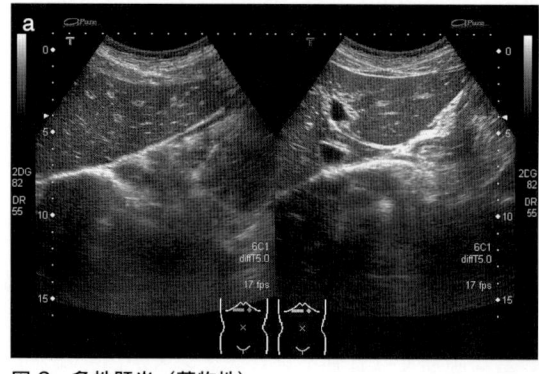

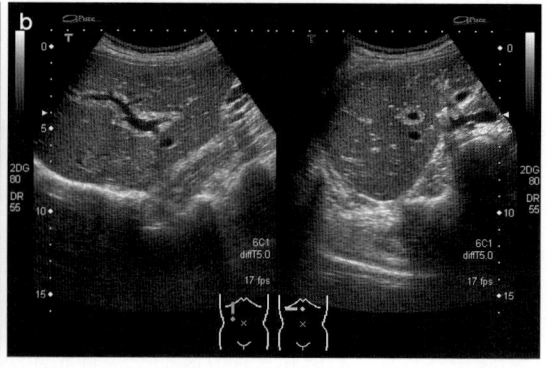

図2　急性肝炎（薬物性）
50代女性．
　a，b：肝実質エコーレベルの低下がみられ，肝内門脈細枝が目立つ．また，門脈周囲が厚く高エコーに描出されている．
　血液データ：Alb：3.9 g/dL，AST：1,109 U/L，ALT：1,869 U/L，γ-GT：105 U/L，LD：532 U/L，ALP：600 U/L，T-BIL：6.5 mg/dL，D-BIL：4.3 mg/dL，血小板：194×10^3/μL，PT%：97%．

図3 急性肝炎（A型）
20代男性．
a：入院時の画像．胆嚢の虚脱および漿膜下浮腫による壁の肥厚を認める（矢印）．
b：第21病日．黄疸の改善とともに胆嚢内腔は拡張し，壁の肥厚も改善．
c：入院時の造影 CT 画像（平衡相）．超音波像と同様に胆嚢の虚脱および著明な漿膜下浮腫の所見を認める（矢印）．
入院時血液データ：Alb：3.7 g/dL, AST：1,245 U/L, ALT：2,464 U/L, γ-GT：237 U/L, LD：417 U/L, ALP：384 U/L, 血小板：177 × 10^3/μL, T-BIL：3.2 mg/dL, D-BIL：2.2 mg/dL, PT%：62%．
第21病日入院時血液データ：Alb：4.1 g/dL, AST：24 U/L, ALT：29 U/L, γ-GT：49 U/L, LD：188 U/L, ALP：244 U/L, 血小板：260 × 10^3/μL, T-BIL：1.3 mg/dL, D-BIL：0.5 mg/dL, PT%：79%．

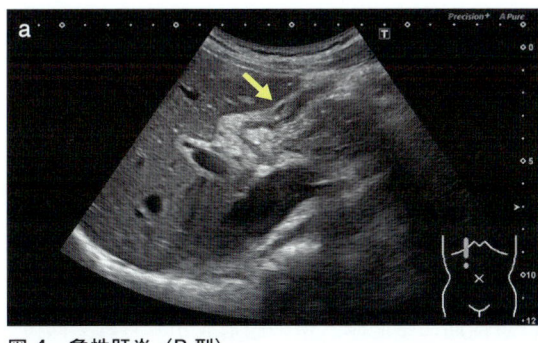

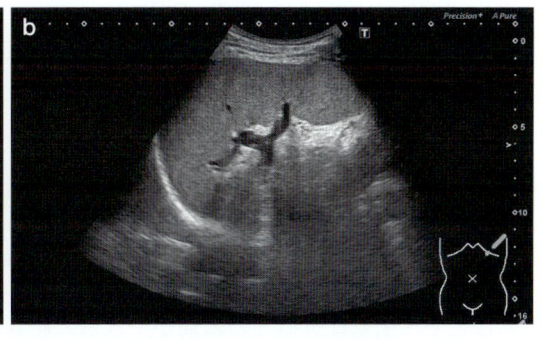

図4 急性肝炎（B型）
20代男性．
a：胆嚢の虚脱および漿膜下浮腫による壁の肥厚を認める（矢印）．
b：脾腫を認める（長径 14 cm）．
血液データ：Alb：3.9 g/dL, AST：1,888 U/L, ALT：2,579 U/L, γ-GT：108 U/L, LD：683 U/L, ALP：396 U/L, T-BIL：7.3 mg/dL, D-BIL：4.9 mg/dL, 血小板：90 × 10^3/μL, PT%：41%．

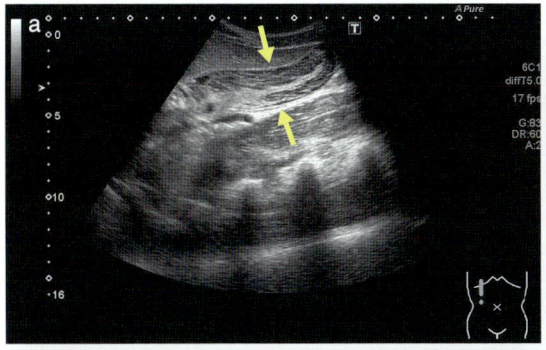

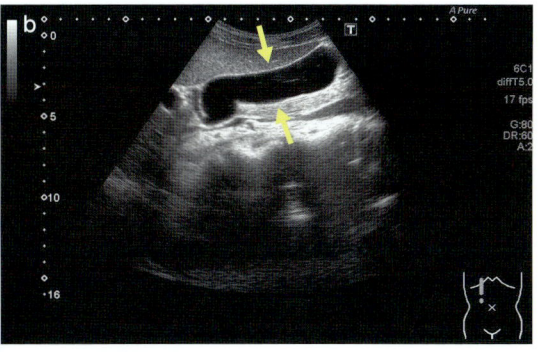

があり，感冒薬を処方されている例が少なくない．感冒様症状などの前駆症状が出現した後，食欲不振，嘔気・嘔吐，全身倦怠感，発疹，関節痛，褐色尿，黄疸などが出現することが多い．褐色尿は，黄疸を自覚する数日前から出現し，黄疸の進行に伴い尿の色調は黒い褐色（ウーロン茶のような色）へと変化する．

超音波検査では，急性肝炎では軽い肝・脾腫や肝縁鈍化がみられるものの，それが直接の診断根拠となることは少ない．ただし，EBV 感染による急性肝炎では脾腫の傾向が強い．また，肝小葉中心性組織変化のため，肝実質のエコーレベルはやや低下し，相対的に肝内門脈細枝が目立ってみえることがある．黄疸がみられることも多いが，肝内胆管の拡張がないことを超音波検査で証明す

表1 肝炎ウイルスの各型の特徴

肝炎ウイルス	A型	B型	C型	D型	E型
分類	RNAウイルス	DNAウイルス	RNAウイルス	RNAウイルス	RNAウイルス
感染経路	経口感染	血液・母子感染	血液・母子感染	血液・母子感染	経口感染
潜伏期間	4週間	1〜6カ月	1〜3カ月	1〜6カ月	2〜9週間
流行発生	あり	なし	なし	なし	あり
感染形態	急性	急性,慢性	急性,慢性	急性,慢性	急性
慢性化	なし	約10%	約70%	あり（頻度不明）	なし（免疫機能低下時はあり）
劇症化	あり	あり	まれ	あり	あり（特に妊婦）

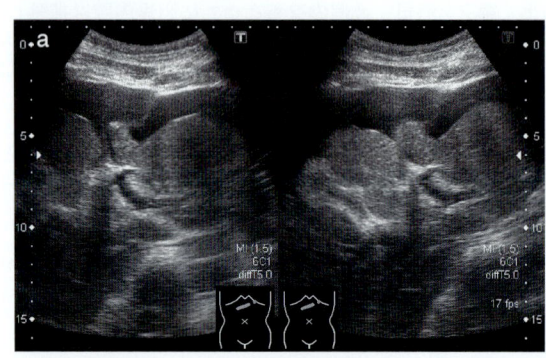

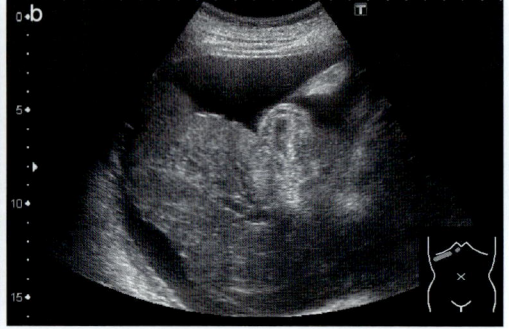

図5　劇症肝炎（自己免疫性肝炎：AIH）
30代女性.
a,b：肝臓は萎縮し,肝実質は高エコー,低エコーが混在し不均一である（斑状エコー）.壊死部分と再生部分が混在している例で,このような所見がみられることが多い.壊死部分が大きく脱落した影響で肝臓の変形がみられ,腹水も貯留している.
この状態から回復してくると,いわゆる馬鈴薯肝の形態を呈するようになる.
血液データ：Alb：3.0 g/dL, AST：670 U/L, ALT：615 U/L, γ-GT：130 U/L, LD：341 U/L, ALP：483 U/L, T-BIL：18.0 mg/dL, D-BIL：11.3 mg/dL, 血小板：149×10^3/μL, PT%：20%, アンモニア：65 μg/dL.

ることで,閉塞性黄疸との鑑別ができる.胆嚢は急性期に壁肥厚,壁の層形成がみられ,回復期にそれらが消失するため,胆嚢の形態変化を観察することは急性肝炎の経過観察に役立つ.胆嚢の壁肥厚・内腔狭小化は,胆汁分泌低下による胆嚢拡張不全,低アルブミン血症,リンパ流うっ滞,肝の炎症波及などによる壁の浮腫を表す所見とされている.そのため,胆嚢の虚脱や萎縮を認めた際には,食事の影響がないことを必ず確認しておく必要がある.

2. 急性肝不全/劇症肝炎　fulminant hepatitis（図5, 6）

劇症肝炎とは,肝炎ウイルス感染,薬物アレルギー,自己免疫性肝炎などが原因で正常の肝臓に短期間で広汎な壊死が生じることで,進行性の黄疸,出血傾向および精神神経症状（肝性脳症）などの肝不全症状が出現する病態である.「初発症状出現から8週以内にプロトロンビン時間が40%以下に低下し,昏睡Ⅱ度以上の肝性脳症を生じる肝炎」と定義され,この期間が10日以内の急性型とそれ以降の亜急性型に分類される.また,肝性脳症出現までの期間が8〜24週の症例は遅発性肝不全（late onset hepatic failure：LOHF）に分類される.

厚生労働省「難治性の肝・胆道疾患に関する調査研究」班（2015年改訂版）より急性肝不全の

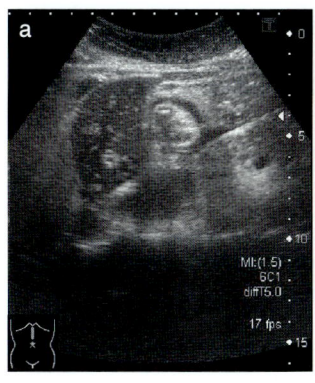

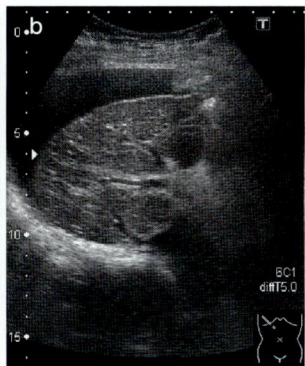

図6　劇症肝炎（自己免疫性肝炎：AIH）
70代女性.
　a：肝実質は比較的均一だが，脈管が高輝度に目立っている．肝表面の不整像はみられない．
　b：右葉は萎縮し，腹水の貯留を認める．斑状エコーはみられない．
　肝臓の再生が起きずに壊死が進行すると，本症例のように実質は比較的均一なまま，萎縮だけが進行していくため，肝表面の不整もあまり目立たないことが多い．急性肝炎の経過観察時には，肝臓のサイズや肝実質像の変化，腹水増多の有無について確認することが重要である．
　血液データ：Alb：2.3 g/dL，AST：1,372 U/L，ALT：649 U/L，γ-GT：68 U/L，LD：652 U/L，ALP：476 U/L，T-BIL：23.4 mg/dL，D-BIL：15.6 mg/dL，血小板：90×10^3/μL，PT％：17％，アンモニア：188 μg/dL．

表2　急性肝不全の診断基準（厚生労働省「難治性の肝・胆道疾患に関する調査研究」班：2015年改訂版）

正常肝ないし肝予備能が正常と考えられる肝に肝障害が生じ，初発症状出現から8週以内に，高度の肝機能障害に基づいてプロトロンビン時間が40％以下ないしはINR値1.5以上を示すものを「急性肝不全」と診断する．急性肝不全は肝性脳症が認められない，ないしは昏睡度がⅠ度までの「非昏睡型」と，昏睡Ⅱ度以上の肝性脳症を呈する「昏睡型」に分類する．また，「昏睡型急性肝不全」は初発症状出現から昏睡Ⅱ度以上の肝性脳症が出現するまでの期間が10日以内の「急性型」と，11日以降56日以内の「亜急性型」に分類する．

（注1）　B型肝炎ウイルスの無症候性キャリアからの急性増悪例は「急性肝不全」に含める．また，自己免疫性で先行する慢性肝疾患の有無が不明の症例は，肝機能障害を発症する前の肝機能に明らかな低下が認められない場合は「急性肝不全」に含めて扱う．
（注2）　アルコール性肝炎は原則的に慢性肝疾患を基盤として発症する病態であり，「急性肝不全」から除外する．ただし，先行する慢性肝疾患が肥満ないしアルコールによる脂肪肝の症例は，肝機能障害の原因がアルコール摂取ではなく，その発症前の肝予備能に明らかな低下が認められない場合は「急性肝不全」として扱う．
（注3）　薬物中毒，循環不全，妊娠脂肪肝，代謝異常など肝臓の炎症を伴わない肝不全も「急性肝不全」に含める．ウイルス性，自己免疫性，薬物アレルギーなど肝臓に炎症を伴う肝不全は「劇症肝炎」として扱う．
（注4）　肝性脳症の昏睡度分類は犬山分類（1972年）に基づく．ただし，小児では「第5回小児肝臓ワークショップ（1988年）による小児肝性昏睡の分類」を用いる．
（注5）　成因分類は「難治性の肝疾患に関する研究班」の指針（2002年）を改変した新指針に基づく．
（注6）　プロトロンビン時間が40％以下ないしはINR値1.5以上で，初発症状ないし肝障害が出現してから8週以降24週以内に昏睡Ⅱ度以上の脳症を発現する症例は「遅発性肝不全」と診断し，「急性肝不全」の類縁疾患として扱う．

持田　智，滝川康裕，中山伸朗，他：我が国における「急性肝不全」の概念，診断基準の確立：厚生労働省科学研究費補助金（難治性疾患克服 研究事業）「難治性の肝・胆道疾患に関する調査研究」班，ワーキンググループ-1，研究報告．肝臓，52：393～398，2011．
Mochida, S., Takikawa, Y., Nakayama, N., et al.：Diagnostic criteria of acute liver failure：A report by the Intractable Hepato-Biliary Diseases Study Group of Japan. *Hepatol. Res.*, 41：805～812, 2011.
Sugawara, K., Nakayama, N., Mochida, S.：Acute liver failure in Japan：definition, classification, and prediction of the outcome. *J. Gastroenterol.*, 47：849～861, 2012.

定義が示されており，**表2**に示す．この基準では，「正常肝ないし肝予備能が正常と考えられる肝に肝障害が生じ，初発症状出現から8週以内に，高度の肝機能障害に基づいてプロトロンビン時間が40％以下ないしはプロトロンビン時間国際標準比（PT-INR）値1.5以上を示すもの」と定義される．急性肝不全は肝性脳症が認められない，ないしは昏睡度がⅠ度までの非昏睡型と，昏睡Ⅱ度以上の肝性脳症を呈する昏睡型に分類する．したがって，劇症肝炎は「急性肝不全：昏睡型」のなかで成因が組織学的に肝炎像を呈する症例とみなすことができる．

超音波検査では，広範な壊死により肝萎縮や実質の不規則な斑状エコーがみられる．急性肝炎の経過観察で，肝萎縮の進行や腹水の出現を認める例では重症化のおそれがあるため注意が必要となる．

3. 慢性肝炎　chronic hepatitis（図7～9）

慢性肝炎とは「肝臓に6カ月以上炎症が持続，あるいは持続していると思われる病態をさし，組織学的には門脈域を中心とする持続性の炎症があり，リンパ球浸潤と線維の増生による門脈域の拡大がみられる」ものとされ，トランスアミナーゼの持続的な上昇を呈する慢性の炎症性疾患である．肝細胞の持続的な破壊と再生が繰り返されることで，肝線維化が進展し，再生結節が形成される．慢性肝炎の終末像が肝硬変となる．慢性肝炎の原因には，肝炎ウイルス（B，C型など），アルコール，自己免疫機序などがある．慢性肝炎の進展度については，組織の病理学的分類である肝臓の線維化（F）と炎症（A）の状態で分類する新犬山分類と対比したものがよく用いられており，最近では後述の肝硬度測定なども行われるようになっている．

超音波検査では，病変の進行の程度によって異なる．病期の進行していない慢性肝炎では，ほと

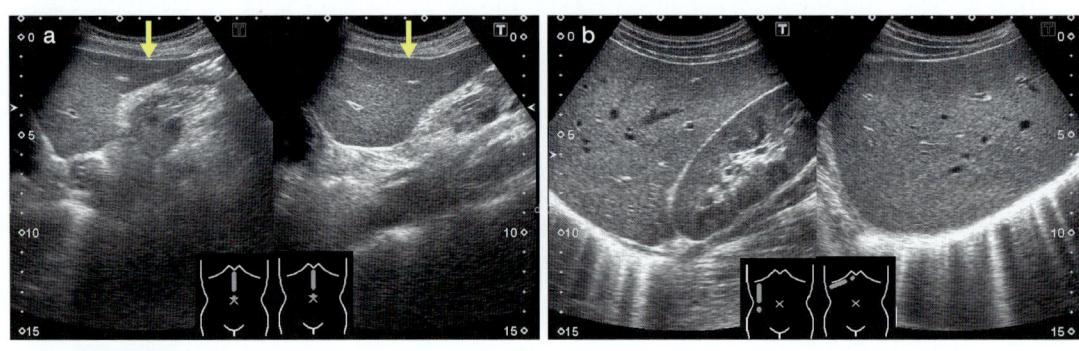

図7　C型慢性肝炎
50代男性．
a：肝左葉縦断像．プローブによる圧迫走査にて，プローブの形状に沿って肝左葉の変形を認める（矢印）．この所見の有無により，肝臓の硬さをある程度推測することが可能である（肝硬変では変形が乏しくなる）．肝表面の不整もなく，肝実質も均一である．
b：肝腎コントラストもなく，肝実質は均一である．
慢性肝炎は，その進展度によって所見がそれぞれ異なる．本症例は比較的進行していない慢性肝炎と考えられる．本症例の肝硬度（2D-SWE）は1.30 m/sであった．

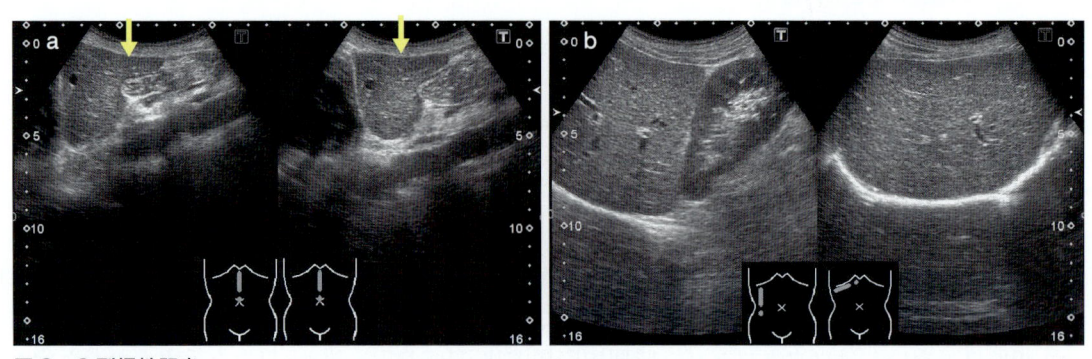

図8　C型慢性肝炎
70代男性．
a：肝左葉縦断像．プローブによる圧迫走査にて，変形が乏しい（矢印）．肝縁の鈍化もみられる．
b：肝実質はやや粗雑である．肝腎コントラストはみられない．
本症例の肝硬度（2D-SWE）は1.70 m/sと高値であった．

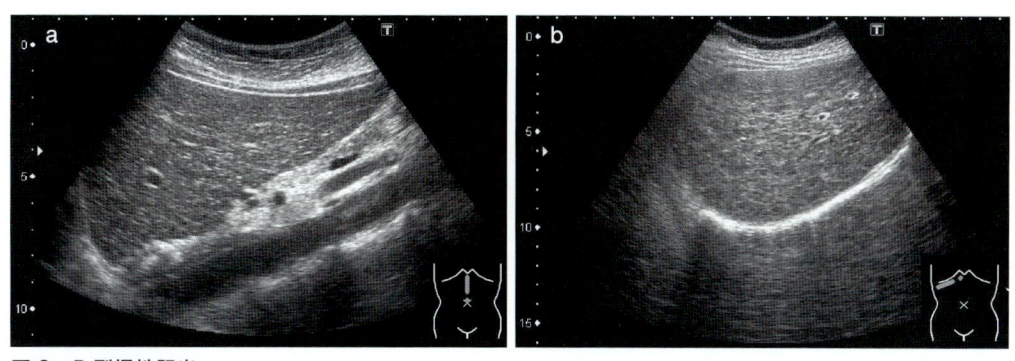

図9　B型慢性肝炎
　50代女性.
　a：肝左葉縦断像．肝表面の不整はないが，肝実質は粗雑である（メッシュワークパターン）．
　b：肝右葉横断像．肝実質は粗雑である．

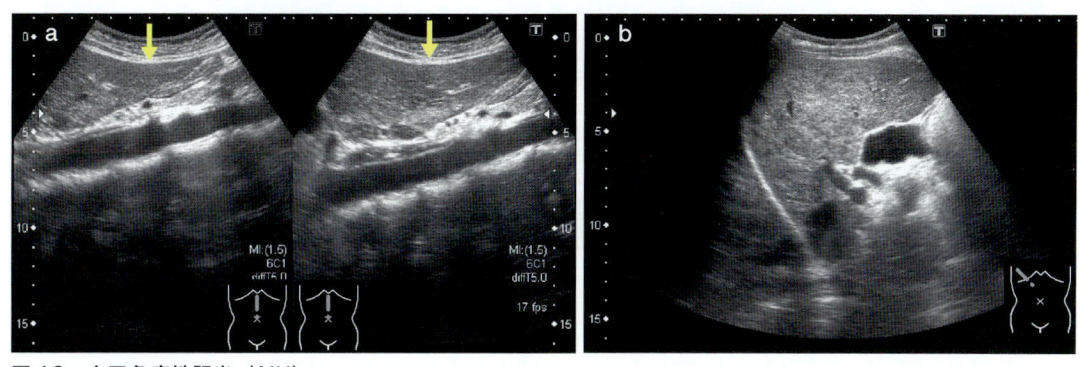

図10　自己免疫性肝炎（AIH）
　30代女性．
　a：肝左葉縦断像．肝裏面で形状の不整がみられ，肝実質は粗雑である．プローブによる圧迫走査にて，プローブの形状に沿って肝左葉の変形を認める（矢印）．
　b：肝実質は粗雑であるが，肝の形状はやや不整で，肝右葉の軽度萎縮がみられる．また，胆嚢と接する面の凹凸不整も目立つ．

んど所見がみられないこともある．一般的には，肝縁の鈍化や肝表面の軽度不整，肝実質のエコーパターンの軽度粗雑化，脾腫などを認めるが，その程度は様々である．総肝動脈幹および肝門部周囲のリンパ節に扁平な形状を呈する腫大をみることもあるが，必ずしも肝臓に炎症があるためとはいえず，腫大の程度と炎症の相関性がみられるわけでもない．

（1）自己免疫性肝炎　autoimmune hepatitis：AIH（図10，11）

　中年以降の女性に好発する原因不明の肝疾患で，その発症進展には遺伝的素因，自己免疫機序が関与することが想定されている．ただし，最近では高齢の女性にも多くみられる．臨床的には，①抗核抗体，抗平滑筋抗体などの自己抗体陽性，②血清IgG高値を高率に伴う．発症は急性，慢性のいずれも存在する．急性発症の場合には，①，②の特徴を示さず急激に進展，肝不全へと進行する場合がある．多くの症例では副腎皮質ステロイド投与が有効で，投与によりAST，ALTは速やかに基準値内へと改善する．診断には前述の特徴に加え，肝炎ウイルスを含むウイルス感染，薬物性肝障害，非アルコール性脂肪肝炎など既知の肝障害の原因を除外することが重要となる．自己免疫疾患あるいは膠原病の合併はおよそ1/3の症例でみられ，合併頻度の高いものとしては慢性甲状腺炎，シェーグレン症候群，関節リウマチなどがある．また，原発性胆汁性胆管炎（PBC）や原発性硬化性胆管炎（PSC）とAIHの両者の病態が同時に存在することもある（オーバーラップ症候群）．

　超音波検査では，無所見のものから急性肝炎，慢性肝炎，肝硬変あるいは劇症肝炎と，病態・病

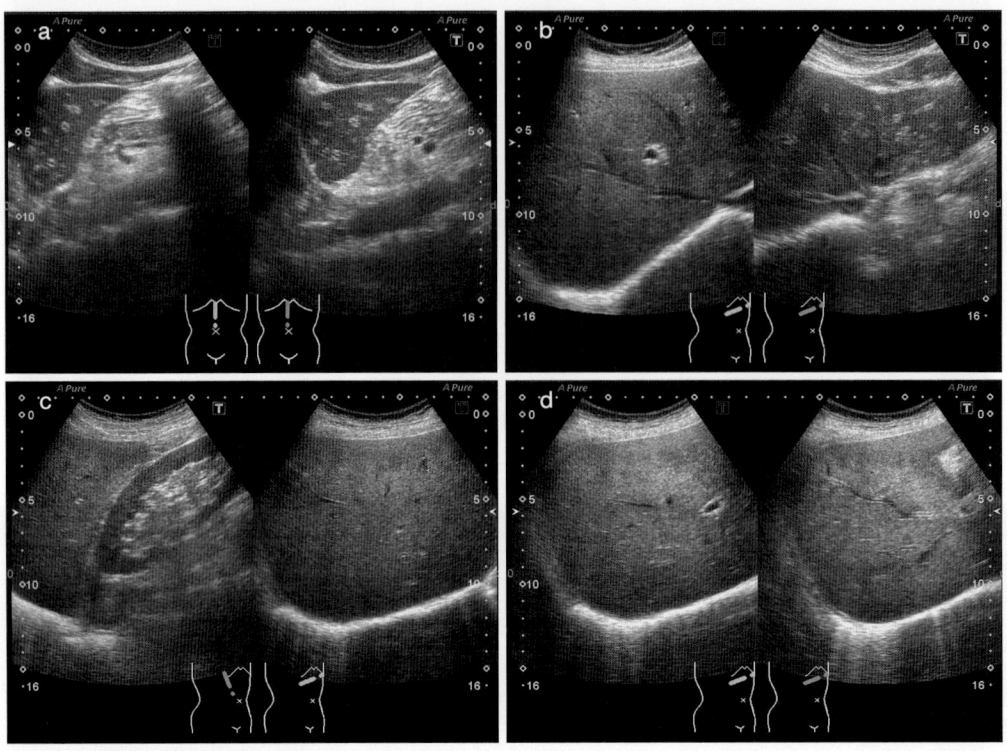

図11 自己免疫性肝炎（AIH）
70代男性．
 a：肝左葉縦断像．脈管枝が高エコーに目立ち，肝実質のエコーレベル低下が疑われる．
 b：肝右葉横断像．左葉の脈管枝は高エコーに目立つが，右葉では目立たない．
 c：肝腎コントラストがみられ，肝右葉は軽度の脂肪肝が疑われる．
 d：右葉にもわずかだが低エコー域がみられ，不均一に炎症をきたしている可能性が疑われる．
 まだら脂肪肝ではなく，脈管枝（グリソン）が高エコーに目立つことから，肝左葉を中心にエコーレベルの低下をきたしている（炎症部分）．

期に応じた様々な画像所見を呈する．他の肝炎に比べ亜広汎性壊死が高頻度にみられる傾向があるため，この場合は地図状に不整域がみられることがある．線維化進行例では，壊死部は萎縮，周辺肝実質は肥大を呈する．肝硬変に至らない段階でも，肝表面の凹凸（比較的大きめの陥凹像）や内部の結節性所見を認めることがある．

（2）原発性胆汁性胆管炎　primary biliary cholangitis：PBC（図12～14）

　病因がいまだ解明されていない慢性進行性の胆汁うっ滞性肝疾患で，中年以後の女性に多い．本疾患は原発性胆汁性肝硬変（primary biliary cirrhosis）とよばれていたが，2016年に日本肝臓学会および日本消化器病学会において，「原発性胆汁性胆管炎」へ病名変更された．皮膚掻痒感で初発することが多い．黄疸は出現後，消退することなく漸増することが多く，門脈圧亢進症状が高頻度に出現する．臨床上，症候性（symptomatic）PBCと無症候性（asymptomatic）PBCに分類され，皮膚掻痒感，黄疸，食道胃静脈瘤，腹水，肝性脳症など肝障害に基づく自他覚症状を有する場合は症候性PBC（s-PBC）とよぶ．これらの症状を欠く場合は無症候性PBC（a-PBC）とよび，無症候のまま数年以上経過する場合もある．症候性，無症候性を問わず血清中の胆道系酵素上昇（ALP，γ-GTなど）やIgM値の上昇を認め，抗ミトコンドリア抗体（AMA）が高頻度に陽性である．組織学的には小葉間胆管ないし隔壁胆管に慢性非化膿性破壊性胆管炎（chronic non-suppurative destructive cholangitis：CNSDC）あるいは胆管消失を認める．

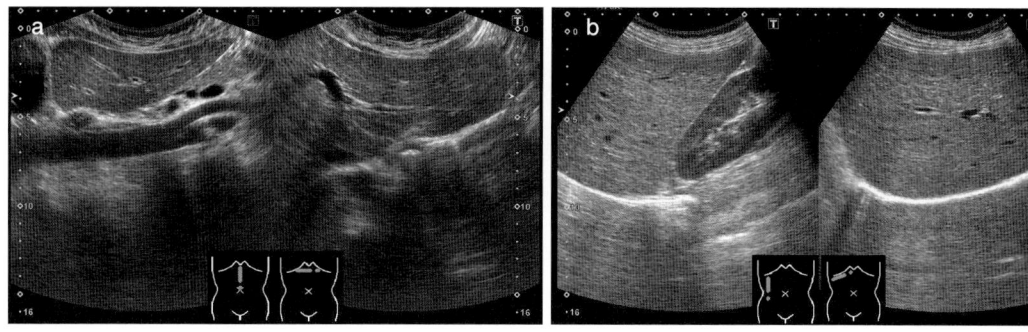

図12 原発性胆汁性胆管炎（PBC）
30代女性.
a：肝縁の鈍化はなく，肝表面も整である．門脈の口径不整などはみられない．
b：肝実質はやや粗雑である．
本症例の肝硬度（2D-SWE）は1.45 m/sであった．

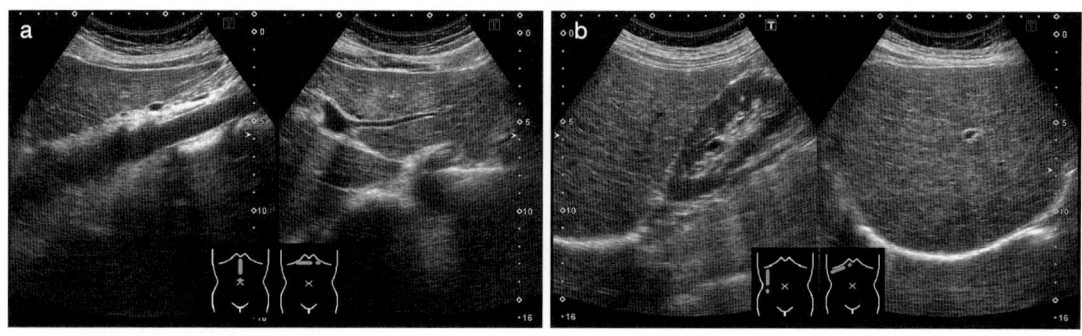

図13 原発性胆汁性胆管炎（PBC）
50代女性.
a：肝実質は粗雑であるが，肝縁の鈍化はなく，肝表面も整である．また，門脈の口径不整などはみられない．
b：肝実質はかなり粗雑である．
本症例の肝硬度（2D-SWE）は1.32 m/sで，肝硬度からも肝硬変とはいえない．

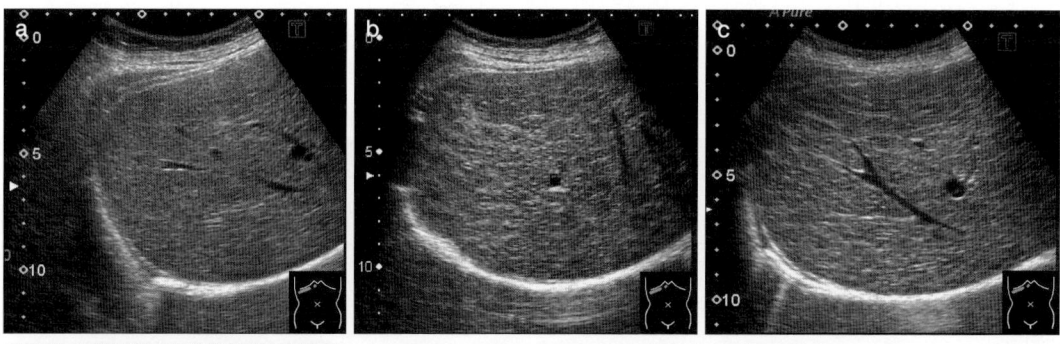

図14 原発性胆汁性胆管炎（PBC）
40代女性.
a：20××年11月．AST：168 IU/L，ALT：151 IU/L，肝硬度（p-SWE）：1.43 m/s．
b：aの1年後．AST：42 IU/L，ALT：30 IU/L．
c：aの約2年後．AST：41 IU/L，ALT：32 IU/L．肝硬度（p-SWE）：1.21 m/s．
投薬治療により，肝臓の炎症は改善し，肝硬度（p-SWE）も低下したが，肝実質の不整が強くなっていた．
　PBCの場合，肝実質の不整と病期の進展度が必ずしも一致しないことがあるが，肝表面の凹凸像があれば進行している可能性を考慮する．

超音波検査では，他の慢性肝炎と同様に無所見のものから急性肝炎，慢性肝炎，肝硬変あるいは劇症肝炎像まで，病態・病期に応じた様々な画像所見を呈する．なお，画像的に肝硬変像を呈していない症例でも，門脈圧亢進に伴う側副血行路がみられることがある．

4. 肝硬変　liver cirrhosis（図15〜18）

　肝硬変は，肝臓全体に再生結節が形成され，再生結節を線維性隔壁が取り囲む病変と定義され，肝疾患の終末像である．病因は慢性ウイルス性肝炎，アルコール性肝疾患，自己免疫性肝疾患が代表的であり，肝細胞が慢性に，持続的に傷害されることが原因となるが，劇症肝炎などで肝に広範壊死が生じた後に結節性再生が起こり，肝硬変に進展する場合もある．肝機能がよく保たれ臨床症状がほとんどない代償性肝硬変と，肝性脳症，黄疸，腹水，浮腫，出血傾向など肝不全に起因する症状が出現する非代償性肝硬変に分類される．肝硬変では，門脈圧亢進により側副血行路が生じる．食道，胃や直腸に生じた静脈瘤は出血の危険性があり，ときに致死的な結果をもたらすことがある．門脈圧亢進は脾腫の原因となり，そのため汎血球減少症を引き起こす．門脈圧亢進と血清アルブミンの低下などにより腹水が生じ，腹水貯留は有効循環血漿量低下をきたし，腎血流が低下する．腸内細菌により産生されるアンモニアなどの毒性物質は門脈から肝臓に流入するが，門脈-大循環シャントの形成に伴い，肝で代謝されない毒性物質が大脳機能の障害を引き起こし，肝性脳症をきたす．末期肝硬変では，一酸化窒素（NO）の産生が亢進する一方で多くの血管収縮因子が増強し，腎皮質血管の攣縮により腎内血行動態の不安定状態と腎血流分布異常が生じる．この可逆性機能性の腎障害は，急性腎障害（AKI）または肝腎症候群とよばれる．

　組織学的には，ウイルス肝炎からの肝硬変では大結節性肝硬変がみられる．B型肝炎では肝硬変の進展に伴いウイルスが減少し炎症性変化が軽減され，再生結節は大型化し線維性隔壁は狭くなる傾向があるが，C型肝炎では炎症は持続し線維性間質が広くなる傾向にある．アルコール性肝炎や非アルコール性脂肪肝炎（NASH）に由来する肝硬変は，小結節性肝硬変を示すことが多い．大結節性肝硬変では中肝静脈領域（左葉内側区域と右葉前区域腹側）の萎縮傾向が強く，また右葉全体も萎縮するのに対して，他の区域が相対的に肥大する特徴がある．小結節性肝硬変では，硬変初期では肝の変形は軽度で尾状葉が相対的に腫大する傾向があるが，進行してしまえば大結節性に類似した変形を示す．特にNASHにその傾向が強いとされる．

　超音波検査では，ウイルス性肝炎に由来する肝硬変（大結節性）が中心となり，肝は全体に萎縮するが，特に右葉前区域腹側および左葉内側区域の萎縮が強い．結果として，胆嚢床が拡大する（この影響で右肋弓下走査による観察が不良となる）．左葉外側区域と尾状葉は相対的に腫大すること

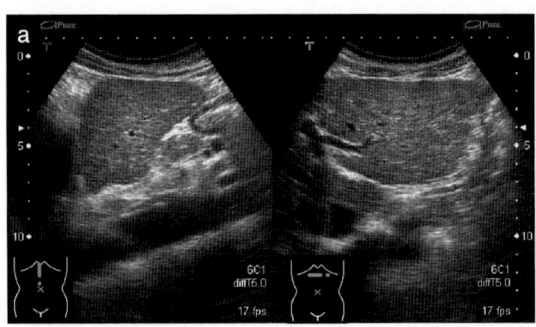

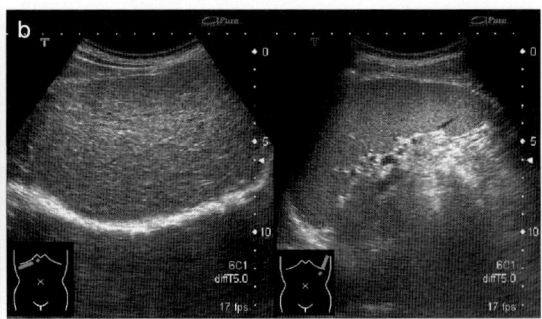

図15　C型肝硬変
60代男性．
a：肝左葉の肝縁鈍化と表面の不整像，肝左葉実質の粗雑化がみられる．
b：左の画像で肝右葉実質の粗雑化を認める．右の画像で脾腫（長径13 cm）を認める．

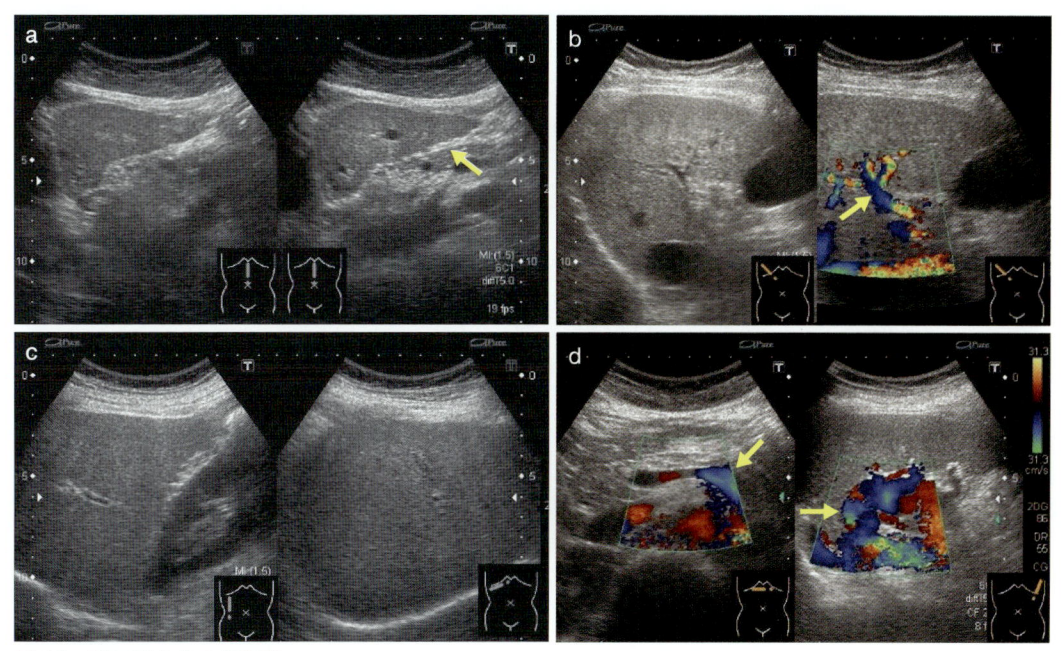

3 各臓器における超音波検査の進め方

図16 NASHからの肝硬変
60代女性.
a：肝左葉の肝縁鈍化と裏面の凹凸不整を認める（矢印）.
b：肝実質は高エコーで不整である．カラードプラで門脈血流の逆流（遠肝性血流）を認める（矢印）.
c：肝実質は高エコーでかつ不整がみられる．肝腎コントラストを認める.
d：左の画像で脾静脈の逆流を認める（矢印）．右の画像では脾腎短絡路を認める（矢印）.
巨大な脾腎短絡路により，脾静脈だけでなく門脈血流も遠肝性血流を呈している.

　肝硬変の所見がみられた際には，必ずカラードプラで側副血行路の有無を確認すると同時に，肝内の門脈の血流方向（求肝性もしくは遠肝性）も確認する.

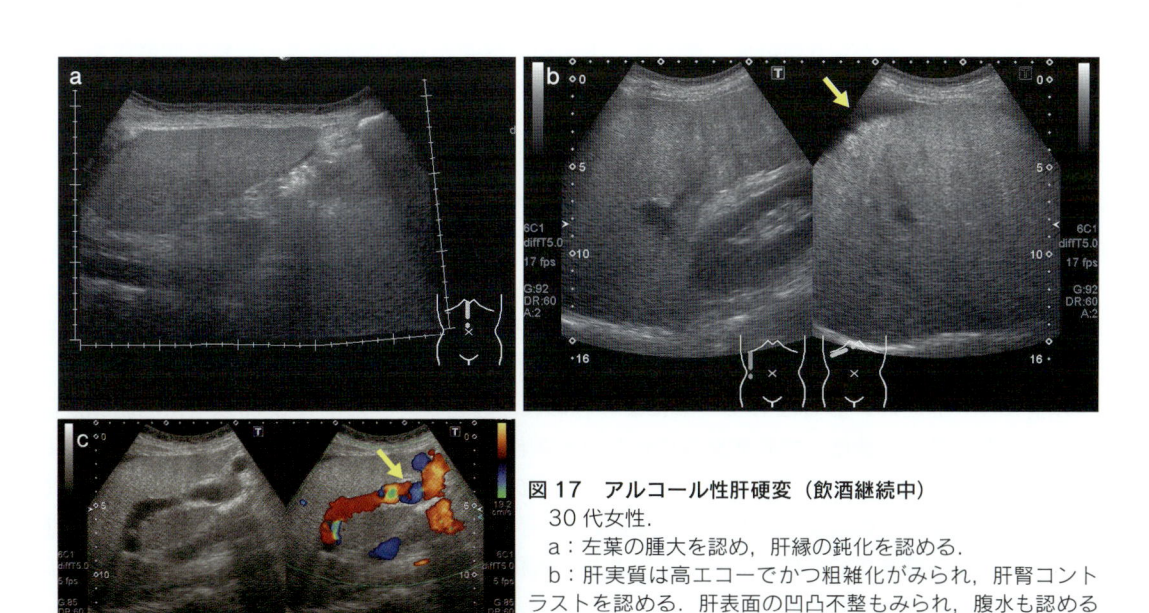

図17 アルコール性肝硬変（飲酒継続中）
30代女性.
a：左葉の腫大を認め，肝縁の鈍化を認める.
b：肝実質は高エコーでかつ粗雑化がみられ，肝腎コントラストを認める．肝表面の凹凸不整もみられ，腹水も認める（矢印）.
c：傍臍静脈の開存を認める（矢印）.
　肝硬度（2D-SWE）はバラツキが大きく，計測困難であった.

115

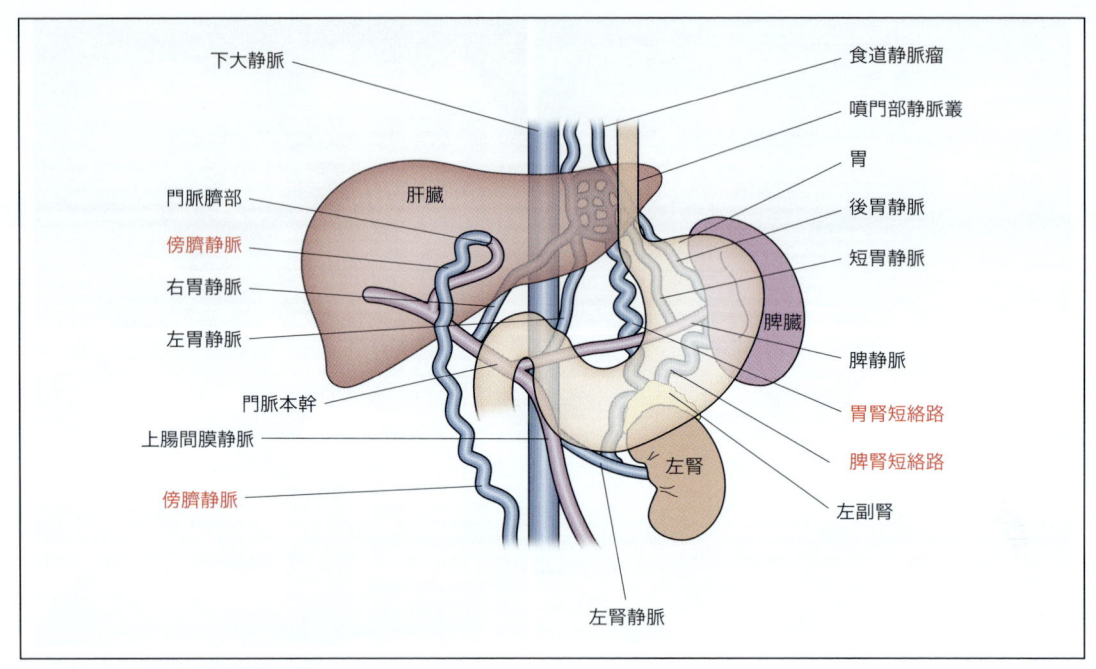

図18　門脈系の主な側副血行路
　左胃静脈：食道静脈瘤→奇静脈→上大静脈．
　胃腎短絡路：短胃静脈→胃静脈瘤→（副腎静脈）→左腎静脈→下大静脈．
　脾腎短絡路：脾門部→後腹膜無名静脈→左腎静脈→下大静脈．
　傍臍静脈：肝内門脈左枝臍部→傍臍静脈→上下浅腹壁静脈（メドゥーサの頭）を経て，上は内胸静脈を経て上大静脈へ，下は大腿静脈を経て下大静脈へと流入．

が多い．肝縁は鈍化し，肝表面は凹凸不整を示す．肝実質の変化は初期の肝硬変では明確な異常としてとらえられないことがあるが，再生結節構造が巨視的になってくると粗造（不均一）を呈する．さらには肝内胆管の不整狭小化や不明瞭化などが認められる．ドプラで門脈血流の方向（求肝性，遠肝性）を観察し，側副血行路の有無についても確認することは臨床的に重要であり，側副血行路としては胃冠状静脈から食道静脈，傍静脈，下腸間膜静脈から直腸静脈叢の経路や脾静脈あるいは胃静脈瘤から左副腎静脈を介して左腎静脈に注ぐ経路が高頻度に描出される．門脈血流の低下に伴い，肝内動脈血流は相対的に増加し，拡張蛇行がみられる．脾腫や腹水などの所見も肝硬変の診断と治療に重要である．

5. 脂肪肝　fatty liver（図19〜21）

　組織学的に肝細胞の5％以上に脂肪化が認められる場合に脂肪肝と定義される．特に，アルコールに由来しない脂肪肝は非アルコール性脂肪性肝疾患（nonalcoholic fatty liver disease：NAFLD）と総称されている．最近，NAFLDの予後は，肝線維化が重要な因子であることが報告されている[2]．
　以前より，脂肪肝の診断はBモードにより行われてきたが，一般的に30％以上に脂肪化が認められないと，良好な感度，特異度が得られないとされている．最近，超音波減衰法による肝脂肪の定量評価も可能となってきており，これまでの実臨床のデータから，肝脂肪化5％以上であっても良好な診断能が得られるようになってきてはいるが，まだ完全ではない．一方，超音波エラストグラフィによる肝線維化診断は確立してきており，脂肪肝診療における非侵襲的診断法として超音波検査の果たす役割は重要である．
　超音波検査では，①高輝度肝（bright liver），②肝腎コントラスト（hepatorenal echo contrast），③肝脾コントラスト（hepatosplenic echo contrast），④深部減衰（attenuation），⑤肝内門脈枝・

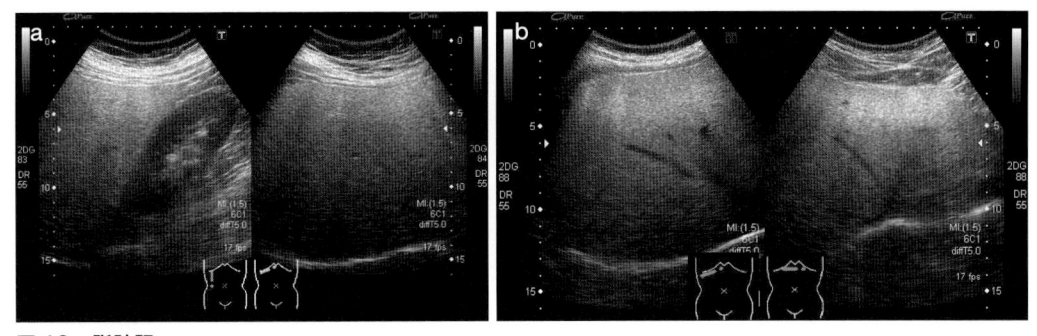

図 19　脂肪肝
20 代男性．
a：肝実質のエコーレベル上昇（高輝度肝）を認め，左の画像で肝腎コントラスト陽性，右の画像で深部減衰を認める．
b：深部減衰とともに脈管（肝静脈）の境界が不明瞭となっている．

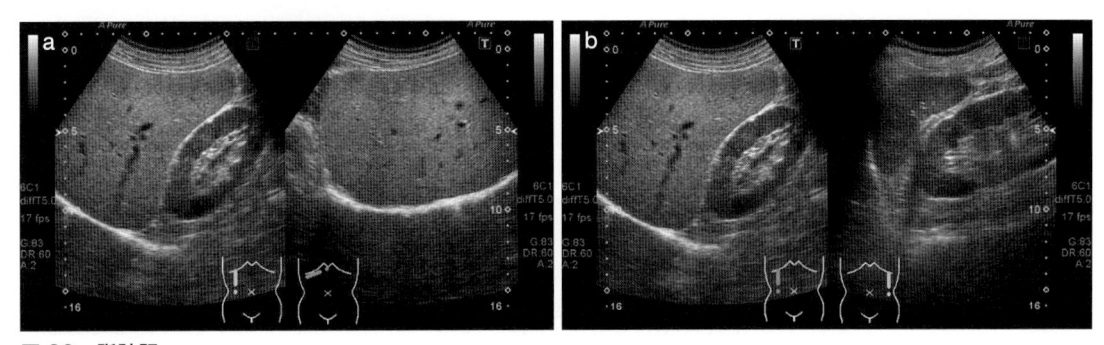

図 20　脂肪肝
60 代男性．
a：肝腎コントラストがわずかにあるようにみえるが，右の画像で深部減衰はみられない．
b：肝脾（肝腎・脾腎）コントラストを比較すると，脾臓に比べて明らかに肝実質のエコーレベルが高いことが分かる．この確認の際には，同じゲインでかつ同じ深さで肝脾を観察することが重要である．

肝静脈枝の不明瞭化（vascular blurring）を認める．これらの所見のうち，1つでも認められれば脂肪肝と判定する．記録に関しては，施設内での撮像条件を統一することが重要である．なお，Bモードによる脂肪肝の診断は，一般的に肝細胞の30％以上に脂肪化が認められないと良好な感度・特異度が得られないと報告されていることに留意が必要である．ただし，熟練してくれば10％前後の脂肪化でも判断できることもある．それぞれの所見の特徴と注意点を記す．

①高輝度肝（bright liver）
本所見は，右肋間走査，右肋弓下走査いずれかにて判定する．多数の脂肪滴と周囲組織の境界部が音響学的な散乱体となるために，肝内に微細な高エコースポットが増加し，全体が高輝度を呈する．脂肪肝の診断に際しては最も古典的な所見であるが，比較する臓器がなく検者の主観的評価となりやすい．そのため，施設内で各検者の目合わせが重要となる．

②肝腎コントラスト（hepatorenal echo contrast）
本所見は，右肋間走査，右肋弓下走査（縦）にて判定する．脂肪滴により輝度の向上した肝臓が，脂肪化をきたさない腎実質とコントラストを呈した場合に肝腎コントラストありと判定する．評価する断面として，肝臓と腎臓実質をなるべく同じ深さにして判断することが重要となる．

③肝脾コントラスト（hepatosplenic echo contrast）
本所見は，左肋間走査もしくは左肋弓下走査にて判定する．通常，肝実質のエコーレベルは脾実質とほぼ同等である．腎不全や腎の炎症などで腎実質のエコーレベルが高い場合には肝脾コントラ

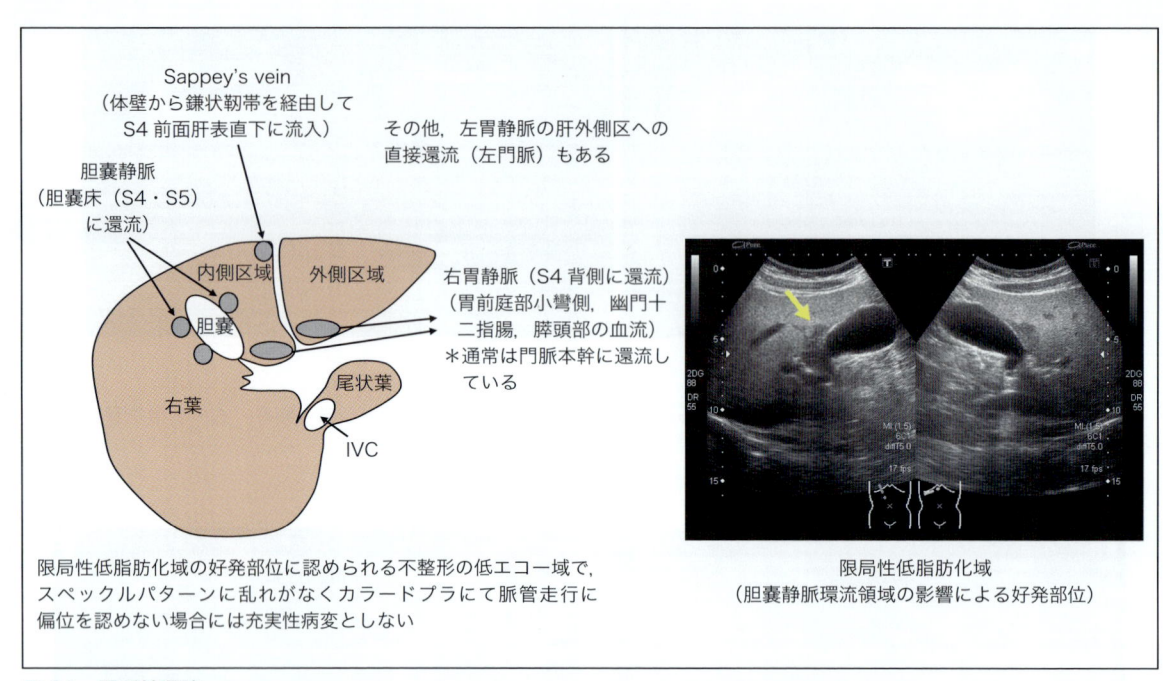

図21　異所性還流

（図内ラベル）
- Sappey's vein（体壁から鎌状靭帯を経由してS4前面肝表直下に流入）
- 胆嚢静脈（胆嚢床（S4・S5）に還流）
- その他，左胃静脈の肝外側区への直接還流（左門脈）もある
- 内側区域
- 外側区域
- 胆嚢
- 右葉
- 尾状葉
- IVC
- 右胃静脈（S4背側に還流）（胃前庭部小彎側，幽門十二指腸，膵頭部の血流）
  ＊通常は門脈本幹に還流している
- 限局性低脂肪化域の好発部位に認められる不整形の低エコー域で，スペックルパターンに乱れがなくカラードプラにて脈管走行に偏位を認めない場合には充実性病変としない
- 限局性低脂肪化域（胆嚢静脈環流領域の影響による好発部位）

ストが有用である．また，腎実質のエコーレベルが低輝度を呈するような症例（若年者に多い）や，逆にエコーレベルが上昇する腎実質障害の症例においては，肝脾コントラストとあわせて肝腎・脾腎コントラストも比較しておくとよい．

④深部減衰（attenuation）

本所見は，右肋弓下走査にて判定する．脂肪肝がより高度になると，強い脂肪沈着のため超音波の散乱が著しく，肝実質の深部で反射波の強い減衰が起こり，浅い部位では高エコー，深い部位では低エコーを呈する．減衰の程度は肝脂肪化の程度とよい相関がある．ただし，近年の装置では広帯域のプローブが実用化され，penetrationが改善しており，超音波診断装置には深部ほどゲインを大きくして均一な画像を表示できるような感度補正（sensitivity time control：STC）の機能があるため，現在と以前の機種では評価の違いに注意が必要である．また，皮下脂肪が厚い時は，皮下脂肪により減衰が生じるために，肝脂肪化が認められなくても深部エコーの減衰が起こるので注意が必要である．

⑤肝内門脈枝・肝静脈枝の不明瞭化（vascular blurring）

本所見は，右肋間走査もしくは右肋弓下走査にて判定する．正常肝内には肝静脈，門脈，肝内胆管が描出され，それぞれ肝実質との境界は明瞭である．脂肪肝の場合，脂肪による高エコースポット散乱のため本来エコーフリーである肝静脈，門脈などの脈管内腔が不鮮明となり，特に門脈の境界が消失することがある．なお，横隔膜の認識の程度も同様の所見である．これらの所見も，近年の機器の進歩により高度脂肪肝以外でとらえることは難しくなってきており，施設内で各検者の目合わせが重要となる．

また，肝の脂肪化はびまん性に起こるが，部分的に脂肪沈着に程度の差がみられ，周囲より脂肪化が少ない領域がまだらに生じた場合では，巣状，区域性，地図状などと表現される限局性の低エコー域として認められる．この低エコー域は肝静脈に接した領域や，より狭い範囲として肝門部，胆嚢床近傍（S4，S5），門脈左枝横行部腹側（S4），肝円索近傍などにしばしばみられる．これは，門脈以外からの血流（third inflow）の影響によるものと解釈されている．逆に，限局性の脂肪沈

着が高エコー領域（限局性脂肪肝）として認められることもある．この限局性低脂肪化域（focal spared area）が類円形に低エコー域として認められた場合には，肝腫瘍との鑑別が必要となるが，病変が前述した好発部位に認められ，内部のエコーパターンが周囲の肝実質と差がなく均一であり，かつ周囲への圧排所見もなく，腫瘍としての血流パターンを認めない（内部あるいは辺縁を既存の血管が走行）などの所見により，ほぼ鑑別することができる．

（1）NAFLD の概念・定義[2]（新分類は p.162 参照）

　非アルコール性脂肪性肝疾患（NAFLD）は，主にメタボリックシンドロームに関連する諸因子とともに，組織診断あるいは画像診断にて脂肪肝を認めた病態である．アルコール性肝障害，ウイルス性肝疾患，薬物性肝障害など，他の肝疾患は除外する．NAFLD は，病態がほとんど進行しない非アルコール性脂肪肝（nonalcoholic fatty liver：NAFL，以前の単純性脂肪肝）と，進行性で肝硬変や肝癌の発症母地にもなる非アルコール性脂肪肝炎（nonalcoholic steatohepatitis：NASH）に分類される．

　①肝臓の脂肪沈着は，組織学的に5％以上を有意とする．
　②NASH は，病理診断による脂肪変性，炎症，肝細胞傷害（風船様変性）が特徴である．
　③NAFL と NASH は，相互移行がある．NAFL の一部は，速度は遅いが線維化が進行することもある．
　④飲酒の上限は，エタノール換算で男性 30 g/日，女性 20 g/日が基準である．
　⑤薬物に起因する脂肪性肝疾患は，基本的に薬物性肝障害として取り扱う．
　⑥いわゆる小滴性脂肪変性を呈するライ症候群，急性妊娠性脂肪肝などは，NAFLD からは除外する．
　⑦NASH 肝硬変のなかに，進行とともに脂肪変性や風船様変性などの NASH の特徴が消失し，burned-out NASH を呈するものもある．

　なお，NASH の生命予後に最も関連する病理所見は肝線維化であり，線維化の程度に応じて経過観察方法・治療法が考慮される．

（2）アルコール性肝障害　alcoholic liver disease：ALD（図22 ～ 24，図27）

　長期（通常は5年以上）にわたる過剰の飲酒が肝障害の主な原因と考えられる病態で，エタノール換算 60 g/日以上の飲酒（常習飲酒家）をいう．ただし，女性や2型アルデヒド脱水素酵素（ALDH2）活性欠損者では，40 g/日の飲酒でもアルコール性肝障害をきたす．ALD の病態としては，アルコール性脂肪肝，アルコール性肝炎，アルコール性肝硬変，アルコール性肝線維症などに大別される．従来は，欧米ではアルコール性肝炎を繰り返すことが肝硬変以降の主因とされていた一方，わが国では炎症が軽度で線維化が潜在的に進行するアルコール性肝線維症が多いとされていた．基本的に，脂肪肝はどの病期にも認められるものであり，アルコール性肝炎は飲酒量の増加により，肝線維症や肝硬変の患者に発症するきわめて重症な炎症である．なお，いずれの病態においても，アルコール性肝障害の例では腫大性変化が基本となる．

（3）超音波減衰法による肝脂肪化の定量評価

　超音波の振幅は生体内を伝搬するにつれて指数的に減衰する．これは，散乱と吸収によるものに大別できるが，ビーム状の送信波の場合は吸収によるものがほとんどである．減衰は比例定数（dB/MHz/cm）として表すことができ，この値は組織の性状によって異なるが，脂肪肝では正常肝よりも減衰が多いことを利用した肝脂肪の定量法が，超音波減衰法による肝脂肪化診断である．近年，この超音波減衰法による肝脂肪の定量評価方法が各超音波装置メーカーから登場し，臨床の現場で活用されてきている．

（4）flag sign と簾状エコーについて

　腹部超音波検診判定マニュアル改訂版（2021年）より，びまん性肝疾患の評価において，「肝実

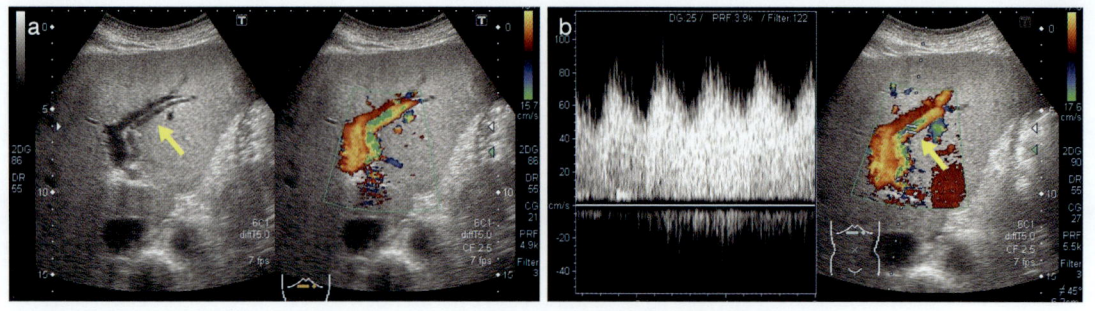

図22　アルコール性肝炎にみられる pseudo-parallel channel sign（PPCS）
30代女性．
a：門脈左外側下枝の門脈（P3）に伴走する脈管の拡張像を認め，カラードプラにて血流を認めることから胆管ではないことが分かる．
b：FFT解析にて拍動波が認められ，伴走する血管が動脈であることが分かる．
　アルコール性肝炎，閉塞性黄疸はともに門脈枝に伴走する拡張した脈管構造を認める．動脈枝であればPPCSとなり，胆管であればparallel channel signとなる．そのため，門脈に伴走する脈管構造を認めた際には，必ずカラードプラによる確認を行うとよい．
　なお，PPCSはアルコール性肝炎に感度，特異度とも高いとされる所見の一つである．注意点としては，肝硬変などで門脈血流が低下している例でも，カラードプラで観察すると動脈血流が目立つため，Bモードで拡張した動脈枝が門脈と同等の太さである場合のみ，有意な所見としてPPCSと判断する[12, 13]．

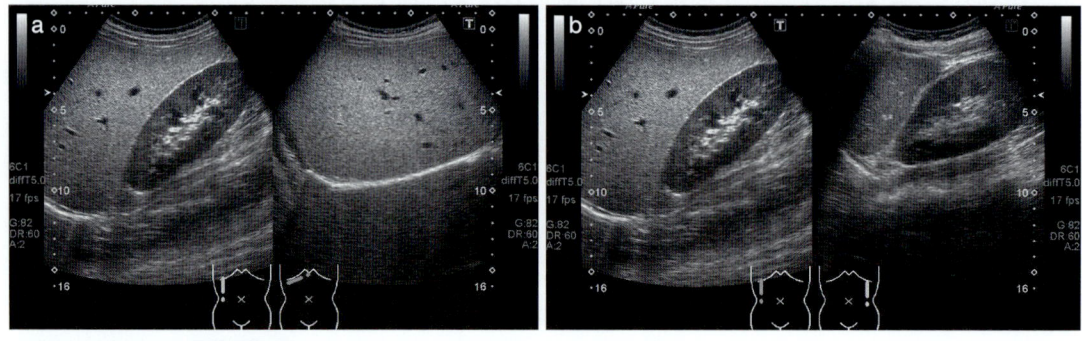

図23　アルコール性肝線維症
30代女性．
a：肝実質のエコーレベル上昇と肝腎コントラストを認めるが，深部減衰はみられない．実質は微細均質である．
b：肝脾（肝腎・脾腎）コントラストを比較すると明らかに肝実質の方が高エコーである．
　深部減衰を伴わない高輝度肝（bright liver）を呈する時には，アルコール性の肝線維症の場合があるため，検査時に飲酒歴を確認しておくとよい．減衰を伴わないbright liverを呈する疾患としては，うっ血肝や閉塞性黄疸を呈している場合や急性肝炎の回復時期などがある．

質の評価は，フラッグサインや簾状エコーを認めた場合も，粗造な実質エコーパターンに含める」との記載が加わった．そのため，これらの所見を判断する必要がある．厳密には両者の機序は異なるが，どちらの所見も認められれば粗造なエコーパターンに含めるとされているため，肝臓に縦方向に筋状のエコー像が確認できればよい．

①flag sign
　肝表面から肝実質に向かう帯状の低エコーである．皮下脂肪組織と肝表面では，肝表面の方が音速が速い．肝硬変になると，肝表面に凹凸が生じる．皮下脂肪組織から肝へ超音波が進む際，肝表面に凹凸があると屈折が生じる．その結果，凸の部分の下では超音波ビームが疎になり，凹の部分では超音波ビームが密になるため，主に肝表面の凹凸の凸の部分から低エコー帯が出現する．

②簾状エコー
　50〜70％以上の脂肪肝において肝表面から出現する簾状の低エコー帯である．高度な脂肪肝の

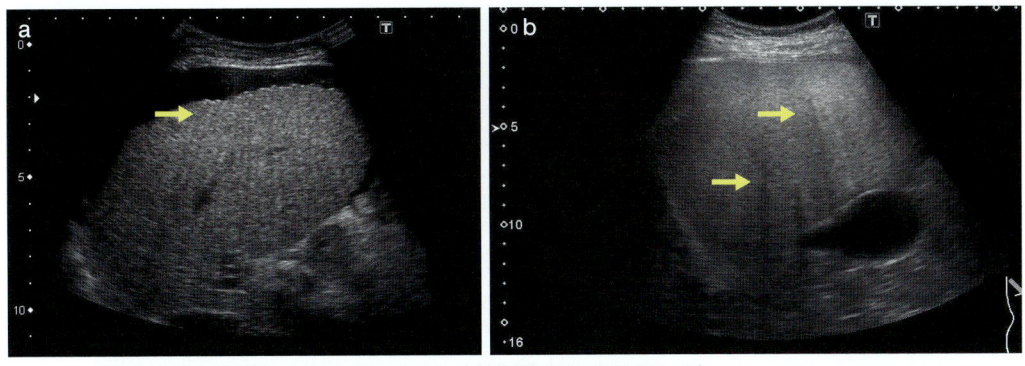

図24　アルコール性肝硬変（a）と非アルコール性脂肪肝炎（NASH，b）
　a：50代男性．アルコール性肝硬変による flag sign（矢印）．
　b：40代男性．NASHにみられた簾状エコー（矢印）．
　両者を観察するには，右肋間走査にて通常呼吸を行ってもらいながら，皮下から生じるアーチファクトとの鑑別を行う必要がある．
　呼吸に伴い肝臓は移動するため，肝臓とともに縦方向に生じる筋状のエコーがみられれば，flag sign もしくは簾状エコーと判断し，肝臓とともに筋状のエコーが移動しなければ，皮下からのアーチファクトであると判断できる．

実質と血管との間の屈折が強くなるため生じるとされ，必ずしも肝硬変でなくても，高度な脂肪肝で出現する．逆に，肝硬変であっても高度な脂肪肝がなければ出現しないとされる．

6. 代謝異常・遺伝性疾患

（1）ヘモクロマトーシス　hemochromatosis（図25）

　体内に過剰の鉄が沈着する病態で，鉄蓄積病（iron storage disease）ともよばれる．長期にわたる過剰な鉄沈着により実質臓器の機能障害をきたし，皮膚の色素沈着，肝硬変，糖尿病などの多彩な症候を呈する場合をヘモクロマトーシスとよび，鉄の過剰沈着があっても組織の破壊や臓器の機能障害を伴わない場合をヘモジデローシスとして区別することもある．

　生体では，鉄は鉄結合蛋白であるフェリチンとヘモジデリンに結合して肝細胞やKupffer細胞に貯蔵される．肝細胞には大部分はヘモジデリンとして沈着する．

　ヘモクロマトーシスは成因により特発性と続発性に大別される．特発性ヘモクロマトーシスは遺伝性のまれなもので，先天性の鉄代謝異常である．続発性は，鉄の過剰摂取によるものや慢性肝疾患に伴うものなどがある．過剰摂取の例としては輸血や鉄過剰性貧血などにみられるもので，主としてKupffer細胞やマクロファージに蓄積し，毒性は低い．慢性肝疾患によるものとしては，ウイルス性肝炎，アルコール性肝炎やNAFLDにみられ，主として肝細胞類洞に蓄積する．肝細胞における鉄過剰は肝腫大と肝機能異常をもたらし，最終的には肝硬変へと進行する．肝臓の線維化と肝硬変は，肝臓の鉄濃度と密接に関連する．肝硬変に至った場合，肝細胞癌を合併することがあるとされる．

　超音波検査では，肝腫大以外に特徴的所見はみられないことが多いが，進行すると肝実質の粗雑化がみられ，脾腫を認めることが多い．最も特徴的な画像所見を呈するのは単純CT検査で，肝実質の吸収値が均一に上昇する．ただし，脂肪肝を合併していると吸収値は上昇しないことがある．

（2）Wilson病　Wilson's disease

　肝レンズ核変性症ともよばれ，肝硬変と錐体外路症状および緑色ないし褐色の角膜輪（Kayser-Fleischer輪）を主とする先天性の代謝異常である．肝臓に過剰な銅沈着を示す常染色体劣性遺伝性疾患（*ATP7B*遺伝子異常）であり，肝細胞における貯蔵能をこえると自由銅は緩徐に血中に排泄され，脳，眼や腎に蓄積する．Wilson ATPase は肝細胞内でのセルロプラスミン生成と銅の

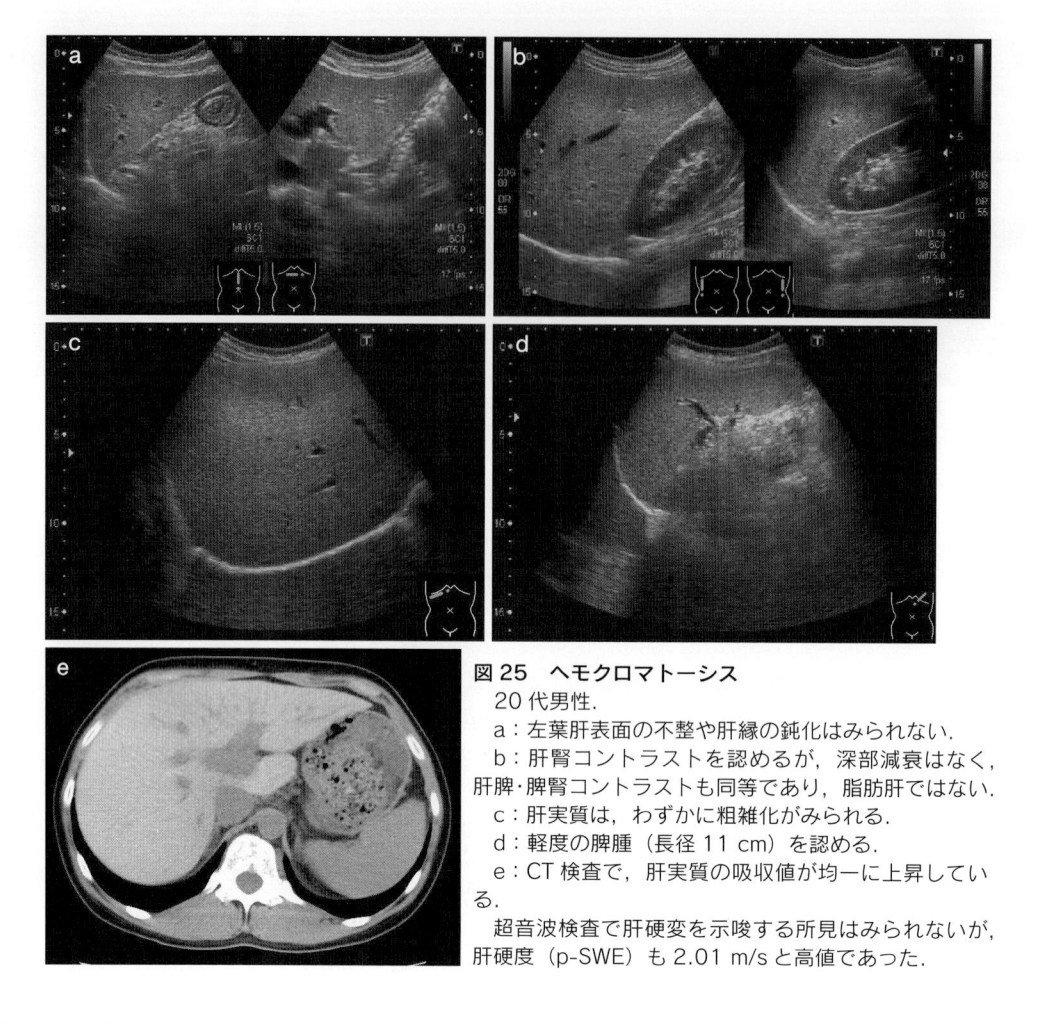

図25 ヘモクロマトーシス
20代男性.
a：左葉肝表面の不整や肝縁の鈍化はみられない.
b：肝腎コントラストを認めるが，深部減衰はなく，肝脾・脾腎コントラストも同等であり，脂肪肝ではない.
c：肝実質は，わずかに粗雑化がみられる.
d：軽度の脾腫（長径11 cm）を認める.
e：CT検査で，肝実質の吸収値が均一に上昇している.
超音波検査で肝硬変を示唆する所見はみられないが，肝硬度（p-SWE）も2.01 m/sと高値であった.

胆道への排泄に必須で，*ATP7B* 遺伝子変異により，銅は肝細胞に過剰に滞留し，血中のセルロプラスミンや銅は減少する．銅沈着は，肝では終末門脈周囲の肝細胞に優位にみられ，肝細胞の脂肪沈着（脂肪肝），核の膨化，単核細胞の浸潤，門脈周囲結合織の増加などがみられる．その結果，慢性肝炎から肝硬変に陥る．大結節性肝硬変を呈するが，小結節状のこともある．ときに肝炎や劇症肝炎を認めることもあり，異形結節や肝細胞癌などがみられる．治療には銅キレート剤，亜鉛製剤などが用いられる．

超音波検査では，初期では明らかな所見がないか，軽度の脂肪肝所見などを示す．肝硬変例では，大結節性の再生結節を反映して，肝表面の不整，肝実質像の粗雑化や高エコーあるいは低エコーの結節性病変が肝内に多発して認められる．

（3）アミロイドーシス　amyloidosis

アミロイドとは，免疫グロブリン軽鎖を含む小線維性蛋白である．アミロイドーシスは，この細線維構造をもつ不溶性蛋白であるアミロイドが細胞間に沈着することで機能障害を引き起こす疾患の総称である．全身性と臓器に限局する限局性とに大別され，多発性骨髄腫や原発性マクログロブリン血症を伴わない場合に原発性とよばれる．多くの症例で，血清中にM蛋白あるいは尿中にBence Jones蛋白（BJP）がみられる．肝のアミロイドーシスは，実質臓器のなかでは，脾，腎に次いで3番目に多い．肝実質ではDisse腔に沈着し，進行すると隣接する肝細胞を圧排し，萎縮させる．高率に肝動脈や門脈壁に沈着し血管内腔の狭小化をきたし，血行障害による二次的な肝細胞の萎縮を生じることもある．自然発生の肝内外出血をみる場合があり，肝生検には腹腔内出血のリ

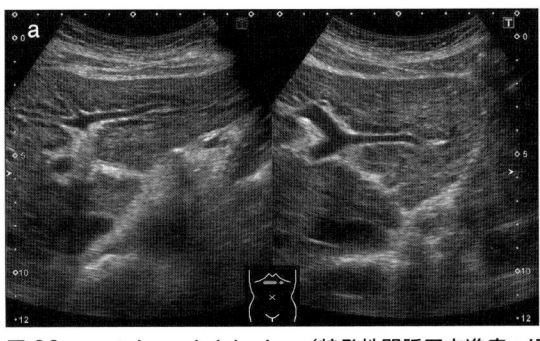

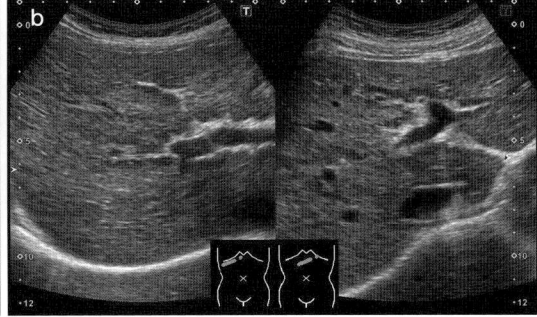

図26　portal sandwich sign（特発性門脈圧亢進症：IPH）
50代女性．
a：門脈左枝周囲を取り囲むように低エコー帯が認められる．
b：門脈右枝周囲を取り囲むように低エコー帯を認め，末梢側では狭小化がみられる．
portal sandwich sign の影響もあり，肝実質は全体的に不整に描出される．

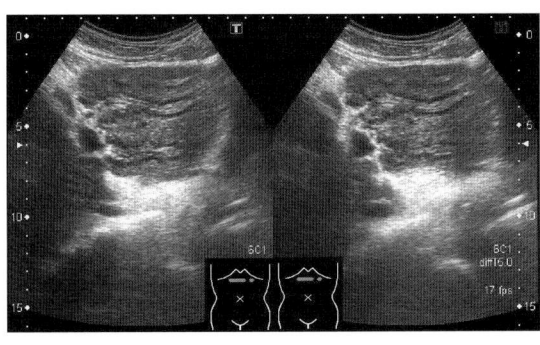

図27　portal sandwich sign（アルコール性肝硬変，5年間断酒中）
60代男性．
門脈左枝周囲を取り囲むように低エコー帯が認められる．
portal sandwich sign は，グリソン鞘の浮腫状拡大などを反映したものであるため，IPH 以外にも門脈圧亢進の強い症例でみられる傾向がある．

スクがある．また，大型胆管や胆管周囲腺にも沈着し，胆管狭窄をきたすことがある．
　超音波検査では，肝腫大が認められ，アミロイドの沈着が軽度な場合は実質像の粗雑化とエコーレベルの上昇がみられる．逆に沈着が高度な場合では，エコーレベルが低下することが多い．心臓に沈着すると心アミロイドーシスとなり，心不全に至った場合では，うっ血肝の所見を呈することがある．なお，肝腫大の形態は肝鎌状間膜を頂点とする非対称性で，三角形状の肝腫大の形態を呈する特徴があるとされるが，成因は不明である．

7. 特発性（非硬変性）門脈圧亢進症　idiopathic portal hypertension：IPH（図26）

　明らかな肝疾患や肝外門脈肝静脈に異常を認めない presinusoidal（前類洞）な門脈圧亢進症である．定義としては，門脈と下大静脈の圧較差が 5 mmHg 以上とされる[3]．免疫異常，門脈血栓症，感染，化学物質などが病因として考えられているが，確定されていない．組織学的には肝表面は平滑で，割面は通常は結節形成を認めない．門脈域の不均等分布，末梢門脈域の円形線維化と門脈枝の狭小化・潰れ，門脈域周囲の異常血行路形成などがみられる．肝被膜下肝実質の萎縮と中心性肥大が特徴的な所見である．
　超音波検査では，portal sandwich sign（periportal hypoechoic layer）とよばれる所見がみられることが多い（図27）．これは，肝内門脈枝を取り囲むように低エコー帯が認められるもので，グリソン鞘の浮腫状拡大や線維化およびその内部の多数のリンパ管様脈管を反映したものである．この所見は，肝内門脈枝のどの領域でもみられるが，外側区域枝で最もよく観察される．ただし，原発性胆汁性肝硬変や肝硬変などの門脈圧亢進疾患でも認められることがあるため注意が必要である．門脈圧亢進を反映して，門脈の一次分枝レベルの拡張がみられ，二次分枝以降は狭小化がみら

れ，門脈血栓を認めることもある．また，脾腫を伴い，側副血行路を認めることも多い．なお，肝硬度測定（エラストグラフィ）では，肝硬変に比べて有意に硬度が低いとされる．

8. 肝外門脈閉塞症/門脈海綿状変形　extrahepatic portal obstruction：EHO/cavernous transformation of the portal vein：CTPV（図28）

　肝外門脈本幹が血栓や腫瘍浸潤などで閉塞することにより，門脈周囲の静脈叢が拡張して側副血行路として発達し，海綿状血管腫様構造を呈する．一般的に後天性の肝外門脈閉塞症に続発し，後天性肝外門脈閉塞症の原因としては，新生児臍炎，肝外門脈血栓，肝外門脈腫瘍塞栓，胆嚢胆管炎，膵炎，腹部手術などがある．病理・病態はIPHと類似し，門脈圧亢進症の原因にもなるため，本所見が認められた場合には，他の側副血行路の有無なども確認する必要がある．

　超音波検査では，肝門部に数珠状の脈管構造を認める（cavernous transformation of the portal vein：CTPV）．このCTPVを介して門脈血流は肝内に流入するため，ドプラ検査で末梢の門脈は求肝性血流を呈する．その他は，広範な肝内門脈血栓症やIPHと類似する．

9. 肝内門脈-肝静脈短絡　intrahepatic porto-venous shunt：P-V shunt（図29）

　明らかな発生頻度は不明であるが，肝の腫瘤性病変として描出される血管性病変のなかでは最も多い．単発性のものから多発するものまで様々であり，短絡部は囊状の拡張として認められることが多い．成因は先天性，慢性肝疾患，外傷，肝生検の既往などが考えられているが，明らかではない．臨床的には無症状のものが多いが，短絡量により肝性脳症を呈する場合もある．また，まれではあるが，FNHやHCAを併発することがある．

　超音波検査では，拡張した門脈枝と囊状の短絡部（肝囊胞のように認められる）と肝静脈枝の連

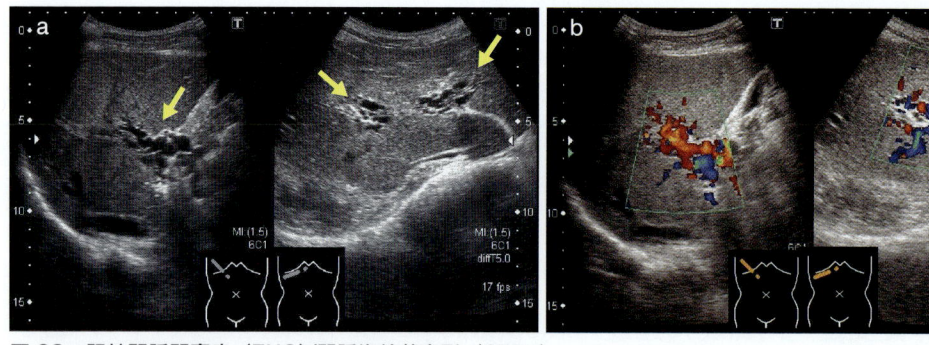

図28　肝外門脈閉塞症（EHO）/門脈海綿状変形（CTPV）
60代男性．
a：肝門部に数珠状の脈管構造を認める（矢印）．この画像のみでは血管か胆管かの区別はできない．
b：カラードプラにて血流シグナルがみられ，血管であることがわかる．CTPVの像である．

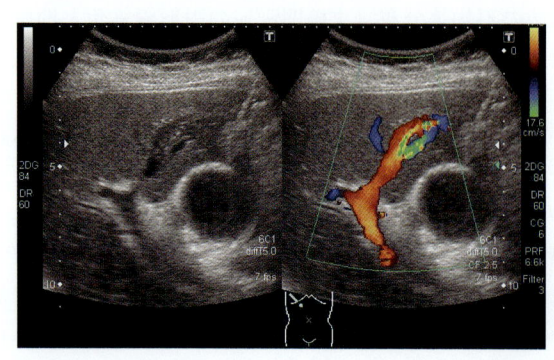

図29　肝内門脈-肝静脈短絡（P-V shunt）
　80代男性．門脈右前下行枝（P5）と隣接する肝静脈の連続性がみられ，短絡部分はカラードプラでモザイクを呈している．

続性が認められる．ドプラ検査にて，門脈と肝静脈に連なる屈曲蛇行する拡張した血管腔を証明することで診断は容易であるため，脈管の近傍に囊胞性病変を認めた際や門脈や肝静脈が末梢枝まで観察された際には，ドプラ検査で血流の有無を必ず確認しておく．なお，通常は門脈から肝静脈への血流を認め，肝静脈血流は高速化や2相性パターンの消失がみられる．

10. うっ血肝　congestive liver（図30，31）

肝静脈～右心系に至る経路に異常が発生し，静脈還流が停滞傾向になることによって肝内にうっ滞を起こした状態である．心臓障害（うっ血性心不全，収縮性心外膜炎，心弁膜症など）や高度肺高血圧，Fontan手術後などによる中心静脈圧上昇に伴うもので，全体に比較的均一なうっ血性変化がみられる．組織像としては中心静脈がうっ血し，類洞拡張や破壊，出血などが生じ，小葉中心部（中心静脈周囲）の肝細胞壊死をきたし，慢性化すると辺縁部では傷害されていない肝細胞がグリソン鞘を中心に線維化をきたし偽小葉を形成することで肝硬変に至るが，肝不全や門脈圧亢進症はまれである．肉眼的には，肝は腫大し，うっ血がより高度の実質は暗赤色を呈し，その周辺部のより障害の軽い部分との色調の違いによる網目状構造，ニクズク肝（nutmeg liver）がみられる．

超音波検査では，肝腫大，下大静脈・肝静脈の拡張がみられる．肝静脈は二次分枝以降にも拡張がみられ，肝静脈，下大静脈径の呼吸性変動が減少または消失する．実質のエコーレベルはやや上昇していることが多い．ドプラ検査では，右房収縮時の肝静脈血の逆流現象や門脈血流速度減少，

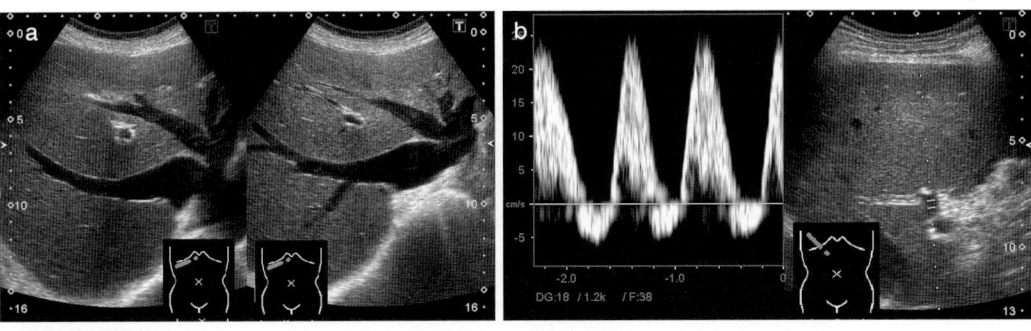

図30　うっ血肝
70代男性．
a：肝静脈の拡張を認める．左は通常呼吸時，右は深吸気時の画像で，肝静脈の径に変化を認めない．
b：門脈右枝のFFT解析を行うと，門脈血流が拍動性を呈しており，逆流成分がみられた．
急性期のうっ血肝の所見である．

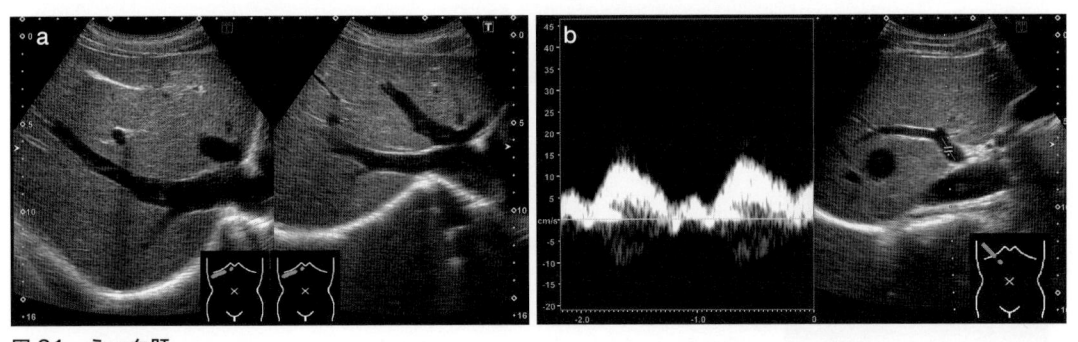

図31　うっ血肝
20代男性．
a：肝静脈の拡張を認める．左は通常呼吸時，右は深吸気時の画像で，肝静脈の径にわずかに変化を認める．肝実質も粗雑化がみられる．
b：門脈右枝のFFT解析を行うと，門脈血流が拍動性を呈しているが，逆流成分は認めない．
慢性期のうっ血肝の所見である．肝硬度（2D-SWE）は1.66 m/sと高値であった．

逆流像が観察される．腹水を伴うことも多い．
　その他に，肝静脈と下大静脈の還流障害を伴う病態としては，Budd-Chiari症候群がある．Budd-Chiari症候群は，種々の原因による肝静脈と下大静脈の還流障害に伴う病態の総称で，「肝静脈3主幹あるいは肝部下大静脈の閉塞ないし狭窄，もしくはこの両者の併存によって門脈圧亢進症などの症状を示す疾患」とされる．末梢細肝静脈，近位肝静脈，下大静脈レベルに分類されるが，これらの組み合わせも多い．欧米では一次的血栓症や肝静脈炎による肝内静脈血栓症によるものが多く，アジアでは近位肝静脈と下大静脈閉塞が中心の膜様閉塞（membranous obstruction）が多い．わが国では近年激減傾向とされている．肝静脈疾患以外の原因によるものは，二次性Budd-Chiari症候群とよばれる悪性腫瘍による圧排や浸潤によるものが多い．発症様式により急性型と慢性型に大別され，急性型は一般に予後不良である．慢性型は約80％を占め，多くの場合は無症状に発症し，次第に下腿浮腫や腹水，腹壁皮下静脈の怒張などを認める．
　超音波所見としては，下大静脈や肝静脈幹の著明な狭窄や閉塞を認め，血栓を伴うことがある．閉塞部位によっては肝静脈の拡張もみられ，ドプラ検査にて下大静脈や肝静脈の逆流を認めることがある．肝静脈閉塞が全体的に均一にみられる場合は中心性肥大の形態を呈し，肝静脈血栓・閉塞が不均一にみられた場合はそれぞれの肝静脈還流肝区域の萎縮や陥凹像，変形所見がみられる．

11．肝硬度測定（超音波エラストグラフィ）（図32〜35）

　超音波は，びまん性肝疾患の診断・評価に広く使用されている．近年では，C型肝炎，B型肝炎の治療が進歩し，線維化進展症例においても広く治療が行われている．従来，肝臓の線維化評価は肝生検による侵襲的な検査でなされていたが，この役割は超音波エラストグラフィに置き換わりつつあり，近年では保険収載もされている．
　超音波エラストグラフィは，外部からの機械的振動や音響放射圧によって肝内に横波である"せん断波"を発生させ，その伝搬速度から硬度を推定するshear wave imaging法と，外部から用手

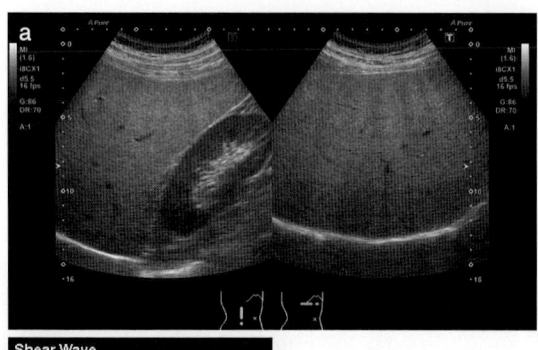

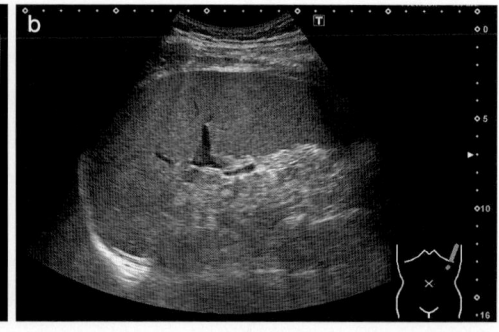

図32　伝染性単核症による急性肝障害の肝硬度測定
30代男性．168 cm, 97 kg, BMI 34と肥満あり．
a：肝実質は高輝度肝を呈し，肝腎コントラストを認める．また，深部減衰もみられる．
b：脾腫（長径15 cm）を認める．
c：2D-SWEの計測値．計測は8回施行．SWE：1.71 m/s（IQR/Median：8%）であった．

図33　自己免疫性肝炎（AIH）の肝硬度測定
　50代女性．
　a：肝表面の不整や肝縁の鈍化はみられないが，肝実質は不均一である．
　b：肝実質は不均一である．
　c：2D-SWE の計測値．計測は 7 回施行．SWE：1.23 m/s（IQR/Median：6%）であった．

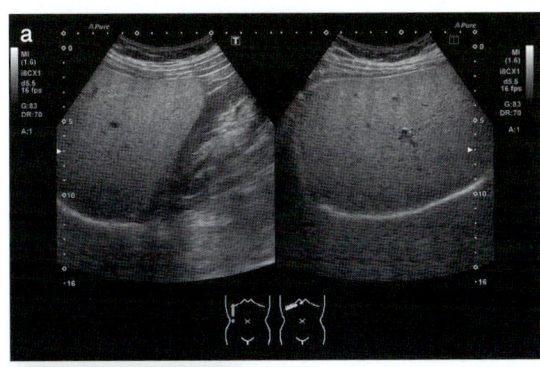

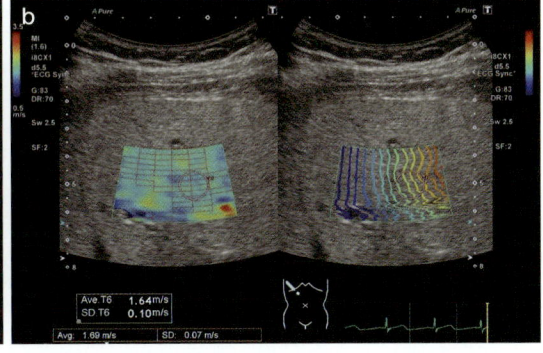

図34　NASH の肝硬度測定
　60代女性．
　a：肝実質は高輝度肝を呈し，肝腎コントラストを認める．また，深部減衰もみられる．
　b：2D-SWE の計測画面．
　c：2D-SWE の計測値．計測は 6 回施行．SWE：1.60 m/s（IQR/Median：12%）であった．

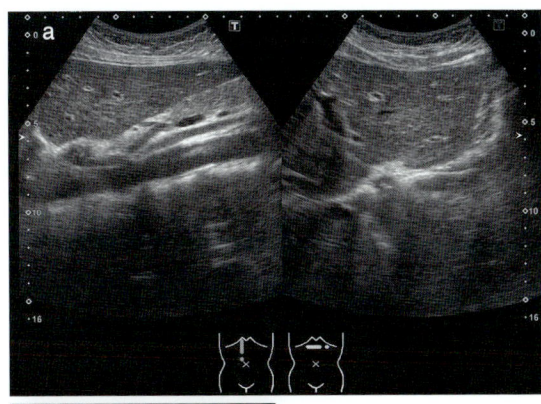

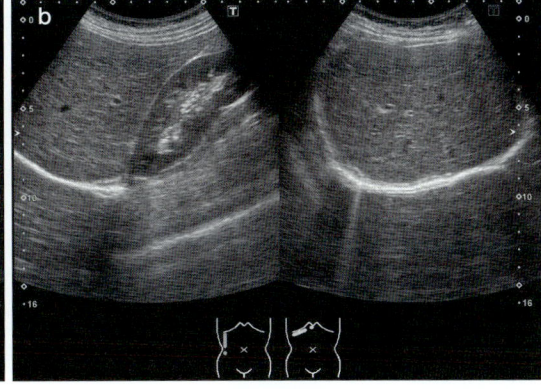

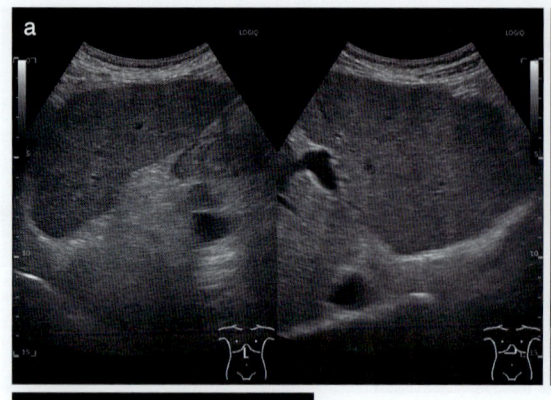

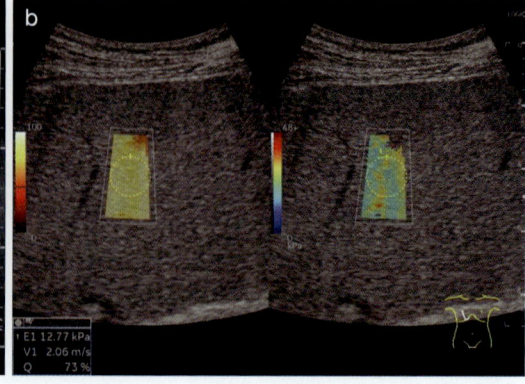

c	Stiffness	Velocity
Name	Site1	Site1
Med	13.07 kPa	2.09 m/s
IQR	1.44 kPa	0.11 m/s
IQR/Med	11.0 %	5.4 %
N	7	7
1	12.77 kPa	2.06 m/s
2	13.07 kPa	2.09 m/s
3	18.83 kPa	2.51 m/s
4	12.42 kPa	2.03 m/s
5	13.60 kPa	2.13 m/s
6	9.70 kPa	1.80 m/s
7	14.47 kPa	2.20 m/s

図35 アルコール性肝硬変の肝硬度測定
40代男性.
a：肝左葉の肝縁鈍化と肝実質の粗雑化を認める.
b：2D-SWEの計測画面.
c：2D-SWEの計測値. 計測は7回施行. SWE：2.09 m/s (IQR/Median：5.4％) であった.

的な圧力により組織へひずみを与え，ひずみの程度を測定する strain imaging 法とに大別される.

1) 超音波エラストグラフィの種類

(1) transient elastography (TE：FibroScan®)

TEは，専用のプローブを肋間に当て，プローブから発せられる機械的な振動により組織を振動させることで生じるせん断波の伝搬速度から肝硬度を推定する手法である. 世界的に最も早く利用され始めた手法であり，肝硬度の推定において最もエビデンスが蓄積されているのが強みではあるが，Bモード画像を確認しながら計測することはできないため，測定部位の信頼性が担保できないことが欠点としてあげられる. そのため，計10回の測定が推奨されている. また，皮膚の上から機械的な振動によりせん断波を生じさせる特性上，腹水がある患者の肝硬度測定はできない.

(2) point shear wave elastography (p-SWE)

p-SWEは，通常の検査で使用するプローブを用い，プローブから発せられる音響放射圧により生じるせん断波の伝搬速度から肝硬度を推定する手法である. TEと異なり，Bモード画像を確認しながら測定できるため，測定誤差の要因となる脈管が測定領域に含まれていないかを確認しながら測定を行える. 5～10回の測定が推奨されるが，安定した測定がなされていれば5回で十分とされている. しかし，測定領域が後述する2D shear wave elastography (2D-SWE) と比べて狭い範囲となることや，肝硬度の不均一性を画像的に表現できない点が欠点としてあげられる. そのため，わが国では2D-SWEが主流になってきている.

(3) 2D shear wave elastography (2D-SWE)

2D-SWEは，p-SWEと同様にプローブから発せられる音響放射圧により生じるせん断波の伝搬速度から肝硬度を推定する手法である. しかし，2D-SWEはp-SWEと比べて測定される領域が広く，かつ肝硬度をカラーマップで表示可能な点が異なり，カラーマップの色調により肝硬度の不均一性について評価することが可能である. また，多重反射や脈管近傍に生じるアーチファクトなどもカラーマップにより視認することができるため，p-SWEより容易に検査が可能である. 2D-SWEでも，

安定した測定がなされていれば5回で十分とされている．しかし，特に高度肝線維化症例では，カラーマップが非常に不均一に表示されてしまい，どの箇所を測定してよいか難渋することがある．最近の超音波装置では安定した測定部位を示す機能が備わってきてはいるが，安定した測定を行うには，相応の経験と技術が必要になる．

(4) strain elastography

strain elastography は，わが国を中心に開発された手法である．プローブを肋間に当て，主に心拍動による（まれに用手的に振動を与えることもある）肝臓のひずみを検知し，ひずみの多寡をカラーで表示する手法である．しかし，組織のひずみは相対的なものであるため，SWE と異なり絶対的な数値で表示することが困難という欠点がある．そのため，肝臓領域では SWE が主流となっている．ただし，SWE は肝臓の炎症やうっ血，胆汁うっ滞などの影響（高値となる）を受けるのに対し，strain elastography はそれらの影響を受けないとされている．なお，乳腺領域では，SWE を用いても用手的な乳腺の圧迫程度により硬度が変わってしまうという欠点があり，strain elastography が広く使用されている．

2) SWE 測定における注意点

①検査前に最低でも4時間の禁食が推奨される：食事により門脈血流が増加することで，わずかではあるが肝硬度が上昇するとされるためである．

②測定は右肋間から行い，右腕を挙上させて行う：右肋弓下や心窩部からの走査では，プローブの圧迫により肝硬度が上昇することがあり，肝左葉では心拍動による影響を受けるためである．

③測定時は安静呼吸の状態で軽く息止めをする．特に，深吸気や最大呼気時を避け，腹圧の影響を受けないように注意する．

④p-SWE では肝表から 15～20 mm ほど深い位置で測定する：これは，多重反射によるアーチファクトを避けるためである（皮下の厚みの倍の距離ともされる）．なお，2D-SWE ではカラーマップで多重反射の存在が確認できるため，それを避けて測定するとよい．

⑤肝硬度に影響を与える因子として，炎症（AST/ALT 高値：正常の5倍以上），黄疸，うっ血があり，これらが存在すると実際の線維化ステージよりも肝硬度が高くなるため，注意が必要である．さらに，皮膚から肝表までの距離が遠い肥満症例でも，実際の肝線維化ステージと異なる値が測定されてしまうため注意が必要である．これは，SWE 測定に使われる横波が B モードの縦波より減衰が強いためである．

⑥レポートには，中央値と interquartile range (IQR) to median ratio (IQR/Median) を記載する．安定して測定された場合には平均値と中央値はほぼ同一だが，測定値にばらつきがある場合には中央値のほうがよいと考えられているからである．また，IQR/Median 値を併記することで，測定値の信頼性を評価することが可能ともなる．kPa 表示の場合は IQR/Median は 30% 以下，m/sec 表示の場合は 15% 以下が推奨される．もちろん，これ以上になることも実臨床では多々経験するが，ほとんどが肝硬変症例であり，実際のレポートには測定不良例として参考値として報告しておく．

⑦最も重要な点であるが，SWE も超音波を用いて測定している以上，B モードにて良好な画像を描出する練習を十分に行ったうえで検査を行うべきである．

3) SWE の実際の役割

①C 型慢性肝炎の治療薬として直接作用型抗ウイルス薬（direct acting antiviral agent：DAA）が開発されたことにより，C 型慢性肝炎の治療は一変した．数カ月間の DAA 内服により 90% 以上の SVR (sustained virological response)，つまりウイルス学的著効，あるいはウイルス学的持続陰性化（血中 HCV-RNA 持続陰性化）が得られるようになった．わが国では基本的に C 型慢性肝炎に対する DAA 治療が可能であり，DAA 治療中および経過観察中に SWE を

表3 ウイルス性肝炎とNAFLDにおける肝硬度数値の解釈

肝硬度	肝硬度の解釈
≦ 5.0 kPa（1.3 m/s）	正常
< 9.0 kPa（1.7 m/s）	高度線維化進展（新犬山分類：F3〜F4）は否定的
9.0〜13 kPa（1.7〜2.1 m/s）	高度線維化進展（新犬山分類：F3〜F4）が示唆される
> 13 kPa（2.1 m/s）	高度線維化進展（新犬山分類：F3〜F4）が強く示唆される
> 17 kPa（2.4 m/s）	門脈圧亢進症が示唆される

（Bar, R.G., Wilson, S.R., Rubens, D., et al.：Update to the Society of Radiologists in Ultrasound Liver Elastography Consensus Statement. *Radiology*, **296**：263〜274, 2020をもとに作成）

経時的に行っている報告が散見される．それらの報告で，DAA治療開始早期より肝硬度の低下が観察されている．この現象は，DAA治療により線維化が改善したわけではなく，炎症が改善したことによると解釈されている．ただし，どの程度肝硬度が低下すれば肝硬変が軽減するかといった明確な基準は現時点ではなく，肝硬変症例はSVR後も肝細胞癌（HCC）の出現に備え，画像および腫瘍マーカーによるサーベイランスが必要とされている．

②B型慢性肝炎の治療としては，現在のところ核酸アナログ製剤が広く使用されている．C型肝炎のようにウイルス排除は困難だが，ウイルス制御は比較的容易となっている．基本的には治療対象となるB型肝炎症例でSWEが行われるが，無症候性キャリアにおいても高齢でHBV-DNA量が多く，血小板数15万以下の症例ではSWEによる肝線維化評価が必要とされる．しかし，B型肝炎におけるSWEのカットオフ値は，C型肝炎やアルコール性肝障害と比べ低値であることに留意する必要がある．

③現在増加が著しい非アルコール性脂肪性肝疾患（NAFLD）も，実際の肝線維化の程度に比してSWEの肝硬度が低値となることも指摘されており，腹壁の厚い肥満症例ではSWEによる肝硬度が実際の数値を正確に反映しにくいことが多いため，肝生検も視野に入れた経過観察を行う必要がある．

④自己免疫性肝炎（AIH）や原発性胆汁性胆管炎（PBC）の頻度はウイルス性肝炎やNAFLDと比べて低く，SWEについても比較的少数のコホートを対象としたものがほとんどである．AIHでは，炎症の強いところや炎症後の領域では高値を呈する傾向があるが，症例により傾向にばらつきがある．PBCにおいてもSWEによる肝硬度が予後を反映するという報告があるが，いずれも少人数を対象とした検討であり，エビデンスとしては十分でない．今後のさらなる検討が必要といった状況である．

4）ウイルス性肝疾患におけるSWEのカットオフ値

線維化ステージのカットオフ値に関しては，超音波装置間および疾患の成因によるバリエーションがあるため，その作成は困難である．しかし，最近では北米放射線学会（RSNA）主導でQuantitative Imaging Biomarker Alliance（QIBA）が組織され，このバリエーション軽減への試みがなされている．表3にRSNAが提唱しているウイルス性肝炎とNAFLDのSWEのカットオフ値を示す．しかし，前述したように，B型肝炎やNAFLDでは，実際よりも過小評価する可能性や，肥満症例ではアーチファクトによる影響で計測が困難となり，低値もしくは高値となる可能性があり，その利用には注意が必要と思われる．

12．肝性ポルフィリン症　porphyria（図36）

ポルフィリンの代謝異常により，ポルフィリンやその前駆物質が骨髄，肝，皮膚に増加し，多彩な症状を呈する疾患である．肝性ポルフィリン症の主な病型としては，急性間欠性ポルフィリン症，

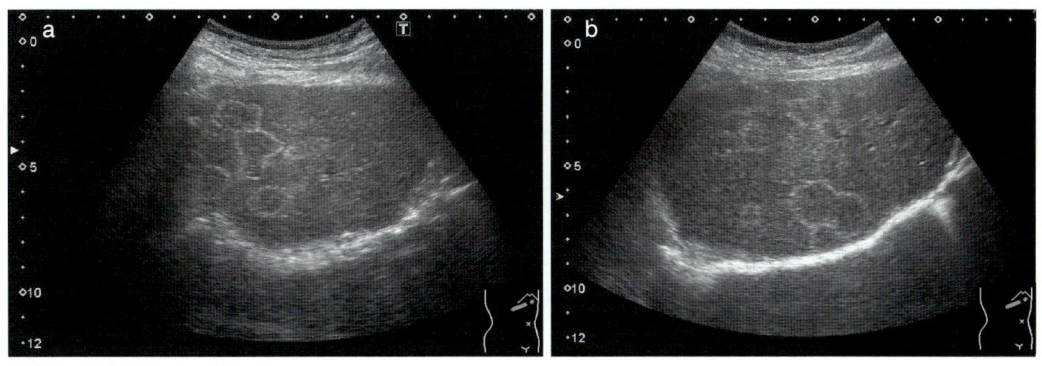

図36　肝性ポルフィリン症
70代女性.
a, b：様々な大きさで形状も多彩な辺縁高エコー帯を伴う腫瘤を多数認める.

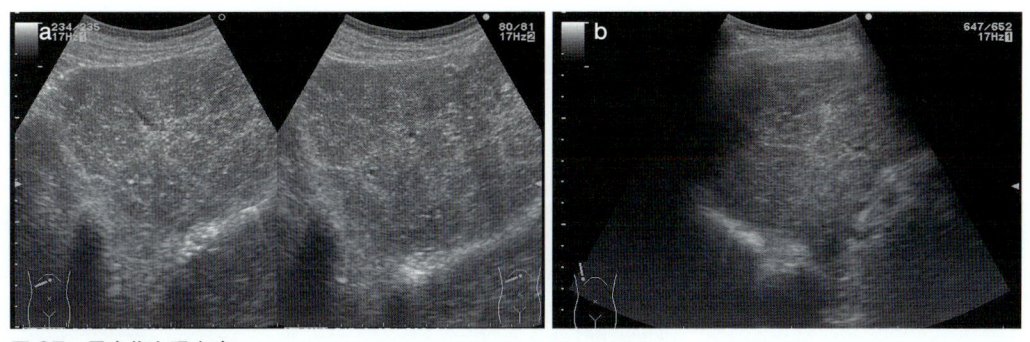

図37　日本住血吸虫症
70代女性.
a, b：肝内に網目状の線状高エコーを認める.

晩発性皮膚ポルフィリン症，先天性骨髄性ポルフィリン症などがある．頻度としては晩発性皮膚ポルフィリン症が最も多く，肝臓のウロポルフィリノーゲンデカルボキシラーゼの活性低下がその原因と考えられている．20％が常染色体優性遺伝を示すが，他の80％は遺伝子異常を伴わず，アルコール摂取やウイルス感染（C型肝炎ウイルスなど）が要因となり活性が低下する．一般的にはアルコール多飲者に発病しやすい．組織学的には，針状封入体が肝細胞内にみられ，脂肪沈着，鉄沈着や門脈域の炎症細胞浸潤などがみられる．

　超音波検査では，辺縁にリング状の高エコーを伴う，不整な円形〜楕円形の形状をした腫瘤像として認められる．大きさは様々ではあるが，数cm大の多発性腫瘤として検出されることがある．しかし，腫瘤による圧排性変化はなく，内部に門脈域が通常の配置で存在する特徴がある．

13. 日本住血吸虫症　schistosomiasis japonica（図37）

　日本住血吸虫症は，地域性（甲府盆地，広島県片山地方，および筑後川流域）に流行した地方病であるが，中間宿主であるミヤイリガイが駆除され，わが国では新規感染者は認められなくなっている．このため現在，わが国に存在するものは慢性期のものと考えられる．なお，日本で発見されたため日本住血吸虫の名がついているが，この吸虫自体は海外にも生息しており，最近では海外で感染した症例（外国人）がみられるようになっている．

　経皮感染によって血流中に入ったセルカリアは，最終的には門脈系に入って成虫になるが，その母虫は細い門脈枝で産卵する．卵は肝内門脈末梢枝を塞栓し石灰化をきたすため，門脈周囲の炎症，線維化（periportal fibrosis）により門脈圧亢進症，肝硬変を引き起こす．

超音波検査では，肝内門脈に塞栓した虫卵の石灰化とともに，periportal fibrosis によって形成された線維性隔壁が特有なパターンの要因と考えられており，肝実質のエコーパターンは粗雑となり，さらに細かい線状・帯状の高エコーが網目状にみられる（網目状，network pattern，亀甲紋様など）．さらに進行すると，肝縁の陥凹像などの肝硬変に類似した像を呈する．門脈圧亢進をきたした症例では，門脈の狭小不整化や脾腫，側副血行路などの所見がみられる．

14．肝エキノコックス（包虫）症　Echinococcosis（図 38）

エキノコックス症は，単包条虫（*Echinococcus granulosus*）による単包虫症と多包条虫（*E. multilocularis*）による多包虫症がある．わが国では，単包虫症は九州地方に散発的な報告をみるのみであるが，多包虫症は北海道を中心にみられる．ここでは多包虫症について述べる．

エキノコックス症は主にヒツジ，キツネ，ネズミ，イヌなどに寄生する人獣共通感染症であるが，ヒトを中間宿主とし感染する．わが国では，主に北海道のキタキツネが終宿主となっている．虫卵

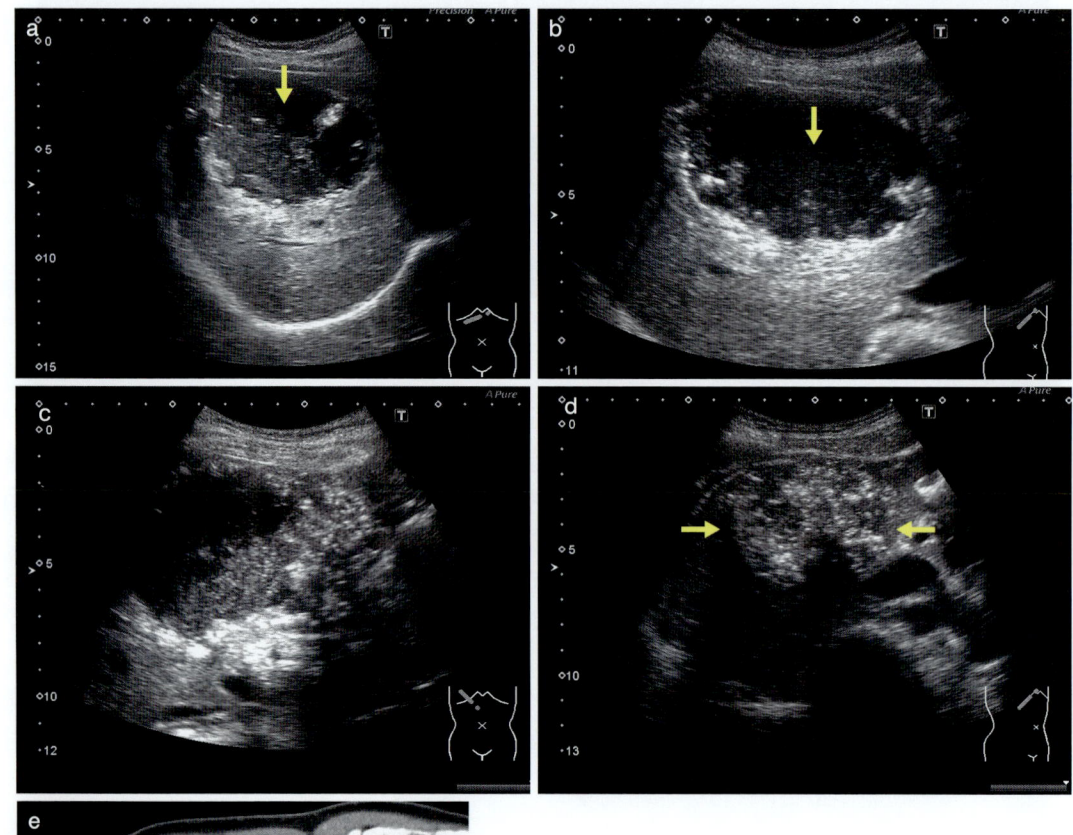

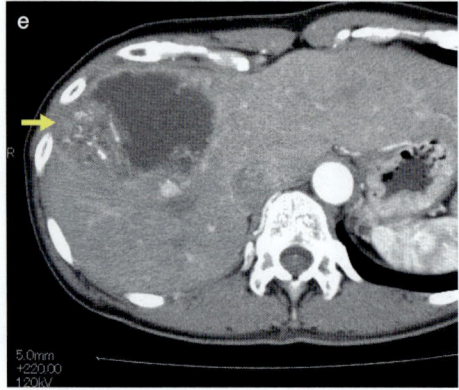

図 38　肝エキノコックス症
50 代女性．20 〜 40 代まで北海道への移住歴あり．
a：肝右葉（S5/8）に大きな境界不明瞭な腫瘤性病変を認める．
b：体位変換により内部の流動性がみられたことから，充実性病変ではなく，debris 様の沈殿物であると考えられる（矢印）．
c：腫瘤の辺縁部には細かな strong echo を認める．
d：さらに腫瘤境界部は境界不明瞭な部分を認め（矢印），細かな strong echo を認める（CT の矢印部分に相当）．
e：造影 CT 画像（早期相）．超音波検査でみられる境界不明瞭な部分は，小囊胞と石灰化を伴う部分であった（矢印）．

に汚染された井戸水や植物を経口摂取することにより，腸から門脈を介して肝臓に感染する．多包条虫は微小囊胞を形成するが，原頭節は囊胞壁を破り，蜂巣状の病巣となる．また，比較的早期に病巣周辺の肝実質を破壊しつつ浸潤し，門脈や胆管の閉塞をみる．病巣が増大すると血流障害による中心液化をきたして巨大な囊胞を形成する．腹腔内や横隔膜に浸潤性または播種性に病変が進展することもある．

　病巣の増大速度が遅い以外は，肝臓の悪性腫瘍と同様の病態を示し，放置すると約90％以上が致死的経過をたどる．病期は3つに分けられ，潜伏期は感染後数〜10数年で，病巣も小さく，肝機能も正常に経過するが，超音波検査，CTで病巣を検出でき，血清検査も陽性になる．この時期は切除により治癒できる．進行期は5〜10数年で，肝腫大に伴う上腹部の膨満・不快感，肝障害を呈する．すでに巨大な病巣を形成し，肺・脳・骨などに転移していることもある．適切な治療がなければ末期に移行し，重度の肝障害をきたしたり，囊胞が感染し敗血症となり死亡する．

　なお，肝膿瘍などの他疾患との鑑別が必要ではあるが，生検は播種やアナフィラキシーショックなどを起こす可能性があるため，原則として行わない．

　超音波検査では，多房性囊胞腫瘤を呈するものから充実性腫瘤様のものまで様々なパターンを呈する．1 mm以下の小さな囊胞が集簇した病変では高エコー腫瘤として認められる．中心液化による辺縁不整な囊胞像が多彩に認められる他，石灰化巣を伴うことも多く，充実性病変では結節性で病巣全体に分布する傾向があり，囊胞性病変では多節状あるいは塊状で環状配列を示す．

15. 肝膿瘍　liver abscess（図39〜42）

　細菌や真菌が肝内の局所で増殖し，これらに対して動員された好中球に由来した分解酵素により中心部から融解して膿を満たし，空洞形成した状態をいう．単発性と多発性があり，大きさは様々で，単房性と多房性の場合がある．原因菌としては，*Escherichia coli*や*Klebsiella*などが多い．経胆道性感染，経門脈性感染，経動脈性感染や医原性などが原因としてあげられる．一般的に経門脈性感染では孤立性が多く，経胆道性の場合は多発しやすいとされ，菌血症の場合は多発微小膿瘍を示すことが多い．経門脈性の多くは骨盤内や消化管の炎症が先行する．まれに，膿瘍内にガスの発生をみることがある．また，胆管炎から膿瘍をきたす症例や，転移性肝腫瘍が膿瘍をきたすこともある．

　肝膿瘍の原因としてアメーバ性や真菌性などもあるが，アメーバ性肝膿瘍の超音波所見は細菌性肝膿瘍と類似しており，特異性はみられない．一方，真菌性肝膿瘍の膿瘍径は小さく，肝両葉に均

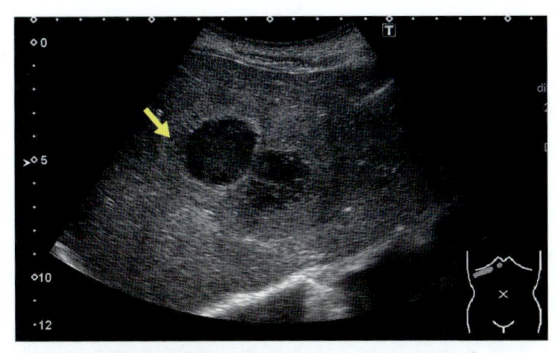

図39　細菌性肝膿瘍（*Klebsiella pneumoniae*）
60代男性．発熱あり（CRP：7.3 mg/dL）．
境界明瞭な囊胞性腫瘤と不明瞭な囊胞性腫瘤が認められる．病変部の周囲は炎症波及により，淡く高エコーに描出されている（矢印）．

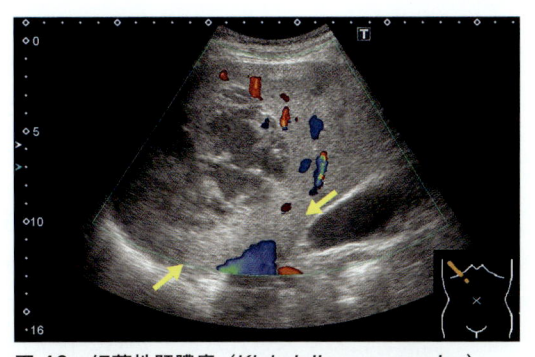

図40　細菌性肝膿瘍（*Klebsiella pneumoniae*）
50代男性．発熱あり（CRP：22.9 mg/dL）．
境界不明瞭で内部に充実成分を伴う囊胞性腫瘤を認める．カラードプラにて内部に血流シグナルは認められない．また，その他にも小さな低エコー腫瘤がみられ，後方エコーの増強を認める（矢印）．

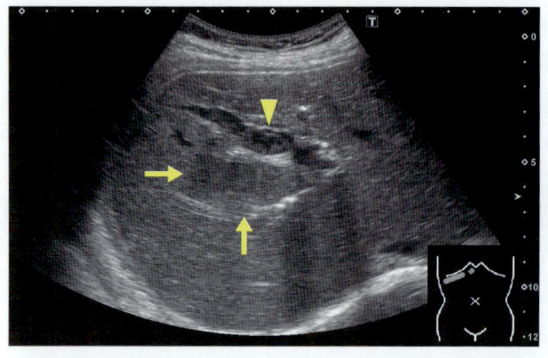

図41　先天性胆道拡張症術後の胆管炎からの肝膿瘍

20代女性．発熱と腹痛あり（CRP：11.9 mg/dL）．

拡張した胆管に接して境界不明瞭な淡い低エコー腫瘤を認める（矢印）．拡張した胆管内には胆泥がみられ，胆汁うっ滞が強く起きていることが示唆される（矢頭）．

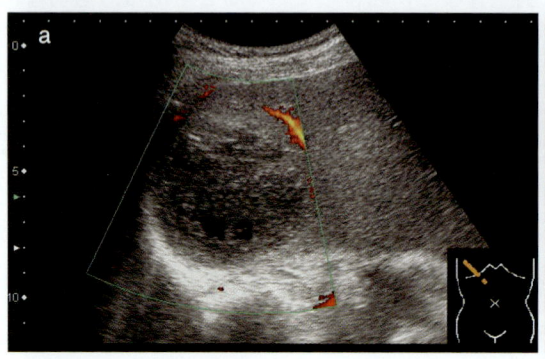

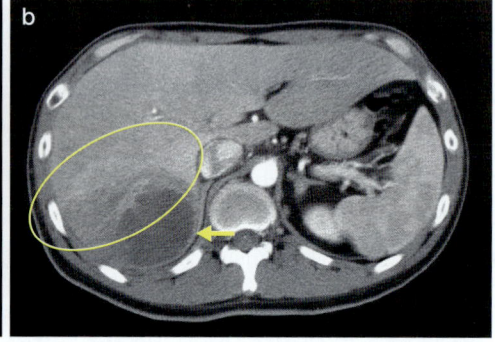

図42　アメーバ性肝膿瘍

30代男性．発熱あり（CRP：25.9 mg/dL）．
a：境界不明瞭な囊胞性腫瘤を認める．内部に流動性を有する点状の高エコーを認める．
b：造影CT（動脈相）にて，膿瘍部周囲の輪状濃染を認める（矢印）．これは肉芽組織を反映しているとされ，さらにその周囲には浮腫を反映した帯状の染影不良域と門脈血流障害を反映した区域性濃染からなる層構造が認められる（丸印）．
臨床症状（発熱）と画像検査より，肝膿瘍と診断された．膿瘍ドレナージにてアメーバが検出された．

一に存在することが多いとされる．

　感染の背景としては，アメーバ性肝膿瘍は熱帯・亜熱帯地方にみられることから，わが国では海外渡航者や同性愛者などにみられる．真菌性肝膿瘍は免疫能低下患者（AIDSや悪性腫瘍の治療，骨髄移植など）における日和見感染によることが多い．

　超音波検査では，病期や重症度で所見は様々であるが（充実性様から囊胞性，混合性腫瘤），内部の膿瘍部分とその周辺の炎症性変化が基本的な所見となる．膿瘍腔は初期では辺縁不整であるが，その後は鮮明化し形状は類円形となることが多く，ガス産生膿瘍では内部に強い高エコーをみることがある．肝膿瘍の発生初期や治療後などでは膿瘍腔は明瞭ではなく，充実性腫瘤の所見を呈する場合もある．また，胆管炎の所見を伴うこともある．

16. 肝囊胞　hepatic cyst（図43〜45）

　単純性肝囊胞は，胆管との交通性のない内部に漿液を含んだ囊胞である．組織学的には低円柱状，立方状から平坦な単層上皮で基底膜を有する．壁は薄い線維組織で構成される．

　高齢者に多くみられることから，後天的な要因による変化も考えられている．そのほとんどで症状は認めないが，巨大な場合は周辺組織の圧迫症状（腹痛や膨満感など）がみられることがある．まれに，囊胞内出血や胆管の圧排による閉塞性黄疸の症状を呈する．polycystic disease（多囊胞型）では同様の囊胞が肝内に多発し，両腎にも多数の囊胞がみられることがある．

　超音波検査では，辺縁平滑で境界明瞭な内部無エコーの類円形腫瘤を呈することが多く，後方エ

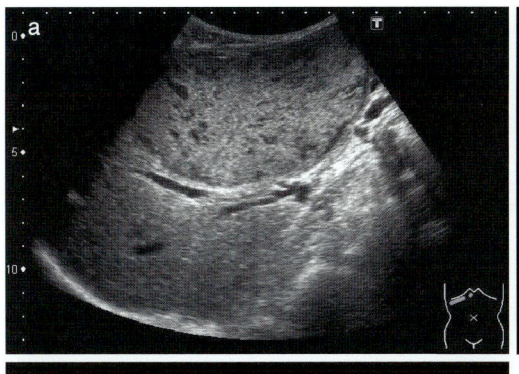

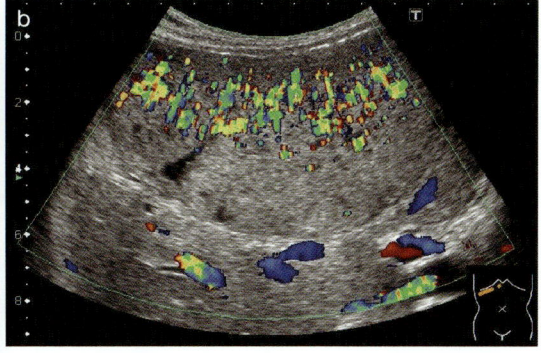

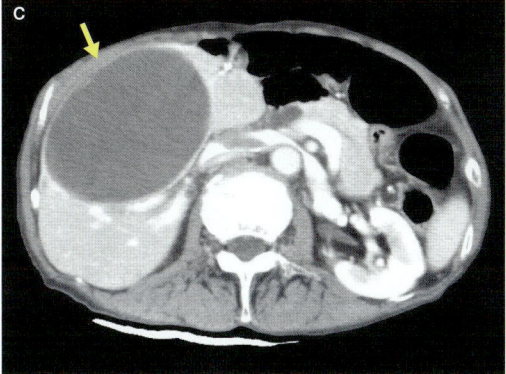

図43 肝嚢胞

70代男性.
a：境界明瞭で内部不均一な約10 cmほどの嚢胞成分と充実性成分が混在した腫瘤を認める.
b：カラードプラで観察すると，音響流に伴い，内部の粒状の高エコーが上から下へと向かう様子が観察され，カラーシグナルがランダムに観察される（血流シグナルではないアーチファクト）.
c：造影CT（動脈相）にて病変部内部（矢印）に濃染像はなく，壁の肥厚も認めないことから嚢胞と診断された．血液生化学的データの異常もなく，complicated cystと診断された.

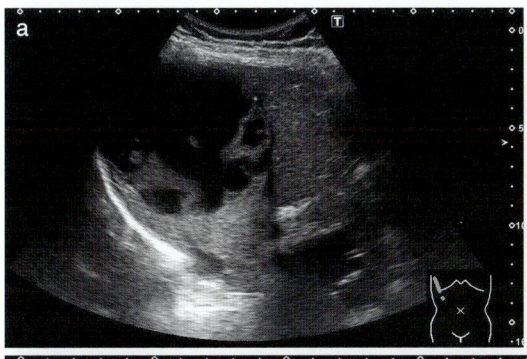

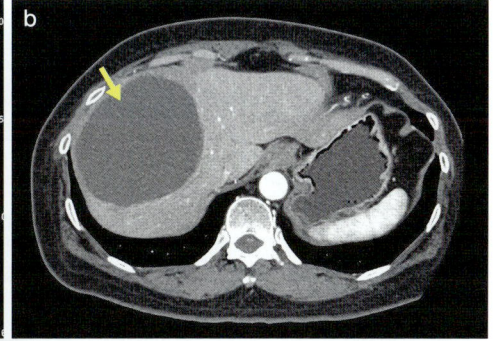

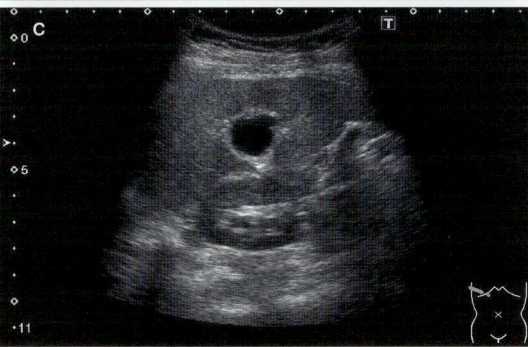

図44 様々な内部エコーを呈する嚢胞

a：60代女性．嚢胞内出血．境界明瞭で後方エコーの増強を伴う8 cmほどの嚢胞性腫瘤を認める．内部には形状不整な充実成分が浮遊性に揺れ動く様子が観察され，凝血塊と考えられた.
b：症例aの造影CT（動脈相）．病変部内部（矢印）に濃染像はなく，壁の肥厚や隔壁像も認めないことから嚢胞と診断された.
c：60代女性．嚢胞壁は厚く，高輝度に描出されている．これは嚢胞の感染や出血後，退縮過程などでみられる変化の一つである（complicated cyst）.

コーの増強がみられる．薄い隔壁を有するものの他，感染や出血をきたすと内部に充実成分を認めることもある（complicated cyst）．嚢胞壁の不整像や内部に充実成分を認める場合には，MCN（mucinous cystic neoplasm of the liver：肝粘液性嚢胞性腫瘍）やIPNB（intraductal papillary neoplasm of bile duct：胆管内乳頭状腫瘍）が鑑別としてあげられる.

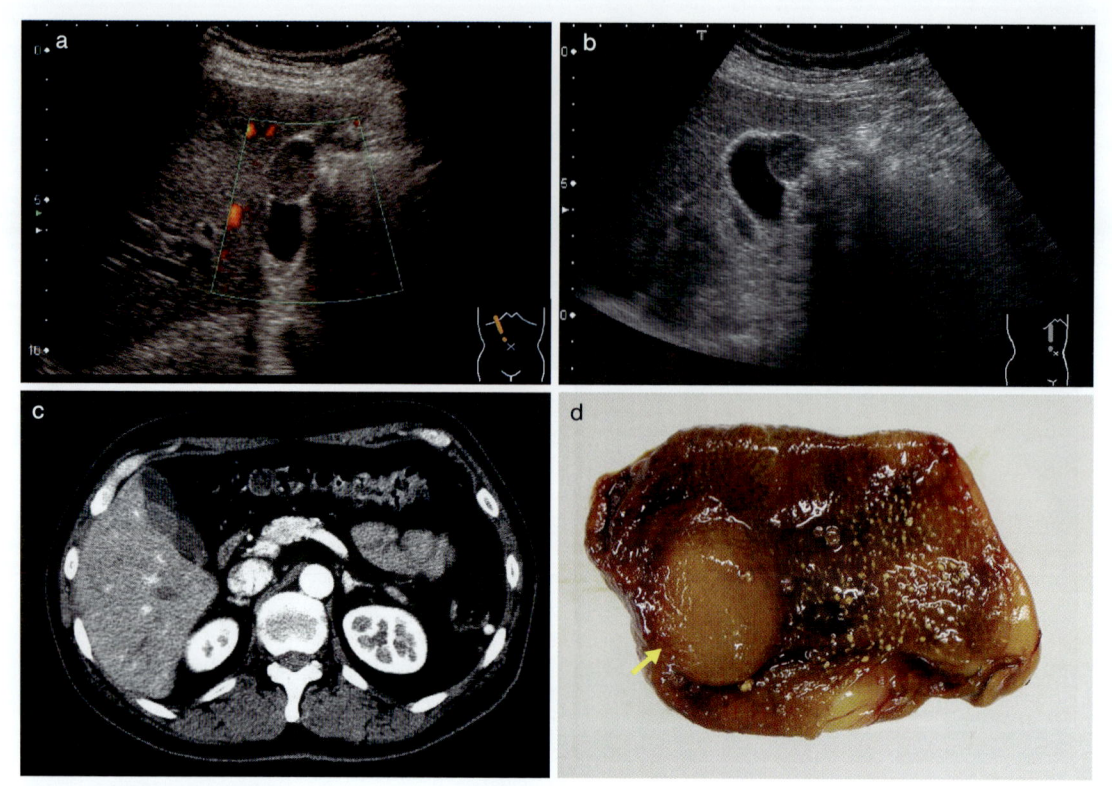

図45 絨毛性前腸性肝嚢胞

50代女性．

a：胆嚢に接して内部に微細点状エコーを伴う嚢胞性腫瘤を認める．カラードプラにて内部に血流シグナルはみられない．

b：体位変換にて内部に流動性がみられた（粘液性で様々な濃度の蛋白や脂肪成分を含有する内容物）．

c：造影CT（動脈相）にて嚢胞壁の肥厚や濃染像を認めない．まれにCT検査では肝実質と同程度のdensityを呈するため，充実性病変との鑑別が問題となるが，超音波画像で粘液成分の存在を確認することや，MRI検査でT2強調像の信号強度が高いことで鑑別される．

d：摘出検体．胆嚢は6.5×5cm大，底部に2.5×2cmの円形で軟な隆起性病変を認め（矢印），割を入れると乳白色の粘液が流出した．胆嚢粘膜には，頸部から体部にかけてcholesterosisを認めた．病理では，腫瘤周囲を取り囲む平滑筋層を認め，腫瘤内腔面には線毛上皮を認めたことより，胆嚢壁に発生した線毛性前腸嚢胞と診断された．

　その他に鑑別が必要となる嚢胞性病変として，ごくまれではあるが絨毛性前腸性肝嚢胞がある．これは，発生期に前腸を覆う線毛上皮の遺残によるもので，縦郭の気管支原性嚢胞と同様のものが肝臓に発生したものである．肝臓のS4，S8腹側面被膜下に好発し，内面が線毛性・粘液産生性の円柱ないし立方上皮で覆われているため，内容液は粘液性で様々な濃度の蛋白や脂肪成分を含有する．超音波検査では，通常の肝嚢胞と同様の無エコーである場合と，粘液成分を反映して内部エコーを伴う場合がある．発生部位に特徴があるが，complicated cystや壁在結節の明瞭ではないMCNとの鑑別には注意が必要である．

17. 胆管過誤腫　biliary hamartomas, von Meyenburg's complex（図46, 47）

　胆管壁組織の遺残を起源とする胆管非交通性の嚢胞性病変である．肝内の一部からびまん性分布を示す病変まで様々である．多発性では通常は1〜15mm大であるが，数cmに達することがある．微小胆管の嚢状拡張の集簇と厚い線維性間質で形成される．

　無症状であるため，人間ドックや健康診断などの超音波検査で偶発的に発見されることが多い．

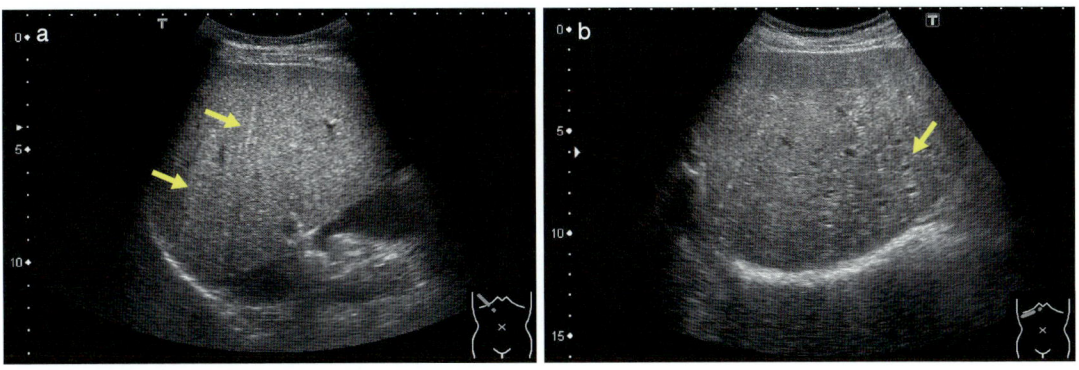

図46 胆管過誤腫
a：30代女性．全体に肝実質はやや不均一であり，comet signを多数認める（矢印）．
b：60代男性．小囊胞を認め（矢印），斑状の高エコー部分の他にもcomet signを多数認める．

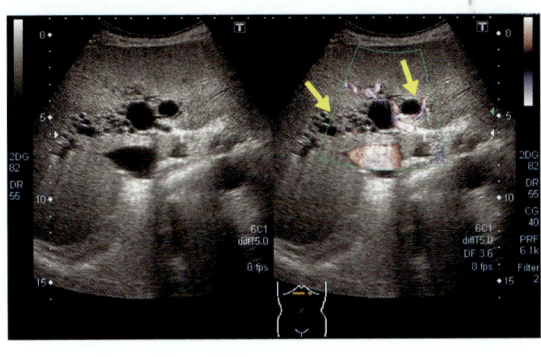

図47 peribiliary cyst
40代女性．アルコール性肝硬変．
肝門部に大小いくつもの囊胞性腫瘤が集簇して認められる．カラードプラにて血流を認めれば，CTPV（cavernous transformation of portal vein）が疑われる．

　通常は病的意義が乏しいが，大きさによっては黄疸や門脈圧亢進症状が出ることがあるとされる．また，きわめてまれに癌化の報告例もあり，経過観察が必要である．
　超音波検査では，肝内に微小な囊胞が存在する場合，囊胞内で多重反射が生じるためcomet like echoや斑状の高エコーとして描出されることがある．これらが多数存在すると肝実質が不均一に描出されるため，肝硬変などの慢性肝障害による実質変化やびまん型の肝細胞癌などと見誤らないように注意が必要である．また，微細小囊胞であることから，囊胞内もきれいな無エコーとして確認できないことがあるため，高周波プローブで観察することも鑑別につながる．基本的には肝実質は不均一であるが，肝表面は整で慢性肝障害の所見は認められず，多数の小さな囊胞がみられ，線状高エコーを認める．
　同様に，微小な囊胞が肝門部の太い胆管周囲にみられる場合は，胆管周囲付属腺（peribiliary gland）の貯留囊胞と考えられ，胆管周囲囊胞（peribiliary cyst）とよばれる．大きさは顕微鏡レベルから1cm前後が多いが，2cm以上になることもあり，内容は漿液で胆汁成分は含まない．組織学的に単層の上皮で覆われた囊胞が多発する．周囲に軽度の線維性結合織を伴うが，固有の壁はない．多囊胞肝や肝硬変（特にアルコール性）に高頻度に合併する．慢性肝疾患や門脈圧亢進症などでもみられる．肝硬変例では，進行とともに数や大きさが増大する．超音波検査では，門脈一次分枝周囲（左枝臍部から左枝水平部周囲が多い）に1cm前後の胆管と交通性のない囊胞として認められる．

18. 肝内石灰化　intrahepatic calcigication（図48）

　肝内の石灰化は，肝組織の感染，炎症性変化，壊死，変性，血管壁石灰化，門脈血栓の器質化，肝結核などによりカルシウム沈着が起こったもので，成因は様々である．病的意義のある石灰化と

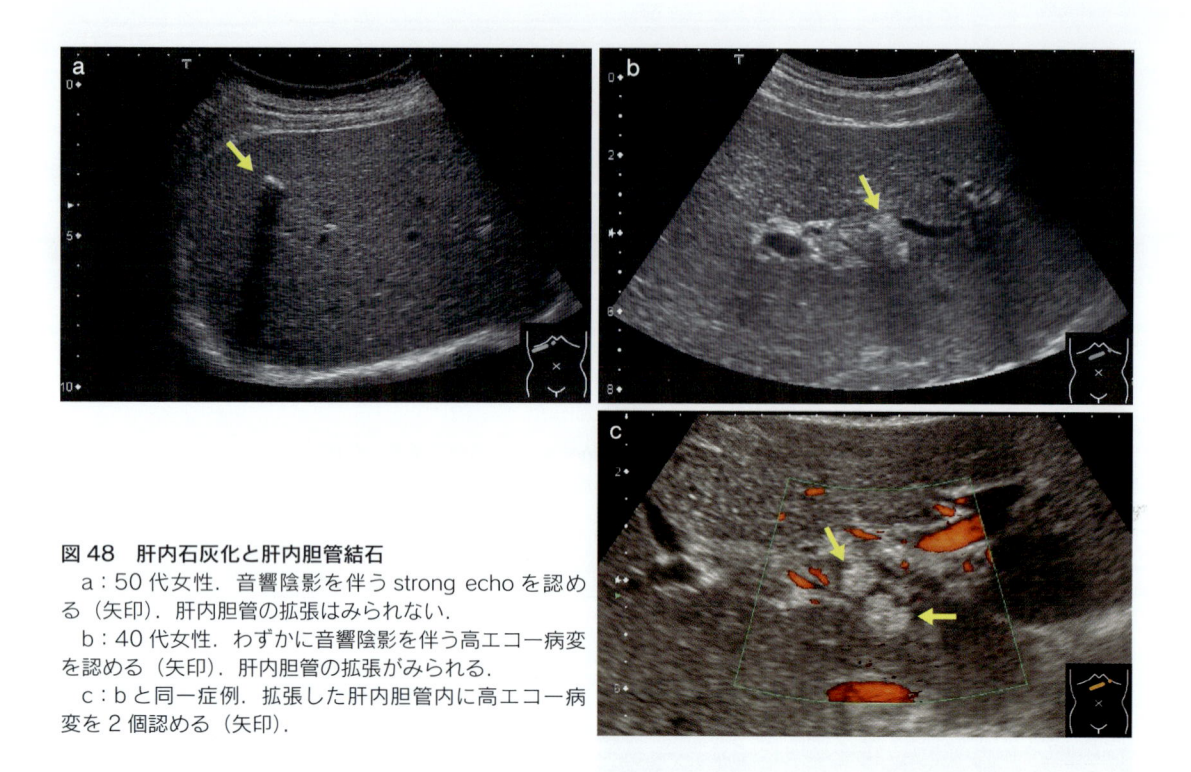

図48 肝内石灰化と肝内胆管結石
　a：50代女性．音響陰影を伴う strong echo を認める（矢印）．肝内胆管の拡張はみられない．
　b：40代女性．わずかに音響陰影を伴う高エコー病変を認める（矢印）．肝内胆管の拡張がみられる．
　c：bと同一症例．拡張した肝内胆管内に高エコー病変を2個認める（矢印）．

しては，大腸癌の転移性肝腫瘍，肝細胞癌の壊死変性，肝内胆管結石があるが，肝内胆管結石とは存在部位および肝内胆管の拡張像などから鑑別される．
　超音波検査では，音響陰影を伴った高輝度エコー（strong echo）または comet like echo を認める．また，肝内胆管の拡張は伴わない．逆に，肝内胆管の拡張を伴う場合には，肝内胆管結石となるが，肝内結石症は東アジア諸国に多いとされ，欧米にはほとんどみられない疾患である．わが国では減少傾向ではあるが，胆道再建後の二次性肝内結石症の増加を認めている．肝内胆管に存在する結石とその周囲胆管の紡錘状，嚢状拡張と肝門部側の胆管狭窄を特徴とする．成因としては，食事内容や衛生環境，感染といった後天性因子が関与している可能性が高いと考えられている．二次性肝内結石症では，胆道再建術後や外傷後の狭窄，血液疾患に伴う溶血，Caroli 病や先天性胆道拡張症などの ductal plate malformations（胆管形成不全）によるものがある．肝内結石症の多くはビリルビンカルシウム結石で，治療法の進歩にもかかわらず，遺残・再発率の改善は乏しい（約35％と高率）[14]．超音波検査は，結石や拡張胆管の描出にも優れており，肝内結石症が疑われる症例では第一選択の画像診断法である．ビリルビンカルシウム結石では，結石存在部位より末梢の胆管は拡張していることが多いが，コレステロール結石では，胆管拡張が結石存在部位のみに限局している．結石が存在することで硬化性胆管炎が生じ，門脈の線維性閉塞や門脈炎が生じるため門脈血流低下をきたし，末梢肝には線維化がみられ萎縮することがある．このような症例では，肝内胆管癌の合併に注意を要する．

19．肝血管腫　hepatic hemangioma（図49, 50）

　血管腫は，肝の非上皮性腫瘍のなかで最もよく遭遇する肝良性腫瘍である．血管腫はあらゆる年齢層にみられ，やや女性に多いとされている．基本的には無症候性で，超音波検査をはじめとする画像診断で偶発的に発見されるものがほとんどである．大きなものでは腹痛，腹部不快感，腫瘤触知などを認めることがあり，さらに巨大な例では Kasabach-Merritt 症候群が知られている．組織学的には，様々な大きさの血管腔からなっており，内腔には扁平化した内皮細胞が配列している．

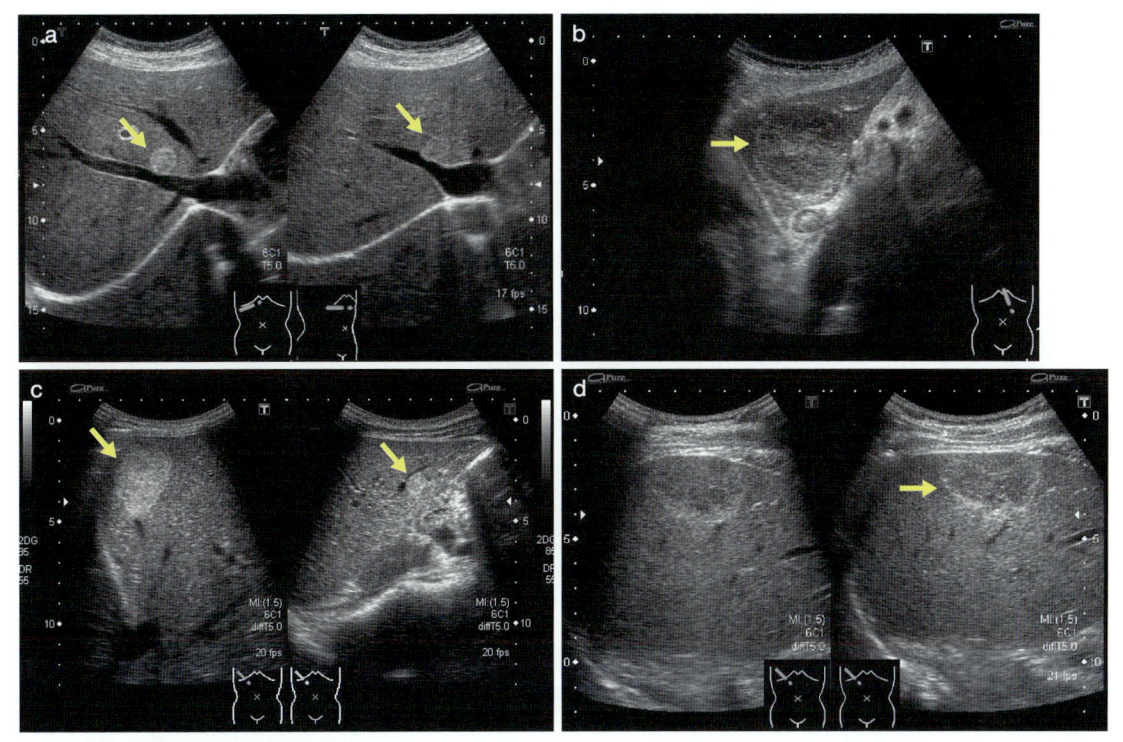

図 49　肝血管腫の様々な超音波像
　a：70 代男性．体位変換により内部エコーの変化がみられ，chameleon sign を呈している（矢印）．
　b：60 代女性．低エコー主体で内部が不均一な腫瘤を認め，辺縁部に marginal strong echo（矢印）を認める．
　c：30 代女性．高エコー主体の腫瘤を 2 個認める（矢印）．
　d：40 代男性．内部不均一な腫瘤を認め，辺縁部に marginal strong echo（矢印）を認め，輪郭はやや不整である．

　また，血管腔の間には線維性組織がみられる．血管腫は大きくなるにしたがって，新旧の血栓形成，壊死巣，瘢痕組織，硝子化などの様々な退行性変化がみられる．変性による線維化が高度になると，いわゆる硬化性血管腫（sclerosing cavernous hemangioma）となる．間質の豊富な線維化と血洞の狭小化が主体のものを sclerosed hemangioma として，通常の海綿状血管腫とは由来が異なるとする報告もある．
　超音波検査では，形状は小さなものでは類円形が多く，大きなものでは不整形を呈することが多い．肝細胞癌に比べ膨張性に乏しい．境界・輪郭は明瞭，細かな凹凸不整を認める．また，辺縁高エコー帯（marginal strong echo）を認めることがある（混在型・低エコー型に多く認められる）．内部エコーは高エコー型，混在エコー型，低エコー型に分けられ，小さなもの（2 cm 以下）は海綿状構造を反映して高エコー型が多く，2 cm をこえると混在エコー型の頻度が高くなる．また，内部エコーは，検査中に経時的変化をきたす wax and wane sign や体位変換により変化する chameleon sign，さらに圧迫により変化がみられる disappearing sign が特徴とされる．これらの内部エコーの変化は血管腫の血洞の拡張と収縮により内部に貯留する血液量が変化するため，血洞が拡張すれば反射源としてエコーレベルは上昇するが，血洞が閉じた時は反射源がなくなり，低エコーになると考えられている．リアルタイムに観察すると，腫瘍内にスペックルの揺らぎが観察されることもある（fluttering sign，糸ミミズサイン）．これは，広い血洞腔内の血球が揺らいでいる事象を観察しているものと推測されている．なお，30 〜 40％は多発性にみられるため，転移性腫瘍との鑑別が重要となる．他にも腫瘍性病変が存在していないか注意深く検査する必要がある．
　血管腫を経過観察するうえでの注意点として，脂肪肝を伴う例では辺縁高エコー帯（marginal

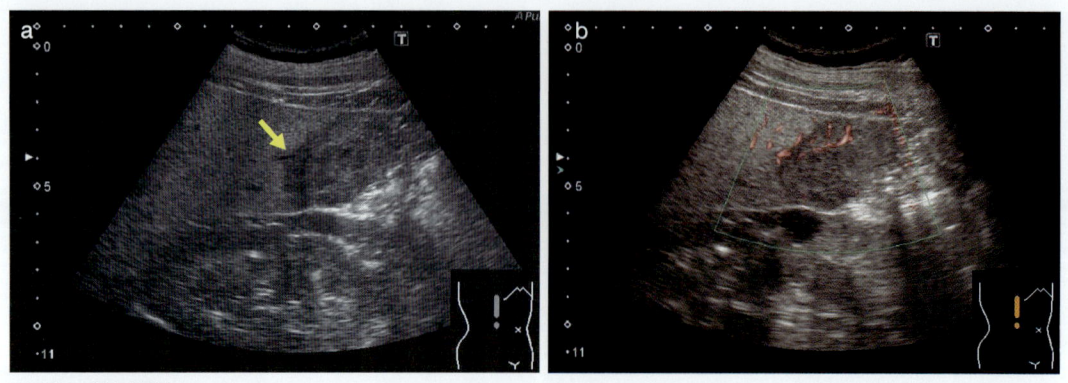

図50 肝血管腫
70代男性．
a：血管腫自体は内部不整な腫瘤として観察されているが，その周囲に低エコー域が広がっている（矢印）．
b：非腫瘍部に脂肪肝がある症例で血管腫がA-P shunt（動脈門脈短絡）を伴う場合では，脂肪沈着が少ない部分が生じるため，血管腫の周囲に限局性低脂肪域が認められることがある．このような症例では，経過観察を行ううえでサイズ計測をする際に注意が必要である．ただし，A-P shuntは肝細胞癌でもみられるため，特に慢性肝疾患を背景にもつ症例では，安易に血管腫と判断しない注意深さも必要である．

strong echo）が，脂肪肝によるbright liverの影響で低エコー腫瘤として観察されることが多いため明瞭ではないことが多い．また，限局性の低脂肪域（focal spared lesion/area）の好発部位（胆嚢周囲など）に血管腫が存在する場合もあるため，低エコー域であるとの安易な判断には注意が必要となる．また，肝細胞癌でも辺縁に高エコー帯を有する例（bright loop pattern）が存在するため，慢性肝炎を背景とした症例で腫瘤を認めた場合にも注意が必要である．なお，血管腫はサイズの変化が少ないとされるが，長期の経過観察の際には必ず初回検査の大きさと比較することが必要である．サイズの増大を認めるような症例では，悪性変化に注意が必要となるが，通常の悪性腫瘍などに比べると増大するスピードはきわめて緩徐である．反対に，まれにサイズが小さくなる例もある．これは，腫瘤内部に変性や線維化，血栓形成などが起こり，腫瘍の大部分を線維化や硝子変性が占めるようになったもので，硬化型血管腫（sclerosing hemangioma）とよばれている．硬化型血管腫は，画像上血管腫の特徴が乏しくなるため診断が難しくなり，他の腫瘍との鑑別が問題となることがある．また，肝血管腫のなかには，カラードプラを行うと内部に豊富な血流シグナルを認めるものがある．パルスドプラでは動脈性の拍動波が確認できる．このように，腫瘤内部の血流シグナルが豊富で血流スピードが速い血管腫は"high-flow hemangioma"と呼称され，このタイプの血管腫では，腫瘤に向かう肝動脈枝が太く発達し，蛇行して走行しているのが描出される場合がある．また，頻度は不明であるが動脈門脈短絡（A-P shunt）を伴っていることがあり（腫瘤辺縁部に強い血流シグナルを認める），背景に脂肪肝があると，短絡により動脈血が灌流する領域に限局性低脂肪域がみられる．限局性低脂肪域の好発部位でないにもかかわらず，肝実質に脂肪の抜けが認められた場合には，このA-P shuntを伴った血管腫の存在も念頭において観察するとよい．ただし，肝細胞癌もA-P shuntを伴うことが多いため，Bモード所見の特徴像とあわせて注意深い観察が必要となる．

20．肝血管筋脂肪腫　hepatic angiomyolipoma：AML（図51）

血管筋脂肪腫（AML）は血管・平滑筋・脂肪の成分からなる間葉系腫瘍で，腎臓以外に肝臓や子宮にも発生する．perivascular epithelioid cells（PEC）由来のまれな腫瘍とされ，PEComa（血管周囲類上皮細胞腫瘍）の一つである．肝のAMLは中年女性に好発し，単発であることが多い．また，小児での発生は少ないとされている．基本的に無症状であることが多く，偶然に発見される

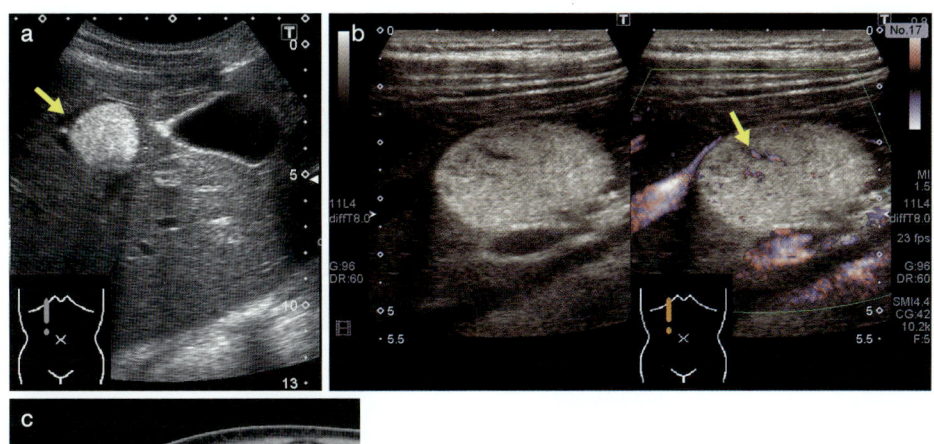

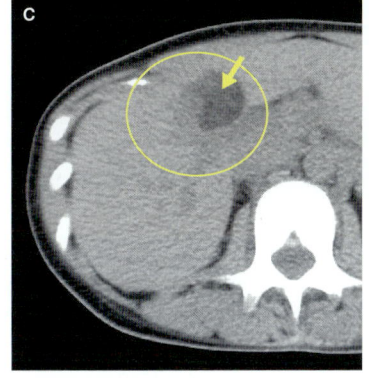

図 51　肝血管筋脂肪腫
a：30 代女性．S5 に境界明瞭な類円形の高エコー輝度の腫瘤を認める（矢印）．
b：高周波プローブによる高感度ドプラにて観察すると，腫瘤内部にわずかに血流シグナルを認める（矢印）．
c：単純 CT．CT でも腫瘤内（丸印）に脂肪組織が明瞭な低吸収域（CT 値：－ 32 HU）として確認できる（矢印）．
本症例は造影超音波検査も施行し，血管相（動脈優位相）にて近接する肝静脈への早期流出像が観察され，CT にて明瞭な脂肪成分が確認されたことから血管筋脂肪腫と診断された．

場合が多い．また，腎血管筋脂肪腫では結節性硬化症を合併することが多いとされるが，肝血管筋脂肪腫では数％程度の合併頻度である．

　AML は被膜を有さない境界明瞭な腫瘍であり，組織学的には成熟した脂肪組織，平滑筋や血管がみられ，症例によりこれらの割合が異なる．脂肪の割合は 5 〜 90％ と様々である．免疫染色では，HMB45 陽性を示し特異性が高い．ごくまれに，再発や転移様の所見を呈することから，悪性転化の可能性がある腫瘍として経過観察を行っていく必要がある．

　超音波検査では，類円形の高エコー腫瘤（血管腫よりも高エコー）として認められることが多く，腫瘤の後方エコーは不変〜減弱を呈する．脂肪成分の割合によって内部エコーの違いが生じ，脂肪成分が乏しい例では内部不均一な像を呈するため，肝細胞癌との鑑別が必要となる場合がある．特に，背景に慢性肝疾患が存在する症例においては注意が必要となる．また，背景肝が脂肪肝の場合では，肝実質のエコーレベル上昇に伴い，境界が不明瞭となることがある．特に高度の脂肪肝症例では，血管筋脂肪腫だけでなく他の腫瘍でも境界が不明瞭となったり，内部エコーが本来は高エコーであっても低エコーや等エコーとして観察されるため，腫瘍の評価を行ううえで注意を要する．なお，血管筋脂肪腫の流出静脈は肝静脈である例が多く，高感度ドプラなどで血行動態を観察すると鑑別につながる場合もある（流出静脈が肝静脈である点は FNH も同様ではあるが，この所見に関しては造影超音波検査が有用となる）．

21. 肝細胞腺腫　hepatocellular adenoma：HCA（図 52，53）

　肝細胞腺腫は，正常肝（非硬変肝）に発生する腫瘍性病変であり，経口避妊薬や蛋白同化ステロイドと関係があるといわれている．また，糖原病Ⅰ型にも合併することが知られている．欧米では比較的頻度が高いが，日本を含めてアジアでの発症は少ない．世界的には，経口避妊薬を使用する 20 〜 40 代の女性に多いとされるが，わが国では小児や男性例の頻度が相対的に高い．また，門脈

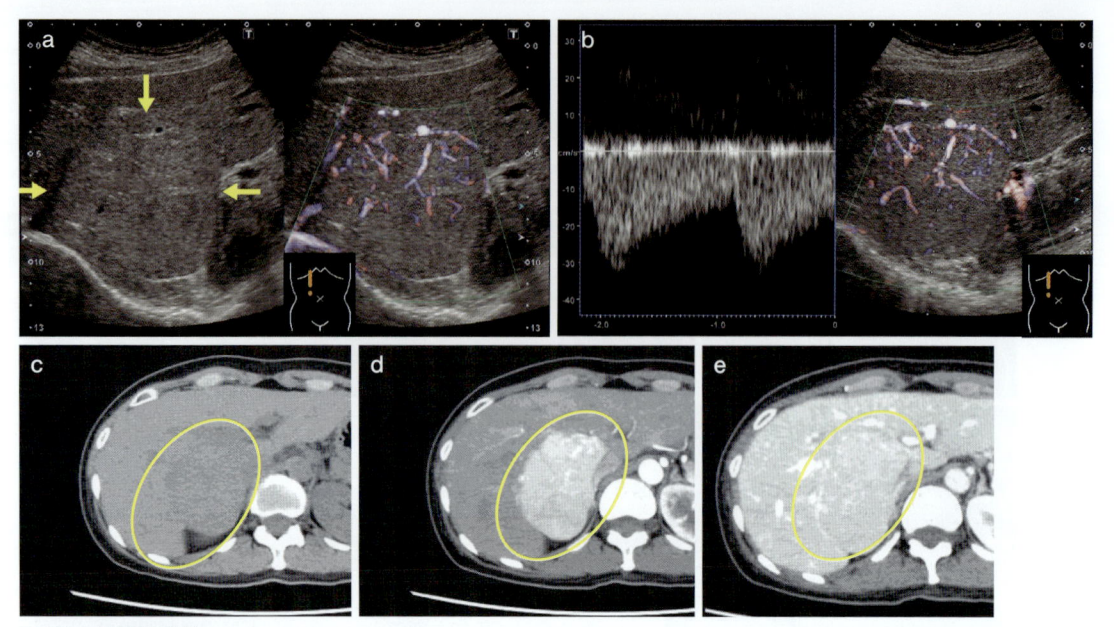

図 52　肝細胞腺腫
40 代女性.
　a：肝右葉（S6/7）にやや高エコーを呈する腫瘤を認める（矢印）．カラードプラにて，腫瘤の境界部分より取り囲むように流入する血流シグナルを認める．背景肝の実質は均一であり，肝表面も整で正常な肝臓である．
　b：FFT 解析により，流入血管は拍動性である（最高流速：32 cm/s）．このように，肝細胞腺腫は比較的血流豊富な腫瘤であることが多い．
　c：単純 CT にて，肝右葉後区域に低吸収の腫瘤を認める（丸印）．
　d：造影 CT（動脈相）にて，周囲肝実質よりも強く造影される．腫瘤との境界は明瞭で被膜様の構造はみられない．
　e：造影 CT（平衡相）では，腫瘤内部の造影効果は持続しており，wash out は認めない．
　本症例は，肝細胞腺腫疑いで経過をみていたが，増大傾向にあり，他院にて切除術が施行され，肝細胞腺腫の診断であった．

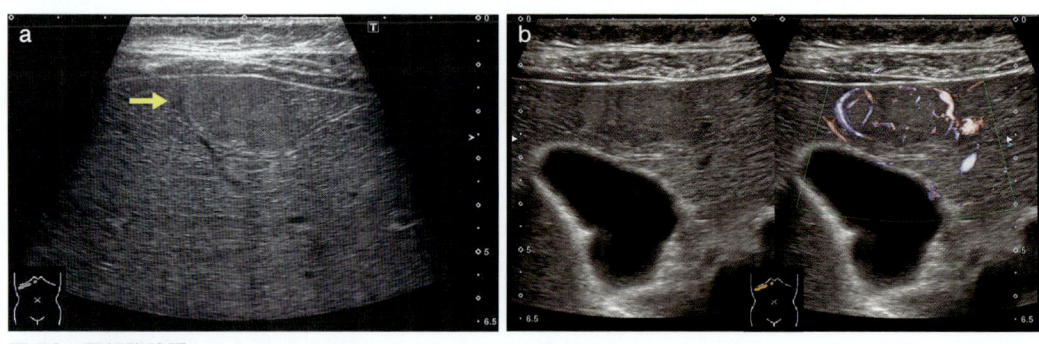

図 53　肝細胞腺腫
20 代男性.
　a：S4，肝表面に淡い高エコー腫瘤を認める（矢印）．背景肝の実質は均一であり，肝表面も整で正常な肝臓である．
　b：高周波のリニア型プローブで観察すると，内部エコーはわずかに高エコーであり，カラードプラにて腫瘤の境界部分より取り囲むように流入する血流シグナルが認められた．
　本症例は，造影 CT 検査，Gd-EOB-DTPA 造影 MRI 検査にて肝細胞腺腫と診断されている．なお，肝腫瘍生検に関しては，被膜直下の腫瘤であるため出血のリスクが考慮され施行されていない．

血行障害などにも合併することが知られている．単発から多発性と様々であるが，10 個以上多発する場合は肝細胞腺腫症（adenomatosis）と呼称される．典型的には，被膜はないかあっても薄い．内部には脂肪沈着，うっ血像，壊死像，線維化などが様々な程度で認められる．正常肝にみられ，

表4 肝細胞腺腫の亜分類別の特徴（WHO分類）

	H-HCA	I-HCA	b-HCA	unclassified type
頻度（欧米）	35〜50%	40〜55%	15〜18%	10%以下
変異遺伝子	HNF1A（encoding HNF1α）	IL6ST（gp130） STAT3 GNAS CTNNB1（10%）	CTNNB1（encoding β-catenin）	
免疫組織化学的特徴	L-FABP減弱	SAA陽性 CRP陽性	GSのびまん性高発現 β-cateninの核内発現	H-HCA, I-HCA, b-HCAに分類されないタイプ
臨床学的特徴	女性に多い（経口避妊薬が関連していることも多い）	肥満，飲酒と関連 男性例も多い	男性例も多い 癌化率が高い	
組織学的特徴	びまん性の脂肪化 炎症細胞浸潤が少ない 細胞異型が少ない	炎症細胞浸潤 細胆管反応 類洞拡張 異常動脈増加 背景肝の脂肪化	瘢痕 細胞異型がやや高度 時に壊死，出血，瘢痕 軽度の類洞拡張	

H-HCA：HNF1-α inactivated hepatocellular adenoma, I-HCA：inflammatory HCA, b-HCA：β-catenin activated HCA, HNF1-α：hepatocyte nuclear factor 1α, L-FABP：liver fatty binding protein, SAA：serum amyloid A, GS：glutamine synthetase.
（Bioulac-Sage, P., et al.：Focal nodular hyperplasia and hepatocellular adenoma. WHO classification of tumors of the digestive system. 4th ed. Bosman F, et al（eds）. IARC, Lyon, pp.198〜204, 2010をもとに作成）

表5 肝細胞腺腫の亜分類別の画像所見の特徴

	H-HCA	I-HCA	b-HCA	unclassified type
画像所見	腫瘍内に脂肪を多く含むことが多い（超音波検査では高エコーなタイプが多い）	腫瘍内の脂肪は軽度 脂肪肝に合併しやすい	瘢痕を有する例が多い 限局性の脂肪化や出血，壊死が時々みられる	特異的な画像所見の報告はない
血流（造影超音波検査，造影CT検査）	動脈優位相で軽度〜中等度の濃染 平衡相でwashoutされる	動脈優位相で強く濃染 平衡相での持続濃染	動脈優位相で不均一な濃染	特異的な画像所見の報告はない
他の画像検査での特徴的所見	T1強調像（out of pheese）でびまん性信号低下 内部均一 FDG-PET高集積 EOB-MRI（肝細胞相）で低信号	T2強調像で腫瘍辺縁がリング状高信号に抽出される（atoll sign） 腫瘍辺縁の造影効果がやや強い EOB-MRI（肝細胞相）で低信号	EOB-MRI（肝細胞相）で等〜高信号/肝実質と同程度に取り込み	

硬変肝には生じないとされている．通常，腫瘍内には門脈域や中心静脈は認められないが，Kupffer細胞はわずかに存在するとされる．腫瘍出血や腹腔内破裂の合併と頻度は低いが，癌化がみられる点で臨床的に重要となる．HCAは遺伝子学的，臨床病理学的に以下の4つのサブタイプに分類され，2010年のWHO分類にもこれらのサブタイプが明記された．すなわち，HNF1α inactivated HCA（H-HCA），inflammatory HCA（I-HCA），B-catenin activated HCA（b-HCA）とunclassified HCAの4型である（**表4**）．

超音波検査では，単発性の場合では，境界明瞭な充実性腫瘤として認められることが多い．内部

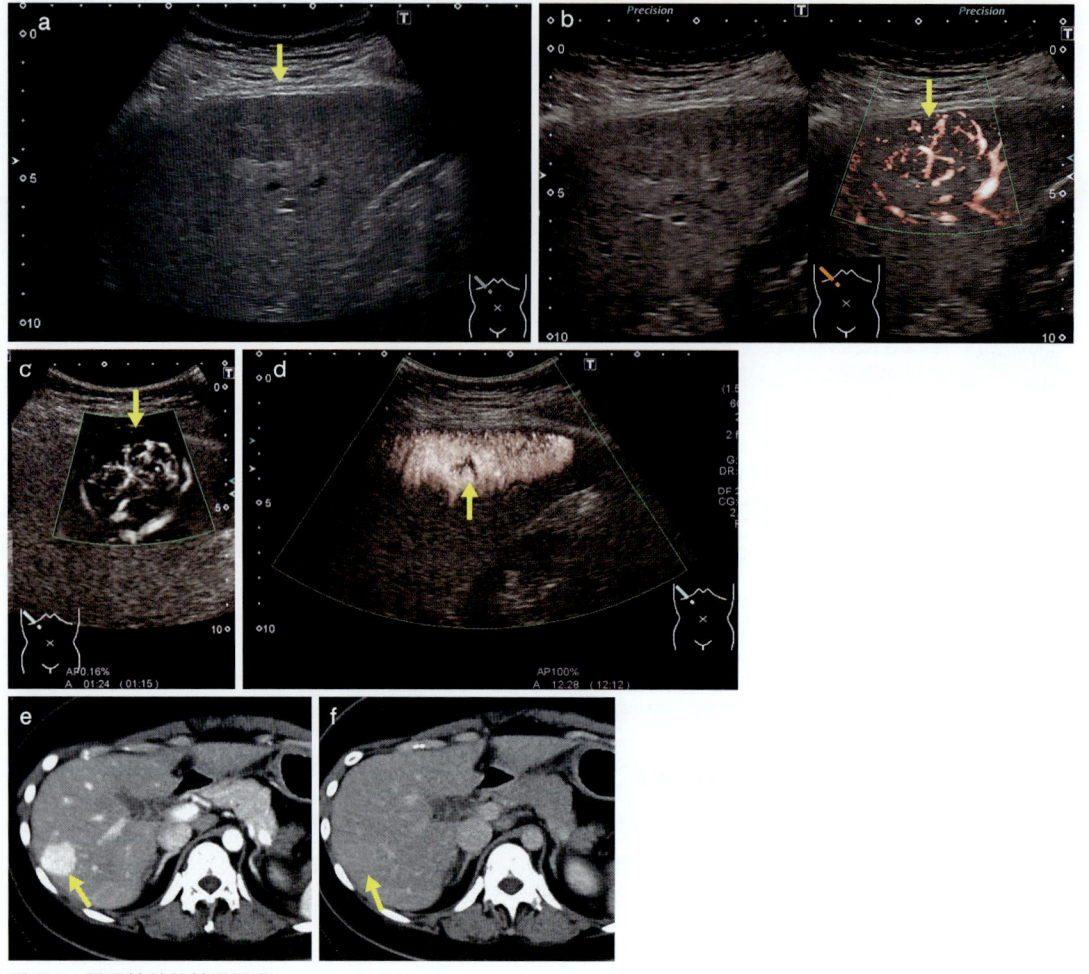

図54 限局性結節性過形成
30代女性．
a：S5肝表面に境界不明瞭な淡い低エコー腫瘤を認める（矢印）．わずかに後方エコーの増強がみられる．
b：高感度ドプラにて，車輻状の血流シグナル（spoke wheel pattern）を認める（矢印）．
c：造影超音波検査の血管相（門脈優位相：1分15秒）における観察で，明瞭なspoke wheel patternが観察された．
d：造影超音波検査での後血管相（クッパー相：12分12秒）で，高音圧モードにて観察すると，中心性瘢痕（central scar）が明瞭に観察された．
e：造影CT（動脈相）にて強い造影効果を認める（矢印）．
f：造影CT（平衡相）でも周囲肝実質と同等の造影効果を認める（矢印）．
造影超音波検査，造影CT検査のいずれもFNHと診断された．

　エコーは低エコー，高エコー，混合エコーなど多彩であるが，HNF1α inactivated HCAでは高エコーである頻度が高いとされる．まれに薄い被膜エコーを有することもある．超音波検査のみでの診断が困難なことも多いため，造影検査も含めた他の画像検査の特徴所見を表5にまとめた．

22. 限局性結節性過形成　focal nodular hyperplasia：FNH（図54, 55）

　限局性結節性過形成は，良性結節のなかでは海綿状血管腫に次いで多く，わが国では男女比に著しい差がみられないとされる．偶然発見されるものが多い．FNHは，非硬変肝に発生するポリクローナルな非腫瘍性病変であり，脈管や血流異常により増加した血流が局所の肝実質に過度に灌流することによって生じる肝細胞の過形成と考えられている．血管腫や門脈欠損症などの血管性病変が併

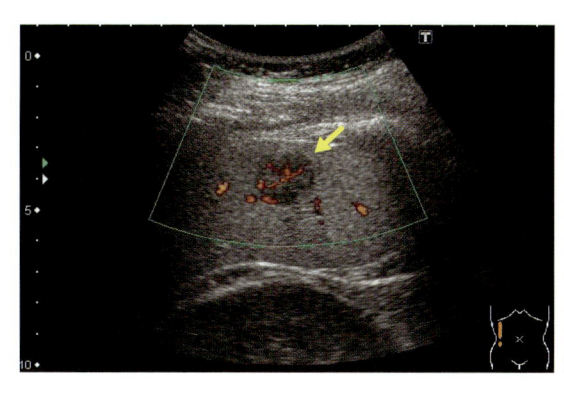

図 55　限局性結節性過形成
40 代女性．肝右葉（S6）に低エコー腫瘤を認め，内部にわずかではあるが高エコー部を認め，同部にカラードプラにて車輻状の血流シグナル（spoke wheel pattern）を認める（矢印）．

存することが多い．形状はほぼ正円形であるが，分葉状あるいは長円形でいびつなこともある．通常，単発であるが多発性のこともある．境界は明瞭であるが，被膜を伴わない．また，内部には出血および壊死は認めない．まれに，限局的な脂肪沈着がみられることがある．典型的には結節中央部に星芒状中心瘢痕（central stellate scar）を認め，そこから線維性組織が隔壁を形成するように結節内へ放射状に伸びている．中心瘢痕には，通常 1 本あるいはそれ以上の大きな動脈および胆管増生を認めるが，門脈枝は認めない．Kupffer 細胞が様々な程度に存在する．FNH の病因は確立されていないが，限局的な血行異常に伴い生じる肝細胞の過形成反応によると考えられている．癌化は生じないとされる．経過観察中に増大あるいは消退することもある．FNH の分子病理学的背景については，glutamine synthetase（GS）と肝細胞トランスポーター OATP1B3 の地図状の高発現がみられる．GS の地図状発現は，HCA や肝細胞癌との鑑別に重要である．

　また，硬変肝に FNH と類似の肝細胞性結節がみられる場合は FNH 様結節とよばれる．局所的な血流変化による過形成病変と考えられており，肝硬変に発生する異型結節とは分けて考える必要がある．特にアルコール性肝硬変に高頻度にみられるが，最近の分子病理学的な解析から，従来 FNH 様結節とされていたもののなかに，inflammatory HCA（I-HCA）と同様の免疫染色所見を示すものが多くみられることが判明しており，serum amyloid A（SAA）陽性腫瘍と呼称されている．

　超音波検査では，内部に中心性瘢痕や隔壁構造に相当する高エコー部がみられることがある．肝被膜下（肝縁近く）に発生する傾向が多い．辺縁低エコー帯はみられないことが多く，内部エコーは様々であるが，腫瘍径が大きいものは等〜高エコーを示すことが多い．カラードプラでは中心から腫瘍辺縁に向かう車輻状の血流シグナル（spoke wheel pattern）がみられることが多く，流出血流は肝静脈へ還流する．

23. 肝細胞癌　hepatocellular carcinoma：HCC（図 56 〜 63）

　肝細胞癌は，肝細胞に似た細胞からなる上皮性悪性腫瘍で，B 型肝炎ウイルス（HBV），C 型肝炎ウイルス（HCV），アルコール性肝障害，NASH などを背景とした慢性肝障害および肝硬変から発生しており，正常肝からの発生は非常に少ない．

　原発性肝癌取扱い規約第 6 版（補訂版）[5]において，肉眼分類では小結節境界不明瞭型，単純結節型，単純結節周囲増殖型，多結節癒合型，浸潤型の 5 型に分類されており，組織分類としては高分化型，中分化型，低分化型，未分化型に分けられている．また，特殊なタイプとして，若年者に多く中心性瘢痕を伴うことの多い fibrolamellar carcinoma（線維性層板状癌）や，線維性間質が 30％以上を占める硬化型肝細胞癌（scirrhous type HCC）なども存在する．

　超音波検査は，肝癌のサーベイランスでも，超高危険群（B 型・C 型肝硬変）では 3 〜 4 カ月ごとの，高危険群（B 型・C 型慢性肝炎，非ウイルス性肝硬変）では 6 カ月ごとのスクリーニング検

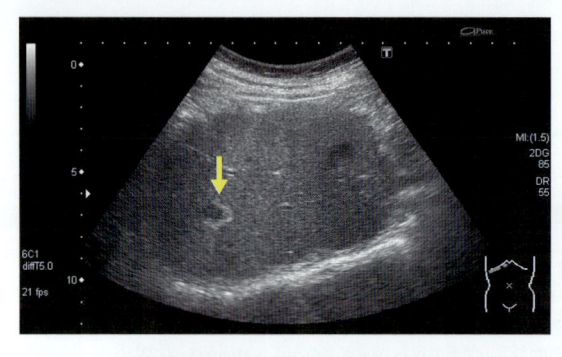

図 56　肝細胞癌（単純結節型）
　60代男性．肝右葉（S8）に低エコー腫瘤を2個認める．そのうちの1つの腫瘤辺縁部に，不規則な厚みをもった高エコー帯を認める（bright loop pattern）（矢印）．背景肝はC型肝硬変であり，造影CT検査でも肝細胞癌と診断された．

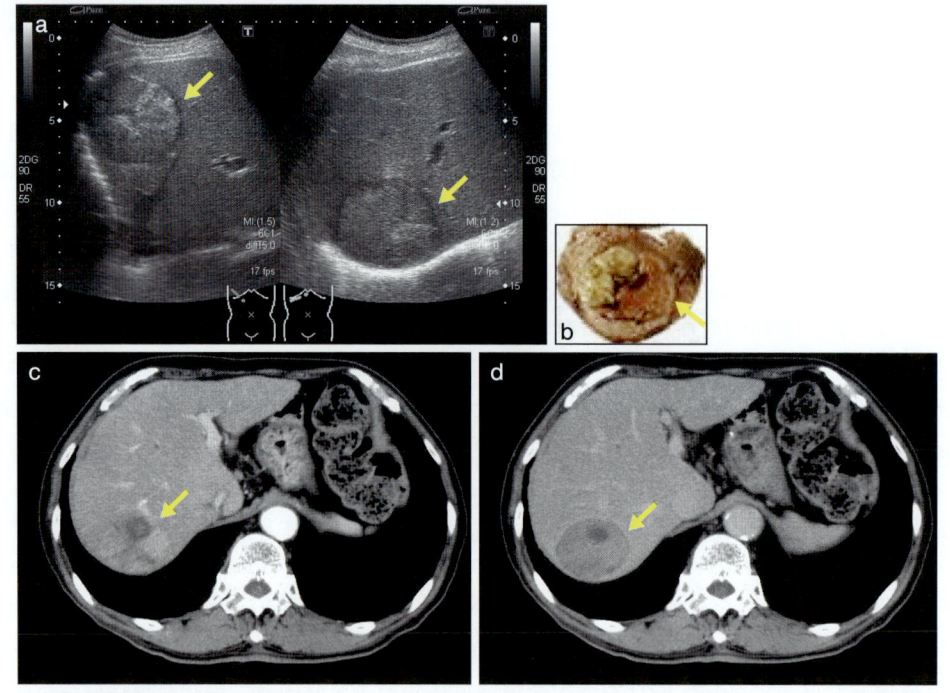

図 57　肝細胞癌（単純結節型）
　70代男性．C型慢性肝炎症例．
　a：肝右葉（S7）に辺縁低エコー帯（halo/ring sign）を伴う腫瘤を認める．内部は異なるエコーレベルが混在し，モザイクパターンを呈している．肋弓下走査では深部に描出されてしまうが，肋間走査で内部が明瞭に観察されている．
　b：肉眼像（マクロ像）．切除標本では辺縁低エコーを反映した線維性被膜（矢印）とモザイク状のパターンを認める．一部に出血も確認できる．中分化型肝細胞癌であった．
　c：造影CT（動脈相）で腫瘤は不均一に造影されている（矢印）．造影されていない部分は切除標本では出血部と考えられた．
　d：造影CT（平衡相）では，腫瘤内部は周囲肝実質より低吸収で，辺縁に被膜の存在を示唆するリング状の造影効果を認める（矢印）．

査が推奨されている．検査のなかで様々な肝細胞性腫瘍が検出されるが，これらの結節は当初（肝癌取扱い規約第3版；1992年）は大型再生結節，腺腫様過形成（adnomatous hyperplasia：AH），異型腺腫様過形成（atypical AH），初期の高分化型癌（その後，2000年の第4版で早期肝細胞癌に変更），高，中，低および未分化型に分類された．しかし，日本での早期肝癌の概念は欧米ではdysplastic noduleと診断されることが多く，国際的な混乱が続いたため，肝癌取扱い規約第5版（2009年）では，AHは軽度異形結節（low-grade dysplastic nodule：DN），atypical AHは高度異型結節（high-grade DN），早期肝癌，高分化型肝癌，中分化型肝癌，低分化型肝癌，未分化型肝

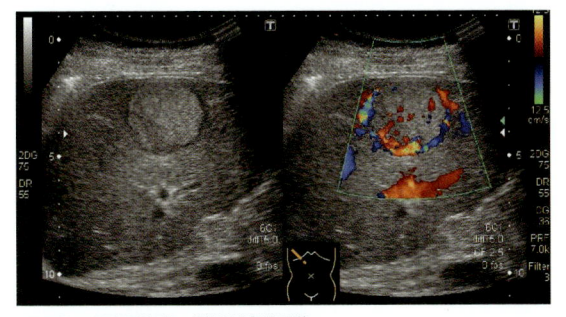

3 各臓器における超音波検査の進め方

図58 肝細胞癌（単純結節型）
　80代男性．C型慢性肝炎症例．肝右葉（S5）に辺縁低エコー帯（halo/ring sign）を伴う腫瘤を認める．カラードプラにて腫瘤辺縁より内部に流入する血流シグナルが認められ，バスケットパターンを呈している．

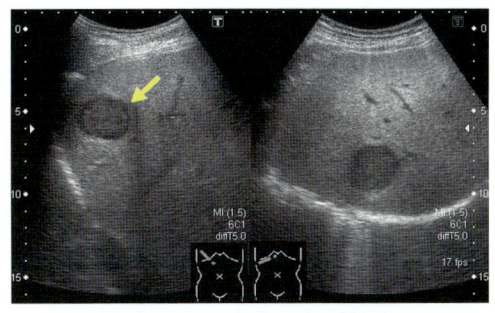

図59 肝細胞癌（小結節境界不明瞭型）
　70代男性．NASH症例．肝右葉（S7）に辺縁低エコー帯（halo/ring sign）を伴う腫瘤を認める（矢印）．脂肪肝を呈しているため，右肋骨弓下走査（右）でわずかに深部エコーの減衰が生じているため，辺縁低エコー帯が不明瞭ではあるが，右肋間走査（左）では明瞭に観察されている．腫瘤の観察では，多方向から確認することでその特徴像を把握することが重要となる．

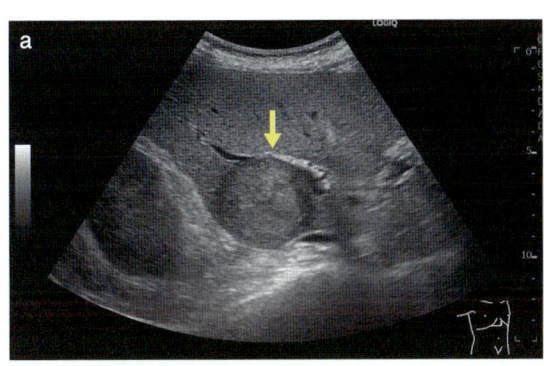

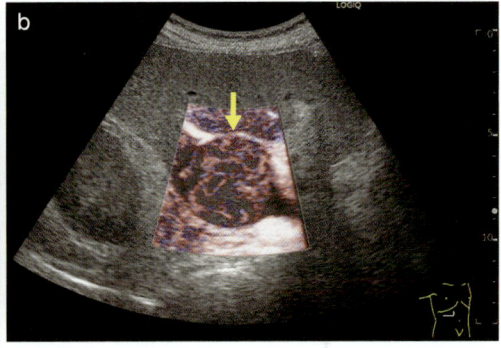

図60 肝細胞癌（単純結節型）
　70代男性．C型慢性肝炎症例．
　a：肝右葉（S6）に門脈に接する低エコー腫瘤を認める．門脈内腔は不明瞭である（矢印）．
　b：カラードプラでは，腫瘤内部に豊富な血流シグナルを認める．Bモードで不明瞭であった門脈内腔に血流シグナルが観察されることから，腫瘍浸潤ではなく，圧排像のみであることが分かる．

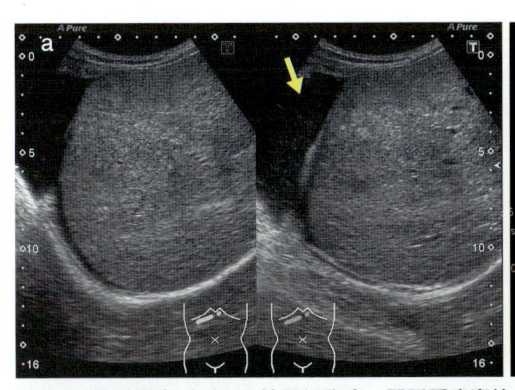

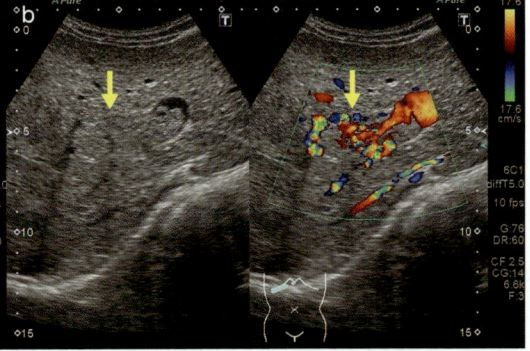

図61 肝細胞癌（びまん性肝細胞癌，門脈腫瘍塞栓（Vp4））
　50代男性．B型肝硬変症例．
　a：腫瘤自体は不明瞭で，肝実質が不均一．腹水も認める（矢印）．
　b：門脈左枝臍部から右枝にかけて，腫瘍塞栓を認める（矢印）．腫瘍塞栓内部には，カラードプラにて血流シグナルを認め，血管造影検査にて腫瘍栓の存在を示す thread and streaks sign に合致するものであった．

147

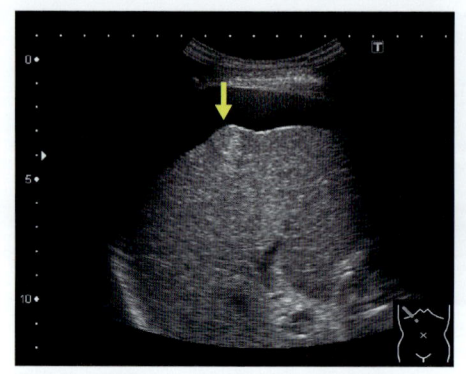

図62 肝細胞癌（単純結節周囲増殖型）
70代男性．C型肝硬変症例．
肝右葉表面（S5/8）に突出する腫瘤を認める（hump sign）（矢印）．肝細胞癌の膨張性発育を反映している．肝周囲には腹水も認める．

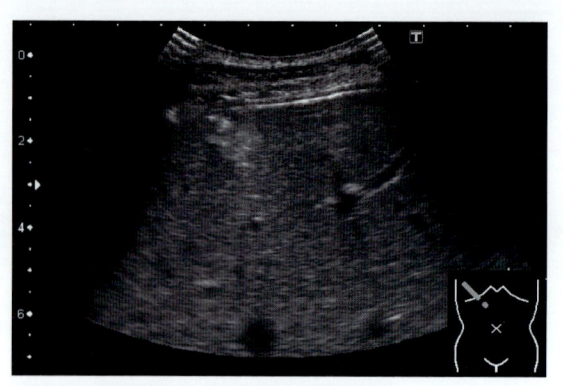

図63 肝細胞癌（小結節境界不明瞭型）
40代男性．B型慢性肝炎症例．
肝右葉表面（S8）に淡い高エコー腫瘤を認める．内部不均一で，一見すると血管腫のようにもみえるが，B型慢性肝炎が背景にあり，造影超音波では血管相（動脈優位相）で腫瘍濃染がみられ，後血管相（クッパー相）で淡い欠損像を呈し，肝細胞癌が疑われた．その後に腫瘍生検が施行され，高分化型肝細胞癌と診断された．

癌に分類されている．WHO分類もこれに準拠している．
　超音波検査におけるBモード所見は，肝腫瘍の超音波診断の基本であり，肝腫瘍の鑑別診断は形状，境界，輪郭，辺縁，内部エコーと後方エコーなどについて観察する[15]．日本超音波医学会の用語・診断基準委員会は，Bモード所見のHCCの特徴を詳細に要約しており，肝腫瘍の鑑別に有用である．基本的に境界は明瞭なことが多いが，小さな腫瘍や多結節癒合型などでは不明瞭なことも多い．10 mm以下のHCCの内部エコーは，多くが低エコーまたは等エコーであり，低エコーとなる腫瘍は細胞密度に比例して増加する．腫瘍径が20〜30 mmの結節では分化度の異なる癌組織の混在がみられるとされ，常に分化度の低い癌組織が結節の内側に，より高分化な癌組織が外側に位置している．さらに，腫瘍径の増大とともに高分化の癌組織部分は減少し，より分化度の低い癌組織によって置換されていくため（肝癌の多段階発育），mosaic pattern/nodule in noduleとして観察される．また，腫瘍辺縁に不規則な厚さのリング状高エコーを認めるbright loop像も，脂肪化を伴う高分化型肝癌のなかにより分化度の低い癌が発育したために生じるとされる所見である．癌組織に圧排された非癌部組織が萎縮や消失をきたし，結果として線維成分が凝集したものが線維性被膜であり，これが薄い辺縁低エコー帯（ハロー）として観察される．腫瘍が多段階発癌のステップとして出現する際には，脂肪変性が腫瘍径10〜15 mmの時に最も高頻度に観察され，内部エコーは高エコーとなる．腫瘍径が20 mm以上になると，mosaic pattern/nodule in nodule，薄い辺縁低エコー帯（ハロー），外側陰影，後方エコーの増強などがみられるようになる．また，肝細胞癌は血管や胆管内に浸潤し腫瘍塞栓をきたしやすく，特に門脈腫瘍塞栓の頻度が高いため，肝細胞癌に接する脈管の観察も重要となる．また，中分化型肝癌では，カラードプラにて腫瘍辺縁や内部に豊富な血流シグナルを認める（バスケットパターンといわれる）．
　肝細胞癌の標準的治療として，肝の予備能が保たれていれば手術が選択されるが，予備能の低下がみられれば，経皮的ラジオ波焼灼療法（radiofrequency ablation：RFA）や肝動脈化学塞栓術（transcatheter arterial chemoembolization：TACE）が施行される．最近では，これらの治療ができなくなった症例に対して，分子標的治療薬や免疫チェックポイント阻害薬を用いた薬物療法が行われるようになり，次々と新しい治療薬が開発されている．いずれも治療効果判定は，Bモードでは腫瘍径や形状，内部エコーの変化，ドプラでは腫瘍内の血流シグナルを確認するが，より正確な治療効果判定には，造影超音波検査や造影CT（CTAPやCTHA），MRI（Gd-EOB-DTPA造影

MRI）が必要となる．

（1）肝癌の血管侵襲評価

　肝癌が疑われる例では，治療方針を決定するうえでも，腫瘍の質的診断だけでなく，血管や胆管への侵襲（腫瘍塞栓）についても検索・報告する必要がある．以下に，原発性肝癌取扱い規約第6版から，肝癌の血管評価の一部を抜粋する．

【門脈浸潤】

　Vp0：門脈内に侵襲・腫瘍塞栓を認めない．
　Vp1：門脈二次分枝より末梢（二次分を含まない）に侵襲・腫瘍塞栓を認める．
　Vp2：門脈二次分枝に侵襲・腫瘍塞栓を認める．
　Vp3：門脈一次分枝に侵襲・腫瘍塞栓を認める．
　Vp4：門脈本幹，対側の門脈枝に侵襲・腫瘍塞栓を認める．

【肝静脈・下大静脈浸潤】

　Vv0：肝静脈に侵襲腫瘍を認めない．
　Vv1：肝静脈末梢枝に侵襲・腫瘍塞栓を認める．
　Vv2：右・中・左肝静脈本幹，下右肝静脈および短肝静脈のいずれかに侵襲・腫瘍塞栓を認める．
　Vv3：下大静脈に侵襲・腫瘍塞栓を認める

（2）腫瘍塞栓と門脈血栓の鑑別

　進行肝細胞癌の特徴の一つとして，門脈内あるいは肝静脈内腫瘍塞栓がある．腫瘍塞栓の有無は，予後の推定や治療法の決定にも重要となる．門脈本幹から亜区域レベルの腫瘍塞栓は，脈管に鋳型状の充実性腫瘤像として認められる．血栓との鑑別が困難な場合があるが，腫瘍塞栓は膨張性の発育を呈するため血栓とは異なり，脈管が拡張していることが多い．さらに，ドプラでの血流信号の有無を確認することが重要である．ただし，大きな腫瘍塞栓の先端部は壊死傾向が強く，血流が認められない場合がある点には注意が必要となる．腫瘍塞栓には脈管周囲より豊富な動脈枝が分布しており，高頻度にA-P shuntを形成していることが多い．A-P shuntは，腫瘍塞栓内の血洞を介して門脈に短絡すると考えられるが，腫瘍塞栓の長軸方向に血洞が分布することが多いため，ドプラにて血流シグナルが糸を束ねたように線状に観察されることがある（thread and streaks sign）．

24. 肝内胆管癌/胆管細胞癌（図64〜68）

intrahepatic cholangiocarcinoma：ICC/cholangiocellular carcinoma：CCC

　肝内胆管上皮あるいは肝内胆管周囲付属腺から発生する悪性腫瘍である．左右肝管より下流の管に発生した癌（肝外胆管癌）とは区別される．肝内胆管は左右肝管の肝側にはじまり，大型胆管（区域胆管から主要分枝），隔壁胆管（80〜200 μm），小葉間胆管（〜80 μm），細胆管（bile ductile）に分類される．大胆管周囲には付属腺が分布する．小型胆管は隔壁胆管と小葉間胆管に分類され，小葉間胆管は細胆管を介して肝細胞の毛細胆管ネットワークに連続する．肝内大型胆管に発生するものを肝門型肝内胆管癌（perihilar ICC），肝内小型あるいは細胆管から発生するものを末梢型胆管癌（peripheral ICC）と呼称する場合がある．しかしながら，肝門型肝内胆管癌と，肝門近辺から発生した末梢型胆管癌の大型胆管浸潤との鑑別は困難であることが多く，これらは傍肝門胆管癌（perihilar-cholangiocarcinoma）として扱われつつある．

　肝内胆管癌の多くは正常肝にみられるが，約10%は慢性肝疾患が背景にみられる．一部は肝内結石症，原発性硬化性胆管炎（primary sclerosing cholangitis：PSC），Caroli病，肝吸虫症などの慢性持続性胆管炎から発生する．慢性疾患では，特にC型肝硬変に合併する頻度が高いとされる．肝内胆管癌は原発性肝癌では肝細胞癌に次ぐ頻度であり，5%前後を占める．中年以降の高齢者に

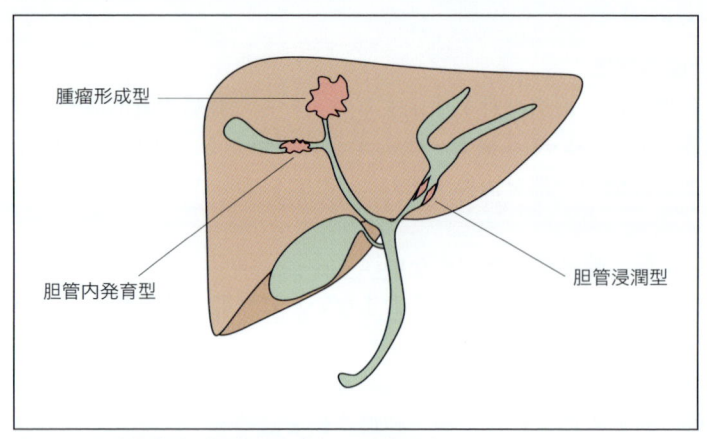

図64　肝内胆管癌（胆管細胞癌）の発育形式

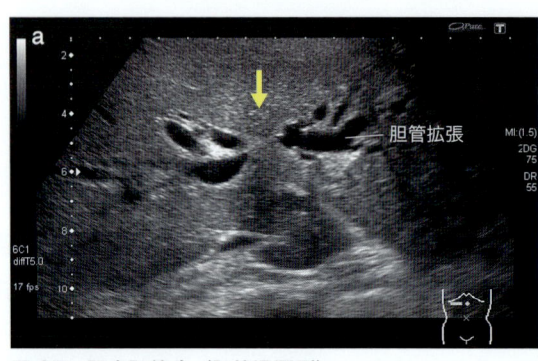

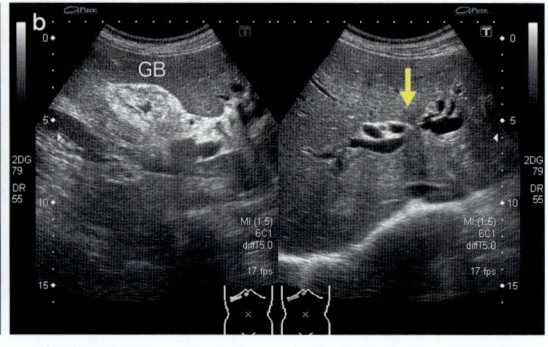

図65　肝内胆管癌（胆管浸潤型）
40代男性.
a：胆管の拡張を認めるも，腫瘤像は確認できない（矢印）.
b：肝門部で胆管の途絶を認めるため（矢印），胆汁が胆嚢に貯留できずに萎縮している．GB：胆嚢.
肝内胆管の拡張を認めた際には，胆嚢や総胆管の拡張の有無を観察することで責任病巣の存在位置が推測できる．

多く，性差は明らかではない．しかしながら，PSCや胆道形成異常に合併する場合は若年者でもみられる．わが国も含めて世界的に増加傾向にある．

　わが国の肝癌取扱い規約第6版（補訂版）（2019年）では，肝内胆管癌は腫瘤形成型（mass forming type），胆管浸潤型（periductal infiltrating type），胆管内発育型（intraductal growth type）の3基本型に分類しており，WHO分類にも取り入れられている．腫瘤形成型は，肝実質内に比較的明瞭な限局性腫瘤を形成しているもので，癌部・非癌部との境界は明瞭である．胆管浸潤型は，胆管周囲の血管・結合織を巻き込みつつ胆管の長軸方向へ浸潤性に樹枝状に進展発育し，しばしば末梢胆管の拡張を伴う．胆管内発育型は，胆管内腔に乳頭状に発育し，胆管内腫瘍塞栓の形態を示す．これらの型は混合性に認められることもある．わが国では腫瘤形成型が最も多く，胆管浸潤型でも進行すれば腫瘤を形成する．肝内胆管癌は，血行性・リンパ行性による転移率は肝細胞癌より高率で，予後も不良である．

　超音波検査では，腫瘤形成型では分葉状の腫瘤を形成することが多く，高頻度に胆管浸潤をきたすため，末梢胆管の拡張を伴うことが多い．被膜を伴わない低～等エコー腫瘤（大きくなると高～低エコーと様々となる）で境界はやや不明瞭である．内部は軽度不均一で幅の広い辺縁低エコー帯を伴うことがあり，腫瘤内に管腔構造を認めることもある（内部に比較的大きな門脈域を取り込んで発育する場合があるため）．また，肝被膜下に存在するものでは，癌臍を伴うことがある．胆管浸潤型は，肝門部に発生することが多いとされ，境界不明瞭な低～等エコー腫瘤を呈し，胆管の狭

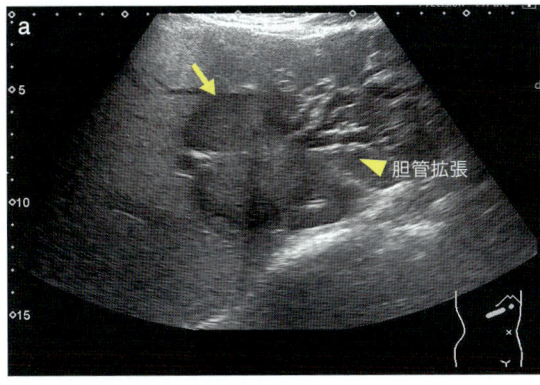

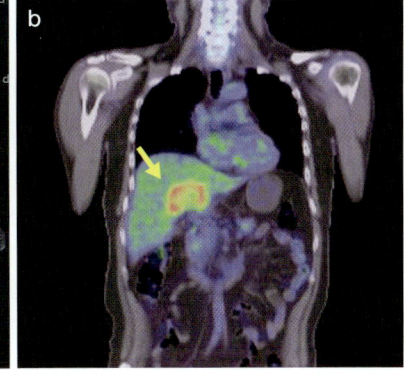

図66 肝内胆管癌（腫瘤形成型）
　a：40代男性．左葉外側区に比較的幅の広い辺縁低エコー帯を有する低エコー腫瘤を認め（矢印），末梢側の肝内胆管拡張像がみられる（矢頭）．
　b：PET-CT (positron emission tomography)．超音波画像と同様に肝門部近傍に腫瘤性病変を認め，FDGの集積亢進を認める（矢印）．
　本症例は，腫瘍生検にて，線維性間質を背景とした楕円形〜類円形腫大核と好酸性の細胞質を有する異型細胞が，癒合腺管や索状構造を形成しながら浸潤性増殖を示しており，肝内胆管癌と診断された．

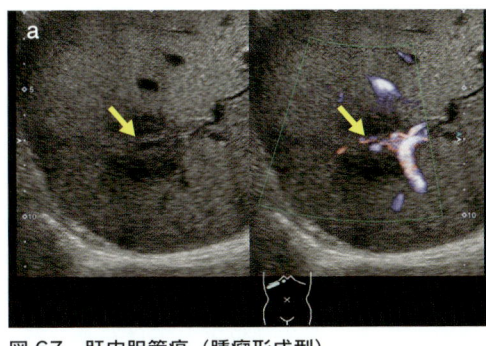

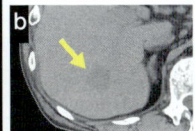

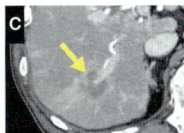

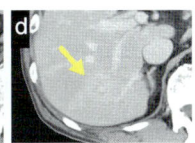

図67 肝内胆管癌（腫瘤形成型）
　70代男性．
　a：肝右葉後区域（S6/7）に，境界不明瞭な低エコー腫瘤を認める（矢印）．カラードプラにて，腫瘤内部を走行する血流シグナルが認められ，Bモードでは同部が高エコーに観察され，管腔構造物であることがわかる（矢印）．
　b：単純CTで低吸収の腫瘤を認める（矢印）．
　c：造影CT（動脈相）で，腫瘤辺縁に造影効果を認めるも，内部は低吸収で超音波検査同様に内部に脈管の走行を認める（矢印）．
　d：造影CT（平衡相）で，動脈相の時より腫瘍内部の造影効果が認められる（矢印）．胆管細胞癌や細胆管細胞癌などで腫瘍細胞が豊富な辺縁域では，早期造影効果（時に遷延性造影効果）を示すが，線維性間質の豊富な腫瘍内部の領域では遅延性造影効果を示す．本症例は，腫瘍生検にて胆管由来の腺癌と指摘され，胆管細胞癌の診断となった．

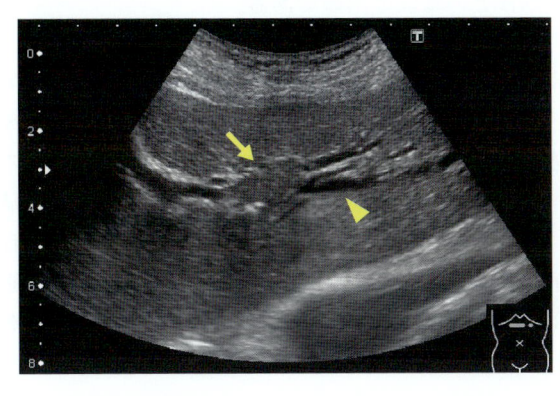

図68 肝内胆管癌（胆管内発育型）
　70代男性．肝左葉外側区（S2）に充実性腫瘤を認め（矢印），末梢側の肝内胆管拡張を認める（矢頭）．

窄や途絶像を認め，末梢胆管の拡張を伴う．また，癌部の胆管の壁肥厚を認めることが多い．伴走する門脈に浸潤しやすいため，末梢肝区域の萎縮を認めることもある．PSC や IgG4 関連硬化性胆管炎による限局性狭窄と画像が類似するため，鑑別に注意を要する．胆管内発育型では，拡張胆管内に充実性隆起（乳頭状，ポリープ状，鋳型状）を認め，胆管は腫瘤部で拡張し，上流の拡張を認める場合と認めない場合があり，胆管途絶を伴うこともある．

(1) 細胆管細胞癌（細胆管癌） cholangiolocellular carcinoma：CoCC

肝細胞索と小葉間胆管に存在する Hering 管または細胆管由来と考えられている．Hering 管は，肝細胞からなる毛細胆管と細胆管との境界部に存在（門脈域周囲の肝実質内で微小な管腔を形成）する．近年の研究で，Hering 管は胆管細胞や肝細胞に分化しうる幹細胞が存在することが明らかとなっている．このことから，肝細胞癌，胆管細胞癌成分があるが，細胆管由来の成分が多いものを細胆管癌としている．WHO 分類では，当初は混合型肝癌の亜型の一つに分類されていたが，改訂で肝内胆管癌に含まれるようになった．わが国では肝癌取扱い規約で胆管系腫瘍の一つとして記載されている．慢性ウイルス性肝炎，アルコール性肝炎，NASH，正常肝などを背景に発生し，予後は胆管癌と肝細胞癌の中間と考えられている．被膜はなく，肝細胞索を置換するような浸潤増殖（置換性発育）を示し，大型の門脈域・肝静脈が内部に残存する特徴がある．画像所見としては，種々の程度に肝癌成分，胆管成分を含むため，これらの多寡によって画像所見は様々となる．

25. 粘液性嚢胞性腫瘍　mucinous cystic neoplasm of the liver：MCN

肝臓に発生する嚢胞性腫瘍で，粘液を産生する上皮より構成され，異型のごく軽度な腺腫から腺癌，浸潤癌まで多彩な組織像を示す．膵 MCN と同様，内膜下に卵巣様間質が存在することが特徴である．卵巣様間質は，紡錘形細胞の密な増生よりなり，これらの細胞はビメンチン，α-smooth muscle actin など間葉系マーカーが陽性を示すことが多く，幼若な間葉系の細胞と考えられている．また，ホルモンレセプターの免疫組織染色では，正常卵巣と同様にエストロゲン，プロゲステロンレセプター発現がみられることが多く，卵巣本来の間質に類似している．MCN はほとんどが女性（特に中年女性）に発生するが，男性発生例も報告されている．発生部位としては左葉，特に S4 の報告が多いが，肝外胆管あるいは胆嚢の報告もある．嚢胞内容は様々で，漿液性～粘液性あるいは血性であることもある．基本的に胆管との交通は認めないが，手術標本で交通がみられたとする報告もある．

超音波検査では，単房性が多いが，多房性を示すこともある．cyst-in-cyst（嚢胞内嚢胞）の所見が特徴的（最も診断価値が高い）とされる．しばしば壁の石灰化を伴うこともある．壁在性の充実部（mural nodule：MN）が明瞭であれば腺癌の可能性が高いとされる．MCN の鑑別としては，出血性嚢胞における器質化血腫があり，器質化血腫はときに脈管新生を伴うので MN 様にみえ，MCN と鑑別が困難なことがある．IPNB とは胆管との交通性，胆道拡張の有無などが異なるが，胆管周囲付属腺に由来し胆管拡張を伴わない IPNB との鑑別は困難である．

26. 胆管内乳頭状腫瘍　intraductal papillary neoplasm of bile duct：IPNB（図 69～71）

胆道癌取扱い規約と WHO 分類第 4 版では，"肉眼的に同定される（高さ 5～20 mm の画像的にも描出可能）乳頭状腫瘍性病変であり，粘液の過分泌や貯留を伴い，腫瘍部胆管は嚢胞状あるいは瘤状の拡張を示す例もある．顕微鏡的には，狭い線維性血管芯を伴う上皮の乳頭状～管状増殖である"と定義されている．また，癌の部分は，胆道癌取扱い規約の乳頭型に相当すると考えられている．ただし，これまではこれらの概念と定義は明確に統一されておらず，IPNB は類似した組織学的形態を示す膵の IPMN（intraductal papillary mucinous neoplasm）の胆管病変のカウンターパートとする考え方や，すべての乳頭状胆管腫瘍を IPNB とする考え方などの様々な病態が扱われ，

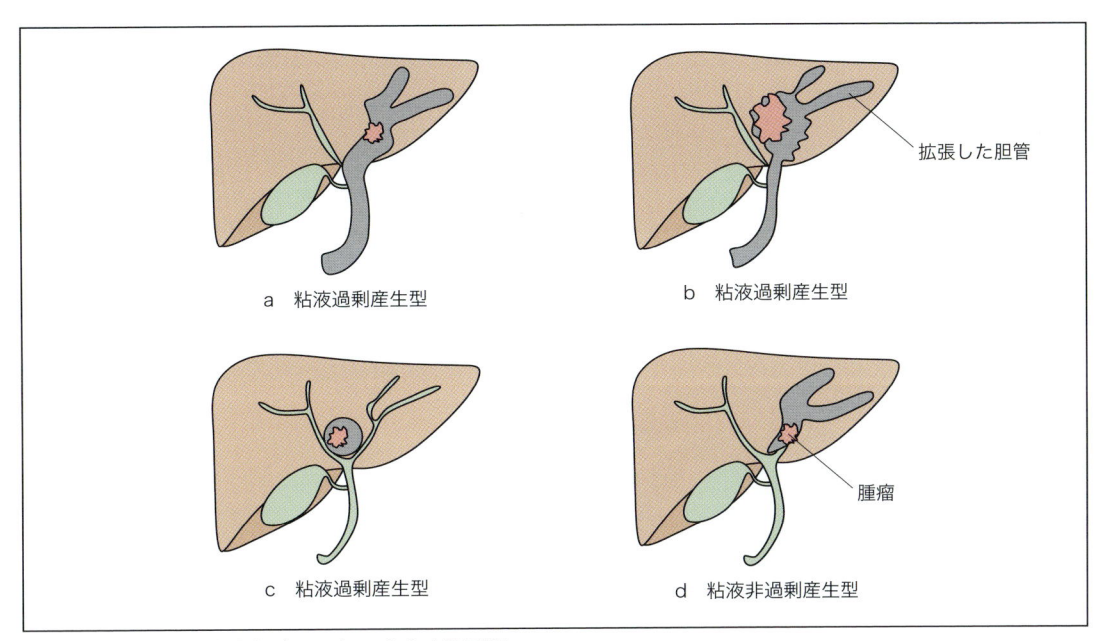

図69 胆管内乳頭状腫瘍（IPNB）の主な肉眼形態

a 粘液過剰産生型
b 粘液過剰産生型
c 粘液過剰産生型
d 粘液非過剰産生型

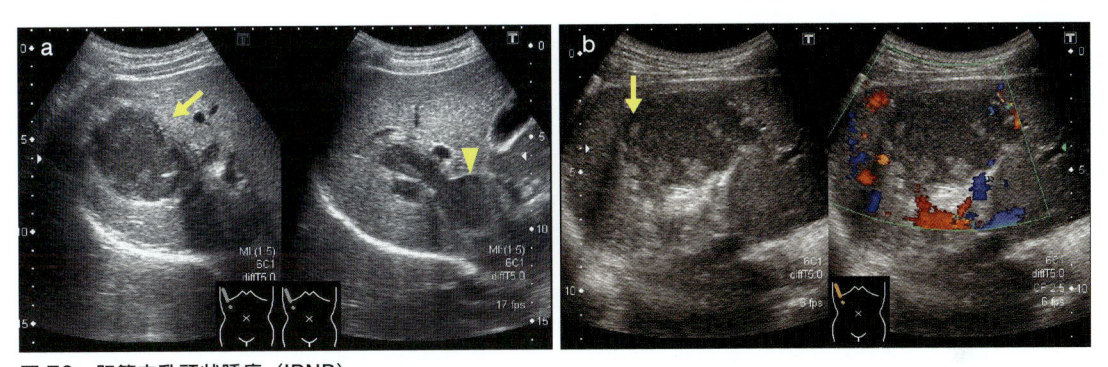

図70 胆管内乳頭状腫瘍（IPNB）
50代男性．
a：拡張した胆管内腔に粘液と思われる微細点状エコーがみられ（矢頭），瘤状に拡張した囊胞性病変を認める（矢印）．
b：瘤状に拡張した内腔には乳頭状に充実成分を認める（矢印）．粘液過剰産生型（図69b）が疑われる．

混乱を招いていた．これに伴い2018年にIPNBの日韓共同研究による成果が報告され，2019年にはWHO分類が改訂された．WHO分類第5版で本腫瘍は，「細い線維血管性の茎を有し，乳頭状に増殖する肉眼的に認識可能な胆管上皮内増殖性前癌病変」と定義されている．つまり，原則として過粘液産生は必須項目ではないと考えられる．したがって，画像検査所見は腫瘍と粘液産生の程度によって変化する．WHO分類第5版には，前述した共同研究で報告されたType 1 IPNBとType 2 IPNBに分類が記されている．Type 1 IPNBは肝内胆管に発生し，粘液の過剰分泌を伴うことが多く，これまで典型的IPNBとされていた膵のIPMNのカウンターパートに近く，IPMNのように，腸型（intestinal type），胃型（gastric type），膵型（pancreaticobiliary type）に分類され，浸潤癌の頻度としては50％程度とされている．Type 2 IPNBでは主に腸型および膵型を認め，肝外胆管に発生し，粘液の分泌に乏しく，多様な組織型が混在していることも多く，浸潤癌の頻度は90％をこえるとされている．CTやMRIの画像所見としては，type 1はシダ状（frond-like）の形態を呈する充実性病変が肝内〜肝門部胆管内に発生しやすい傾向にある．また，豊富な粘液分泌

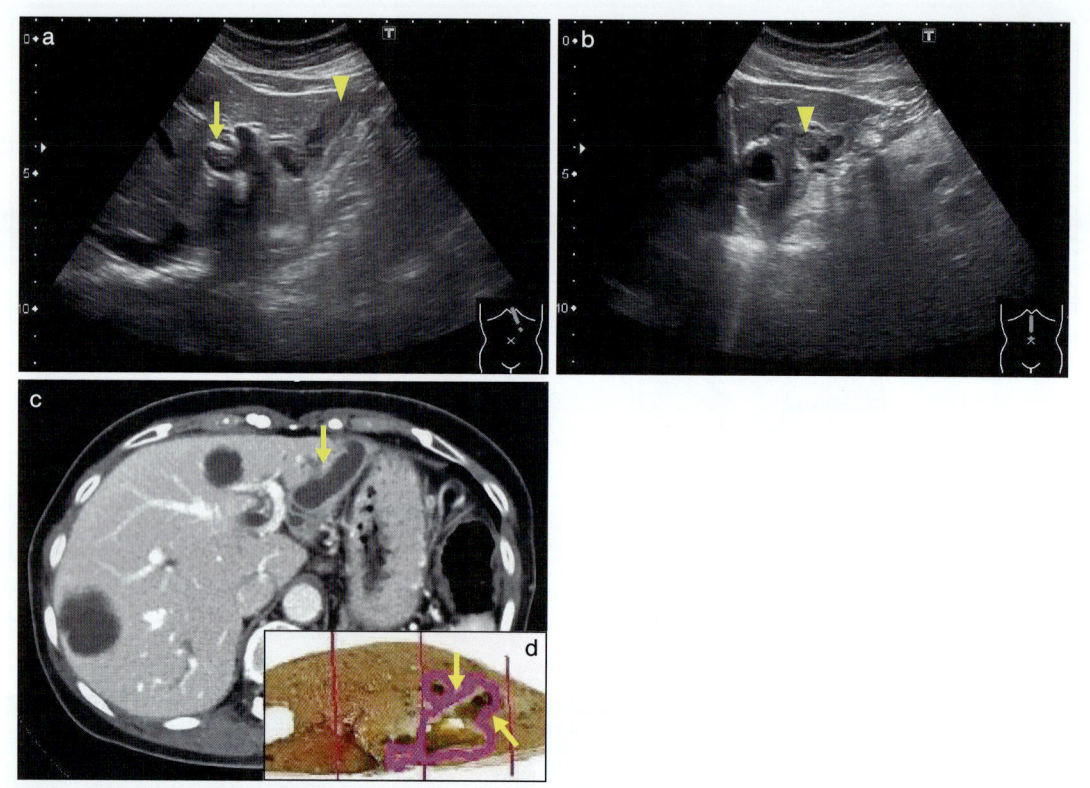

図 71　胆管内乳頭状腫瘍（IPNB）
70代女性．
　a：左肝内胆管の拡張を認め（矢印），胆管内腔に充実性病変を認める（矢頭）．上流側には胆泥の貯留がみられる．
　b：胆管内腔に充実性病変を認める（矢頭）．その周囲の胆管内に粘液と思われる微細点状エコーはなく，粘液非過剰産生型（図69d）が疑われる．
　c：造影CT（動脈相）．左葉外側区の肝内胆管拡張を認めるも，腫瘍の造影効果は指摘できず．
　d：肉眼像．手術標本（マクロ像）でも肉眼的に肝内胆管の拡張を認める（丸印）．病理所見では，拡張した胆管内には線維血管性の軸を有し，乳頭状に突出する異型上皮の増殖が胆管内腔に沿うように認められた．intraductal growth typeの病変であり，intraductal papillary neoplasia of bile duct(IPNB) with high grade dysplasiaに相当する所見がみられた．

を反映して，充実性病変近傍の囊胞状胆管拡張と上下流胆管の拡張が特徴的とされている．Type 2は乳頭状（papillary type）病変が肝外胆管に発生しやすい．
　超音波検査では，IPNBでは胆管内腔あるいは囊胞内に突出する乳頭状，ポリープ状の充実性腫瘤が認められる．また，IPNBが粘液を産生するかどうかにより画像所見が異なり，多彩な形態をとる（図69）．粘液過剰産生型は，腫瘍の上流および下流側においても胆管がびまん性に拡張するもの（図69a），胆管が瘤状あるいは囊胞状に拡張し，上流や下流の胆管拡張を伴うもの（図69b），肝門部大型胆管近傍に囊胞を形成するものがある（図69c）．粘液非過剰産生型は下流の胆管拡張は認めず，胆管内に乳頭状の腫瘤がみられる（図69d）．なお，肝門部の大型胆管近傍から憩室状に突出し囊胞性腫瘤を形成するタイプは，胆管周囲付属腺が由来である可能性が考えられ，胆管との交通が明らかではないものも存在する．近傍の胆管の圧排により上流の拡張を伴うことがある．

27．転移性肝腫瘍　metastatic liver tumor/cancer（図72〜77）

　肝以外に発生した癌や肉腫が肝に転移したものである．血行性，リンパ行性による転移や，直接

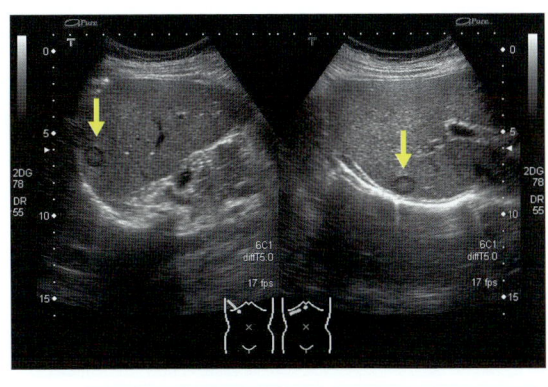

3 各臓器における超音波検査の進め方

図72 転移性肝腫瘍（乳癌）
30代女性．肝全体に多数の低エコー腫瘤を認め，bull's eye pattern を呈している（矢印）．

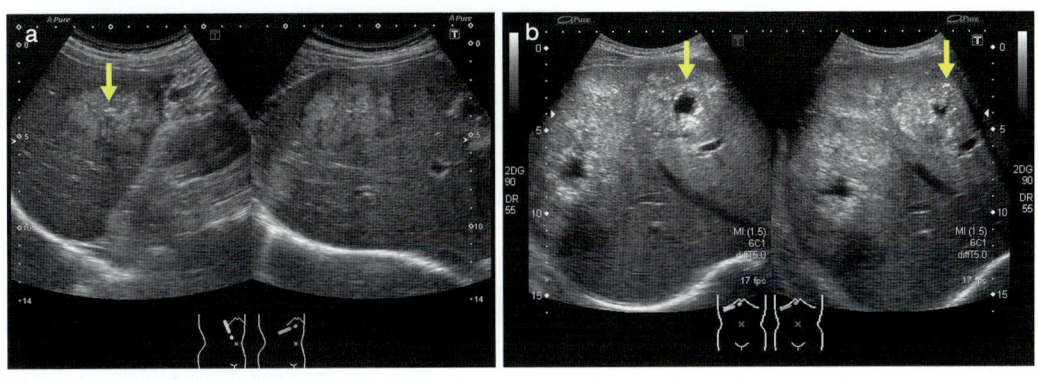

図73 転移性肝腫瘍（大腸癌）
60代男性．
a：辺縁，輪郭ともに不整で八つ頭状の形状を呈し，石灰化と思われる strong echo を認める（矢印）．
b：形状不整な腫瘤を多数認め，石灰化と思われる strong echo の他，一部では中心部に液状化壊死を反映した無エコー域を認める（矢印）．

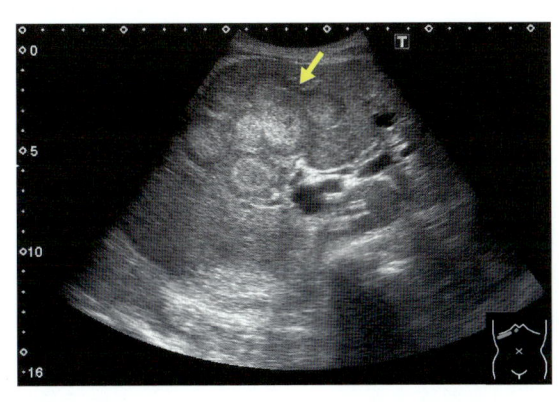

図74 転移性肝腫瘍（肺癌）
70代男性．多数の低エコー腫瘤を認め，bull's eye pattern を呈する腫瘤が重なりあうように描出され，cluster sign を呈している（矢印）．

浸潤によるものがあるが，肝動脈，門脈を介した血行性の転移が頻度的には高く，原発性肝癌の約20倍ともいわれる．すべての悪性腫瘍が肝転移をきたす可能性があるが，臨床上遭遇する頻度が最も高いのが経門脈性に血行転移をきたす胃，大腸などの消化器由来の腺癌である．次いで肺癌や乳癌の転移が多い．
　転移性肝腫瘍の形状は原発巣により異なるが，小さなものでは円形，類円形を呈するものが多い．大きなものでは不整形，八つ頭ないしはカリフラワー型を呈する．肝表に凹み（癌臍）が観察されることがあるが，これは線維成分の多い腺癌肝転移の特徴の一つとされる．転移性肝癌は基本的に結節を形成するが，その分布や大きさには疾患によってある程度の特徴があるとされ，例えば一般

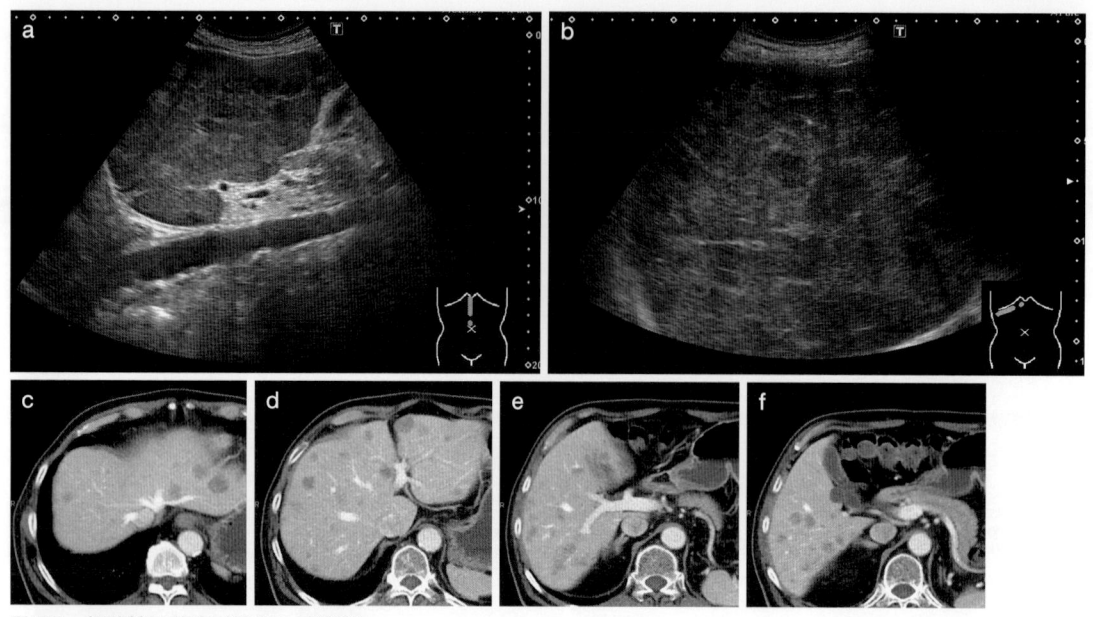

図75　転移性肝腫瘍（腎盂・尿管癌）
60代男性．
a：肝左葉，b：肝右葉．肝は腫大しており，肝実質は不整像を呈している．このように，腫瘍の一つ一つが明瞭に描出されない症例では，肝実質の不整像として観察されることがあるので，びまん性肝疾患と見誤らないように注意が必要である．
c〜f：造影CT（動脈相）で，肝内に多発する造影効果の乏しい腫瘍（低吸収域）を多数認める．

的な膵管癌の肝転移は2cm以下で大きさの揃った結節が肝全体に均一に分布することが多く，胆嚢癌では胆嚢床部に集簇する分布が特徴とされる．また，乳癌や肺癌（特に小細胞癌）では微小な結節が密に分布して腫瘍としてとらえにくいパターンもある．このような例では実質が不整となるため，肝硬変と見誤らないように注意が必要である．ただし，これらの特徴像がすべてというわけではなく，画像所見だけでは原発巣の鑑別は困難な場合が多いのも確かである．

　超音波検査では，類円形〜結節状の腫瘍像が多発しているパターンが基本像である．形状は不整なことが多い．小さな腫瘍は類円形のものが多いが，大きくなると不整形・分葉状（八つ頭ないしはカリフラワー型）を呈する．腫瘍の内部エコーは，低エコー，高エコー，混合エコーと様々であり，原発巣によって内部エコーが異なる．1cm以下の腫瘍では低エコーのものが比較的多く，境界も明瞭なことも多いが，ときに不明瞭な場合もある．代表的な所見としては，腫瘍中心部が高エコーで辺縁に幅の広い低エコー帯を有するbull's eye pattern/target patternや，多数の転移巣が癒合し一塊の集合体として腫瘍を形成するcluster signがある．転移巣が肝被膜近傍にある場合には，肝表面は癌臍（umbilication）とよばれる陥凹を形成するが，この所見は胆管末梢に発生した肝内胆管癌でも認められることがあるため注意が必要である．さらに腫瘍が大きくなると，腫瘍中心部への不十分な栄養・酸素供給から変性壊死をきたし，中心部が液化壊死を起こすため，中心部に無エコー域を認めたり，石灰化や音響陰影を認めることもある．カラードプラでは，癌細胞が増殖している腫瘍辺縁部のみにわずかに血流信号が認められる程度である場合が多いが，原発巣によってvascularity（血流の多寡）は異なり，腎細胞癌や肉腫など血流豊富な悪性腫瘍の転移例では血流豊富なことが多い．超音波検査で転移性肝腫瘍を疑った際には，他の臓器の観察もしっかりと行い，積極的に原発巣の確認（特に胃や大腸）や腹腔内リンパ節の腫脹の有無，胸腹水貯留の有無などについても検索を行う．

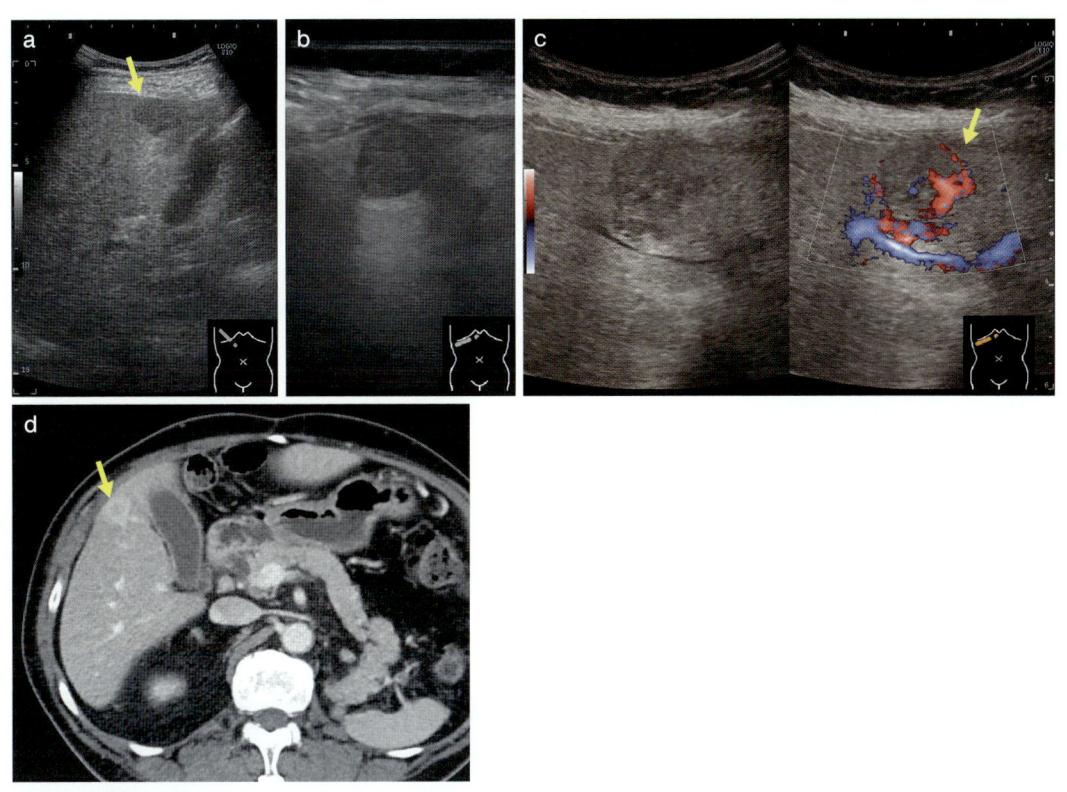

3 各臓器における超音波検査の進め方

図 76 転移性肝腫瘍（腎細胞癌）
60 代男性.
a：S5 にやや形状不整な低エコー腫瘤を認める.
b：高周波プローブで観察すると，境界明瞭で後方エコーの増強が認められる.
c：カラードプラにて腫瘤を取り囲むようにして内部に流入する血流シグナルを認める（矢印）．原発巣が腎細胞癌であるため，血流豊富な腫瘍であることが分かる.
d：造影 CT（動脈相）にて，肝右葉 S5 に腫瘍濃染を認める．腎細胞癌だけでなく，カルチノイドや褐色細胞腫，甲状腺癌，悪性黒色腫などからの転移性肝腫瘍は多血性であることが多い．また，造影 CT（平衡相）でも周囲肝実質と同等の造影効果を呈していることも多い.

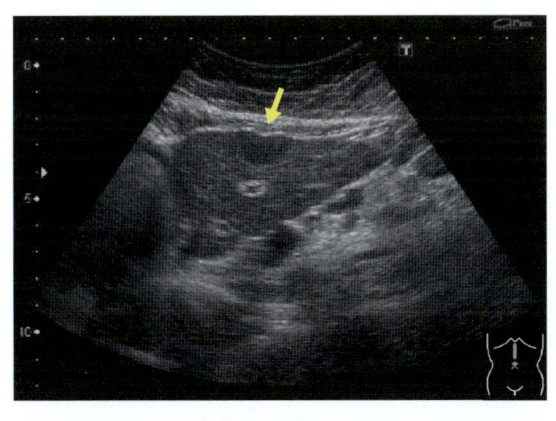

図 77 転移性肝腫瘍（癌性/乳癌）
70 代女性．左葉外側区の肝表面に低エコー腫瘤を認め，その表面側に陥凹像を認める（矢印）.

28. 肝芽腫　hepatoblastoma（図 78, 79）

　小児腹部充実性腫瘍のなかでは，Wilms 腫瘍，神経芽腫に次いで 3 番目の頻度で，小児原発性肝腫瘍では最も多い．90％は 5 歳以下で発症し，多くは 2 歳以下で，新生児からみられる．Beckwith-Wiedemann 症候群や片側性肥大症などの症候群に合併することが知られている．病理肉眼所見では塊状型が半数以上を占め，その他に多結節型，びまん型の形態を呈する．肝細胞癌と同様に，

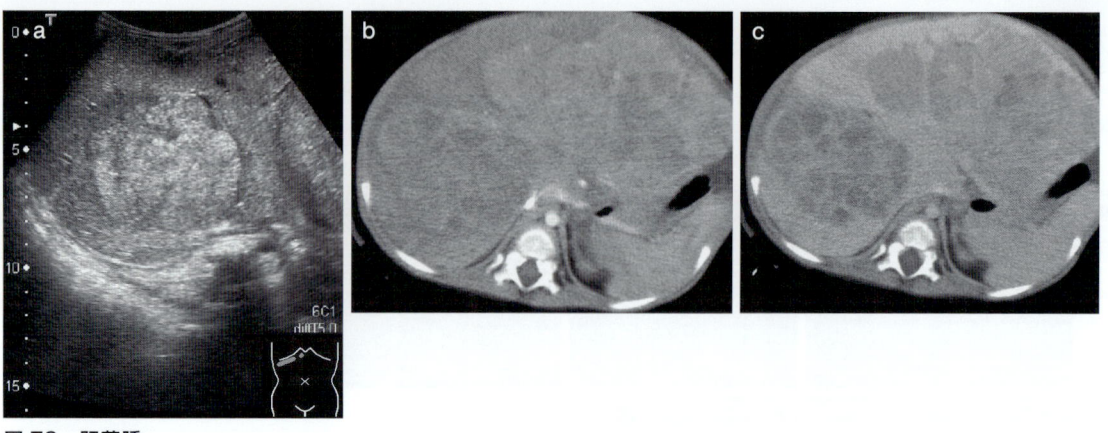

図78 肝芽腫
1歳女児.
a：S5/6に，境界明瞭な分葉状の高エコー腫瘤を認める．内部エコーは不均一である．
b：造影CT（動脈相）にて，腫瘤は不均一な造影効果を呈している．
c：造影CT（平衡相）では，腫瘤は周囲の肝実質より不均一に低吸収である．
　AFPも異常高値（1,651,000 ng/mL）であり，年齢から肝芽腫と診断された．本症例は，化学療法による治療後，他院にて肝移植が行われた．

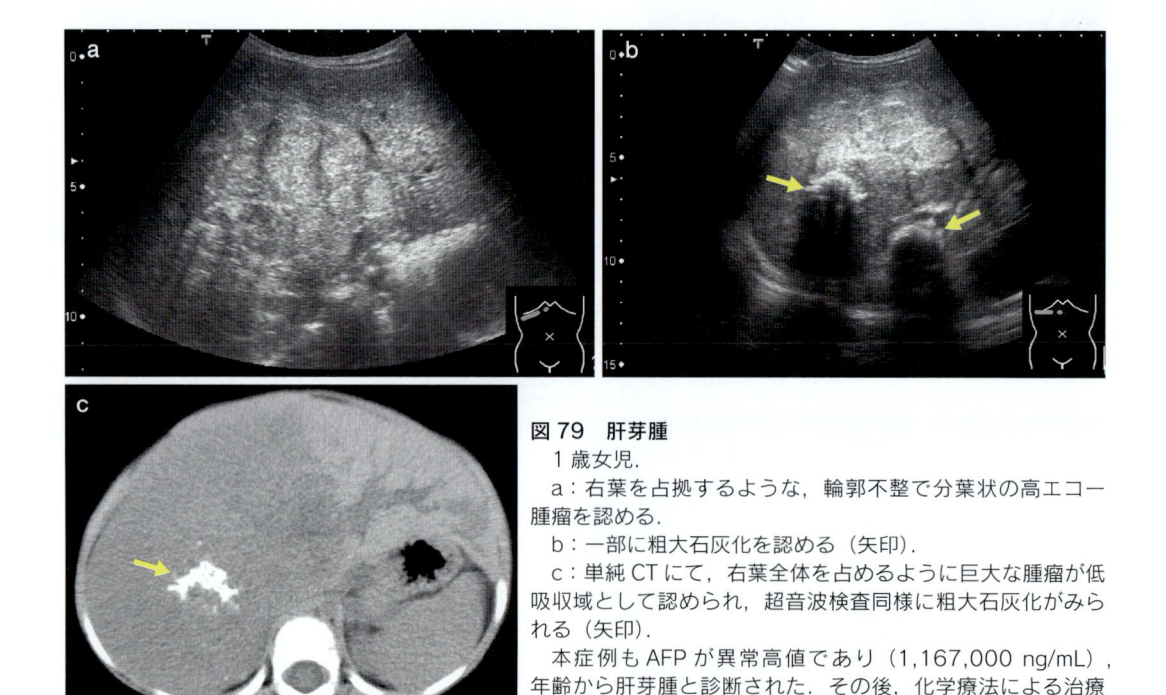

図79 肝芽腫
1歳女児.
a：右葉を占拠するような，輪郭不整で分葉状の高エコー腫瘤を認める．
b：一部に粗大石灰化を認める（矢印）．
c：単純CTにて，右葉全体を占めるように巨大な腫瘤が低吸収域として認められ，超音波検査同様に粗大石灰化がみられる（矢印）．
　本症例もAFPが異常高値であり（1,167,000 ng/mL），年齢から肝芽腫と診断された．その後，化学療法による治療が行われ，他院にて肝腫瘍切除術が行われた．

脈管浸潤（門脈＞肝静脈）をきたす．上皮性成分間葉混合型では，間葉成分として線維性組織，類骨様組織，紡錘型細胞などがみられ，奇形腫様組織が含まれることもある．
　治療法については，化学療法で腫瘍の縮小を図ってから切除することが多い．手術の可否は，腫瘍の脈管浸潤と肝外進展の程度で決められる．また，部分切除不能例においては肝移植なども行われる．
　超音波検査では，境界明瞭な高エコーの分葉状腫瘤として認められることが多い．組織学的亜型

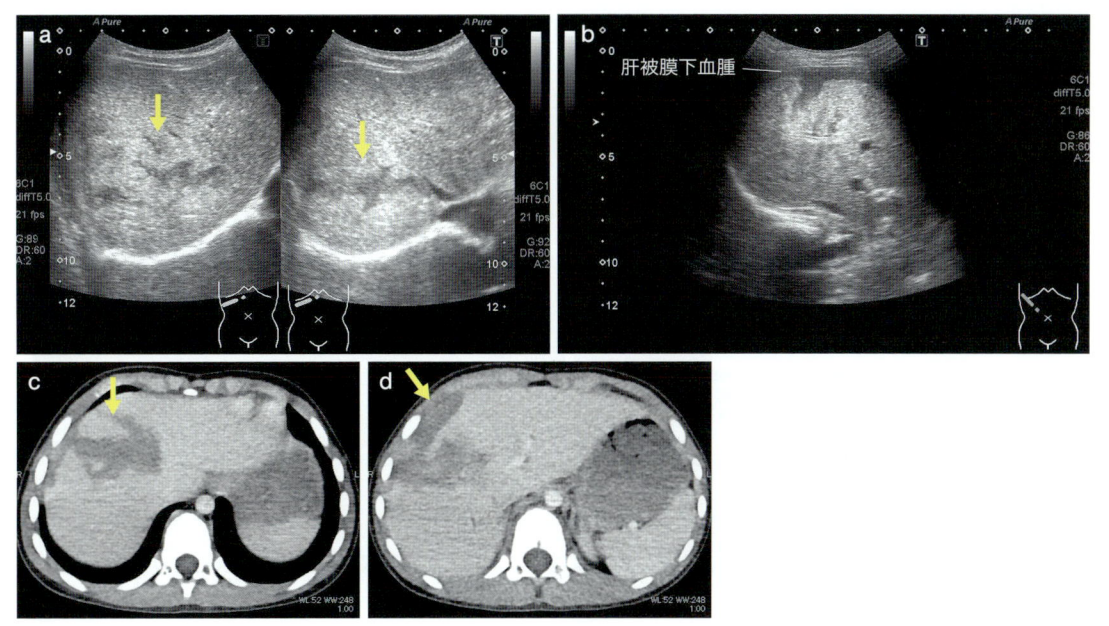

図 80　肝損傷（高さ 2 m ほどからの転落例）
5 歳男児.
a：肝右葉 S8 領域に形状不整な低エコー域を認める（矢印）．
b：その低エコー域は肝被膜下へと連続している（肝損傷Ⅲa 型，単純深在性損傷に相当）．肝被膜は損傷なく保たれている．
c，d：CT でも同様の所見が認められた（矢印）．

の存在で多彩な像を呈するが，上皮型は比較的均一で，混合型では不均一である．内部に囊胞変性や石灰化，出血などの変化を認める．類骨様組織の間葉成分を含む例では，粗大石灰化を認めることがある．

29. 肝損傷　hepatic injury（図 80，81，表 6）

損傷部位によって，被膜下損傷（被膜下血腫，実質内血腫），表在性損傷，深在性損傷に分けられる．

臓器損傷の多くは，交通事故や高所墜落など高エネルギー外傷による全身に対するイベントであり，肝損傷も全身に生じたイベントの一部としてとらえる必要がある．肝臓だけでなく複数臓器にわたる損傷を合併していることもあり，注意が必要である．肝臓は脾臓に続いて鈍的外傷での損傷頻度が高く，下位肋骨骨折や肺挫傷が合併しやすい点で脾臓と類似している．肝臓は右上腹部を占める大きな臓器であるため，腹壁や胸郭からの外力が及びやすく，重量もあることから，肝を固定する鎌状間膜や冠状間膜との間で剪断力による損傷が生じやすい．正面衝突では，前方加速度により肝を背側に固定する冠状間膜との間で剪断力が生じ，下大静脈周囲や右肝静脈に沿った右葉深部の損傷を生じる．また，下肢から着地した墜落外傷では，下方加速度により鎌状間膜に沿った左葉の損傷が生じやすい．

通常，検査室で検査される肝損傷はバイタルサインが比較的安定している症例であり，受傷直後ではないことが多いと思われる．超音波検査は，損傷初期から吸収治癒過程に至るまでの経過を観察可能であり，持続する出血（oozing）や胆汁瘻（biloma）の確認など，その検査意義は大きい．

超音波検査では，被膜下血腫の場合，被膜と肝実質の間に液体貯留がみられ，液体の内部エコーは淡い点状エコーを有するものからフィブリン析出による網目状エコーを認めるものまで，その時期により様々である．実質内損傷による実質内血腫の場合は，限局的に境界不明瞭な高エコー域を

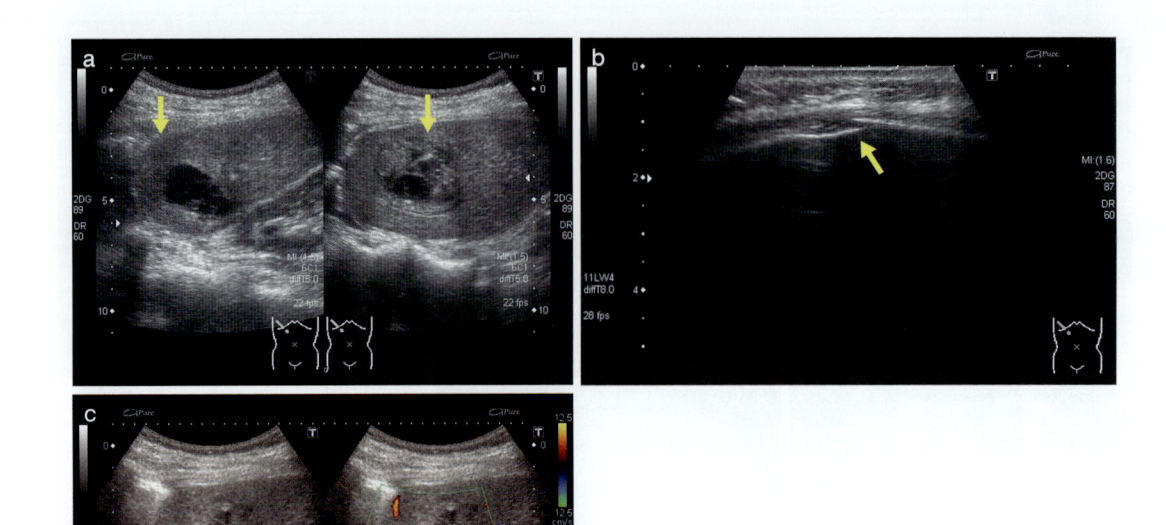

図81　肝損傷（転倒による肋骨骨折もあり）
90代女性.
a：肝実質内に血腫による不整な囊胞性病変を認める（矢印）．肝実質内の血腫であり，肝損傷Ⅰb型に相当．
b：肋骨骨折を認めた（矢印）．
c：右胸水を認め（矢印），血気胸をきたしていた．

表6　肝損傷分類2008（日本外傷学会）

Ⅰ型	被膜下損傷		被膜の連続性が保たれている
	a	被膜下血腫	
	b	実質内血腫	
Ⅱ型	表在性損傷		創の深さが3 cm未満の損傷
Ⅲ型	深在性損傷		創の深さが3 cm以上の損傷
	a	単純深在性損傷	創縁や破裂面が比較的単純で創周囲の挫滅や壊死組織が少ない
	b	複雑深在性損傷	創縁や破裂面の損傷形態が複雑で組織挫滅や壊死組織が広範囲に及ぶもの

示すことがあり，裂傷をきたしている場合では亀裂状の腔がみられ，低エコー域あるいは高・低のエコー域が混在し，不整を呈する（これらは出血の程度によって異なる）．肝実質内に亀裂がみられるような損傷では，亀裂周囲の肝実質のエコーレベルが上昇していることが多い．肝損傷を検査するうえでは，まずは肝被膜の連続性を観察することで肝被膜損傷の有無を確認し，肝被膜下血腫や肝実質内血腫の存在とその範囲を見極める．また，血腫のエコーレベルにも注意し，smoky echoを認めた場合には動脈塞栓術などの緊急処置が必要となることもあるので，血腫部分を注意深く観察する．さらに初回検査時には，その他の腹腔内臓器（胆，膵，脾，腎）についても観察を行うとよい．

30. 門脈ガス血症　portal venous gas（図82, 83）

門脈内に気体が混入する病態を指す．門脈ガスの原因疾患としては腸管壊死が最も多く，その他にはイレウス，腸閉塞，腹腔内膿瘍，潰瘍性大腸炎，胃潰瘍，クローン病，高度の便秘などがある．また，下部内視鏡検査での送気による合併例もみられる．

以上のように，腸管壊死などの重篤例に多くみられることから，門脈ガスを認めた場合には，消化管などもあわせて観察する必要がある．

超音波検査では，肝縁優位に気体を反映する線状や粒状のstrong echoを認め，求肝性に門脈内

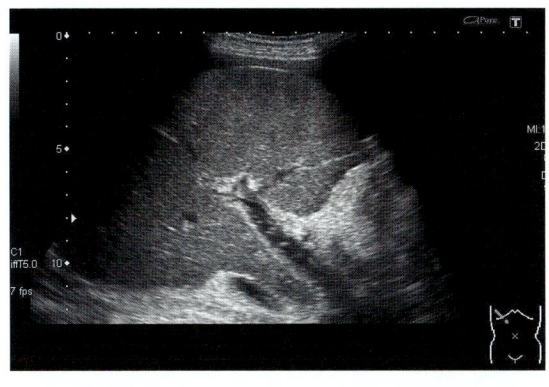

図82　門脈ガス血症
　50代男性．重症急性膵炎による麻痺性イレウスにより腸管からガスが門脈内に入り込んだ症例．肝周囲に腹水を認め，門脈内に粒状のstrong echoが流れている様子が認められる．リアルタイムな観察では，上腸間膜静脈から門脈本幹〜門脈右枝内を流れる粒状のstrong echoが認められた．

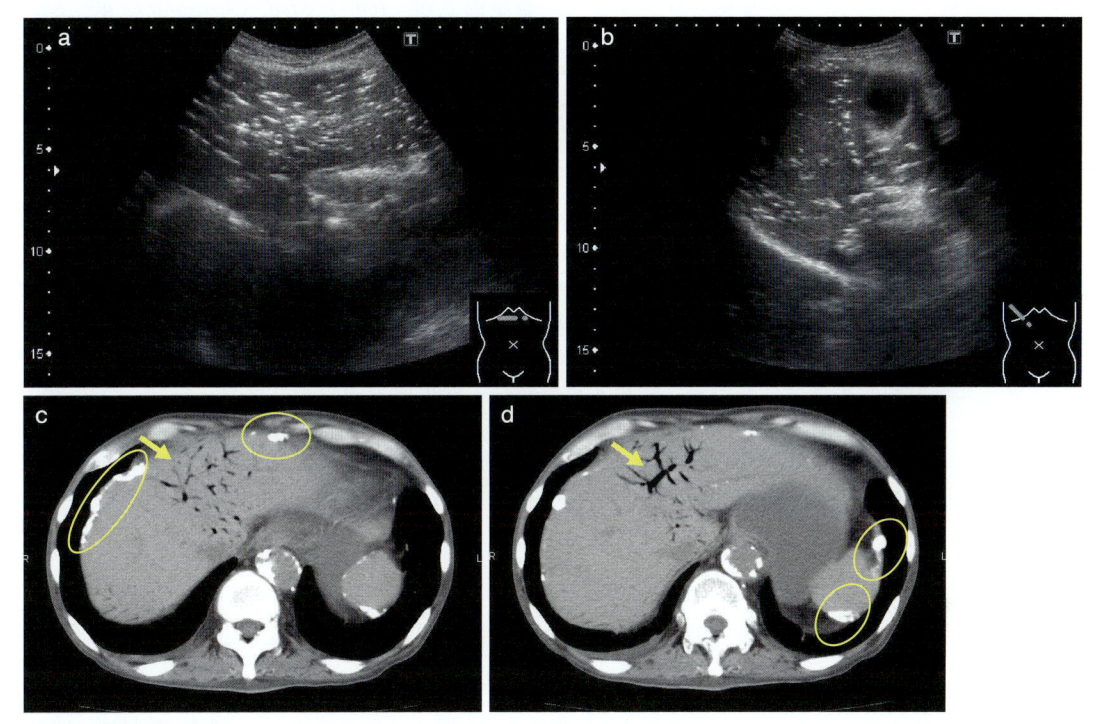

図83　門脈ガス血症
　50代男性．非閉塞性腸管虚血（non-occlusive mesenteric ischemia：NOMI）により，腸管からガスが入り込んだ症例．
　a，b：肝全体に粒状のstrong echoが認められる．
　胆道気腫との鑑別は，門脈血流によって流れ込む門脈ガス血症は肝全体にガス像が認められるのに対し，胆道気腫は胆汁の流れと逆行するように入り込むため，肝末梢にまではstrong echoがみられずに二次分枝レベルの比較的太い胆管内に認められることが多い．
　c，d：肝内に樹枝状の門脈内ガスがみられる（矢印）．ガスの一部は門脈内にも認められる．また，腹膜には長期の腹膜透析の影響による腹膜硬化症の所見がみられる（丸印）．

を移動する気体がstrong echoとして観察される．門脈ガスと胆道気腫の鑑別としては，門脈ガス血症の場合はガスは求肝性に流れる門脈血流とともに肝内に入り込むため，門脈末梢枝までガス像が認められ，肝縁（肝表面）を中心にガス像が停滞して観察される．一方，胆道気腫は胆汁の流れとは逆行するように胆管内に入り込むため，胆管の末梢までは到達せずに，肝門部側の比較的太い胆管内（二次分枝レベル）に認められることが多い．

参考文献

1) 日本消化器病学会・日本肝臓学会編：肝硬変診療ガイドライン 2020（改訂第 3 版）．南江堂，2020．
2) 日本消化器病学会・日本肝臓学会編：NAFLD/NASH 診療ガイドライン 2020（改訂第 2 版）．南江堂，2020．
3) 日本肝臓学会・日本門脈圧亢進症学会編：門脈圧亢進症の診療ガイド 2022．文光堂，2022．
4) 日本肝臓学会編：アルコール性肝障害（アルコール関連肝疾患）診療ガイド 2022．文光堂，2022．
5) 日本肝癌研究会：原発性肝癌取扱い規約．第 6 版（補訂版）．金原出版，2019．
6) 白石周一：第 3 章 A 肝臓．「日超検 腹部超音波テキスト．第 2 版」．関根智紀，南里和秀（編）．pp.91〜134，2014．
7) 丸山憲一編著：これから始める腹部エコー．メジカルビュー，2015．
8) 松井 修，他編著：肝の画像診断．第 2 版．医学書院，2019．
9) 藤本武利：超音波用語と所見：わかりやすい科学的表現．*Jpn. J. Med. Ultrasonics*，**43**：33〜38，2016．
10) Ishida, H., Yagisawa, H., Morikawa, P., et al.：Signe de drapeau：Un nouvel aspect echgraphique de la cirrhose macronodulaire. *J. Echographie Med. Untrason.*, **9**：133〜138, 1988.
11) 神山直久，住野泰清，丸山憲一，他：脂肪肝実質に出現する"簾状エコー"の発生機序に関する考察．超音波医学，**43**：655〜662，2016．
12) Sumino, Y., et al.：Ultrasonographic diagnosis of acute alcoholic hepatitis "Pseudoparallel channel sign" of intrahepatic artery dilatation. *Gastro Enterology*, **105**：1477〜1482, 1993.
13) 住野泰清，草野昌男，窪田 学，他：アルコール性肝炎の超音波診断—肝動脈枝拡張による Pseudoparallel channel sign の本邦症例における臨床的意義について．超音波医学，**25**：679〜687，1998．
14) 森 俊幸，鈴木 裕，田妻 進，他：肝内結石症 第 8 期全国横断調査．難治性肝胆道疾患に関する調査研究班令和元年度研究報告書．令和元年度総括・分担研究報告書（班長：滝川 一）．76〜80，2021．
15) Terminology and Diagnostic Criteria Committee, Japan Society of Ultrasonics in Medicine. Ultrasound diagnostic criteria for hepatic tumors. *J. Med. Ultrasonics*, **41**：113〜123, 2014.

（丸山憲一）

NAFLD/NASH の新分類

　NAFLD/NASH に関して，2024 年 8 月に日本語の新たな病名と分類が正式に決定し，発表された．従来，「脂肪肝（fatty liver）」とよんでいたものは「脂肪性肝疾患（steatotic liver disease：SLD）」として定義され，この SLD のなかで，過剰飲酒がなく代謝異常（肥満，2 型糖尿病など）が生じている場合を「代謝機能障害関連脂肪性肝疾患（metabolic dysfunction associated steatotic liver disease：MASLD）」（従来の NAFLD）とし，この MASLD に該当してかつ肝炎が生じている場合は，「代謝機能障害関連脂肪性肝疾患（metabolic dysfunction associated steatohepatitis：MASH）」（従来の NASH）へと変更となった（p.119 の追加説明）．

2. 脾臓

I 脾臓の検査ポイント

　位置の異常には脾下垂，遊走脾がある（図1）．脾を固定している間膜の形成不全，過長などにより遊走脾が起こることがあり，捻転をきたす可能性もある．脾捻転では，拡張した渦巻き状の血管が脾門部につながる所見が特徴的とされている．脾門部には膵尾部，肝左葉，胃が位置し，それぞれの臓器からの浸潤を受けやすい．

　脾の形態異常には副脾，異常分葉がみられる．腫大すると丸みを帯び，辺縁も鈍化する．脾門部にみられる拡張蛇行する血管構造は，脾腎短絡路や後腹膜シャントの可能性があり，側副血行路に注意する．

　脾の計測は左肋間走査が基本となるが，脾腫が著明な場合には左側腹部からの縦走査が有用な場合がある．腹部超音波検診判定マニュアル改訂版（2021年）によると，腫大は最大径で10 cm ≦とされている（1章参照）．筆者の施設では，従来より長径10 cm以上かつ短径5 cm以上を脾腫と判定しており，特に短径を重要視し，脾門部を起点にせず最大断面で計測を行っている．脾は肝と密接な関係にあるため，脾腫を認めた場合は何らかの肝疾患を考慮する必要がある．脾腫をきっかけとして悪性リンパ腫などの疾患が発見されることもあるため，脾腫の診断は慎重に行う必要がある．

　脾の内部エコーは均一で，エコーレベルは正常の肝実質や腎皮質と同程度である．脾動脈が石灰化し管腔構造物として描出される場合は，石灰化病巣とまぎらわしいことがあり注意する．悪性リンパ腫や白血病の細胞浸潤では，わずかなエコーレベルの差としかとらえられないことがあり，積極的に高周波プローブで確認する必要がある．

　脾は，造血過程，免疫防御，血液供給に関与する臓器で，その構造と機能から赤脾髄と白脾髄に大きく分けられる．赤脾髄は血管が豊富で様々な血球細胞を含み，白脾髄はリンパ球が集合したリンパ組織である．したがって，脾腫瘍は血管由来やリンパ組織由来が多い．

　まれに，脾が存在しないことや，数の異常を認めることがある．無脾症（asplenia），多脾症（polysplenia）は，心房・心室中隔欠損症，肺動脈狭窄，形成不全などの心奇形や内臓逆位を合併する先天奇形であり，脾だけでなく全身症状を把握する必要がある．無脾症は4万件に1例といわれ，免疫不全により感染症，敗血症をきたしやすく，大半は生後1年以内に死亡する．多脾症は，

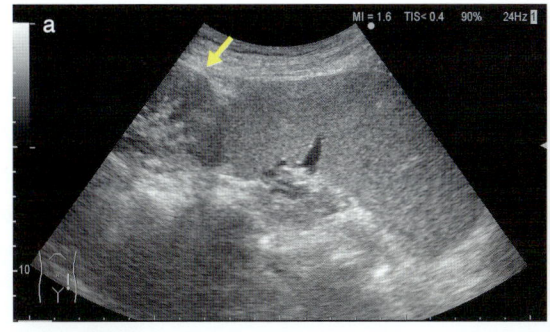

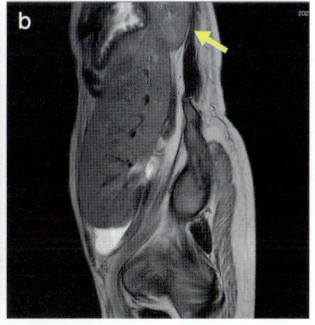

図1　遊走脾
　30代女性．慢性骨髄性白血病慢性期．脊椎側弯症．他院にて左腎または脾の腫大が指摘された．脾は142 × 63 mmと腫大を認める．脾は左腎下極（矢印）に接しており，骨盤腔にかけて存在する位置異常を認め，遊走脾と考えられる．
　a：US，b：MRI 矢状断．

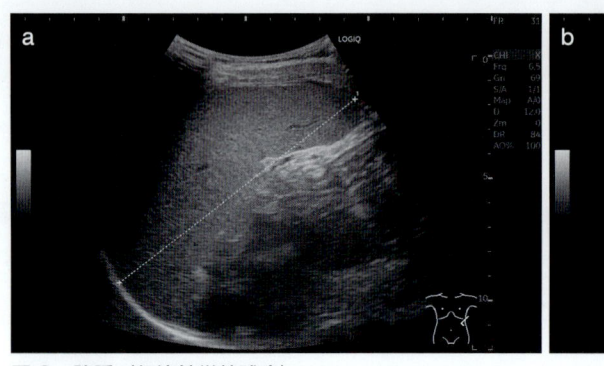

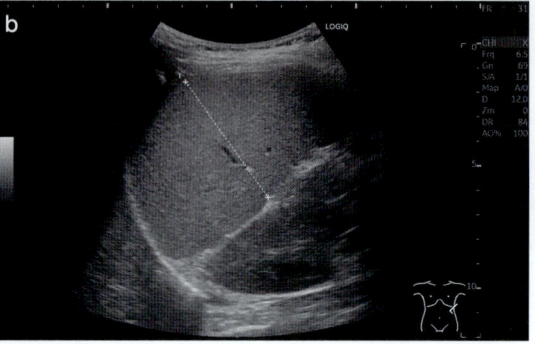

図2 脾腫（伝染性単核球症）
10代女性．脾は 122 × 58 mm と脾腫を認める．
急性期で，EB ウイルス抗 VCA IgG 1.6（+），抗 VCA IgM 4.6（+），抗 EBNA IgG 0.2（−），抗核抗体 160 倍．回復期で，EB ウイルス抗 VCA IgG 6.7（+），抗 VCA IgM 2.2（+），抗 EBNA IgG 1.6（+）．

2〜6個程度の同じような大きさの小さな脾を認めるまれな疾患で，無脾症より予後はよい．

II 脾臓の病変

1. 脾腫　splenomegaly

　脾腫では，脾内の血球と血小板の量が増えることで血中の血球と血小板数が減少する．肝硬変では脾腫を伴うことが多く，肝で産生されるトロンボポエチンが減少し血小板減少はさらに著明となる．さらに，アルコール性肝硬変では，直接の骨髄抑制のため血小板が減少する．脾機能亢進により，血球を過剰に破壊するため貧血や出血傾向が出現するので，脾摘出術あるいは部分的脾塞栓術を行う．脾摘出術の適応疾患には，特発性門脈圧亢進症（IPH），特発性血小板減少性紫斑病（ITP），汎血球減少症，先天性溶血性貧血，脾損傷，脾破裂，脾腫瘍，胃癌・膵癌における脾の合併切除などがある．脾を摘出すると，全体的な免疫機能が落ち，感染症にかかりやすくなる．
　脾腫をきたす主な疾患には，うっ血肝，肝硬変，特発性門脈圧亢進症，Budd-Chiari 症候群などの門脈血流のうっ滞により脾がうっ血状態となり二次性の脾腫を呈するものや，悪性リンパ腫，白血病，血小板減少性紫斑病，骨髄線維症，真性多血症などの血液疾患，肝炎，伝染性単核球症（図2），敗血症，マラリア，結核，サルコイドーシス，SLE などの感染・炎症性のもの，代謝異常によるアミロイドーシスなどがある．
　超音波検査では，脾の腫大，脾門部脾静脈の拡張，蛇行がみられる．注意点として，肝左葉外側区域が脾前面に伸展する場合は，肝左葉を脾の一部と誤認し脾腫としないようにする．脾腫を認めた場合には，血液，造血臓器の異常の他に何らかの肝疾患を考慮して検査を進める必要がある．著明な脾腫では，左鎖骨中線上あるいは左肋骨弓下走査でも描出できるようになるが，脾は丸みを帯びるため，肋間走査の計測値とは異なるので注意が必要である．画面に入らないような脾腫の場合には，脾静脈などを目安に2画面を合成して計測することもあったが，視野角を倍にした表示機能も開発されている．この場合，例えば視野角70°を2倍の140°にすることで1画面での計測が容易となる．また，著明な脾腫では梗塞がみられることがあるため，辺縁のエコー輝度の変化にも気をつける．

2. 副脾　accessory spleen

　脾の形態的異常で，剖検の10〜30%にみられる．存在部位は，脾周囲靱帯内の脾門部や下極に発生するものが多い．まれに，腸間膜や後腹膜，大動脈周囲にもみられる．数は通常1個であるが，

数個みられることもある．胎生期にいくつかの脾原基が完全に癒合しないために発生するが，脾原基は広範囲に存在するため2個以上できるもの，一部がちぎれたもの，もしくは脾の過分葉によって先天的に発生し副脾となるものがある．大きさは8～9 mm くらいの小さなものが多いが，脾腫がみられる際には副脾も同様に腫大する．

　超音波検査では，副脾は被膜を有するため円形～類円形に描出され，脾と等エコーレベル，辺縁平滑である．当院におけるCT検査と同時に描出された検討では，3 mm以上を有意とすると，22.8%（240/1,052）に副脾を認めた．大きさは3～34 mmで，1個 89.6%（215名），2個 9.2%（22名），3個 0.8%（2名），6個 0.4%（1名）であった．1個だけの副脾の平均は9 mmであった．副脾が通常の脾と同じように脾門部を有する形状をとることから，ある程度の大きさのものではドプラ検査で脾門部からの血流も観察される．注意点として，脾摘出術の際に副脾の摘出もれが元の脾機能の代償となることがあるため，術前の把握は重要であり，見落とさないようにする．特に，肝硬変症，脾機能亢進症，溶血性貧血などでは，小さな副脾でも機能亢進のため腫大する（図3）．脾門部のリンパ節転移との鑑別は，転移リンパ節では不整形で類円形を呈さず，エコーレベルも低く不均一，多発することが多い（図4）．悪性リンパ腫や白血病などの血液疾患ではさらにエコー輝度の低下がみられる点が副脾とは異なる（図5）．播種結節との鑑別は，Bモードでは腹膜などに付着する播種は不定形で不整な血流形態を呈することで鑑別される．

　一方，脾摘出や脾外傷などの際に脾組織が腹腔内などに散布，生着することで生じる異所性脾組織のことを脾症（splenosis）という．多くは無症状で，他疾患の精査時や手術時に腹腔内に偶然みつかることが多い．肝，腎，腸間膜，空腸，後腹膜，直腸膀胱窩，膵尾部などいずれの部位にも発生しうる（図6）．また，横隔膜の貫通性の外傷により胸腔内の心膜，胸膜，縦隔にも認められ，先天的な副脾とは区別される．副脾ではほとんどの場合1個で3個以上はまれであるが，脾症では

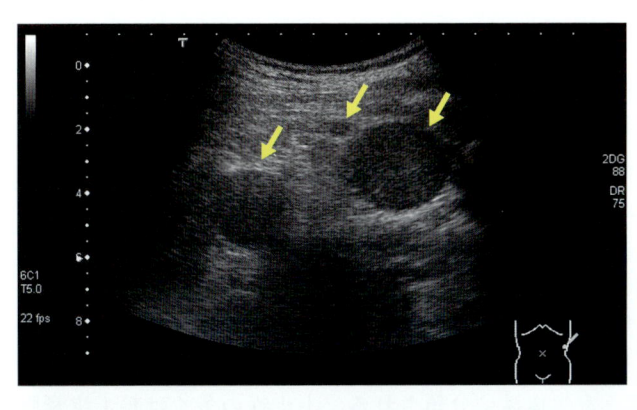

図3　副脾
60代男性．他院にて肝細胞癌の治療，脾摘後．最大34 mmの他に 25 mm，10 mm，9 mm，7 mm など合計6個の副脾と考えられる結節を認めた（矢印）．

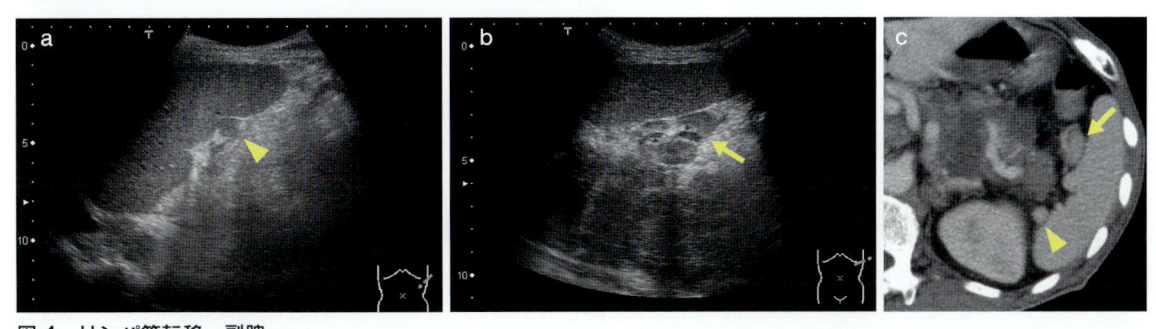

図4　リンパ節転移，副脾
50代男性．進行胃癌にて化学療法中．116×53 mmの脾腫があり，脾門部に副脾を認める（a, c 矢頭）．また，脾門部には 18×10 mm，14×9 mm の不整形で内部エコー不均一なリンパ節転移の集簇を認める（b, c 矢印）．

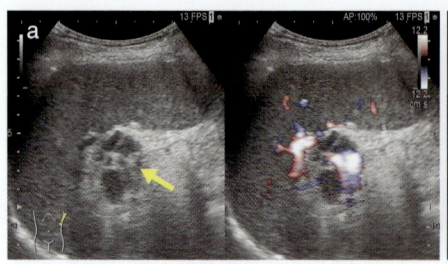

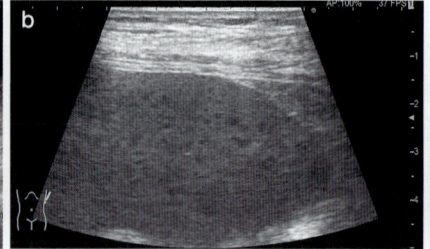

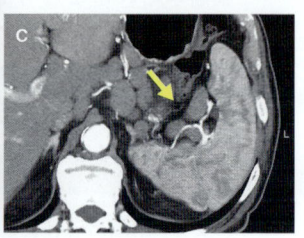

図5 慢性リンパ性白血病
　80代男性．胃幽門部癌．WBC：18,580/μL，主な腫瘍マーカーに異常なし．肝門部〜腹部大動脈周囲，脾門部などにリンパ節門不明瞭で不整形，エコー輝度の低い多数のリンパ節を認めた（矢印）．最大径は肝門部41×31 mm，総腸骨動脈70×18 mm，脾門部28×13 mmなどであった．123×62 mmの脾腫を認め，脾実質には無数の微細な低エコー腫瘤がみられ，白血病の細胞浸潤を疑った（a, b）．骨髄生検により，慢性リンパ性白血病と診断されている．

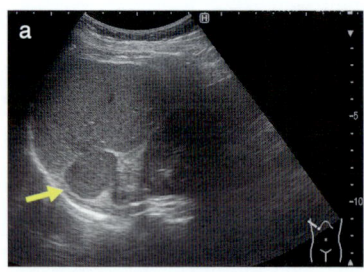

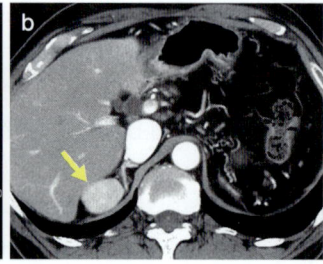

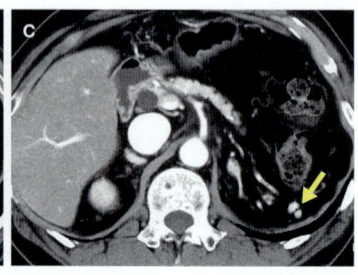

図6 脾症
　60代男性．10代に交通事故にて脾摘出，左腎摘出の既往あり．肝細胞癌にて2回手術．右腎に接し頭側に33×25 mmの腫瘤を認めた．形状楕円形，境界明瞭，内部エコーは肝臓と等エコーで均一，明らかな内部血流はみられなかった（a矢印）．この腫瘤に接し足側にも15×7 mmの楕円形腫瘤を認めた（非表示）．腫瘤はCTでも正常副腎とは離れていた（b矢印）．また他にも，散在性に結節を認め（c矢印），病歴からも脾症と考えられた．

100個以上のこともある．副脾は血管茎が流入する脾門部からの血流シグナルがみられ，組織学的にも正常な脾の構造を保っている．これに対し脾症は，脾門はなく複数の血管が周囲の被膜より直接流入し，組織学的には脾柱や白脾髄の萎縮，被膜の線維性肥厚といった所見を呈する．消化管粘膜下腫瘤，GIST，NET，悪性腫瘍の播種などとの鑑別が必要になる．

3. 脾囊胞　splenic cyst

　脾囊胞は，囊胞内面を覆う上皮細胞の有無により真性囊胞と仮性囊胞に分類される．しかし，上皮細胞は退行性変化により消失や部分的にしか残存しないこともあり，囊胞の鑑別は容易ではないことも多い．真性囊胞は，上皮性，内皮性，寄生虫性に分類される．上皮性の多くは類上皮囊胞（epidermoid cyst）が，内皮性はリンパ管腫，血管腫，多囊胞症（polycystic disease），漿液性囊胞が，寄生虫性は包虫囊胞などが含まれる．欧米ではエキノコッカスによる寄生虫性が多いが，わが国ではリンパ管腫，血管腫などの内皮性囊胞が多い．仮性囊胞は真性囊胞よりも頻度が高く，外傷，梗塞，出血などにより生じるものが多く，膵炎が波及して囊胞を形成することもある．また，内部出血や囊胞壁に石灰化を有することもある．MRIではT2強調像で著明な高信号，T1強調像では低信号となるのが特徴である．脾囊胞では，囊胞内の被覆細胞で産生されたCA19-9が血中に逸脱することで，CA19-9が高値を示すことがある．

　膵内副脾類表皮囊胞は，膵門部に近い膵尾部に存在する膵内副脾の囊胞性病変で，皮膚付属器をもたない良性の真性囊胞である（図7）．まれな病変で，発生機序は，胎生期に上皮組織や扁平上皮化生をした中皮が迷入する説，外傷や無症候性に脾に生じた損傷から中皮が入り込み発生する説

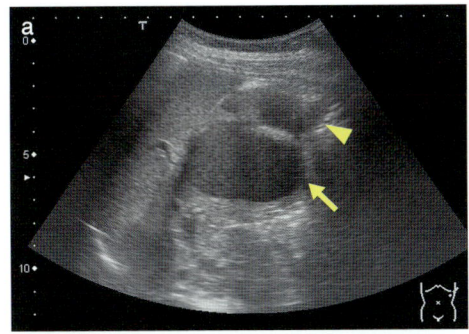

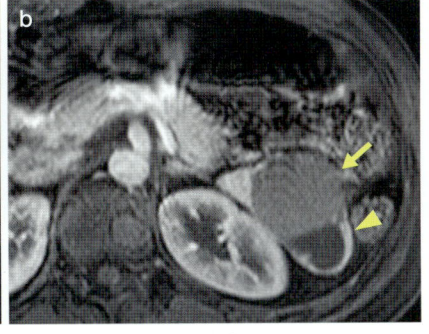

図7 膵内副脾類表皮嚢胞
30代女性．右脛骨腫瘍．CT で膵尾部腫瘤指摘され精査依頼．CA19-9 は 60 U/mL と高値．
膵尾部に 61 × 49 mm の境界明瞭で内部エコーを伴う 2 房性の嚢胞性腫瘤を認めた（a）．MRI では性状の異なる 2 つの嚢胞構造がみられた．50 mm 大の嚢胞性腫瘤は T2 強調像で高信号，T1WI でやや高信号であり出血が疑われた（矢印）．尾側の 25 mm の嚢胞性腫瘤は T1WI で低信号（矢頭）で，膵 MCN が疑われた（b）．手術で膵尾部に 70 × 53 × 40 mm の多房性で内腔に茶褐色泥状物や粘液様物質を入れた嚢胞性病変を認めた．内面は比較的平坦であった．組織では嚢胞内面は上皮に被われており，層状の扁平上皮様の細胞や移行上皮様の細胞，1 層の立方状の細胞を認めた．嚢胞壁辺縁に副脾組織があり，膵内副脾および上皮性嚢胞と診断された（c）．

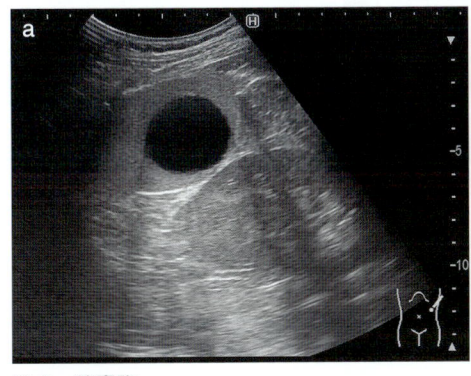

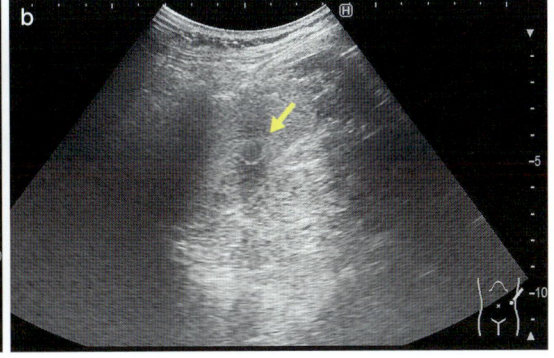

図8 脾嚢胞
40代男性．脾内に 38 mm の嚢胞性腫瘤を認める（a）．2 年後の検査では 12 mm の辺縁高エコーを有する低エコー腫瘤に変化しており，嚢胞の吸収過程を疑った（b 矢印）．4 年後でも性状に変化はみられなかった．

などがある．上皮性の上皮嚢胞（epithelial cyst）のうち，毛根・汗腺などの皮膚付属器が認められるものが皮様嚢胞（dermoid cyst）で，認められないものが類表皮嚢胞（epidermoid cyst）である．したがって，上皮嚢胞は広い概念で用いられているが，重層扁平上皮のみで被覆されているものは類表皮嚢胞である．

超音波検査では，一般的な嚢胞は単発性あるいは多発性で，円形〜卵円形，境界明瞭，後方エコー増強，辺縁平滑な無エコー腫瘤である（図8）．隔壁や辺縁に石灰化を有するものがあり，出血を伴うと内部に複雑なエコーが出現する．膿瘍や血腫，リンパ管腫，膵尾部の仮性嚢胞との鑑別を要する．多嚢胞症（polycystic disease）の場合は，腎や肝の他に脾内に嚢胞の発生をみるものもある．

4. 脾リンパ管腫　splenic lymphangioma

リンパ管腫は先天性の疾患で，脈管形成奇形により異常に拡張したリンパ管である．管腔は 1 層

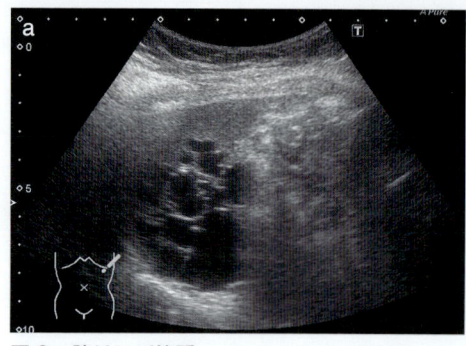

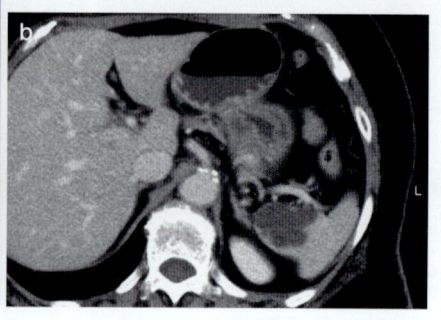

図9 脾リンパ管腫
　80代女性．子宮体癌にて準広範子宮全摘術，骨盤リンパ節郭清術後．脾は70×40 mmで，脾内に54×45 mmの囊胞性腫瘤を認めた．多房性，境界明瞭，内部無エコー，内部血流なし．内部に充実性部分なくリンパ管腫を疑った（a）．超音波検査は初回であったが，CT画像を見返すと，約6年前は40 mm大（b）であったため，経年的には増大傾向にあることがわかった．

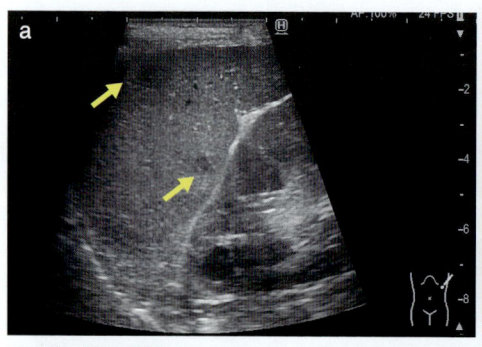

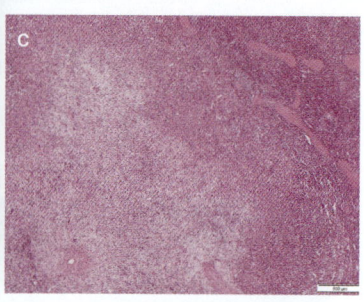

図10 脾血管腫
　80代女性．膵管内乳頭粘液性腺癌の術前精査依頼．脾内部に9×5 mm，7×5 mmなどの形状不整，内部低エコーで不均一，境界不明瞭，内部血流は認めない腫瘤を認め，転移も否定できないとした（a矢印）．手術により（b），脾腫瘤は毛細血管の増生がみられた（左半分の染色の薄い領域：c）．免疫染色を含め血管腫と診断された．

　の内皮細胞で覆われ多房性の囊胞形成が認められる．管腔の大きさで毛細血管性，海綿状，囊胞性の3タイプに分けられ，囊胞性リンパ管腫が最も多い．
　超音波検査では，被膜下にみられる境界明瞭な分葉状囊胞で，多数の薄い隔壁を有する大小様々な蜂巣状管腔像を呈する（図9）．囊胞が小さく細かい隔壁がある部分は，多重反射によって高エコーとなる場合がある．出血により内部エコーが出現する．壁に石灰化を伴うこともあるため，血管腫や転移などの悪性腫瘍と鑑別を要する場合がある．MRIではT2強調像で高信号，T1強調像で低信号となることが多いが，出血を伴う場合はT1強調像で高信号になる．

5. 脾血管腫　splenic hemangioma

　血管の増生を主体とした良性腫瘍で，毛細血管性，海綿状，混合型に分類されるが，海綿状血管腫が多い．
　超音波検査では，内部エコー均一な類円形の高エコー腫瘤で，境界は比較的明瞭である．肝血管腫にみられる所見と同様の超音波像を呈するが，肝とは異なり典型像は得られないことも多い．腫瘤内部の血球の分布や毛細血管あるいは海綿状の構造により，低エコーや高エコーのパターンをとる（図10）．また，内部に出血や壊死変性が起こると，低エコーや無エコーが混在し不均一となる．囊胞壁や充実部分に石灰化を伴うことがある．高エコーと低エコー，無エコーが混在する場合には，

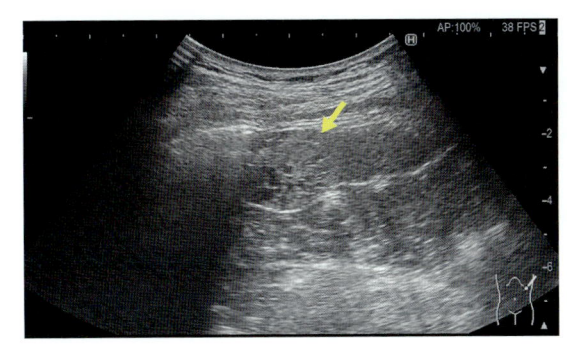

図 11　脾過誤腫
60代男性．検診受診者．24 mm の境界不明瞭な高エコー腫瘤を認めた．内部には小さな囊胞性部分が散在しており，過誤腫を疑った．CT でも低吸収域がみられ，同様の所見であり（非掲載），それ以降経年的に著変なし．

リンパ管腫との鑑別は困難である．ダイナミック CT では，辺縁から徐々に造影されるパターンを示す．MRI では，T2 強調像で淡い高信号，T1 強調像で等〜低信号を示す．

6. 脾過誤腫　splenic hamartoma

症状がなく偶然発見されることが多いまれな腫瘤である．赤脾髄や白脾髄といった脾髄成分の異常増殖による奇形と考えられており，赤脾髄が増殖した赤脾髄型，リンパ濾胞が増殖した白脾髄型，両者が混在した混合型，線維成分が大部分の線維型に分けられる．

超音波検査では，球形で多彩な像を呈する（**図 11**）．正常脾の内部エコーパターンに類似した低エコー腫瘤が多いが高エコーもあり，一定の傾向を認めず，多彩で術前診断は困難である．出血，線維化などの二次的変化を伴うと，無エコー域や高エコー域が混在する．鑑別疾患として，悪性リンパ腫，転移性脾腫瘍，線維腫，血管腫，血管肉腫，リンパ管腫などがあげられる．経過観察でサイズの増大がみられる場合は，悪性リンパ腫などの可能性も考え精査の必要がある．造影 CT では，早期相で内部は淡く不均一に造影され，門脈相から後期相にかけて脾実質と等吸収となる．MRI では，T1 強調像で淡い高信号を呈し，T2 強調像では辺縁は低信号，中心部は脾実質と同程度の信号で，造影では，腫瘤辺縁は弱く中心部は緩徐に染影される．PET では FDG の集積を認めるとされる．

7. 脾サルコイドーシス　splenic sarcoidosis

乾酪壊死を伴わない類上皮細胞およびラングハンス巨細胞からなるサルコイド肉芽腫を形成する．脾の他に，肺門リンパ節，肺，眼，皮膚，神経，心臓，リンパ節，肝，腎など全身臓器に病変をきたすが，自然軽快する場合もある．わが国のサルコイドーシス剖検例では脾病変が 33.4〜41.4% に認められるとの報告があり，脾病変の合併は比較的多いと考えられる．しかし，脾に限局した単独例はまれであり，肺病変や他の愁訴の精査中に偶発的に発見されることがある．自他覚症状や検査所見の異常を呈する例は少ない．経過観察により増大，増多の報告がある．

超音波検査では，類円形の多発する低エコー腫瘤で境界不明瞭なことが多い（**図 12**）．造影 CT では，多発結節ないし索状の造影不良領域として認められる．MRI では，T1 強調像でやや高信号，T2 強調像で低信号を呈し，PET でも FDG が集積するとされる．鑑別疾患は，悪性リンパ腫，炎症性偽腫瘍，脾結核，転移性脾腫瘍があげられる．

8. 脾 SANT　sclerosing angiomatoid nodular transformation

血管腫に類似した結節性血管腫様変化と硝子化を伴う線維成分からなる良性腫瘍である．littoral cell angioma は，脾腫を伴い多数の腫瘤を認めるのを特徴とするまれな脾原発の良性血管性病変で，免疫染色で脾内皮細胞と組織球細胞の両方の表現型をあわせもつ littoral cell の存在で診断される．

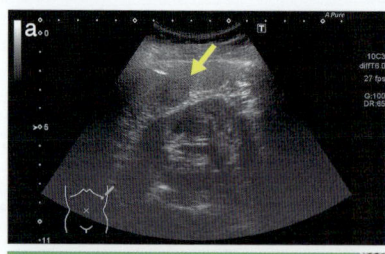

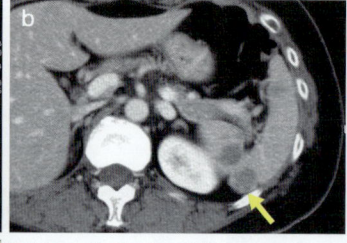

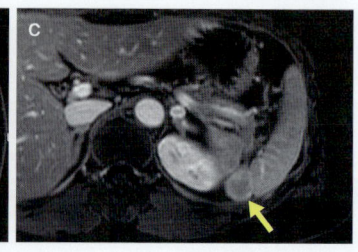

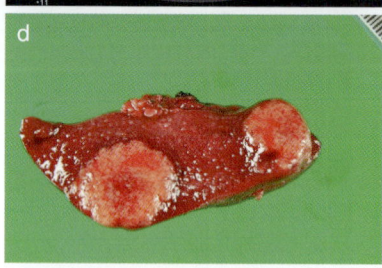

図 12 脾サルコイドーシス

40 代女性．子宮体癌ⅣB 期．詳細不明だが，約 3 年前から他院にてサルコイドーシスで治療中である．CT にて肝，脾腫瘤指摘され精査依頼．脾内部に 14 × 12，12 × 10，10 × 6 mm の多発低エコー腫瘤を認めた．形状類円形，境界不明瞭，内部エコー均一，血流なし．脾のみの転移はやや考えにくく，既往のサルコイドーシスによる脾病変を疑った（a）．CT では，脾内に低吸収腫瘤が多発していた（b）．MRI では，辺縁優位にリング状の漸増性造影効果がある腫瘤として認めた（c）．PET では，FDG 集積亢進を認めた（非掲載）．手術にて白色の結節を 20 個以上認めた（d）．組織では，結節部は非乾酪壊死性類上皮肉芽腫からなり，肉芽腫は癒合傾向を示し，サルコイドーシスと診断された．

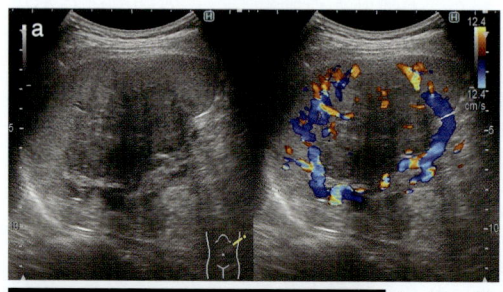

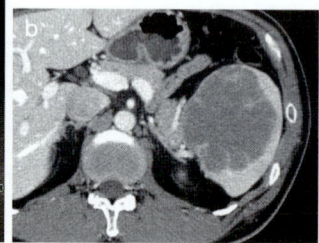

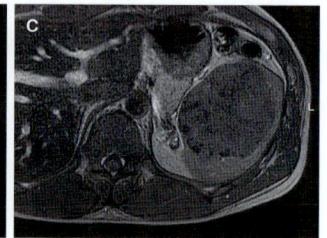

図 13 脾 SANT

40 代男性．脾腫瘤を指摘され紹介受診．主な腫瘍マーカーに異常なし．114 × 76 mm の脾腫がみられ，内部に 82 × 72 mm の腫瘤を認める．不整形，境界不明瞭，内部低〜等エコー不均一，辺縁の音響陰影により内部性状は観察不良．内部に spoke-wheel pattern の血流を認め，SANT を疑った（a）．CT では境界やや不明瞭で被膜は認めない．辺縁優位に内部に淡い染まりがあり，漸増性パターンであり，血管腫や過誤腫，血管肉腫が鑑別にあがった（b）．SPIO を用いた MRI では，T2 強調像で低信号，拡散制限を認めない．SPIO の取り込みなし．線維性過誤腫などの良性疾患を疑うが，悪性リンパ腫や転移も鑑別にあがった（c）．手術にて，脾は 110 × 85 mm．脾内に 80 × 70 mm の境界明瞭な充実性腫瘤があり，辺縁分葉状の暗赤褐色調を基盤とし，中心部から辺縁に向かい放射状に広がる白色硬化組織が重なっていた（d）．組織では，血管腫瘍組織が膠原化を伴う線維化により大小不同の結節状を示し，膠原化した線維化組織のなかに少数の軽度拡張した血管腔のみ認められる像を示した．免疫染色上 3 種類の血管成分が増生し混在しており，SANT と診断された．

また，まれではあるが破裂する可能性もあり，注意が必要である．

超音波検査では，単発，被膜をもたず境界明瞭で多結節性，分葉状を呈する．内部低エコーで中心部に線維性瘢痕を有する不均一な充実性腫瘤である．多血性で豊富な線維性間質を反映してドプラにて車輻状構造（spoke-wheel pattern）を認める（図 13）．造影 CT や造影 MRI では，早期相では全体的に造影不良であるが腫瘤辺縁部から中心部に向けて徐々に造影され，後期相で腫瘤内部が放射状に描出される spoke-wheel pattern を呈するとの報告もあり，比較的特徴的な所見である．中心瘢痕や血管腫様結節を隔てる放射状の線維性隔壁を反映しているとされ，自験例の病理所見でも放射状の線維性間質組織と少量の拡張した血管腔を認めた．MRI では T1 強調像で等〜低信号，T2 強調像で低信号を呈し，ダイナミック造影において遷延性に造影される．PET では，淡い

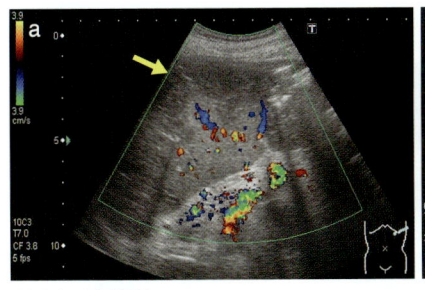

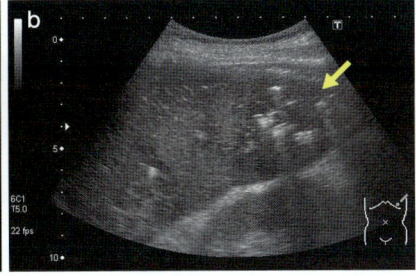

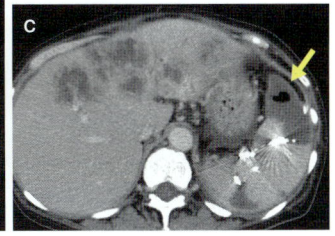

図 14　脾膿瘍
50代女性．大腸癌，多発肝転移にて化学療法中．脾動脈塞栓術施行後，CRP40 mg/dL と高値を認め精査依頼．ストーマ出血に対し門脈圧低下目的に PSE（部分的脾動脈塞栓術；partial splenic embolization）施行．PSE 後 20 日目の検査で，脾は 127 × 72 mm と脾腫を認めた．脾実質の低エコー領域には血流がみられず，PSE による効果と思われた（a）．ガス産生と思われる高エコーがみられ，流動性も観察される部分があり，膿瘍を疑った（b）．CT でも同様の所見であった（c）．膿瘍ドレナージを施行し，Staphylococcus epidermidis 1＋が検出された．

FDG の集積を呈し，血管腔周囲の炎症細胞浸潤を反映しているとされる．鑑別疾患は，血管腫，過誤腫，炎症性偽腫瘍，血管肉腫，悪性リンパ腫，littoral cell angioma などで，特に炎症性偽腫瘍は，好発年齢，境界明瞭な腫瘤，線維成分を反映した不均一な造影パターンはいずれも SANT と類似しており，鑑別は困難である．SANT は脾洞組織の有無や線維成分の程度によって多彩な像を示すため，画像診断は困難なことが多い．脾炎症性偽腫瘍は，病理組織学的には非特異的炎症細胞浸潤と間葉組織の修復像に特徴づけられる良性の腫瘤性病変である．

9. 脾膿瘍　splenic abscess

敗血症，血行性感染，外傷，脾動脈塞栓術後などに伴い，二次的に膿瘍を形成することが多い．背景に糖尿病，白血病，HIV 感染などの免疫機能低下をきたす疾患を有していることが多い．症状は発熱や左季肋部痛などで，左胸水を伴うこともある．

超音波検査では，辺縁不整で境界不明瞭な低～無エコー腫瘤として認められる．内部不均一で腫瘤内部に囊胞性部分を認めることが多い．病期によっては，デブリやガスエコーの出現をみることもある（図 14）．経過により内部エコーが変化する．真菌による膿瘍では，中心部に高エコースポットを伴った小さな多発性低エコー腫瘤が特徴である．後方エコーの増強を伴うことがある．注意点としては，悪性リンパ腫や転移性腫瘤，外傷と鑑別を要するが，多くの場合，臨床症状で鑑別が可能である．

10. 脾石灰化　splenic calcification

結核，寄生虫，出血などが原因で形成されたもので，脾にカルシウムの沈着を認める．

超音波検査では，点状や米粒大のストロングエコー像で音響陰影を伴うが，小さなものは音響陰影がみられない．単発もあるが多発性が多い（図 15）．脾内の動脈や静脈壁が石灰化様像を呈することがあるが，この場合のストロングエコーは管腔構造に描出されるため鑑別点になる．

11. ガムナ・ガンディ結節　Gamna-Gandy nodule

肝硬変などの門脈圧亢進症で，脾のうっ血により脾内小出血が生じ，脾柱や被膜にヘモジデリン（血鉄素）の沈着や微小石灰化が起こる．

超音波検査では，脾腫を伴う散在性の点状高エコー像を呈する．脾石灰化と異なりサイズが小さいため，音響陰影は伴わないことが多い（図 16）．

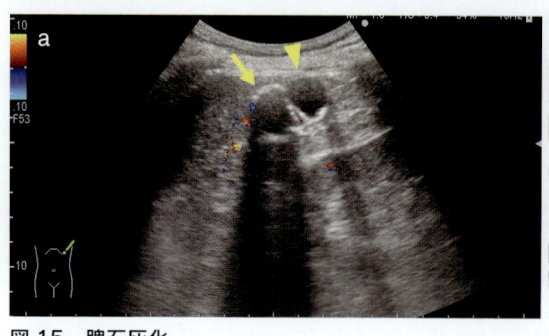

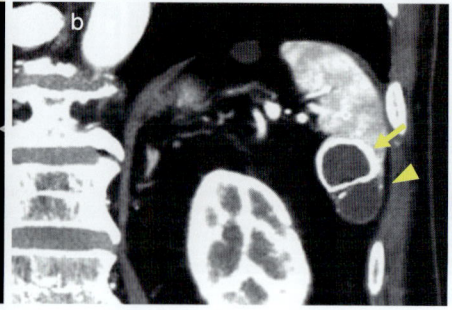

図15 脾石灰化
　70代男性．食道癌の術前精査．脾内に25×22 mm，19×17 mmの2個の腫瘤がみられる．前者は卵殻状の石灰化を伴い，内部の評価が困難で音響陰影を伴う（a 矢印）．後者は内部エコーを認めず腫瘤後方は音響増強を認める（a 矢頭）．卵殻状の石灰化を伴う腫瘤は陳旧性の血腫，血管腫，炎症後変化などが疑われた．CTでも同様の所見であった（b）．結核の既往はなかった．

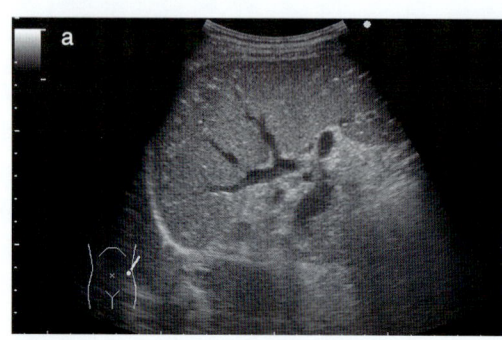

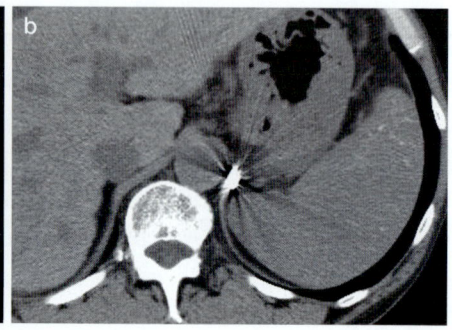

図16 ガムナ・ガンディ結節
　60代男性．肝硬変，静脈瘤の既往．脾は126×71 mmと脾腫を認める．脾内に無数の線状や点状ストロングエコーがみられ，線維化やガムナ・ガンディ結節を疑った（a）．CTでも同様の所見である（b）．

12. 脾外傷，脾損傷　splenic injury

　脾は肝に次いで外傷が多く，挫傷，被膜下血腫，破裂などがみられ，損傷による多量出血によりショック状態に陥ることがある．日本外傷学会臓器損傷分類では，Ⅰ型：被膜下損傷（Ⅰa型：被膜下血腫，Ⅰb型：実質内血腫），Ⅱ型：表在性損傷，Ⅲ型：深在性損傷（Ⅲa型：単純，Ⅲb型：複雑）に分けられ，脾臓破裂は深在性損傷に分類される．カテーテルによる処置で効果がない時には脾摘となる．

　超音波検査では，損傷の程度により脾の断裂像，実質内血腫（無エコーから高エコーに変化），被膜下血腫がみられる．挫傷では内部エコー不均一，またはやや高エコーに描出される．腹腔内出血もみられる（図17）．血腫では淡い内部エコーがみられ，膿瘍との鑑別を要するが，臨床症状を参考にすることで鑑別できる．

13. 脾梗塞　splenic infarction

　脾動脈の閉塞により脾への血流が途絶え，脾の全体もしくは一部が壊死に陥ってしまうものである．従来は感染性心内膜炎，心房細動などの心原性血栓が原因とされていたが，脾機能亢進症に対する治療として行われる部分的脾動脈塞栓術（PSE：partial splenic embolization）や，肝癌治療における肝動脈塞栓術（TAE：transcatheter arterial embolization）の合併症としてみられるようになった．

　超音波検査では，急性期梗塞巣では脾内部から脾辺縁の被膜に向かって広がる楔状または地図状

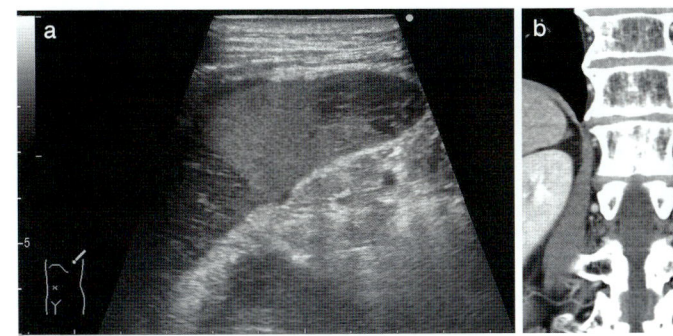

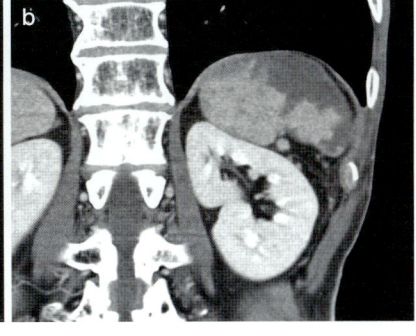

図 17 脾外傷
　70 代男性．CT，内視鏡にて胃癌を指摘されている．転倒し血圧低下，冷汗もあり，出血性ショックが疑われていた．受傷後 12 日目の US では，脾実質は中央部を除き内部血流に乏しく網目状の低エコー域がみられ，血腫を疑った（a）．脾周囲にはわずかな貯留液がみられたが，Ⅰb 型の実質内血腫と考えた．CT は受傷後 7 日目の画像である（b）．

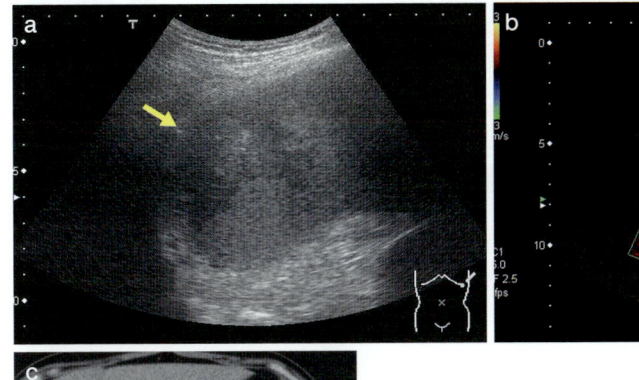

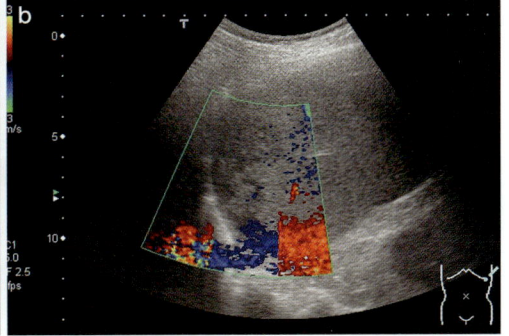

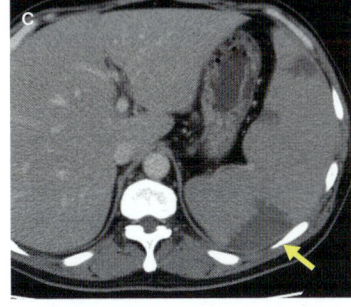

図 18 脾梗塞
　50 代女性．転移性肺腫瘍にて紹介受診．肝機能障害の精査依頼．脾は 171 × 87 mm と脾腫を認める．上極に 67 × 39 mm の境界不明瞭な楔状の乏血性低エコー域を認めた（a, b）．下極にも散在性に低エコー域を認め，梗塞を疑った．CT でも楔状の低吸収域が散見され，梗塞性変化が疑われた（c）．

の低エコー域がみられ，ドプラ検査により血流シグナルの欠損が特徴である（**図 18**）．境界不明瞭な地図状，区域性の低エコー域内には，微細な線状エコーや点状高エコースポットがみられる．慢性期では，瘢痕・線維化による収縮によりエコーレベルは上昇し，表面の不整・陥凹，辺縁の切れ込み像や分葉状を呈する．腸管壊死や腎梗塞を合併することがあるため注意を要する．急性期の梗塞は，B モードでは描出困難なことがあるためかならずドプラ法を併用する．著明な脾腫の場合には，辺縁部に梗塞が存在することがあるため注意する．脾塞栓術の後，発熱などを伴い，辺縁不整で境界不明瞭な無エコー域が出現した場合には脾膿瘍の合併を考える．

14. 脾動脈瘤　splenic aneurysm

　腹部内臓動脈瘤の好発部位は，脾動脈（60%），肝動脈（20%），上腸間膜動脈（6%），腹腔動脈（4%），膵十二指腸動脈（2%），腎動脈，胃動脈，胃大網動脈とされている．最大径 2 cm 以上が治療適応となっているが，膵十二指腸動脈瘤はサイズによらず破裂のリスクが高いため治療介入が

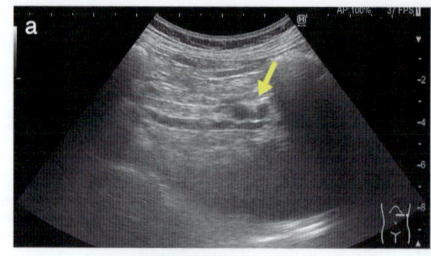

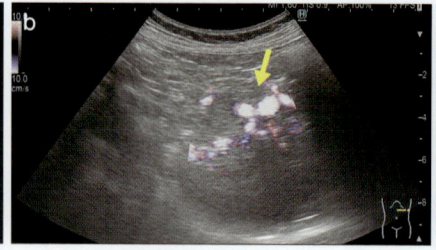

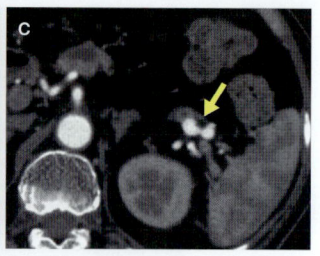

図 19　脾動脈瘤
　80 代女性．膵頭部癌で紹介受診．膵尾部の位置に，全体で 21 × 8 mm の二房性の囊胞構造物を認めた（矢印）．一見して IPMN（膵管内乳頭粘液性腫瘍）を疑ったが，ドプラにて拍動性の血流を確認し，位置的にも脾動脈瘤を疑った（a, b）．CT でも脾動脈に連続した拡張蛇行する血管構造がみられた（c）．

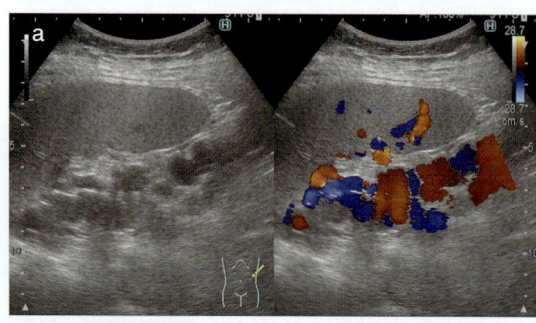

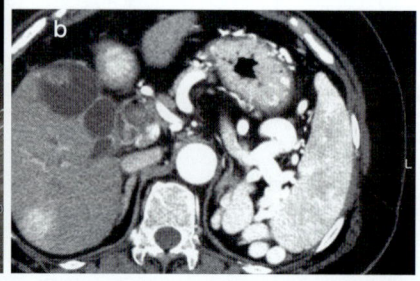

図 20　脾腎短絡路
　70 代女性．肝細胞癌，胆囊癌を指摘され紹介受診．脾は 125 × 44 mm とやや腫大を認め，脾門部には拡張蛇行する数珠状の血管構造がみられ，側副血行路（脾腎短絡路）を疑った（a）．CT でも同様の所見であった（b）．

必要とされる．
　超音波検査では，脾門部に脾動脈と連続した球状の囊胞性腫瘍像として観察される．ドプラ検査では内部にカラーシグナルがみられ，拍動波を認める（図 19）．

15. 脾腎短絡路　spleno-renal shunt

　肝硬変などの門脈圧亢進症で観察されることが多く，側副血行路がみられた場合には原疾患を確認する必要がある．
　超音波検査では，脾腫に伴った脾門部に拡張蛇行する管腔像が特徴である（図 20）．ドプラ検査を併用して確認する．

16. 脾血管肉腫　splenic angiosarcoma

　血管肉腫とは，血管の内皮細胞から発生するまれな腫瘍である．好発部位は皮膚および軟部組織で，この他に乳腺，肝，骨などにみられるが，脾原発はわずか 4％ とされ，きわめてまれである．進行が速く，急激な増大傾向を示し転移や再発を起こしやすく，予後はきわめて不良である．血管肉腫全体の 5 年生存率は 9％ といわれている．肝，骨，肺，腎などへの血行性転移が主であるが，リンパ節転移もみられる．脾静脈から血流を豊富に受ける肝や肺などに容易に転移すると考えられており，脾原発例の肝転移は高頻度である．
　超音波検査では特徴的な所見は少なく，質的診断は困難であるが，血管系の腫瘍の場合は画像を拡大して観察すると腫瘍内部の無エコー部分に血管成分（pooling）と考えられる流動性がみられることで参考になる（図 21）．鑑別疾患には悪性リンパ腫や転移性腫瘍がある．悪性リンパ腫は，びまん性に浸潤する場合が多く，エコーレベルもごく低く，腫瘤を形成しても新生血管などの画像

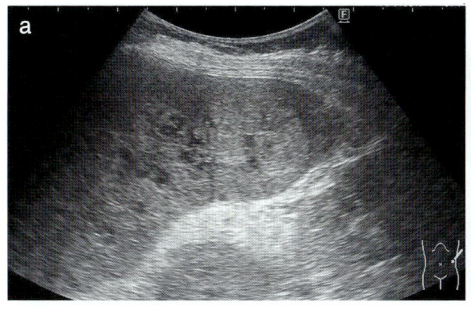

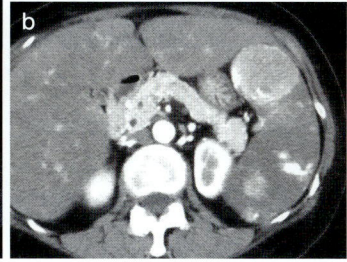

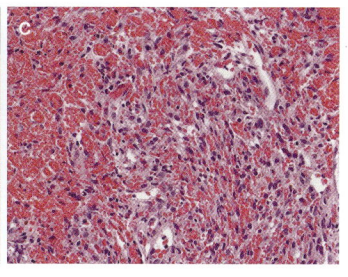

図21　脾血管肉腫
　60代女性．多発肝・脾腫瘍精査依頼．D-ダイマー：63.3 μg/mL と高値．CEA：0.9 ng/mL，CA19-9：8 U/mL．153×66 mm の脾腫を認めた．計測可能な比較的大きな腫瘤は高エコーを呈し，下極の52 mm，40 mm大であった．他に大小無数の管腔構造が索状あるいは結節状に低～無エコーに散在していた．これらの内部には流動性がみられ，血管肉腫を疑った（a）．CTでは多数の造影される結節を認め，悪性リンパ腫や血管肉腫が疑われた（b）．脾生検にて紡錘形細胞の増殖からなる腫瘤で，出血や血管腔の形成を伴い，免疫染色にて脾血管肉腫と診断された（c）．

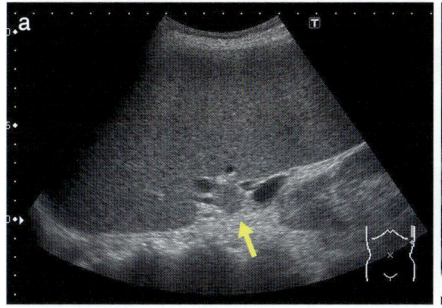

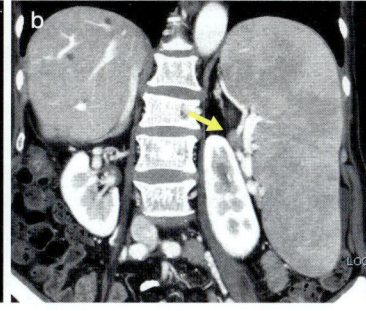

図22　脾悪性リンパ腫
　60代女性．脾腫を指摘され紹介受診．196×88 mm と脾腫を認めた．実質エコーは通常よりも粗く，脾内には無数の微細結節を認めた（a）．脾門部などに18×5 mm，8×6 mm，7×5 mm，6×5 mm などの脾と等エコーの多発性腫瘤を認めた（矢印）．傍大動脈，膵頭部近傍，胃小弯などにも21×13 mm，20×14 mm などのリンパ節を認めた（非掲載）．CTでは著明な脾腫を認めるが，腫瘤の指摘はなし（b）．手術にて脾は22×13×7 cm，1,160 g と脾大，割面では5 mm までの小結節がびまん性に分布していた（c）．組織では白脾髄の拡大が目立ち，胚中心様構造を呈していた．免疫染色にて辺縁帯リンパ腫（marginal zone lymphoma）と診断された．

所見を示さない．転移性腫瘍では，胃癌，大腸癌，肺癌，卵巣癌，悪性黒色腫などの原発巣を示唆する病変がない．良性では，脾膿瘍，血管腫，リンパ管腫，過誤腫が考えられる．

17．脾悪性リンパ腫　malignant lymphoma of the spleen

　リンパ系組織から発生する腫瘍性疾患で，脾の悪性疾患として最も頻度が高い．全身的な悪性リンパ腫に伴って認められる場合と脾原発の場合があるが，脾原発の悪性リンパ腫はリンパ腫全体の1％未満ときわめてまれで，大部分は全身的なものである．脾悪性腫瘍のなかで最も多く，腫瘤を形成する粟粒性腫瘍と腫瘤を形成しないびまん性腫瘍が存在する．ホジキンリンパ腫と非ホジキンリンパ腫とに大別されるが，わが国ではホジキンリンパ腫は10％と少なく，ほとんどが非ホジキンリンパ腫である．

　超音波検査では，続発性では脾腫を伴い低エコーあるいは無エコーレベルの腫瘤として描出される．びまん性に浸潤した例では，腫瘤としては認識できず脾腫のみという場合もあり注意を要する（図22）．この場合，微細低エコー結節によるムラで気づく場合もあり，高周波プローブでの観察が必要である．原発性では内部エコー均一な低～極低エコーで，境界不明瞭な多発性の類円形腫瘤像が多い．腫瘤内部に線状エコーまたは高エコー部分がみられることがある（図23）．付随する病変として傍大動脈や腸間膜のリンパ節腫大がみられることが多いため，確認しておく必要がある．

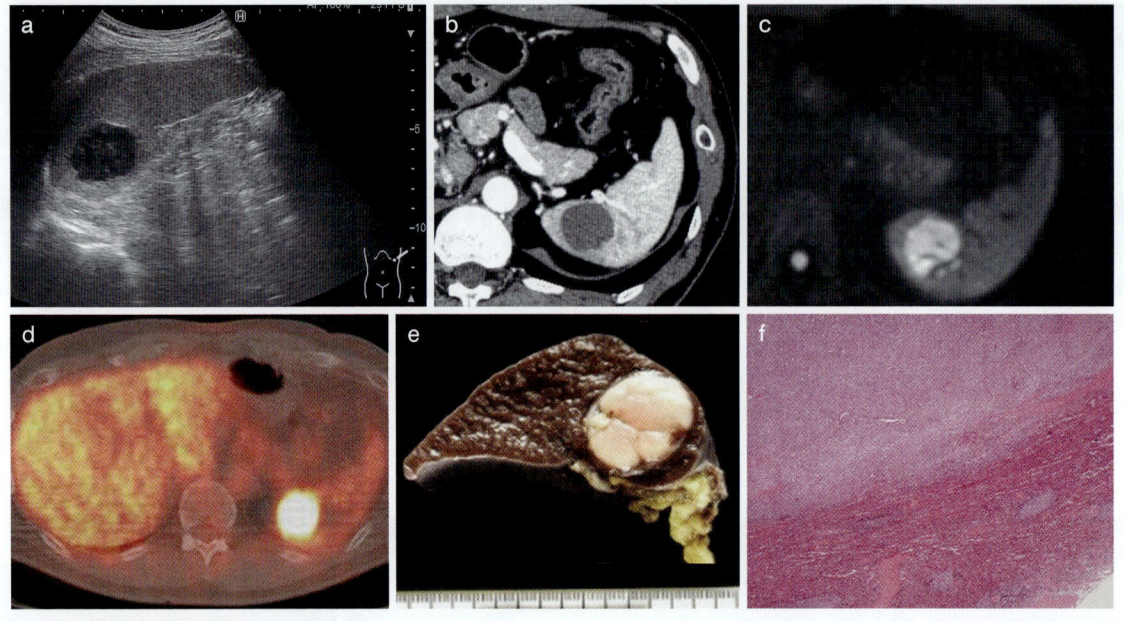

図 23　脾悪性リンパ腫
　50 代男性．脾腫瘤を指摘され紹介受診．CEA：1.9 ng/mL，CA19-9：8 U/mL，IL-2 レセプター：3 U/mL．脾は 119 × 41 mm で，内部に 35 × 29 mm の腫瘤を認めた（a）．形状は分葉形，境界明瞭，辺縁平滑一部粗雑，内部低エコー不均一，後方エコー増強．内部には定常波の血流シグナルを認め（非掲載），悪性リンパ腫を疑った．CT では，乏血性で遅延相ではわずかに染まりがみられた（b）．MRI では，T2WI で低信号，T1WI でほぼ脾実質と等信号．造影効果は均一に非常に淡く内部の隔壁様構造部分でやや目立ち，拡散制限もみられた（c）．PET-CT では，脾内に腫瘤状の強い集積を認めたが，他の部位には病変は認めなかった（d）．手術にて，脾内に 38 × 32 mm の灰白色結節を認めた（e）．結節部には明瞭な核小体を伴う中～大型リンパ球様の異型細胞が一様に増殖しており，核分裂像が散見された（f）．免疫染色にて，びまん性大細胞型 B 細胞リンパ腫（DLBCL）と診断された．

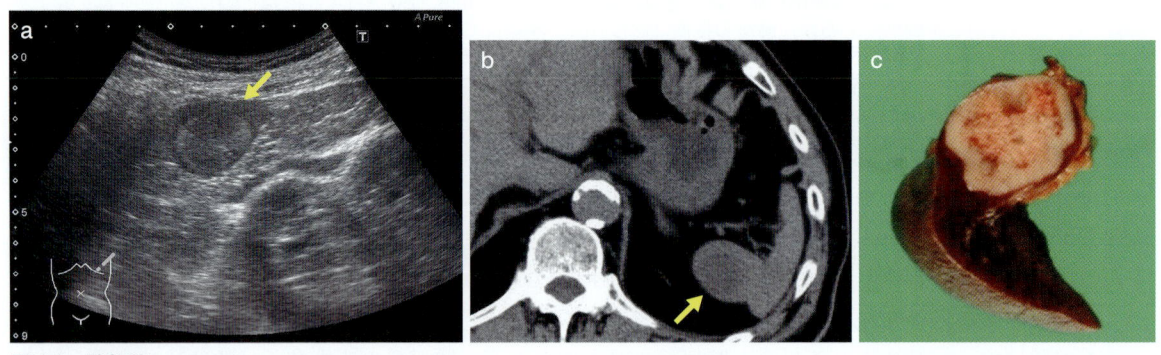

図 24　脾転移
　70 代男性．stage ⅢC にて腹腔鏡下 S 状結腸癌手術．CEA：6.8 ng/mL，CA19-9：78 U/mL と高値．約 3 年後の定期 US にて脾内に 29 × 28 mm，21 × 18 mm の腫瘤を認めた．形状楕円形，境界明瞭，内部は低エコーと高エコーとが混在し不均一，内部血流なし，辺縁低エコー帯を有する．以上より転移を疑った（a）．CT でも 2 カ所に低濃度腫瘤がみられた（b）．手術にて脾内に 35 × 35 mm，25 × 25 mm，5 × 5 mm の計 3 個の転移を認めた（c）．術後 2 年間は，他臓器への遠隔転移は認めていない．

18. 転移性脾腫瘍　metastatic splenic tumor

　悪性黒色腫，肺の小細胞癌，胃癌，大腸癌，絨毛癌，卵巣癌などによる転移がみられる．転移経路は血行性が多いが，脾臓のみにみられる転移はきわめて少なく，全身転移の結果と考えられている．

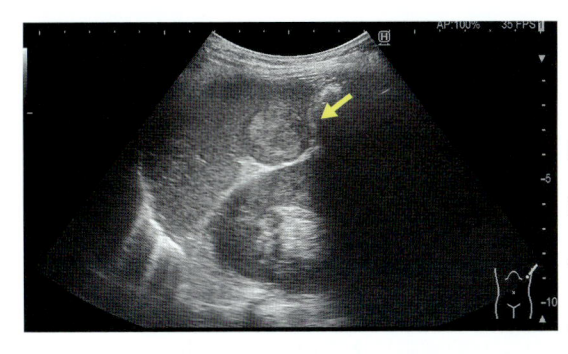

図 25　脾転移
　50 代女性．子宮体癌術後の腹膜播種で化学療法中．脾内に辺縁低エコー帯を伴った内部エコー不均一な 23 mm，21 mm などの充実性腫瘍を認め，転移を疑った．内部性状は高エコーや低エコーなものがみられ，変性によるものと考えた．CT でも同様の所見であり，経過観察での増大も認めた．その後，肝，脾，腹膜播種などの増悪を認めた．

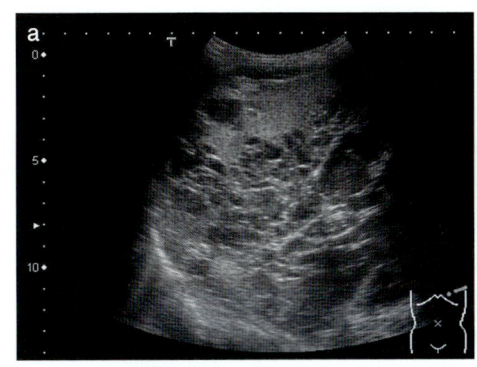

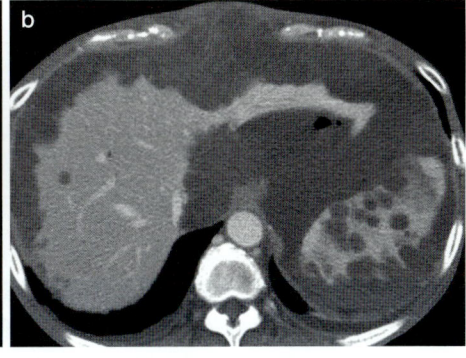

図 26　腹膜偽粘液腫の浸潤
　60 代女性．他院で粘液性嚢胞腺癌にて虫垂，子宮，卵巣の手術歴あり．腹腔内全域に淡い内部エコーを伴う隔壁を伴った嚢胞性病変を広範囲に認めた．脾や肝には嚢胞性病変の浸潤像（scalloping）がみられ，腹膜偽粘液腫による浸潤を疑った（a，b）．腹壁結節の一部が手術され，線維性の隔壁で境界された粘液塊の中に腫瘍を認めたが，細胞成分には乏しく異型にも乏しかった．全体として良性＞中間悪性の腹膜偽粘液腫と診断された．

　超音波検査では，低エコーの腫瘤像が多いが，ときに高エコーであり，類円形の腫瘤像で内部エコーは不均一で，出血や壊死を伴うなど多彩な超音波像を呈する（図 24，25）．腹膜偽粘液腫では，脾や肝縁には波状に食い込むような像（scalloping）もみられる（図 26）．その他にも，脾への浸潤や浸潤と紛らわしい所見などにも注意を要する．脾への浸潤は，解剖学的に膵尾部，胃，横行結腸などからの病変が多いが，浸潤の判定は脾と病変との可動性の有無を動的に観察する必要がある．

参考文献

1）立花暉夫，武村民子，岩井和郎：サルコイドーシス全国剖検例の脾病変の検討．日サルコイドーシス会誌，**31**：11〜15，2011．
2）Iwai, K., Tachibana, T., Takemura, T., et al.：Pathological studies on sarcoidosis autopsy. I. Epidemiological features of 320 cases in Japan. Acta. Pathol. Jpn., **43**：372〜376, 1993.
3）大野　毅，池田陽一，江崎卓弘，他：脾臓自然破裂，腹腔内出血にて発見された脾臓原発血管肉腫の 1 例．日消外会誌，**30**：1952〜1956，1997．
4）上村将夫，杉浦禎一，蘆田　良，他：脾 sclerosing angiomatoid nodular transformation の 1 例．日臨外会誌，**81**：360〜366，2020．
5）日本外傷学会臓器損傷分類委員会：脾損傷分類 2008．日外傷会誌，**22**：263，2008．
6）児玉章朗，佐藤誠洋，池田脩太，他：内臓動脈瘤の診断と治療．日血外会誌，**30**：79〜83，2021．
7）佐々木教之，下沖　収，上杉憲幸，他：脾臓原発血管肉腫の 1 例．岩手医誌，**70**（2）：59〜63，2017．

〈南里和秀〉

3. 胆嚢・胆管

胆嚢の正常像は「第1章　腹部超音波検査の進め方」参照.

I 胆嚢の検査ポイント

1. 大きさ：腫大，萎縮，虚脱

腫大は，炎症による内圧の上昇，胆汁の流出障害，長期絶食などが要因となり，急性胆嚢炎や胆管結石，胆管癌，膵癌，十二指腸乳頭部癌，膵炎やリンパ節腫脹による胆管狭窄で起こる（図1）.

萎縮は，長期の炎症により結合組織が肥厚し壁のエコー輝度も高くなる慢性胆嚢炎で認める.

虚脱は，内圧が低下した状態であり，短径が収縮する．急性肝障害（図2）や胆嚢穿孔でみられる.

胆嚢は，食事摂取後では胆汁の排出により収縮するため，検査は絶食後が望ましい（図3）.

2. 壁：肥厚，性状

壁肥厚には，限局性肥厚とびまん性肥厚がある（図4）．限局性肥厚には胆嚢癌，胆嚢腺筋腫症（限局型，分節型）があり，びまん性肥厚には急性胆嚢炎，慢性胆嚢炎，胆嚢腺筋腫症（びまん型），胆嚢癌，急性肝炎などの肝障害による浮腫性肥厚がある（図2，5）．肝障害では門脈圧と肝類洞圧が上昇し，肝に流入する胆嚢静脈圧は上昇し，胆嚢壁は浮腫性肥厚をきたす．この他にリンパ液のうっ滞も関与している.

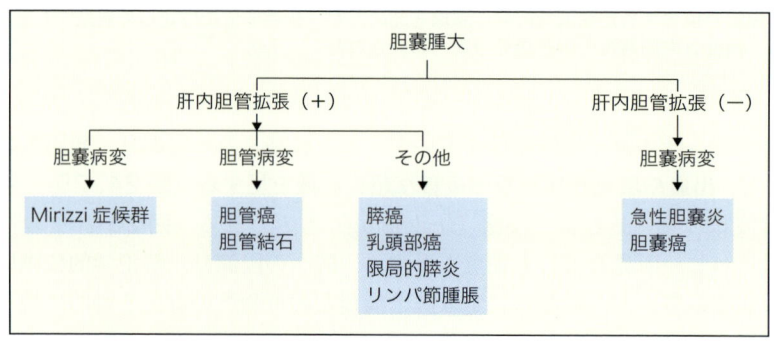

図1　胆嚢腫大の鑑別診断
（木内清恵，他：胆嚢．日超検超音波テキスト第2版．関根智紀，南里和秀（編），p.148，医歯薬出版，2019．をもとに作成）

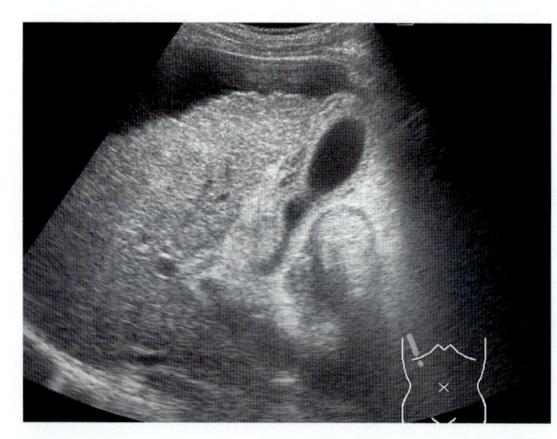

図2　急性肝炎の胆嚢壁肥厚と内腔の虚脱
50代男性．骨髄移植後に肝機能上昇．AST：233 U/L，ALT：332 U/L．
内腔は狭小化し，胆嚢は虚脱している．胆嚢壁は最大16 mmに肥厚し，壁内には低エコー域を認める.

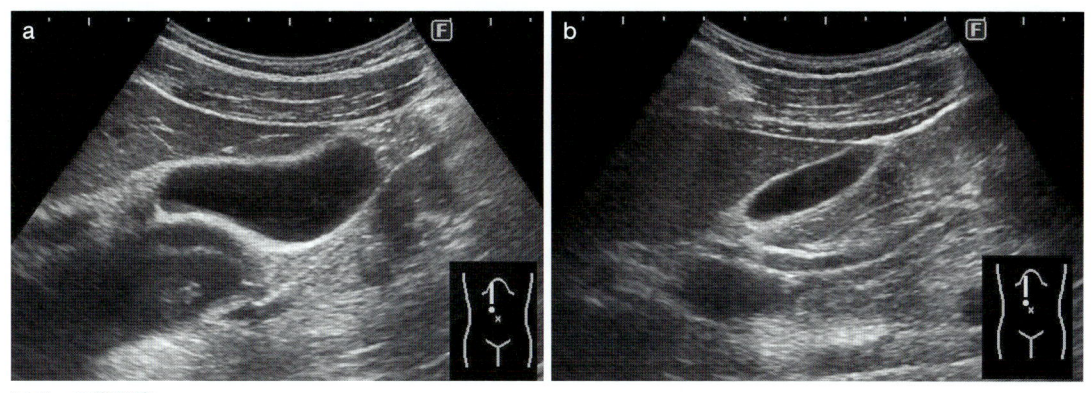

図3 正常胆嚢
a：空腹時（食後6時間），b：食後45分．
　食事摂取後は胆嚢から胆汁が排出されるために胆嚢は収縮する．収縮の程度には個人差がある．胆嚢の観察には，検査前に十分な説明と一定の絶食が必要である．

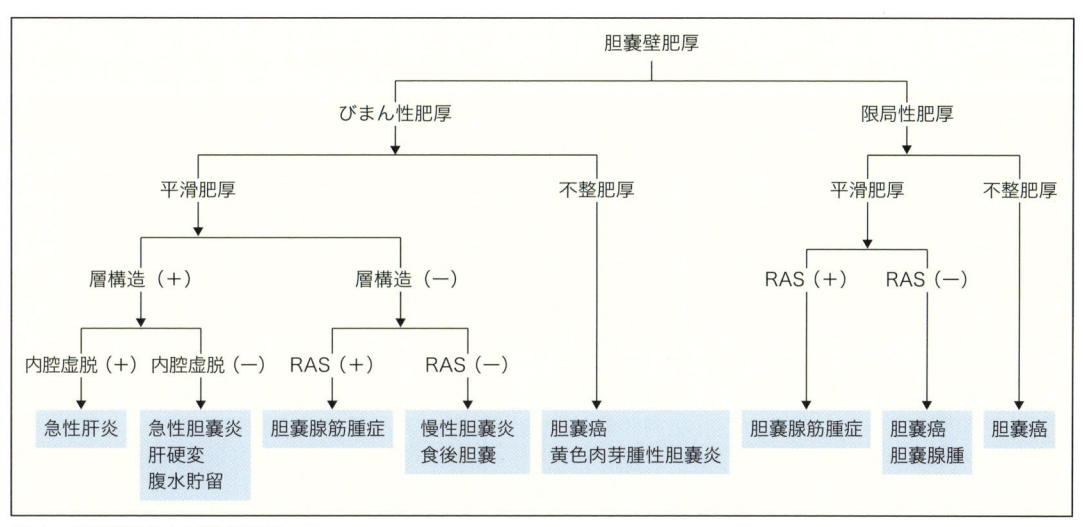

図4 胆嚢壁肥厚の鑑別診断
(木内清恵，他：胆嚢．日超検腹部超音波テキスト第2版．関根智紀，南里和秀（編），p.149，医歯薬出版，2019．をもとに作成)

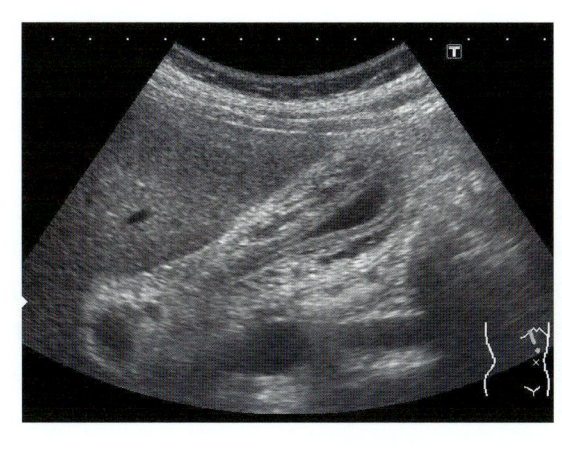

図5 肝硬変の胆嚢壁肥厚
50代男性．アルコール性肝硬変．低アルブミン血症（3.1 g/dL）により胆嚢壁は浮腫性肥厚をきたし，壁内には低エコー層を認める．

3. 隆起性病変

　胆嚢の隆起性病変には，有茎性病変と広基性病変がある．有茎性病変は，10 mm 以下であれば良性の場合が多く，コレステロールポリープ（後述の図9, 10参照）と胆嚢腺腫が多い．10 mm をこえると悪性の頻度が高くなり，胆嚢癌と胆嚢腺腫が鑑別にあがる．増大傾向を認める病変は悪性であることが多い．

　広基性病変では，粘膜面が不整であれば胆嚢癌であることが多く，粘膜面が整であれば限局型または分節型胆嚢腺筋腫症が鑑別にあがる．胆嚢癌と隆起性病変の鑑別については，「Ⅲ 胆嚢の病変 10．胆嚢癌　胆嚢癌と鑑別を要する胆嚢病変の診断ポイント」を参照．

4. 血流評価（ドプラ所見）

　隆起性病変では，病変内部に血流シグナルを認めることが多い．コレステロールポリープでは直線状の血流シグナルが多く（後述の図10参照），胆嚢癌ではびまん性または樹枝状の血流シグナルを認めることが多い．病変内部の血流評価は血流の有無ではなくシグナルの形状が重要となる．一方，胆嚢壁に認める胆嚢動脈のFFT解析による収縮期最高流速（PSV）は，胆嚢癌では高速となり胆嚢腺筋腫症などに比べ速い（後述の図25参照）．カットオフ値PSV 30 cm/s以上では，胆嚢癌は感度100％，特異度98％となるとの報告もある．

　胆嚢炎では，急性胆嚢炎，黄色肉芽腫性胆嚢炎のPSVは慢性胆嚢炎に比べ有意に高い．急性胆嚢炎では胆嚢癌と同程度となることもあるが，経時的に変化するとされている．胆嚢捻転症では虚血のために壁の血流は認めない．緊急手術が考慮されるため，胆嚢捻転症が疑われた場合には壁内血流の評価は重要となる．

Ⅱ 胆嚢の異常像

1）位置

　位置の異常には，肝内胆嚢や左側胆嚢などがある．肝内胆嚢は胆嚢を正常の位置に認めず，胆嚢を肝実質内に認めるものである．左側胆嚢は胆嚢が肝円索の左側の肝下面に位置するもので，内臓逆位を伴わないものである．いずれも頻度は低い．胆嚢が正常の位置になく索状構造物を認める場合には胆嚢形成不全の場合がある．

2）形態

　形態の異常には，底部や体部が屈折した漿膜下方屈折胆嚢（phrygian cap deformity）や体部が大きく屈曲した胆嚢（図6），胆嚢憩室，隔壁胆嚢などがある．この他に，胆嚢内腔が分離され共通の胆嚢管をもつ重複胆嚢がある．

3）大きさ

　胆嚢の腫大は，長径＞80 mm，短径＞40 mmが目安となる．計測値の他に，長径に比べ短径が腫大した緊満感がある場合も腫大を考慮する．なお，腹部超音波検診判定マニュアルでは最大短径≧36 mmを腫大としている．萎縮は長径＜30 mm，短径＜15 mmを目安とする．虚脱は胆汁産生が乏しいなど内圧が低下した状態であり，長軸に比べ短軸方向に収縮する．胆嚢の大きさに比べ内腔が著しく小さいこともある．胆嚢の計測は，音響工学的な観点からは，膵管や胆管と同様に肝側の壁を含めた方法がより正確であるが，腹水貯留例のように胆嚢漿膜面が鮮明に描出されている場合に限られる．また，手術で摘出した胆嚢の大きさは外膜から外膜までを計測するのが合理的であり，実臨床では胆嚢壁を含めた計測が解剖学的な胆嚢サイズに相当する．胆嚢は，大きさだけを計測して評価するのではなく，内腔の虚脱や壁の肥厚などの状態を考え計測・評価する必要があり（図2），病態ごとにどこを計測するかを施設内で統一することが望ましい．

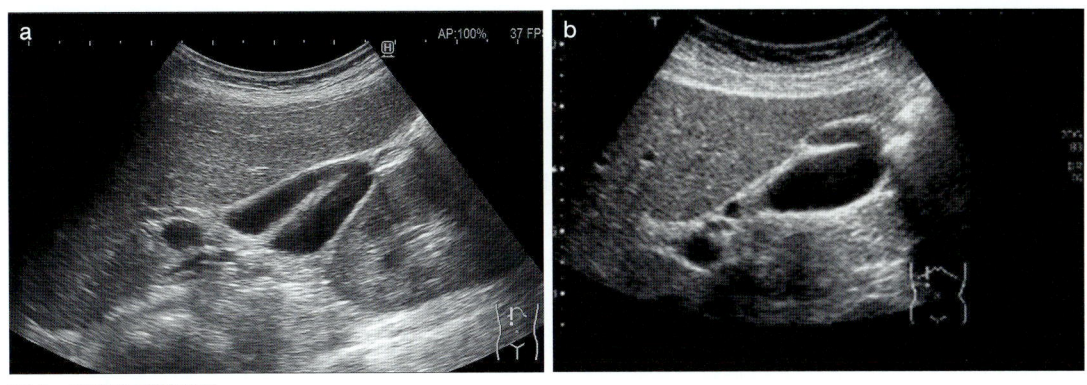

図6 胆嚢の形状異常
a：胆嚢は体部で大きく屈曲している．b：胆嚢底部が限局的に屈曲し，phrygian cap 胆嚢の形態を呈する．いずれも，屈曲部の壁に肥厚などの所見は認めない．

4）胆嚢壁

胆嚢壁の基準値は「第1章　腹部超音波検査の進め方」参照．

胆嚢壁厚計測は，壁に対して超音波ビームが垂直に入射する断面で行い，びまん性肥厚は体部の肝床側で計測し評価する．限局性肥厚はこの部位が肥厚しているとはかぎらず，最も肥厚している部位を計測するなど施設内で統一することが望ましい．漿膜外に存在する胆嚢周囲の脂肪織は，胆嚢壁が肥厚しているように描出されることがあり，鑑別が必要となる．

5）胆嚢周囲

胆嚢周囲には，腹水貯留や急性胆嚢炎による滲出液や膿瘍を認めることがある．また，胆嚢癌では，周囲の臓器（肝や横行結腸など）への浸潤をきたすことがある（後述の図20参照）．

III 胆嚢の病変

1. 胆嚢結石症　gallbladder stone disease

胆嚢内に結石が存在する病態である．胆嚢結石（胆石）のリスクファクターとして加齢，女性，肥満，多産・経産婦が知られているが，男女比は近年逆転している．胆石が胆嚢管に嵌頓し閉塞をきたすと急性胆嚢炎を発症する．胆石は胆嚢癌で高率に認めるが，胆石が胆嚢癌のリスクファクターであるというエビデンスはない．

胆石はその組成によりコレステロール系結石，色素系結石，まれな結石に分類され，コレステロール系結石が最も多い．コレステロール系結石には純コレステロール結石，混合石，混成石があり，色素系結石にはビリルビンカルシウム結石と黒色石，まれな結石には炭酸カルシウム石，脂肪酸カルシウム石がある．コレステロール系結石は，胆汁中コレステロールの過飽和によりコレステロール過飽和胆汁が生成され，ビリルビンなどと結晶化し胆泥が形成され胆泥が凝集し結石が生成される．生成には胆嚢収縮能が関与し，収縮が正常な場合には微細な結晶は胆道から排出され結石とはならないと考えられている．ビリルビンカルシウム結石の主な成因は胆道感染であり，胆汁うっ滞による胆汁の細菌感染はビリルビンカルシウム結石の背景因子となる．細菌の産生物から不溶性のカルシウム塩が作られ，胆管内のムチンによって結石が形成されるとされている．黒色石は無菌状態の胆嚢内で形成される．溶血性疾患や消化管疾患による胆汁中の非抱合型ビリルビンの増加が一因とされている．肝硬変では胆汁成分の変化に伴い黒色石が多い．

超音波検査では，胆嚢内腔に胆石による高エコーとその後方に音響陰影を認める．体位変換による可動性を認め，その超音波像は胆石の成分や大きさにより多彩である（図7）．

純コレステロール結石は円形の形状が多く，結石の前面から後方にかけて高エコーは徐々に弱くなる．結石の後方には多重反射がみられ徐々に弱くなり音響陰影となる．結石は単発であることが多い（図7a）．

　混成石は結石の前面主体に半円周状の高エコーを認め，音響陰影は半円周状の高エコーの直後から認める．結石は単発であることが多い（図7b）．

　混合石の形状は三日月状，半月状，三角形状など多彩である．複数個を認めることが多く，小結石が多数存在すると集簇像を呈する（図7c）．

　黒色石は小さな結石で，点状高エコーの集簇像として認めることが多い．音響陰影は弱く，認めないこともある（図8）．結石の集簇の程度により異なる．

　ビリルビンカルシウム石の形状は多彩である．音響陰影は弱く，認めないこともある．

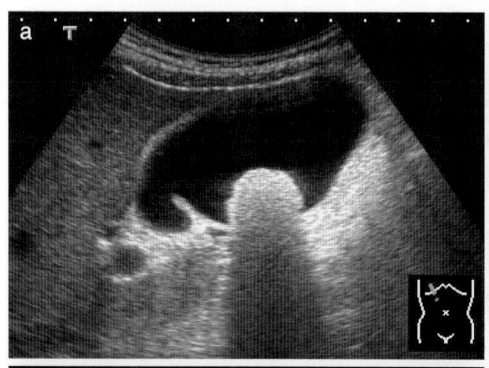

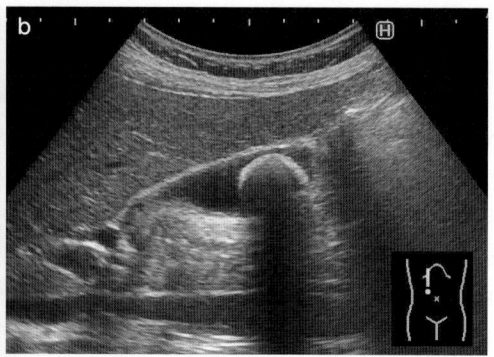

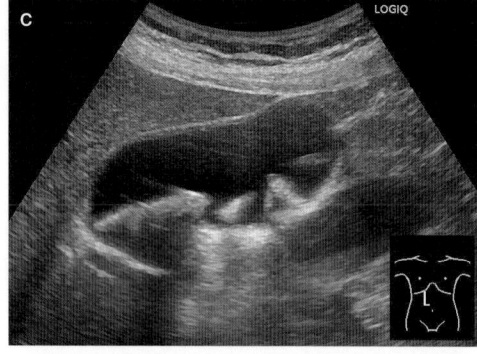

図7　胆嚢結石（コレステロール系結石）
　a：純コレステロール結石．体部に1個の結石を認める．結石の表面から高エコーを認め，結石内部では徐々にエコー輝度は低下する．結石の後方では多重反射がみられ，さらに後方では音響陰影を認める．
　b：混成石．胆嚢内に1個の結石を認める．結石の表面に半円周状の高エコーを認める．高エコーの厚みは均一で，高エコーの後方には音響陰影を認める．
　c：混合石．胆嚢内に複数の結石を認める．形状は三角形など様々で，結石表面の高エコーは不均一となっている．

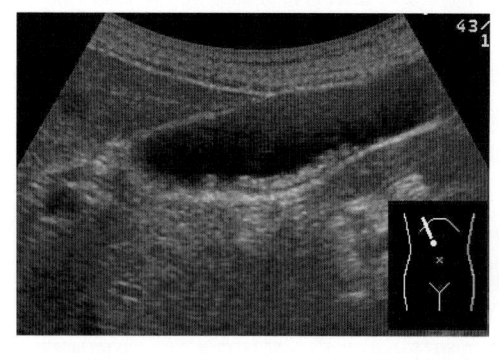

図8　胆嚢結石（色素系結石）
　黒色石．胆嚢内に多数の小さな結石が集簇している．音響陰影は認めない．

2. 胆嚢コレステロールポリープ　cholesterol polyp

　胆嚢コレステロールポリープは非腫瘍性の病変で，胆嚢の小隆起性病変のなかで最も頻度が高い．

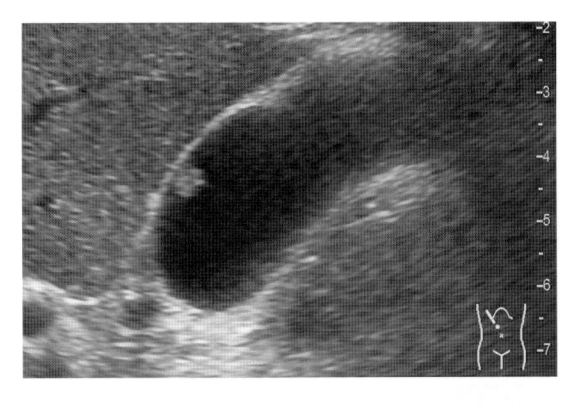

図9 胆嚢コレステロールポリープ
60代女性．胆嚢頸部に6 mm大の有茎性の隆起性病変を認めた．形状は桑実状で，コレステロールポリープと判断できる．形状と大きさは2年間で変化を認めなかった．

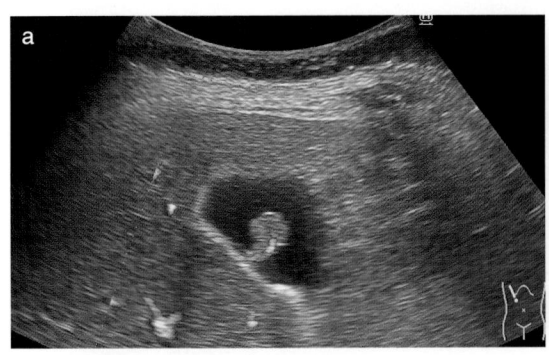

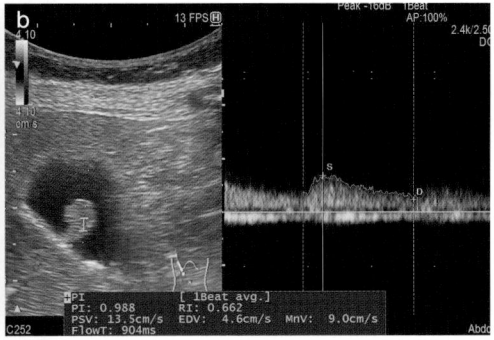

図10 胆嚢コレステロールポリープ
70代女性．頸部の有茎性隆起性病変．大きさ15×9 mm．直線状の血流シグナルを認め，FFT解析では拍動性血流，PSVは14 cm/sec．壁との付着面は有茎性であったが，大きさより胆嚢癌を否定できず手術を施行．手術の結果はコレステロールポリープであった．

多発することが多く，細い茎によって粘膜に付着する．胆嚢粘膜のヒダの頂点にコレステロールエステルを貪食した泡沫細胞が沈着し，次第にヒダ全体に広がりポリープ状になる．

超音波検査では桑実状または金平糖状の形状で，小さいものは円形として認める（**図9**）．胆嚢壁とは接するか，または細い茎で付着する．茎が細いために体位変換による形状変化や拍動による揺らぎを認めることがある．血流を認めることもあり，血流シグナルは直線状のことが多い（**図10**）．

3. 胆嚢腺筋腫症　adenomyomatosis

胆嚢に存在するRokitansky-Aschoff sinus（RAS）と平滑筋と線維組織の増生により，胆嚢がびまん性または限局性に肥厚する過形成である．病変の部位や広がりにより，限局型，分節型，びまん型に分類される（**図11**）．限局型は胆嚢底部を中心に限局的に肥厚する．分節型は胆嚢頸部や体部に全周性の肥厚をきたし内腔が狭くなる．びまん型は胆嚢壁全体にRASの増生が及び，びまん性に壁肥厚を認める．病理学的には組織標本で胆嚢壁1 cm内にRASが5個以上増殖し，胆嚢壁が3 mm以上に肥厚した場合を胆嚢腺筋腫症と診断することが広く用いられる．無症状で，超音波検査をはじめとする画像検査で偶発的に診断されることが多い．胆石や慢性胆嚢炎を合併する場合にはその症状をきたす．

超音波検査では，壁の肥厚と肥厚部位に小嚢胞像やコメットサインを認める．コメットサインはRASによる多重反射である．

(1) 限局型（**図11a**）
胆嚢底部に腫瘤様に認めることが多い（**図11a矢印**）．内部にコメットサインや小嚢胞像を認め，

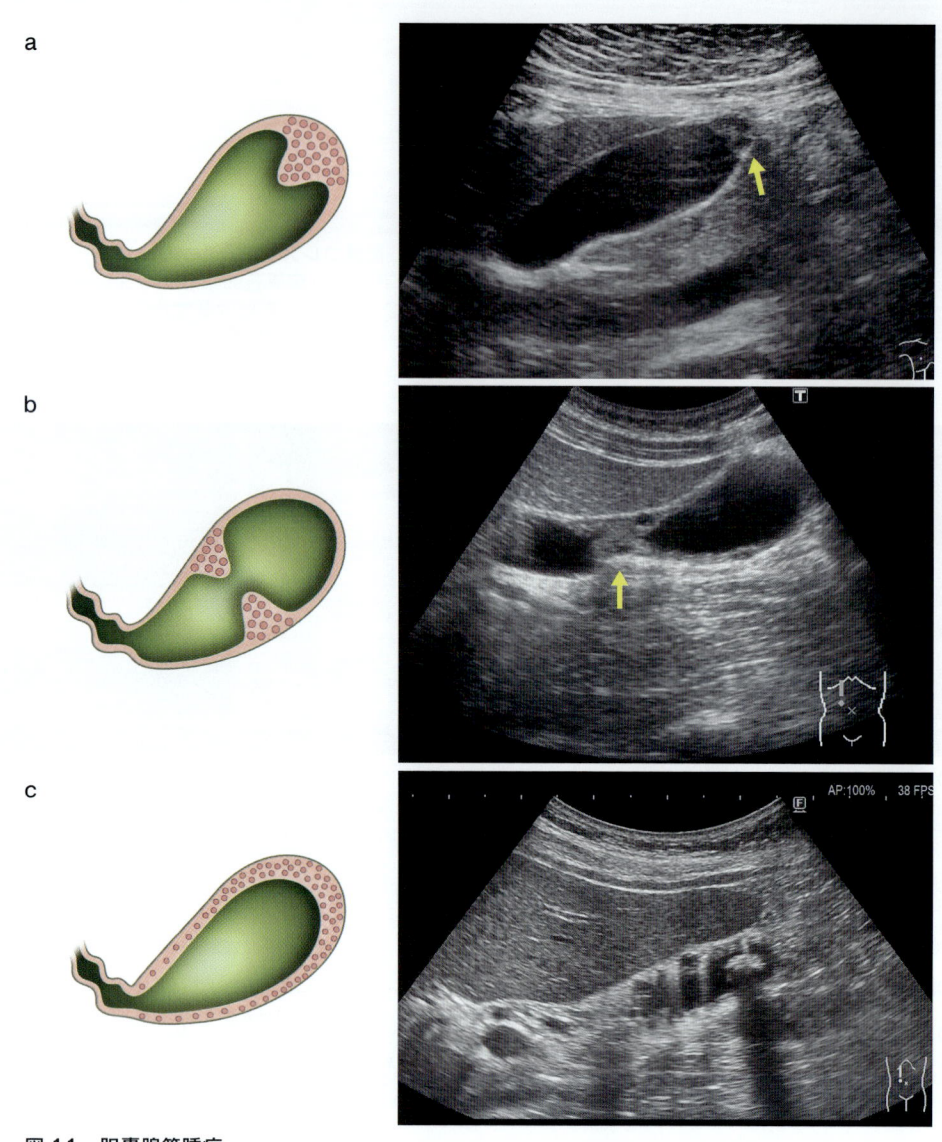

図 11　胆嚢腺筋腫症
　a：限局型胆嚢腺筋腫症，b：分節型胆嚢腺筋腫症，c：びまん型胆嚢腺筋腫症．

粘膜側と漿膜側は平滑で，漿膜側では正常層構造の線状の高エコーを認める．内部の血流が乏しい点も，腫瘍との鑑別のポイントとなる．

(2) 分節型（図 11b）

　胆嚢頸部と体部に限局的な肥厚として認めることが多い．壁の肥厚により内腔に三角形状の隆起像を認め（トライアングルサイン），この隆起像にコメットサインや小嚢胞像を認める（図 11b 矢印）．壁の肥厚により内腔は狭小化し，肥厚部分の底部側では胆汁うっ滞による粘膜の変化により胆嚢癌を認めることもある（図 12）．

(3) びまん型（図 11c）

　胆嚢全体に病変を認め，胆嚢壁は全周性に肥厚する．肥厚は整で平滑であることが多い．肥厚した壁内には，コメットサインや小嚢胞像を認める．

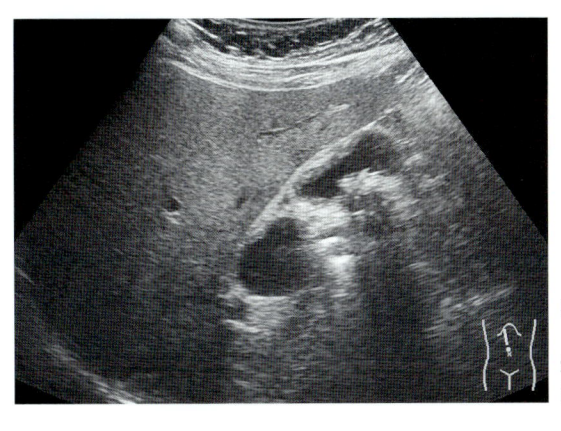

図 12　分節型胆嚢腺筋腫症
体部に限局的肥厚と，肥厚部には RAS の腫大を示唆する小囊胞を認める．肥厚部より底部側では壁肥厚と胆石を認め，胆汁のうっ滞による粘膜の変化と結石の生成が示唆される．

4. 急性胆嚢炎　acute cholecystitis

　胆嚢に生じた急性の炎症疾患であり，多くは胆石の嵌頓に起因する．頸部や胆嚢管に結石が嵌頓することにより胆汁のうっ滞をきたし，これに感染が加わり発症することが多い．急性胆嚢炎の早期は，粘膜の変化を主体とした肥厚で顕著な肥厚を認めない．経過とともにうっ血と浮腫性変化により sonolucent　layer が出現し，さらに経過し壊疽性となると層構造の不整や不明瞭化やフラップがみられ穿孔をきたすこともある（図 13）．

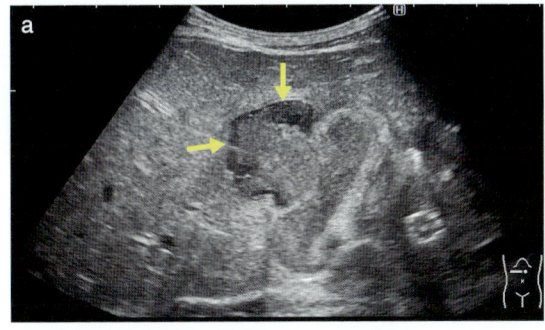

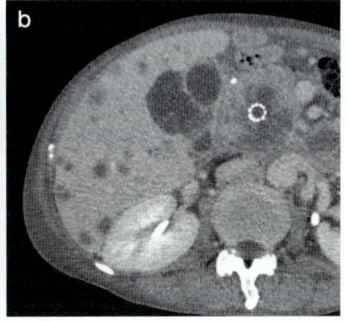

図 13　急性胆嚢炎（胆嚢壁穿孔と肝膿瘍）
　60 代男性．膵癌化学療法後，肝動脈瘤出血に対して塞栓術施行．術後 6 日，発熱の持続と腹痛を認めた．WBC：17,590/μL，CRP：29.24 mg/dL．
　胆嚢内には胆泥が充満している．壁は肥厚し肝床側の胆嚢壁は連続性を認めず穿破し，胆汁漏出により肝内に大きさ 35×32 mm の膿瘍を形成している（a 矢印）．CT では肝内に膿瘍形成を認める（b）．

　病理学的には，浮腫性胆嚢炎（発症後 2〜4 日），壊疽性胆嚢炎（発症後 3〜5 日），化膿性胆嚢炎（発症後 7〜10 日）に分類される．急性胆嚢炎の重症度は軽症急性胆嚢炎，中等症急性胆嚢炎，重症急性胆嚢炎に分類され（表 1），中等症急性胆嚢炎の顕著な局所炎症所見は超音波検査でとらえることが可能である．急性胆嚢炎の特殊な病態に，結石を伴わない無石胆嚢炎，黄色肉芽腫性胆嚢炎，気腫性胆嚢炎，胆嚢捻転症がある（別項参照）．無石胆嚢炎の原因には，長期絶食後の濃縮胆汁による胆嚢管閉塞，術後の胆汁うっ滞，動脈硬化または頸部の捻転による胆嚢壁の虚血や，TACE（肝動脈化学塞栓療法）時の塞栓物胆嚢動脈迷入による胆嚢虚血がある．
　超音波検査では胆嚢は腫大し緊満する（腫大の目安は長径＞80 mm，短径＞40 mm）．壁は肥厚し（壁肥厚の目安は≧4 mm），肥厚した壁に低エコーを認める．低エコーには 1 層の低エコー帯である sonolucent layer と不整な多層構造の低エコー帯があり，不整な多層構造の低エコー帯は

表 1　急性胆嚢炎重症度判定基準

重症急性胆嚢炎 （Grade Ⅲ）	以下のいずれかを伴う 　循環障害，中枢神経障害，呼吸機能障害，腎機能障害，肝機能障害 　血液凝固異常
中等症急性胆嚢炎 （Grade Ⅱ）	以下のいずれかを伴う 　白血球数＞18,000/mm^3 　右季肋部の有痛性腫瘤触知 　症状出現後72時間以上の症状の持続 　顕著な局所炎症所見を認める 　　壊疽性胆嚢炎 　　胆嚢周囲膿瘍 　　肝膿瘍 　　胆汁性腹膜炎 　　気腫性胆嚢炎
軽症急性胆嚢炎 （Grade Ⅰ）	中等症，重症でないもの

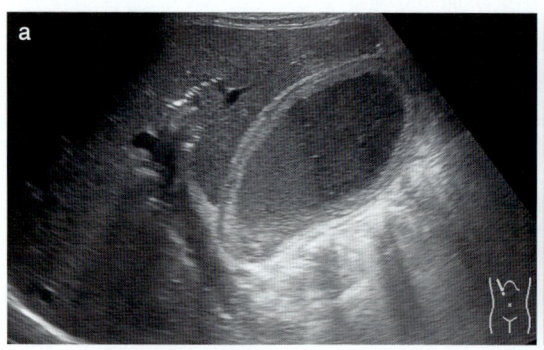

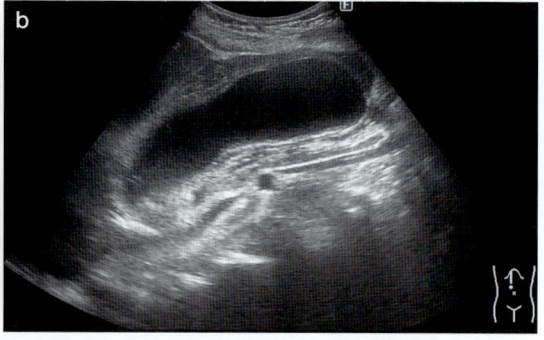

図 14　急性胆嚢炎の壁肥厚
　急性胆嚢炎では胆嚢の腫大とびまん性に壁肥厚を認める．肥厚した壁内には，1層の低エコー帯（sonolucent layer）(a)，または不整な多層構造の低エコー帯（b）を認める．多層構造を認めることが多く，1層の低エコー帯より感度と特異度が高い．

感度と特異度が高い（図 14）．頸部や胆嚢管に嵌頓結石を認めることがあり，胆泥が貯留する．プローブによる胆嚢圧迫時の疼痛（sonographic Murphy's sign）を認め，この所見は特異度が高い．胆嚢周囲に浸出液が貯留することがある（図 15）．

5. 気腫性胆嚢炎　emphysematous cholecystitis

　急性胆嚢炎のまれな病態で，壊疽性胆嚢炎の一つとされる．ガス産生菌によるガス像を伴い，病態が進行すると胆嚢壁の穿孔をきたし，敗血症を合併することがある．
　超音波検査では胆嚢は腫大し，胆嚢壁内と胆嚢内腔にガス像を認め，ガス像のために壁や内腔の評価は困難となる（図 16）．ガス像を肥厚した壁内に認めず胆嚢内腔に認める場合には胆道気腫となる．

6. 胆嚢捻転症　gallbladder torsion（第2章図25参照）

　胆嚢は，頸部側が結合織で肝に固定されている．胆嚢捻転症は，肝床部の固定が不十分な遊走状態である先天性因子と，内臓下垂や老人性亀背などの後天性因子，腹腔内圧の急激な変化や急激な体位変換などの物理的因子が重なり発症する．胆嚢頸部や胆嚢管で捻転を起こし，胆嚢に血行障害

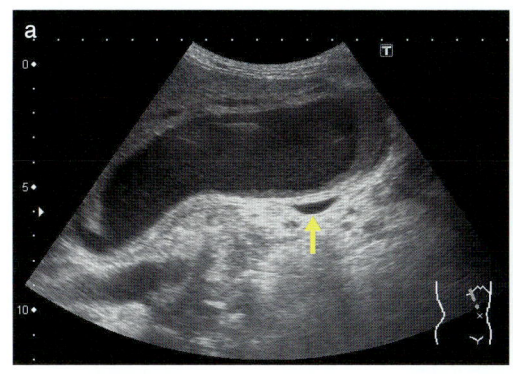

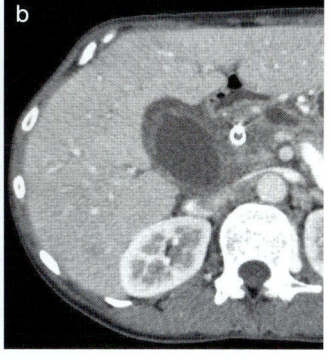

図 15　急性胆嚢炎（胆嚢周囲の浸出液）
　40代女性．膵頭部癌．閉塞性黄疸をきたしEMS（expandable metallic stent）留置後．胆嚢は115×40 mmと腫大し，壁はびまん性に4〜6 mmの肥厚を認める．プローブによる胆嚢圧迫時の疼痛（sonographic Murphy's sign）を認めた．胆嚢周囲には浸出液の貯留（矢印）も認める．WBC：15,650/μL，CRP：29.25 mg/dL．

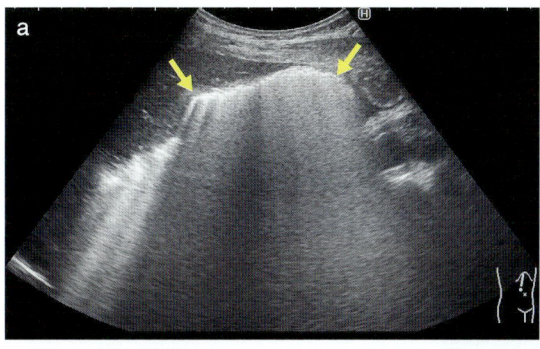

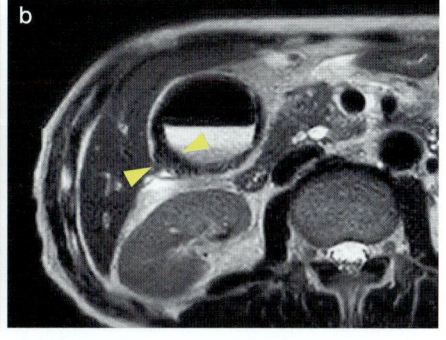

図 16　気腫性胆嚢炎
　60代男性．胆石の既往あり．胃癌手術後．前日より腹痛を認めた．WBC：14,640/μL，CRP：22.50 mg/dL．前面の胆嚢壁はガスによる高エコーにより層構造を認めない（a 矢印）．MRI（T2強調像）では胆嚢壁内は低信号となり（矢頭），壁内にガスの存在を確認できる（b）．経皮経肝的胆嚢ドレナージ（PTGBD）が施行され，胆汁培養から嫌気性ガス産生菌が検出された．

と急激な壊死性変化をきたすため，緊急手術など迅速な処置が必要となる．高齢のやせ型の女性に多い．
　超音波検査では急性胆嚢炎の超音波像と類似し，胆嚢は腫大し胆泥が貯留する．胆嚢捻転症では，捻転部で壁が交差し線状高エコーを認めることがあるが，捻転部が必ず描出できるとはかぎらない．胆嚢壁は，捻転による血流障害のためドプラ検査では血流を認めず，急性胆嚢炎との鑑別には壁内の血流評価が重要となる．

7. 黄色肉芽腫性胆嚢炎　xanthogranulomatous cholecystitis

　胆石の嵌頓などにより胆嚢内圧が上昇し，粘膜の損傷とRASの破綻により壁内に胆汁が漏出・侵入する．これを組織球が貪食し，泡沫状組織球からなる肉芽が形成される増殖性病変である．初期には急性胆嚢炎の症状をきたすことが多い．
　超音波検査では，胆嚢壁はびまん性に肥厚する．壁肥厚は不均一で，エコー輝度は低いが壁内に高エコーが混在することもある（**図 17**）．内腔は収縮していることが多く，胆石を認めることが多い．胆嚢癌との鑑別が困難で，急性胆嚢炎の症状の既往が鑑別の参考になることがある．

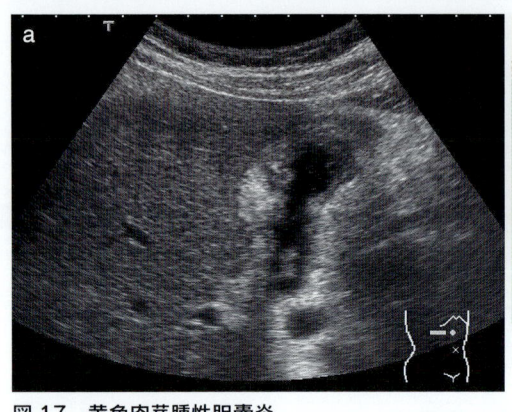

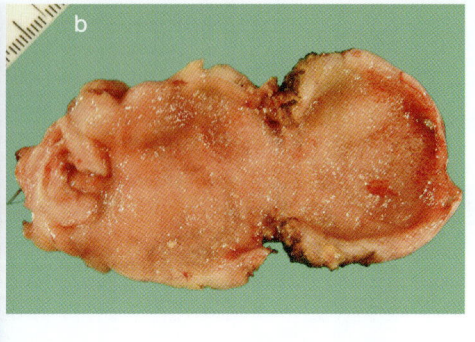

図17　黄色肉芽腫性胆嚢炎
　40代男性．WBC：7,460/μL，CRP：1.68 mg/dL．腹部スクリーニング検査で胆嚢壁に最大15 mmのびまん性肥厚を認めた．肥厚は不整で壁の一部のエコー輝度は高い．壁内に血流は検出できない．手術の結果，肥厚した胆嚢壁は泡沫状の細胞質をもつ組織球が主体で，リンパ球や形質細胞などの浸潤を伴う炎症巣であった．

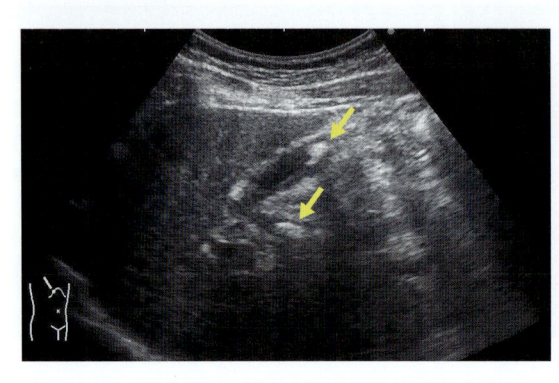

図18　慢性胆嚢炎
　50代男性．胆嚢は44×15 mmと萎縮し，壁のエコー輝度は高く，全周性に3～4 mmの肥厚を認める．内部には結石（矢印）を伴っている．WBC：5,460/μL，CRP：0.11 mg/dL．

8. 慢性胆嚢炎　chronic cholecystitis

　慢性胆嚢炎は，長期にわたる胆嚢の炎症であり，原因として胆石による機械的刺激や細菌感染などがあり，胆石を伴うことが多い．はじめから緩慢な経過をたどるものと，急性胆嚢炎の炎症が消退し慢性化するものがある．組織学的には炎症細胞が全層に認められる．炎症の程度により，結合組織の増殖が顕著なものや，壁全体が線維性瘢痕となるものなど多様である．
　超音波検査では胆嚢は萎縮する．壁は全周性に肥厚し，肥厚は平滑であることが多い．壁の輝度は高エコーで胆石を認めることが多い（**図18**）．びまん型胆嚢腺筋腫症とは壁内のRASやコメットサインの所見が鑑別点となる．食後の胆嚢との鑑別は，食後胆嚢と比べ慢性胆嚢炎の壁のエコー輝度が高い．不整な胆嚢壁肥厚を呈する場合は胆嚢癌との鑑別が必要である．

9. 陶器様胆嚢　porcelain gallbladder

　慢性胆嚢炎の特殊な病態と考えられている．線維性肥厚した胆嚢壁にびまん性に石灰化を認め，前面の胆嚢壁に一致した円弧状の石灰化像を呈する．胆嚢癌を合併することがあるが，石灰化の音響陰影のため内腔の観察は困難となる．
　超音波検査では，胆嚢壁に一致して円弧状の高エコーを認め，壁の層構造は認めない．円弧状高エコーの後方は音響陰影となり，内腔は観察困難である（**図19**）．陶器様胆嚢は充満結石と鑑別が必要であり，前面の壁の層構造を認めれば充満結石と診断できる．陶器様胆嚢では，前面の壁は高エコーで層構造を認めない．

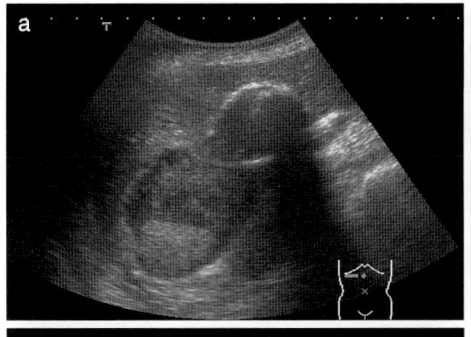

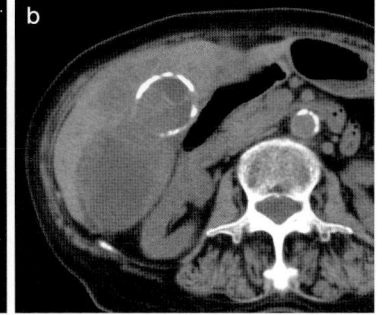

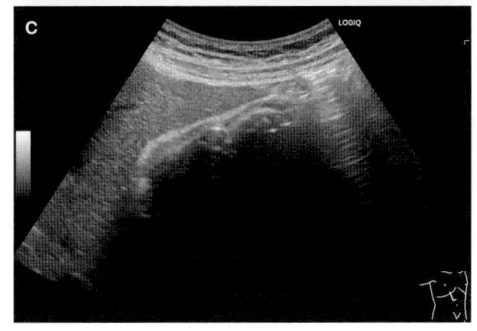

図19　陶器様胆嚢
　80代女性．体部から底部の胆嚢壁に全周性の石灰化を認める（a, b）．壁の構造は観察できず，石灰化の後方は音響陰影のため内腔の観察は不能である．頸部から体部の内腔には胆泥を認めた．WBC：8,910/μL，CRP：4.36 mg/dL．
　70代男性．胆嚢結石．充満した結石との鑑別は，充満した結石（c）では後方は音響陰影のため内腔の観察は不能である．結石の前面に壁構造とわずかに内腔が観察できる．

10．胆嚢癌　gallbladder cancer

　胆嚢および胆嚢管に発生する癌腫であり，腺癌が90％以上を占める．好発年齢は60代〜70代で女性に多く，胆嚢結石の合併率は40〜70％とされている．初期は無症状であることが多く，合併する胆石や慢性胆嚢炎症状が発見の契機となることがある．進行すると黄疸，全身倦怠感，体重減少など進行胆嚢癌症状が出現する．危険因子として，非拡張型の膵胆管合流異常がある．膵胆管合流異常では，膵液と胆汁の相互混入が起こり，胆嚢癌が高率にみられ，予防的に胆嚢摘出術が推奨される．胆嚢癌は，胆嚢壁の粘膜筋板の欠如と，RASが存在するために容易に漿膜下に進展する（図20）．進行した胆嚢癌では，脈管浸潤，神経浸潤やリンパ節転移を高率に認める．リンパ節転移は予後の規定因子となる．

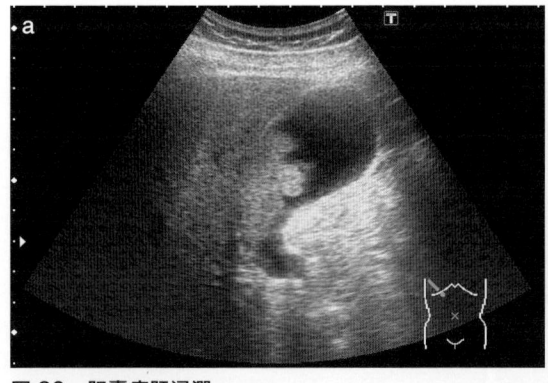

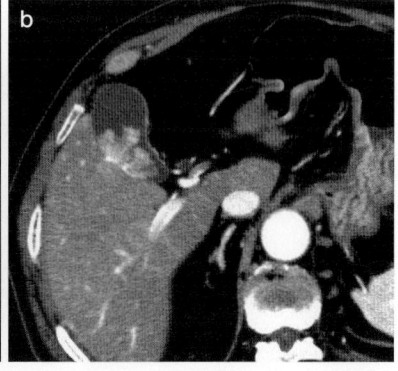

図20　胆嚢癌肝浸潤
　80代男性．胆嚢内に腫瘍を認め，内部血流は拍動性であった．PSV：30.4 cm/sec，EDV：4.3 cm/sec，Vmean：14.1 cm/sec，PI：1.85，RI：0.86，CA19-9：56 U/mL，CEA：7.7 ng/mL．肝床側で胆嚢と肝との境界エコーは消失し，胆嚢癌の肝浸潤と判断できる（a）．CTでは浸潤の評価は困難であったが（b），手術の結果，肝床側の肝実質に胆嚢癌の浸潤を認めた．胆嚢癌は胆嚢の解剖学的な特徴から漿膜下に浸潤しやすく，肝床側ではしばしば肝に直接浸潤をきたす．

胆嚢癌は胆道癌取扱い規約第7版（2021年3月）の肉眼的分類では乳頭型，結節型，平坦型，充満型，塊状型，その他の型に分類されている．一方で超音波像は腫瘤形成型，浸潤型，混合型に分類されることが多いが，ここでは1）隆起や有茎性または広基性の腫瘤像を呈する胆嚢癌（腫瘤・隆起を呈する胆嚢癌），2）壁肥厚が主体の胆嚢癌（壁肥厚を呈する胆嚢癌），3）胆嚢の形状が不明瞭で内腔が著明に狭小化している胆嚢癌（内腔に充満する胆嚢癌）に分けた．

1）腫瘤・隆起を呈する胆嚢癌

乳頭型または結節型であることが多い．内腔に隆起または突出する結節状の腫瘍で，広基性病変が多い（図21）．有茎性の胆嚢癌の多くは大きさが10 mmをこえ，腫瘍のエコー輝度は壁と比べ低エコーまたは等エコーが多い．腫瘍の広がりは壁肥厚像として認め，外側高エコー層の不整や菲薄化を認めることがある．大きさが10 mm以上の有茎性の隆起性病変では胆嚢癌と腺腫の鑑別が困難であり，胆嚢癌の割合が多くなるため，有茎性病変であっても胆嚢癌を考慮する（図22）．増大傾向を認める場合は胆嚢癌の頻度が高く，胆嚢摘出術が推奨される．隆起性病変に伴う外側の高エコー（漿膜下組織脂肪層＋漿膜層）の不整，菲薄化，吊り上げ肥厚，断裂は胆嚢癌を示唆する所見であり，漿膜下層以深に浸潤している進行癌であることが多い．胆嚢癌の壁深達度が粘膜層（m）または固有筋層（mp）までにとどまるものを早期胆嚢癌とよび，現在も慣用的に用いられているが，

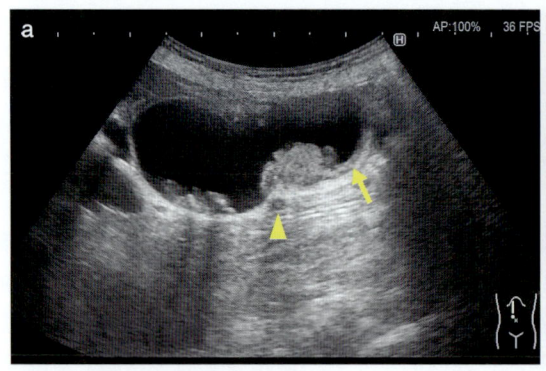

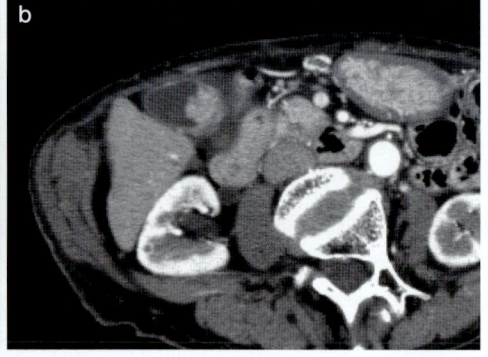

図21 腫瘤・隆起を呈する胆嚢癌
80代女性．胆嚢体部から底部に広基性の隆起性病変（大きさ30 × 13 mm），頸部には胆石と胆泥を認める．隆起性病変の形状は不整，隆起性病変の外側の高エコーは吊り上げられ（矢頭）不整となり，胆嚢癌の所見である．隆起部の周囲も壁肥厚を認め（矢印）病変の広がりであった（a）．CTでは体部に隆起性の腫瘍を認める（b）．手術の結果，結節型胆嚢癌，深達度は漿膜下組織であった．CA19-9：9 U/mL，CEA：3.1 ng/mL．

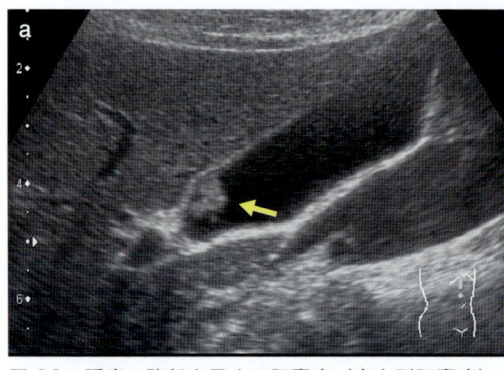

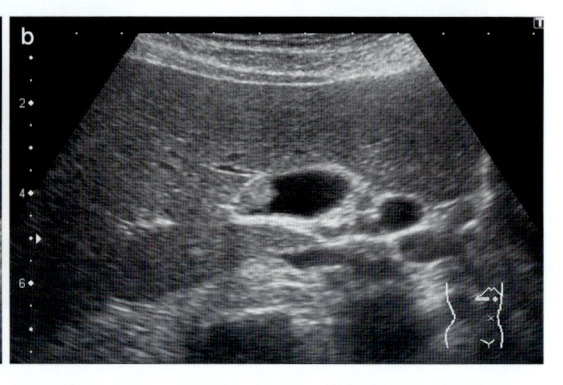

図22 腫瘤・隆起を呈する胆嚢癌（表在型胆嚢癌）
60代女性．胆嚢頸部の大きさ11 × 8 mmの隆起性病変．小さな高エコー（矢印）を認めるが，壁との付着面は広基性であった．血流は認めないが10 mmをこえる広基性病変であり，諸検査でも胆嚢癌を否定できず手術を施行した．手術の結果は乳頭型胆嚢癌，深達度は粘膜層であった．

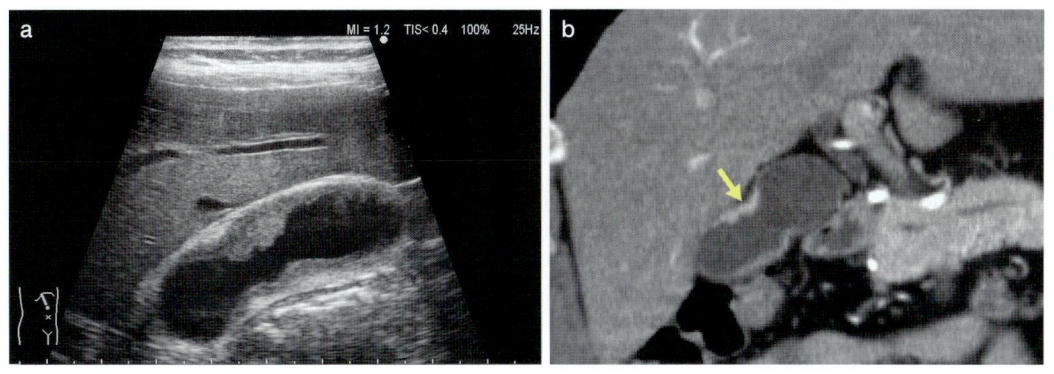

図 23　壁肥厚を呈する胆嚢癌
　60 代女性．胆嚢体部から底部に不整な壁肥厚を認める．肥厚の最大 10 mm，層構造は不明瞭である（a）．CT では体部に造影効果のある壁肥厚（矢印）として認める（b）．手術の結果は平坦型胆嚢癌，深達度は漿膜下組織であった．

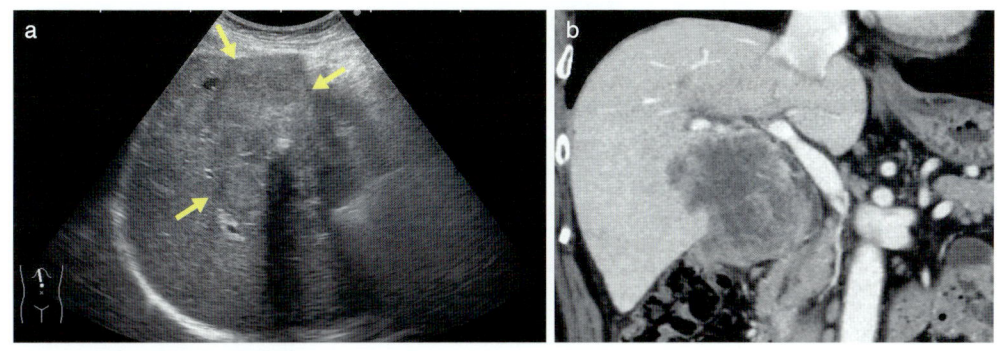

図 24　内腔に充満する胆嚢癌
　70 代男性．胆嚢の形状は不明瞭で，胆嚢窩に一塊の腫瘤を認めた（矢印）．腫瘤は形状不整，内部不均一，肝と十二指腸との境界は不明瞭で浸潤していた．胆汁細胞診でクラスⅤ，腺癌疑い．肝機能不良のため切除不能となり化学療法となった．CA19-9：559 U/mL，CEA：873.7 ng/mL．

胆道癌取扱い規約第 7 版（2021 年 3 月）では表在型として扱われている．

2）壁肥厚を呈する胆嚢癌
　平坦型であることが多く，壁肥厚像として認める（**図 23**）．厚みは不均一で不整な肥厚を呈する．層構造は不明瞭となり，内腔側の高エコーを認めない．

3）内腔に充満する胆嚢癌
　充満型や塊状型であることが多く，胆嚢内を占拠する充実性腫瘤を認める．胆嚢内腔は狭小化し，内腔を認めないことがほとんどである（**図 24，25**）．また，胆嚢の輪郭は不明瞭となり，原型をとどめず，胆嚢窩の腫瘤として認めることがある．肝臓，十二指腸，大腸に浸潤すると，その境界は不明瞭となる．

4）胆嚢癌と鑑別を要する胆嚢病変の診断ポイント
　胆嚢癌と鑑別を要するポリープ様の病変，隆起性病変，限局性壁肥厚病変，びまん性壁肥厚病変の診断ポイントを**表 2～5** に示す．

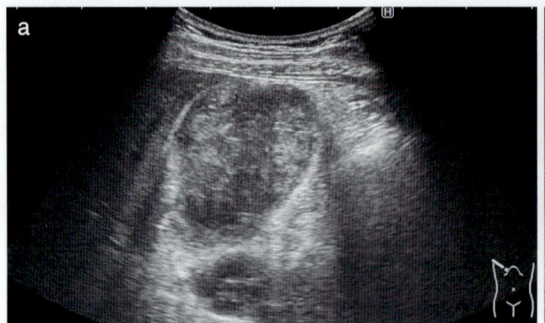

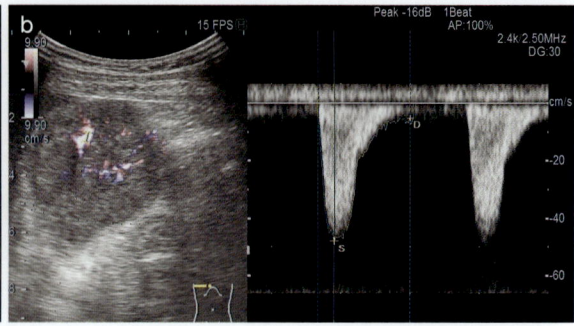

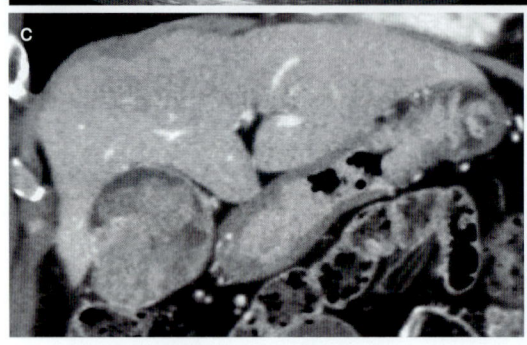

図25　内腔に充満する胆嚢癌．腫瘤の血流評価
70代男性．胆嚢内腔に腫瘍が充満している胆嚢癌．FFT解析では，PSV（収縮期最高流速）は48 cm/secと高速である．CA19-9：11 U/mL，CEA：7.4 ng/mL．
a：Bモード，b：FFT解析，c：CT．

表2　ポリープ様の病変

	形状	表面	内部エコー
胆嚢癌	類円形～不整形 有茎～亜有茎	平滑～不整	均一整でやや低エコー
腺腫	類円形	平滑～やや不整	均一整でやや低エコー
過形成ポリープ	乳頭状～分葉状	不規則不整	均一整でやや低エコー
コレステロールポリープ	類円形あるいは分葉状	桑実状の規則的凸凹～不整	小さい強いエコー斑の存在

表3　隆起性病変

	形状	表面	内部エコー
胆嚢癌	亜茎～広基性隆起あるいは丘状低隆起	乳頭状～不整	均一整で低エコーあるいはやや高エコーで不整低エコーの混在
腺筋腫症（限局型）	広基性隆起あるいは類円形腫瘤	平滑	小さな無エコー域が散在 コメット様エコーの存在
デブリ	腫瘤類～不整形 体位による変形	平滑～不整	均一でやや低エコーに微細高エコーの混在

表4　限局性壁肥厚病変

	表面	内部エコー
胆嚢癌	不整形	均一低エコーあるいは一部不整低エコーの混在
腺筋腫症（限局型，分節型）	平滑～不整	微小無エコー域あるいはコメット様エコーの存在

表5 びまん性壁肥厚病変

	表面	内部エコー
胆嚢癌	平滑〜不整	全体低エコーあるいは不整低エコーの存在
慢性胆嚢炎	平滑	比較的均一な高〜低エコーの混在
コレステローシス	平滑〜不整	全体やや高エコーあるいは高エコー斑の存在
腺筋腫症（びまん型）	平滑	全体やや高エコーで内部に微小無エコー域 あるいはコメット様エコーの存在

（日本超音波医学会，胆嚢癌の超音波診断基準より．）

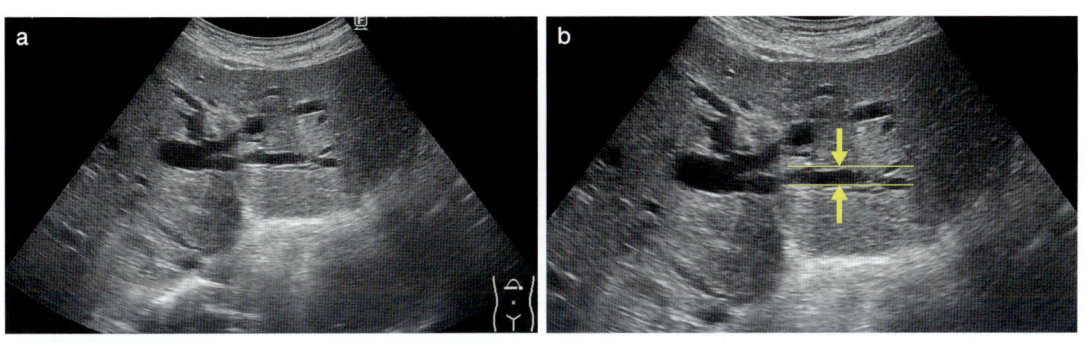

図26 胆管径の計測
肝内胆管の拡張を認める（a）．胆管径は拡大画像で，前壁エコーの立ち上がりから後壁エコーの立ち上がりまでを計測する（b）．

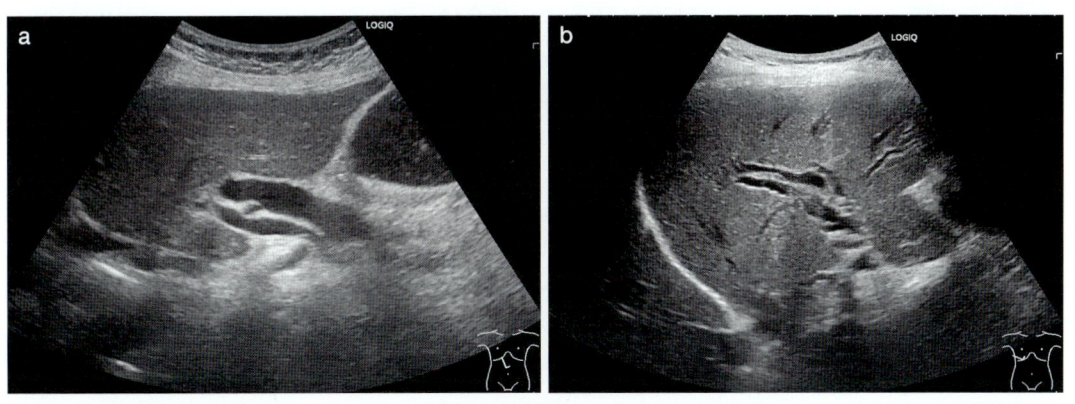

図27 肝門部領域胆管拡張 shotgun sign と肝内胆管拡張 parallel channel sign
60代女性．膵癌症例．膵癌を閉塞起点に胆管拡張を認めた．肝門部では門脈に並走して肝門部領域胆管が拡張し shotgun sign として認める（a）．右葉前区域では門脈 P8 に並走する肝内胆管が拡張し parallel channel sign を呈する（b）．

Ⅳ 胆管の検査ポイント

胆管の正常像については「第1章 腹部超音波検査の進め方」参照．

正常の胆管壁は線状高エコーに描出され，層構造を認めない．胆管壁の線状高エコーの内側に低エコーを認め，層構造を呈する場合は壁肥厚と評価する．

胆管径は，拡大画像で前壁エコーの立ち上がりから後壁エコーの立ち上がりまでを計測し，小数点以下を四捨五入して mm 表示とする（図26）．肝内胆管は最大径 4 mm 以上を拡張，肝外胆管（左右肝管を含む）は最大径 8 mm 以上を拡張とする．胆嚢切除後では肝内胆管は 6 mm 以上，肝外

表7 胆管拡張の部位と疾患

肝内胆管	肝外胆管	病態	疾患
拡張あり	拡張なし	肝内胆管，肝門部の病変	肝内胆管癌，肝門部胆管癌，肝内結石，胆管炎，Mirrizi症候群，Caroli病
拡張あり	拡張あり	遠位胆管，膵頭部，乳頭部の病変	胆管結石，胆管炎，胆管癌，膵頭部癌，膵頭部の限局的膵炎，乳頭部癌，リンパ節腫脹
拡張なし	拡張あり	遠位胆管に限局した病変	先天性胆管拡張症
拡張なし	拡張あり	遠位胆管，膵頭部，乳頭部の病変による狭窄が軽度で肝内胆管まで拡張をきたさない場合	胆管結石，胆管炎，胆管癌，膵頭部癌，膵頭部の限局的膵炎，乳頭部癌，リンパ節腫脹

胆管は11 mm以上を拡張とする．胃切除後や高齢者では胆管は拡張傾向となる．

1. 胆管拡張と閉塞機転

　胆管の拡張は胆管の狭窄や閉塞により生じるもので，肝内胆管ではparallel channel sign，肝門部領域胆管ではshotgun signを認める（図27）．拡張した胆管を認めた場合には，拡張胆管の下部を走査し拡張の原因となる閉塞機転を検索する．胆管拡張は閉塞機転の部位や原因の病態により異なる．肝内胆管が拡張し肝外胆管には拡張がみられない場合は，肝内胆管または肝門部の病変に起因し，肝内胆管癌，肝門部領域胆管癌，肝内結石，胆管炎，Mirrizi症候群，Caroli病が考えられる．肝内胆管と肝外胆管ともに拡張がみられる場合は，遠位胆管や膵頭部や乳頭部の病変に起因し，胆管結石，胆管炎，胆管癌，膵頭部癌，膵頭部の限局的膵炎，乳頭部癌が考えられる．肝内胆管は拡張せず肝外胆管に拡張がみられるものに先天性胆管拡張症や一部の胆管結石があり，遠位胆管や膵頭部や乳頭部の病変が軽度で肝内胆管まで拡張をきたさない場合にもみられる（表7）．拡張した胆管の下部に閉塞機転を認めない場合には，胆管内乳頭状腫瘍（IPNB）を考慮する．

2. 胆管壁の肥厚

　胆管壁肥厚をきたす疾患には，胆管癌，急性胆管炎，原発性硬化性胆管炎，IgG4関連胆管炎などの胆管炎がある．

Ⅴ 胆管の病変

1. 総胆管結石症　choledocholithiasis

　肝外胆管に結石が存在する場合を一般に総胆管結石症とよぶ．成因として胆道感染がある．ビリルビンカルシウム結石が生成され，音響陰影は弱く認めないこともある．この他に，胆嚢結石の落下，肝内結石の落下があり，胆石の成分によっては強い音響陰影を認めることがある．総胆管結石症は，胆管閉塞や狭窄をきたした結果，胆汁感染を起こし急性胆管炎を発症することが多く，無症状であっても治療することがほとんどである．

　超音波検査では，肝外胆管内に結石を認め，結石の上部の胆管は拡張する．胆嚢管合流部より下部の結石では胆嚢の腫大も認める（図28）．総胆管結石では音響陰影を認めないこともある．

2. 肝内結石症　intrahepatic calculosis

　肝内胆管に結石を有する病態であり，ビリルビンカルシウム結石が多い．肝内胆管癌を合併する

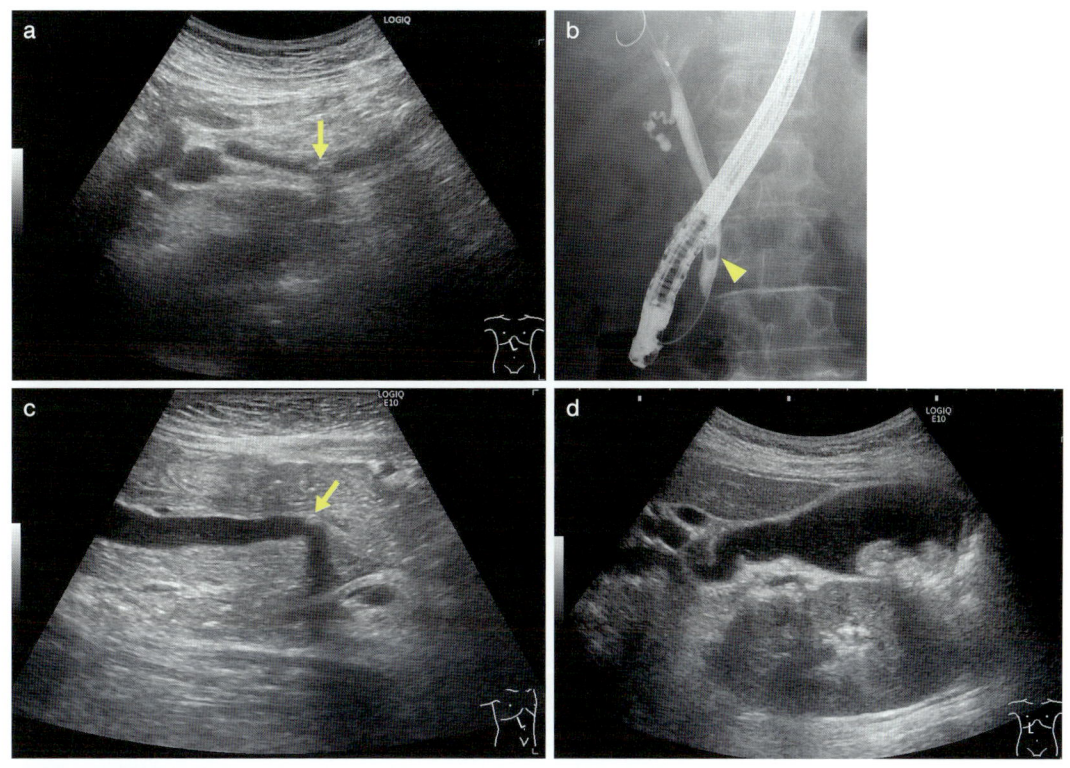

3 各臓器における超音波検査の進め方

図 28 総胆管結石症
　a：70代男性．遠位胆管に弱い音響陰影を伴う高エコーを認める（矢印）．総胆管結石はビリルビンカルシウム結石が多く，音響陰影が弱く認めないこともある．b：ERCP でも遠位胆管に結石を認め（矢頭），EST（内視鏡的乳頭切開術）にて排石した．
　c：50代女性．遠位胆管内に音響陰影を伴う高エコーを認め（矢印），ERCP で胆石を確認し排石した．胆嚢内にも音響陰影を伴う胆石を認め（d），胆嚢結石の落下が疑われた．

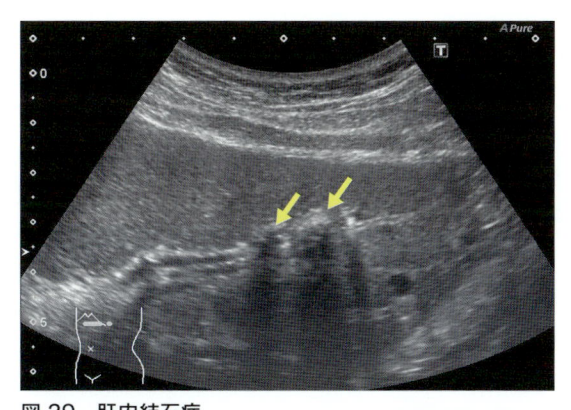

図 29 肝内結石症
　50代男性．左葉外側区の胆管内に音響陰影を伴う結石を認める（矢印）．T-Bil：0.7 mg/dL．

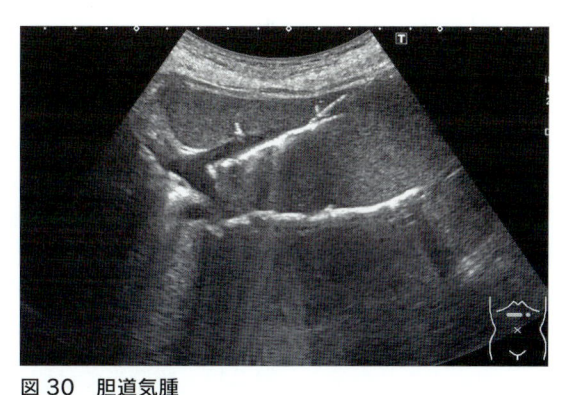

図 30 胆道気腫
　80代女性．膵癌により閉塞性黄疸をきたし，EMS を挿入後．肝左葉外側区では肝内胆管に線状の高エコーを認める．

頻度が高く，肝内胆管癌のリスクファクターと考えられている．肝内結石症では治療を考慮するが，無症状で肝内胆管癌の合併や肝萎縮，胆管狭窄・拡張がなければ経過観察することもある．近年は発症数が減少していたが，最近は胆道再建後の二次性結石による肝内結石症が増加している．
　超音波検査では，肝内胆管内に高エコーを認める（**図 29**）．結石の上部の胆管は拡張するが，末梢胆管に結石が存在する場合には上部胆管の拡張を認めないこともある．結石の後方の音響陰影

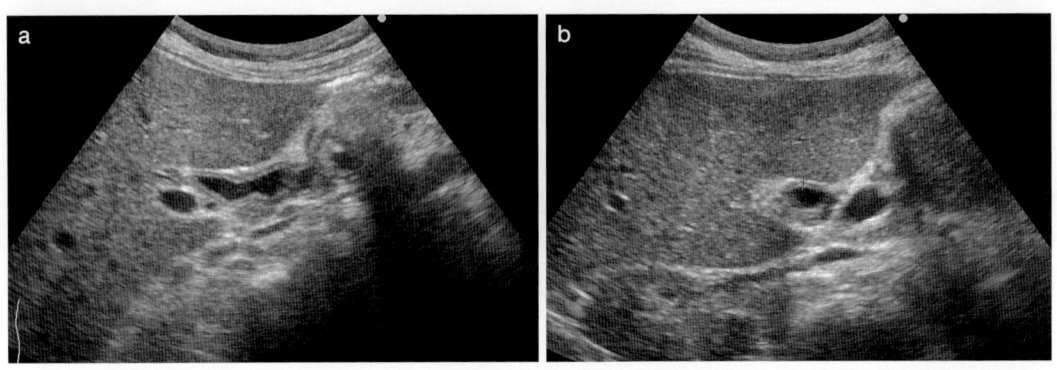

図31 急性胆管炎
70代女性．肺癌加療中，10日前より腹痛を認めた．肝門部領域胆管壁は2 mmに肥厚し，胆管炎を示唆する所見である．ERCPを施行し，胆汁より腸内細菌（*Staphylococcus warneri*）を検出した．T-Bil：0.5 mg/dL，CRP：6.80 mg/dL，WBC：8,190/μL，IgG：690 mg/dL.

は弱く，認めないこともある．

3. 胆道気腫　pneumobilia

胆道気腫は胆道にガスが存在している病態である．胆道内（胆管と胆囊）には胆汁が満たされているが，内視鏡的経鼻胆道ドレナージ，内視鏡的胆道ステント留置術，胆管消化管吻合術後，十二指腸乳頭部切開術後などでみられる．原因として処置や手術が考えられる場合には治療の必要はなく，経過を観察する．処置や手術の既往がない場合には，胆石や十二指腸潰瘍に起因する胆道消化管瘻が存在する可能性がある．

超音波検査では，肝内胆管内に線状または点状の高エコーを認め（図30），体位変換で高エコーは可動性を認める．

4. 胆管炎　cholangitis

胆管に炎症を生じる疾患で，病態により急性胆管炎，原発性硬化性胆管炎，IgG4関連胆管炎などに診断される．

1）急性胆管炎　acute cholangitis

急性胆管炎は，何らかの原因で胆汁のうっ滞をきたし，細菌の異常増殖により胆管内で急性炎症を生じた病態である．胆管内圧上昇により細菌やエンドトキシンが胆管から血管内に逆流し，重篤な感染症をきたしやすい．胆汁うっ滞の成因には，胆石，腫瘍，リンパ節，Mirizzi症候群などによる胆道狭窄がある．

超音波検査では，胆管壁の肥厚を認めることがある．肥厚した胆管壁は粘膜側に線状高エコーを認めることが多い（図31）．胆管炎では胆汁うっ滞の成因となる胆道狭窄所見を認める．

2）IgG4関連硬化性胆管炎　IgG4-related sclerosing cholangitis

全身性疾患であるIgG4関連疾患の胆管病変であり，胆管壁におけるIgG4陽性形質細胞，リンパ球の浸潤，線維化，閉塞性静脈炎を特徴とする．しばしば自己免疫性膵炎に合併し，自己免疫性膵炎を契機に発見されることもある．ステロイドに反応する予後良好な硬化性胆管炎である．病変部位により様々な胆管像を呈し，原発性硬化性胆管炎や胆管癌との鑑別が必要となる．

超音波検査では，胆管壁の肥厚を認める．肥厚は均一であり，粘膜側に線状高エコーを認めることが多い（図32）．自己免疫性膵炎に合併した場合には，膵のびまん性腫大や限局的腫大を伴うことがある．胆管壁肥厚や狭窄は多彩で，鑑別すべき疾患は多い（図33）．

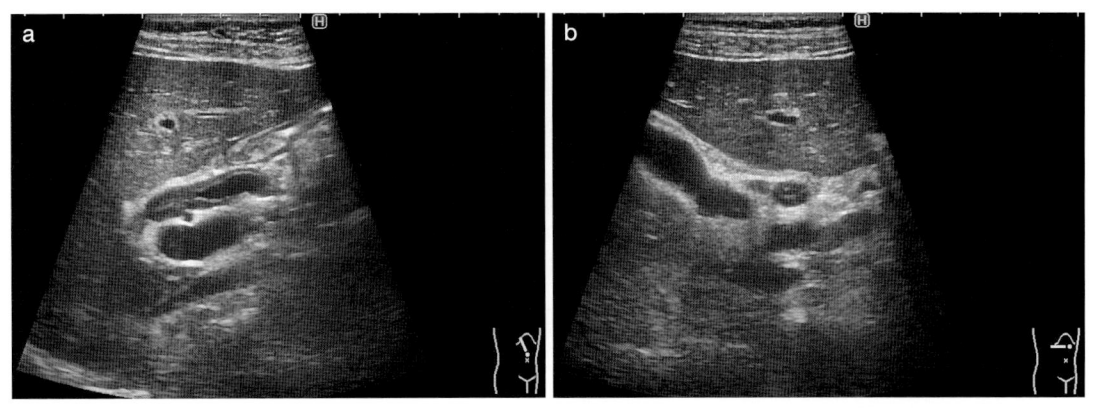

図32 IgG4関連硬化性胆管炎
70代男性．肝門部領域胆管は全周性に3 mmの壁肥厚を認める．肥厚は整，粘膜面には線状高エコーを認め，肝内胆管はB8のみ拡張していた．血中IgG：3,221 mg/dL，IgG4：923 mg/dLと上昇を認めた．

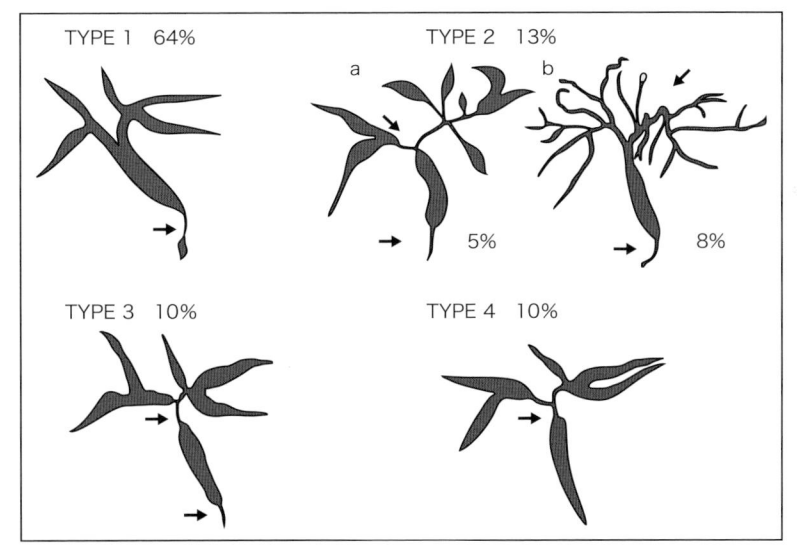

図33 IgG4関連硬化性胆管炎の胆管像[6]
病変の部位により多様な胆管拡張像を呈する．Type 1は遠位胆管（膵内胆管）に狭窄を呈し，遠位胆管癌や膵癌との鑑別が重要である．Type 2は肝内外の胆管に多発狭窄を呈し，Type 3は遠位胆管と肝門部胆管に狭窄を認める．Type 4は肝門部胆管に狭窄を呈し，肝門部領域胆管癌との鑑別が必要である．

3) 原発性硬化性胆管炎　primary sclerosing cholangitis：PSC

原発性硬化性胆管炎は，病因不明の炎症により胆管が線維化をきたし硬化が起こる病態である．壁の肥厚と胆管の狭窄が生じ，胆汁うっ滞をきたすまれな進行性の慢性疾患であり，胆汁うっ滞により肝障害をきたし肝不全に至る．診断はIgG4関連硬化性胆管炎，発症の原因が明らかな2次性の硬化性胆管炎，悪性腫瘍を除外する必要がある．若年層では高率に炎症性腸疾患を合併する．

超音波検査では，肝内胆管や肝外胆管の壁肥厚を認める．壁肥厚による内腔の狭小化により，上部の胆管の拡張を認めることが多い．

5. Mirizzi症候群　Mirizzi's syndrome

Mirizzi症候群は，胆囊頸部や胆囊管に嵌頓した結石やそれに伴う炎症による胆管狭窄が原因で肝機能障害，胆管炎，黄疸などをきたす病態である．嵌頓した結石によって，胆囊と胆管の間に瘻

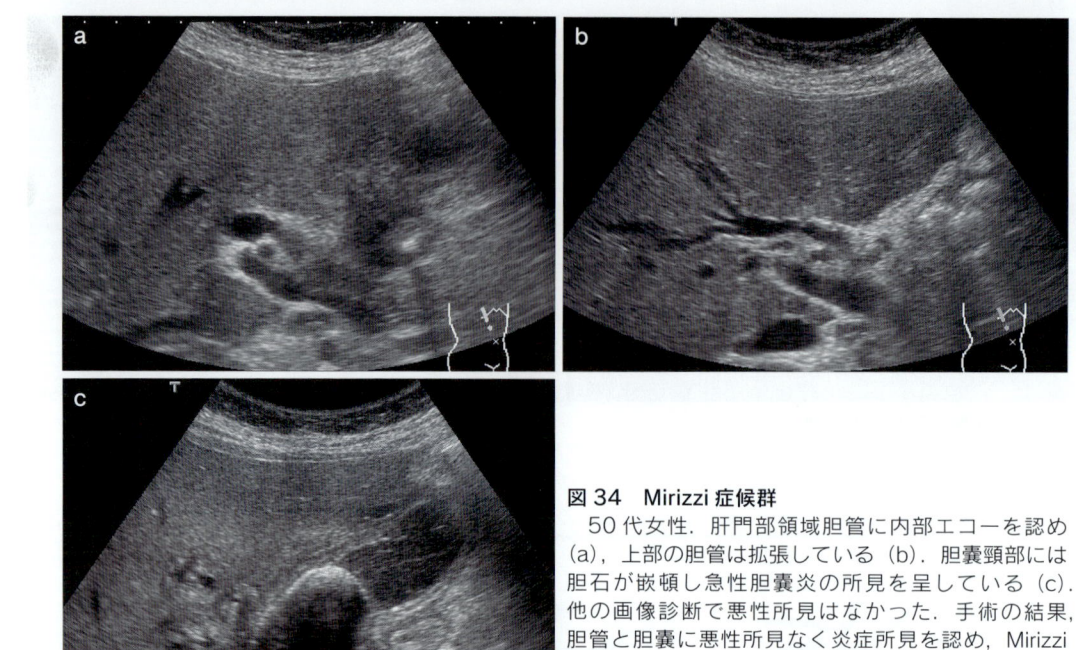

図34 Mirizzi症候群
50代女性．肝門部領域胆管に内部エコーを認め (a)，上部の胆管は拡張している (b)．胆嚢頸部には胆石が嵌頓し急性胆嚢炎の所見を呈している (c)．他の画像診断で悪性所見はなかった．手術の結果，胆管と胆嚢に悪性所見なく炎症所見を認め，Mirizzi症候群と診断された．T-Bil：1.8 mg/dL，D-Bil：1.1 mg/dL，WBC：7,790/μL，CRP：0.89 mg/dL，CEA：0.8 ng/mL，CA19-9：21 U/mL．

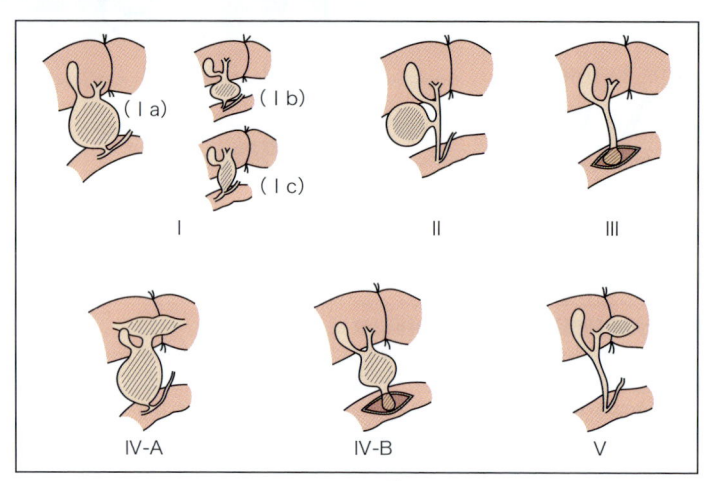

図35 先天性胆道拡張症の形態的分類[7]

孔を形成することもある．
　超音波検査では，胆嚢頸部や胆嚢管に嵌頓した結石を認め，胆嚢は腫大し壁肥厚と胆泥が貯留し，急性胆嚢炎の所見を呈する．肝門部領域胆管の圧排または閉塞による肝内胆管の拡張を認める．遠位胆管は拡張しない（図34）．

6. 先天性胆道拡張症　congenital biliary dilatation

　先天性胆道拡張症では，肝内胆管または肝外胆管が囊腫状あるいは紡錘状に拡張する．小児期に発症することが多く，女性に多い．形態的分類には従来より戸谷分類が広く用いられている（図35）．このうち，肝外胆管が限局性に拡張する戸谷Ia型，Ic型とIV-A型を狭義の先天性胆道拡

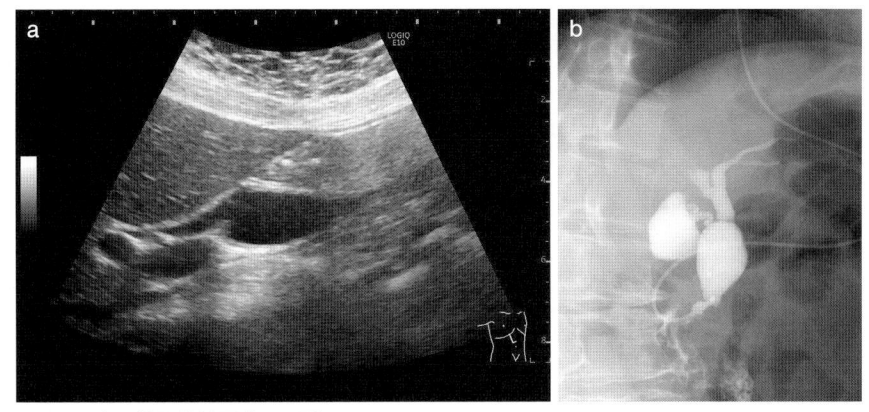

図36　先天性胆管拡張症Ⅰc型
　50代女性．肝外胆管が囊腫状に拡張している（a）．胆管造影では胆囊管が囊腫状の拡張部より分岐し，戸谷分類Ⅰcであった．

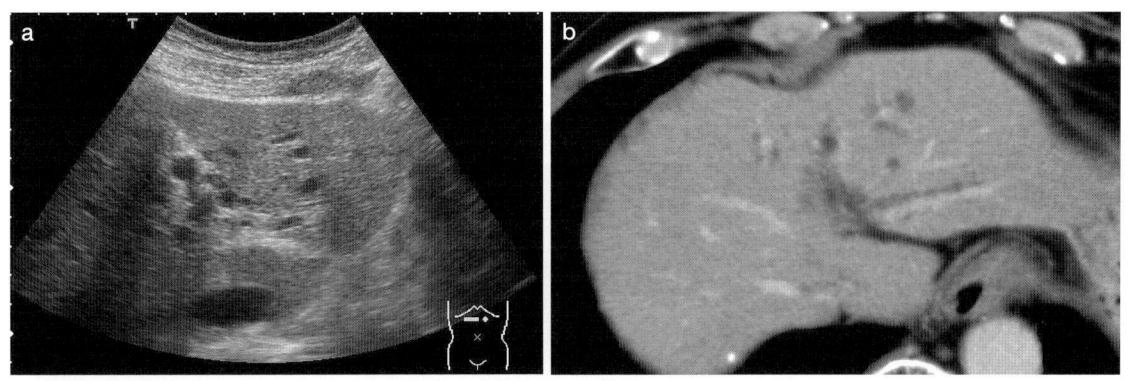

図37　Caroli病
　60代男性．肝左葉外側区と門脈左枝臍部の近傍に末梢肝内胆管の囊胞状拡張が多発している．わが国でCaroli病として報告される症例は，先天性肝線維症を伴うものが多く，先天性肝線維症と同一のスペクトラムに属する疾患であると考えられている．

張症とする．総胆管が囊腫状の拡張を示す総胆管囊腫はⅠ型に相当し，肝内胆管の多発性・分節状・囊状の拡張をみるCaroli病はⅤ型に含まれる．
　Ⅰ型の先天性胆道拡張症では，肝外胆管が囊腫状や紡錘状に拡張する（**図36**）．Caroli病は末梢肝内胆管が多発的に囊胞状の拡張をきたす（**図37**）．

7. 膵・胆管合流異常　pancreaticobiliary maljunction

　膵・胆管合流異常は，解剖学的に膵管と胆管が十二指腸壁外で合流する奇形である．合流部に括約筋の作用が及ばないため，膵液と胆汁が相互に逆流し，胆管炎，胆石形成，閉塞性黄疸，急性膵炎などの病態を引き起こす．胆管拡張を伴う先天性胆道拡張症と胆管拡張を認めない胆管非拡張型があり，胆管非拡張型は胆囊癌のリスク因子となる．
　超音波検査では，肝外胆管が囊腫状に拡張するが，拡張がみられないものもある．胆管非拡張型では，混和した膵液と胆汁による炎症のため，胆囊内膜面が肥厚することがある．

8. 胆管癌　cholangiocarcinoma

　胆管に発生する癌腫で，発生部位により肝門部領域胆管癌（**図38，図39**）と遠位胆管癌（**図40**）がある．肝門部領域胆管と遠位胆管の2つの領域のほとんど，またはそれ以上を腫瘍が占め

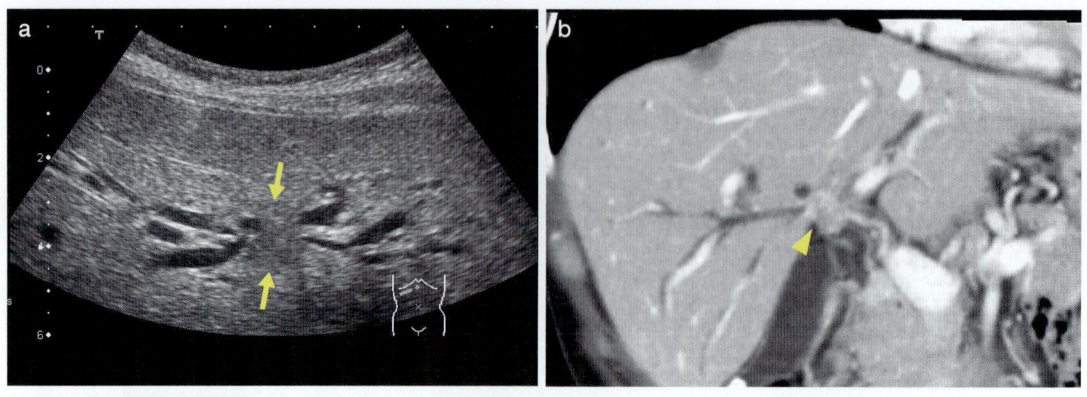

図38 肝門部領域胆管癌
　60代女性．a：左右肝内胆管は拡張している．閉塞起点には境界不明瞭な低エコー腫瘤を認め（矢印），浸潤型の肝門部領域胆管癌の所見である．b：CTでは，肝門部に腫瘍を認める（矢頭）．肝門部領域胆管癌は浸潤型が多く，不明瞭で腫瘍をとらえにくい場合は拡張胆管の閉塞機転を注視することで視認できる．CEA：2.0 ng/mL，CA19-9：117 U/mL，T-Bil：1.3 mg/dL，D-Bil：0.6 mg/dL．

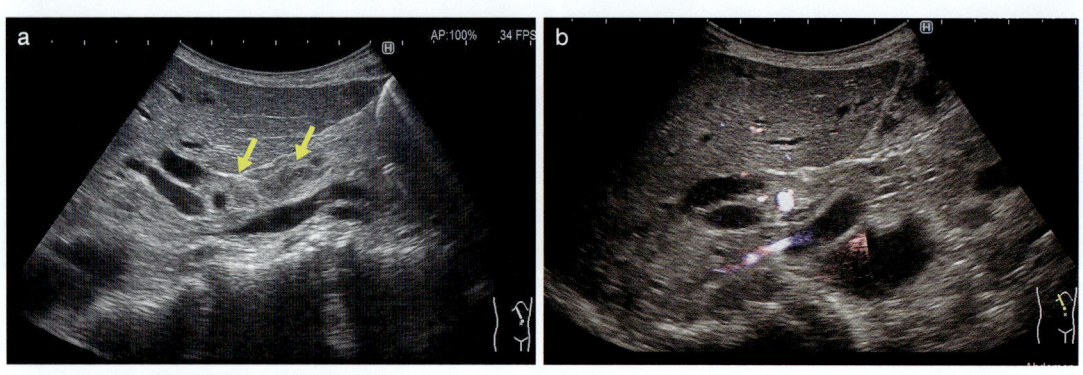

図39 肝門部領域胆管癌（右肝動脈浸潤）
　80代男性．肝門部領域胆管内に充実性エコーを認める（a矢印）．上部の胆管は拡張し，胆管癌の所見である．腫瘍は右肝動脈を取り囲み（b），動脈壁の高エコーが不明瞭であり，動脈浸潤と判断できる．CTでも右肝動脈は腫瘍の浸潤を受けていた．

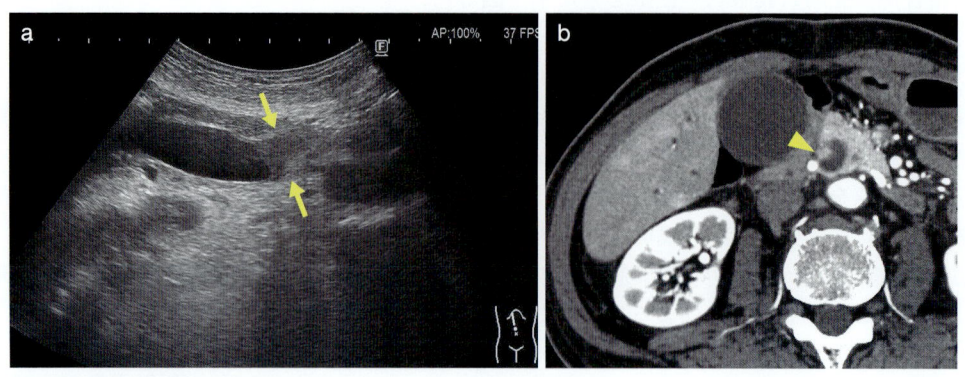

図40 遠位胆管癌
　80代男性．遠位胆管（膵臓レベル）内に充実性腫瘍を認め（a矢印），上部の胆管は拡張している．CT（b）では，胆管内腔に突出する腫瘍を認める（矢頭）．CEA：3.0 ng/mL，CA19-9：2 U/mL，T-Bil：1.3 mg/dL，D-Bil：0.9 mg/dL．

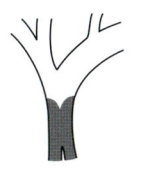

図41　Bismuth分類（肝門部領域胆管癌の占拠部位）
Type Ⅰ　：左右肝管を含まない総肝管までの浸潤．
Type Ⅱ　：左右肝管一次分枝までの浸潤．
Type Ⅲa：左肝管は一次分枝まで右肝管は二次分枝までの浸潤．
Type Ⅲb：右肝管は一次分枝まで左肝管は二次分枝までの浸潤．
Type Ⅳ　：左右肝管とも二次分枝までの浸潤．

（胆道癌取扱い規約第7版より引用）

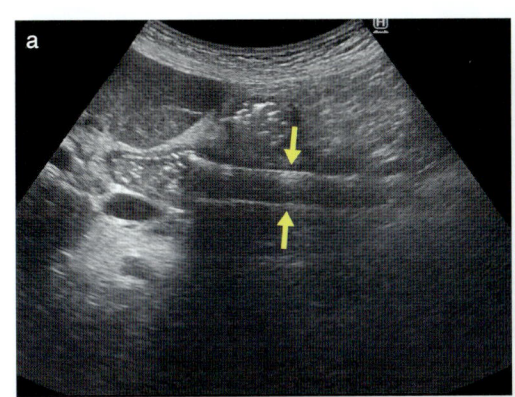

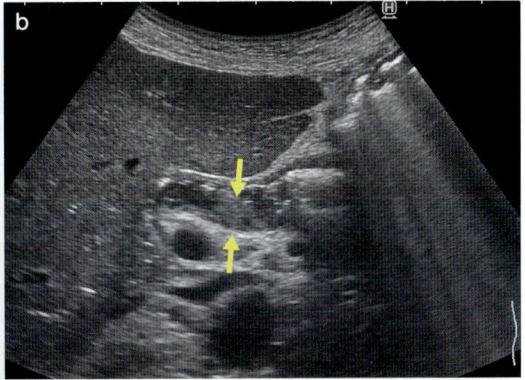

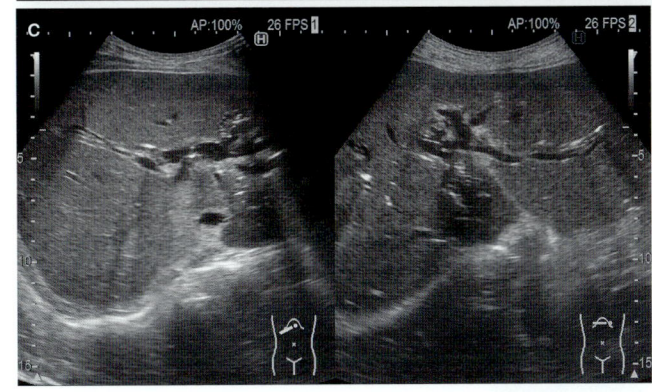

図42　胆管ステント閉塞
80代女性．膵癌による閉塞性黄疸のため，遠位胆管にステントが留置されていた（a矢印）．ステント上部の肝門部領域胆管は拡張し，内部には胆泥を認める（b矢印）．肝内胆管の拡張も認め（c），ステントの閉塞による胆管炎の所見であり，内視鏡的に胆泥を排出した．WBC：14,820/μL，CRP：1.02 mg/dL，T-Bil：2.4 mg/dL，D-Bil：1.3 mg/dL.

る時は広範囲胆管癌となる．肝内胆管に発生する肝内胆管癌とは区別して取り扱う．肉眼的には，乳頭型，結節型，平坦型に分類され，さらに病理診断での亜型である膨張型，浸潤型に分類される．肝門部領域胆管癌は浸潤型が多く，腫瘍の境界が不明瞭で描出しにくいことが多いが，拡張胆管の途絶部位を注視して検索することで腫瘍をとらえることができる．肝門部領域胆管癌の占拠部位はBismuth分類（図41）により規定される．

　超音波検査では，胆管を閉塞する腫瘤像や胆管内腔に突出する腫瘤像，胆管壁の不整な肥厚として認める．腫瘍の上部の胆管は拡張をきたす．浸潤型胆管癌は，拡張胆管の途絶部位に境界不明瞭な腫瘤として認める．遠位胆管癌では，胆嚢腫大など胆汁うっ滞による所見を認める．

　胆管癌などによる閉塞性黄疸の治療に，胆管ステントが用いられる．メタリックステントは，胆管壁に沿った高エコーとして認める．人工物であり，超音波像は特徴的で鑑別は容易である．ステ

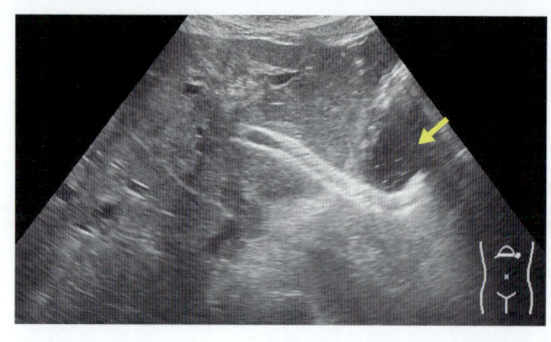

図43 肝胃ステント（HGS）
　50代女性．胆嚢癌，肝転移，リンパ節転移のためENBD（内視鏡的経鼻胆道ドレナージ）が留置されていた．肝門部領域胆管への腫瘍進展のため肝内胆管は拡張し胆管炎をきたしていた．経乳頭的なドレナージでは不十分であり，胃（矢印）から肝内胆管にステントを留置しドレナージした．

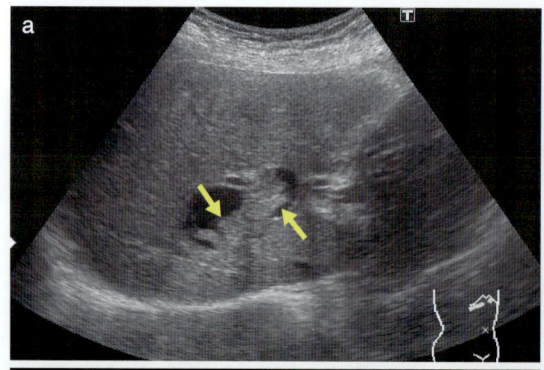

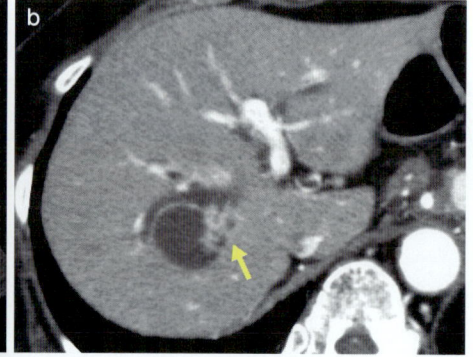

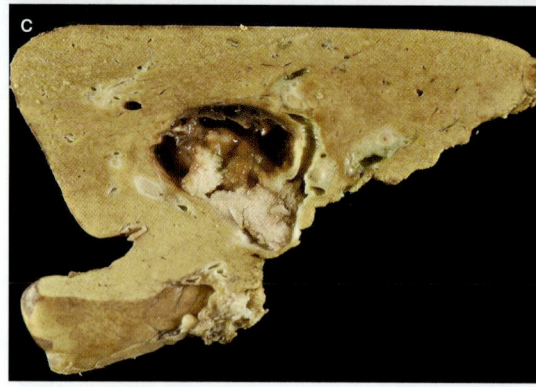

図44 胆管内乳頭状腫瘍（IPNB）
　70代女性．肝門部領域胆管から右肝管は囊胞様に拡張し，内部には充実性腫瘤を認める（矢印）．左肝内胆管もわずかに拡張し，肝外胆管の拡張も認めるが閉塞機転は認めない．手術の結果，右肝管に乳頭膨張型の腫瘍を認めた．AST：47 U/L，ALT：43 U/L，γ-GT：83 IU/L，T-Bil：0.5 mg/dL，D-Bil：0.2 mg/dL．

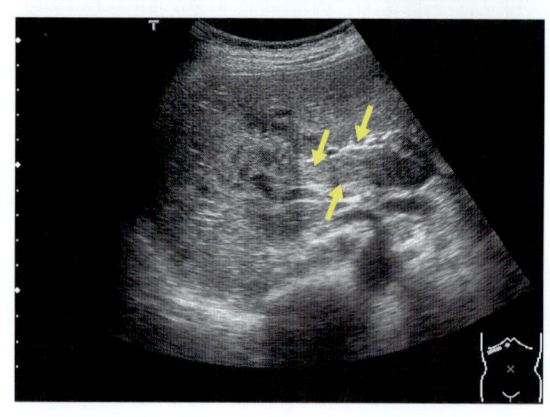

図45 胆管内乳頭状腫瘍（IPNB）
　60代女性．肝内胆管は拡張し，粘液を示唆する内部エコーを認めた（矢印）．手術の結果，肝内胆管には粘液を伴い，右肝管から後区域合流部の胆管内に乳頭状に発育する腫瘍を認め，粘液産生のあるIPNBと診断された．胆管内に明らかな腫瘤は指摘できないが，粘液を伴う胆管拡張が発見契機となることがある．T-Bil：1.0 mg/dL，D-Bil：0.7 mg/dL，CA19-9：274 U/mL．

ントを留置した後に，病状の進行や感染によりステントが閉塞することがある．ステント上部の胆管は拡張し，ステント内部には炎症による胆泥を認めることが多い．ステントの閉塞に対しては緊急的な処置が必要となり，診断は重要である（図42）．胆管ステントはERCP（内視鏡的逆行性

胆管膵管造影）を実施し留置するが，ERCP が困難な症例などでは肝内胆管と胃をつなぐステントを留置することもある（**図 43**）．

9. 胆管内乳頭状腫瘍（IPNB） intraductal papillary neoplasm of the bile duct

　肝内胆管，肝外胆管いずれにも発生し，肉眼的に病変を認識できる胆管内乳頭状腫瘍である．粘液を産生することが多く，腫瘍部の胆管は瘤状に拡張することもある．病理学的に 1 型 IPNB と 2 型 IPNB に分類される．1 型 IPNB は肝内胆管に多く，膵管内乳頭粘液性腫瘍（IPMN）と類似し粘液産生があり浸潤性が弱く予後良好，2 型 IPNB は肝外胆管に高率に発生し，粘液産生がみられないこともあり浸潤性が強く予後不良であることが多い．

　超音波検査では，腫瘍部の胆管は拡張し内部に充実性腫瘍を認める（**図 44**）．腫瘍を閉塞機転に上部胆管は拡張する．腫瘍の下部に胆管拡張をきたすこともあり，この場合は閉塞機転のない胆管拡張を呈する．拡張した胆管内に粘液を認めることがある（**図 45**）．

参考文献
1) 日本肝胆膵外科学会編：胆道癌取扱い規約（第 7 版）．金原出版，2021．
2) 急性胆管炎・胆嚢炎診療ガイドライン改訂出版委員会：TG18 新基準掲載―急性胆管炎・胆嚢炎診療ガイドライン 2018．医学図書出版，2018．
3) 日本消化器がん検診学会　超音波検診委員会　腹部超音波検診判定マニュアルの改訂に関するワーキンググループ：腹部超音波検診判定マニュアル改訂版（2021 年）．日本消化器がん検診学会雑誌，**60**（1）：125〜153，2022．
4) 神澤輝実，他：IgG4 関連硬化性胆管炎診療ガイドライン，胆道，**33**（2）：169〜210，2019．
5) 廣岡芳樹，他：カラードプラ断層法および造影エコー法を用いた早期胆嚢癌の超音波診断．消化器画像，**2**：39〜47，2000．
6) Nakazawa, T., et al.：Schematic classification of sclerosing cholangitis with autoimmune pancreatitis by cholangiography. *Pancreas*, **32**：229, 2006.
7) 戸谷拓二：先天性胆管拡張の定義と分類．胆と膵，**16**：715〜717，1995．

　　　（米山昌司）

4. 膵臓

I 膵臓の検査ポイント

　膵腫大や萎縮，膵管（数珠状）拡張，膵周囲の貯留液，腫瘤性病変（嚢胞性，充実性，混合性），内部エコー，形状，輪郭などをチェックする．また，発育形式が浸潤性か膨張性かの判別，血管への浸潤所見の有無など，ドプラを含めた一連の検査が必要である．正常膵は小葉構造が分葉状を呈するが，分葉が大きい場合や限局的な萎縮により分葉間に入り込んだ脂肪織も腫瘍と紛らわしい場合があり注意する．

1. 位置・大きさ

　頭部の計測の平均値は 25 mm であるが，大きくても頭部 30 mm，体部 20 mm，尾部 25 mm をこえない範囲が基準値となる．全体的な腫大は，急性膵炎，自己免疫性膵炎，膵全体癌などでみられ，限局的な腫大は，形態異常の他に，種々の腫瘍，腫瘤形成性膵炎，膵癌などでみられる．加齢に伴い全体的な萎縮がみられるが，膵全体のバランス，内部エコーの変化，辺縁凹凸不整像に注意する．萎縮の代表例は慢性膵炎であるが，部分的な限局的萎縮は膵癌でもみられる．膵は，発育過程において十二指腸が上腸間膜動脈を軸として（頭側からみて）時計方向に 270°回転し，これに伴って背側膵原基と腹側膵原基が癒合して形成される（図1）．癒合の位置は，病理学的には上腸間膜静脈（SMV）と胆管上縁を結んだ線とされ，CT像ではSMVから水平に引いた線とされることが多い．超音波検査では，腹側膵の厚みの平均は 14 mm で，背側膵よりも低エコーに描出される（図2）．背側膵の脂肪化と年齢・体重には正相関があるが，腹側膵とは相関はみられない．

2. 内部エコー

　脂肪肝のない肝実質の内部エコーと比較して高エコー，低エコー，等エコーレベルと表現する．高エコーは91％，低/等エコーは9％で，高エコー（bright pancreas）を呈するものがほとんどである．実質のエコーレベルは加齢，体重増加とともに実質の脂肪置換や間質への脂肪浸潤により高エコー化し，実質の分葉構造も明瞭となる．

　全体高エコーは，肥満者，高齢者，糖尿病，脂肪浸潤，慢性膵炎，加齢の変化でみられる．限局

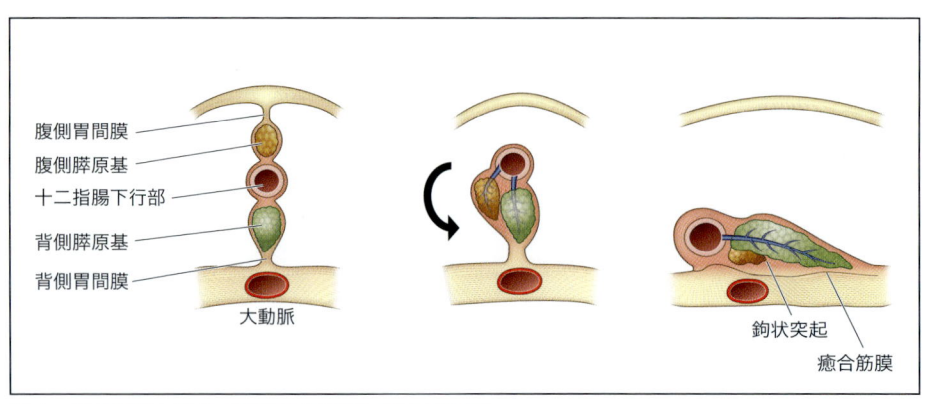

図1　膵の回旋と癒合（足側から頭側に見上げた図）
　十二指腸は発育過程で上腸間膜動脈を軸として背側方向に 270°回転する．これに伴って背側膵原基と腹側膵原基が癒合して膵が形成される．

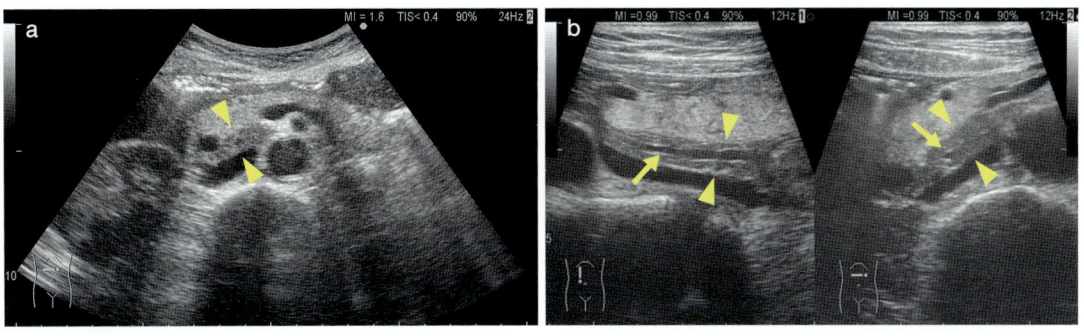

図2　背側膵と腹側膵
　60代女性．腹側膵は通常低エコーに描出されるため，腫瘍と見誤らないようにする（矢頭）．高周波プローブでは，腹側膵内部に主膵管の走行がみられる（矢印）．

　高エコーは，漿液性嚢胞腺腫，脂肪腫，脂肪沈着，膵石，一部の膵癌でみられる．全体低エコーは，急性膵炎，膵全体癌，自己免疫性膵炎，腫瘤形成性膵炎，慢性膵炎，内分泌腫瘍，出血性嚢胞でみられる．限局低エコーは，腹側膵，膵嚢胞，脂肪腫，自己免疫性膵炎，腫瘤形成性膵炎，内分泌腫瘍，膵癌でみられる．石灰化は，慢性膵炎，腫瘍の変性や充実性偽乳頭状腫瘍で多くみられる．

3. 膵管の走行異常

　主膵管（Wirsung管：ウイルソング管），副膵管（Santorini管：サントリーニ管），総胆管には以下のような走行異常がみられる．約7割は副膵管が併存し主膵管が総胆管とともに十二指腸に開口，約2割は副膵管が消退し主膵管が総胆管とともに十二指腸に開口する．残りの約1割に膵管癒合不全があり，①副膵管と主膵管の間に癒合なし，②主膵管が消退し副膵管が膵液の流出路，③副膵管が膵液の主流出路で，主膵管とは細い交通枝で連絡しているものとされる．膵管非癒合は背側膵炎を発症する原因ともなる．

　膵胆管合流部異常症は，胆嚢癌，胆管癌の合併が多いとされる．膨大部に入る前の括約筋が欠如し，膵液が総胆管に混入して胆管炎を引き起こす．これは，膵管圧が総胆管圧よりも高いために膵液の逆流により総胆管粘膜が障害されるためであり，総胆管の嚢状拡張がみられるものが多いが，みられないものもある．

4. 膵管の拡張

　膵管は加齢とともに拡張する傾向があり，また経時的な変化もあるため，一度3 mmの計測値が得られたとしても拡張の原因が明らかではない場合には，例えば5分後に再計測し2 mmになった場合には生理的なものと解釈できる．時間をおいて再確認することが大切である．また，高周波プローブを用いると計測の正確性が増すため基準値に収まることもある．膵液の流出は膵管内圧の上昇などが関与し，十二指腸乳頭括約筋の収縮弛緩により生理的な排出が制御されている．健常成人では生理的な膵液排出は全例でみられ，間欠的で不規則である．

　膵管の平滑拡張は，正常膵でもみられるが，膵癌，腫瘤形成性膵炎，膵管内腫瘍，膵石で観察される．不整拡張は，慢性膵炎，膵癌，腫瘤形成性膵炎で観察される．数珠状拡張や閉塞は膵癌で，膵管穿通徴候（penetrating duct sign）は腫瘤形成性膵炎で観察される．

5. 膵周囲の血管構造と異常所見（図3〜6）

　膵頭部動脈アーケードと主膵管との位置関係は第1章（図17）を参照．胃結腸静脈幹（GCT：gastrocolic trunk）は，右胃大網静脈と上右結腸静脈が合流し形成される（図4）．GCTは横行結

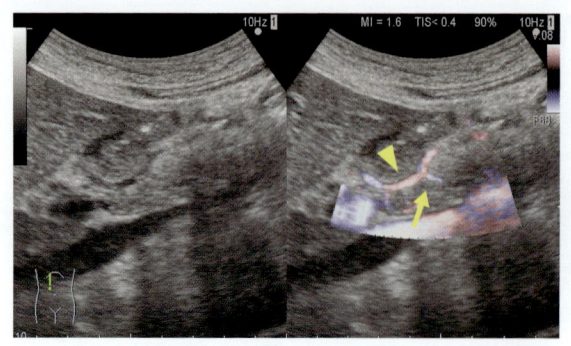

図3　胃十二指腸動脈（GDA），前・後上膵十二指腸動脈
膵臓の動脈は膵十二指腸動脈と脾動脈から起こる．前上・前下膵十二指腸動脈（ASPDA or AIPDA，矢印）は胃十二指腸動脈（GDA，矢頭）の枝である．

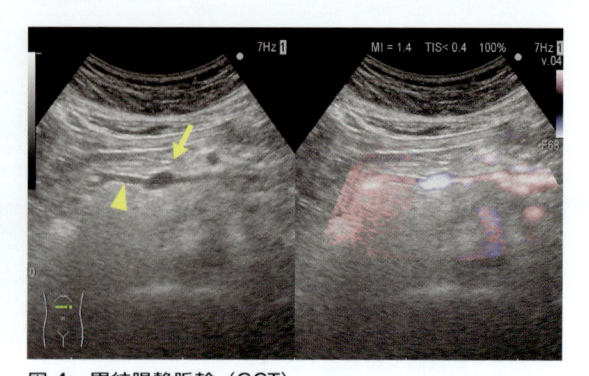

図4　胃結腸静脈幹（GCT）
GCT（矢印）は，右胃大網静脈と上右結腸静脈が合流（矢頭）し形成される．GCT は横行結腸間膜基部内を走行するため，前方被膜浸潤の評価に役立つ．

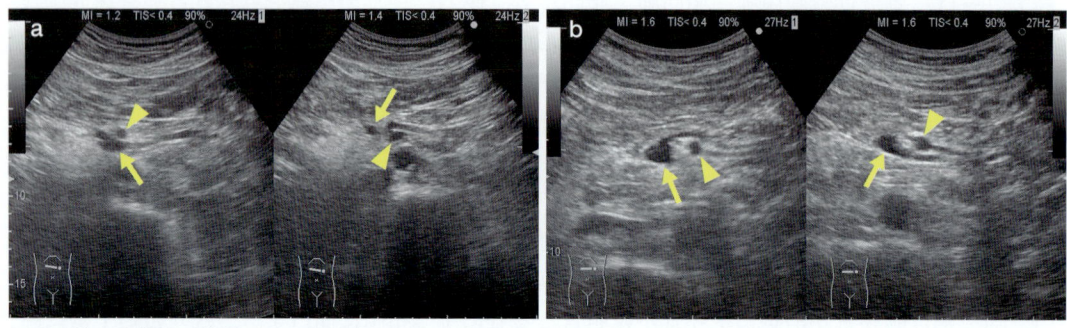

図5　第1空腸動・静脈（J1A・J1V）
第1空腸静脈は SMV・GCT 合流部より尾側で SMV（矢印）に合流し，SMA（矢頭）の背側を走行している（a 左図）．a 右図は SMA（矢頭）から第一空腸動脈が分岐している．b 左図は SMV・GCT 合流部より頭側で第1空腸静脈が SMV（矢印）に流入し，SMA（矢頭）の腹側を走行している．第2空腸静脈は SMA の背側を走行している（b 右図）．

腸間膜基部内を走行するため前方被膜浸潤の評価に役立つ．

　第1空腸静脈の8割は SMV・GCT 合流部より尾側で SMV に合流し，上腸間膜動脈（SMA）の背側を走行することが多い．残り2割は SMV・GCT 合流部より頭側で SMV に流入し，SMA の腹側を走行する（図5）．SMA と SMV の位置異常がみられる場合は，中腸回転異常を疑うことができる（図6）．

Ⅱ　膵臓描出のコツ

　描出の妨げになる膵周囲の消化管ガスをよけるためには，コンパウンドモードを用いて心窩部をしっかりと押しつけるように観察する．これにより，コントラスト分解能が改善され，膵管内部や膵管の境界が明瞭になる．また，深部感度も向上し，ガスエコーによるちらつきが軽減し，腫瘍境界も明瞭となる．
　膵の描出率は，当院ドック受診者300例での検討では，膵全体が描出されたのは94%（282例）であった．このうち右側臥位にすることで尾部の描出が改善したものが3%（10例）であった．描出不良は6%（18例）で，膵頭1例，尾部17例であった．尾部はガスのため描出不良なことが多いが，深吸気で左季肋部横走査にて観察すると尾部が体表近くに移動し明瞭化するため描出能が改善し，膵管走行や腫瘤性状も観察しやすくなる．

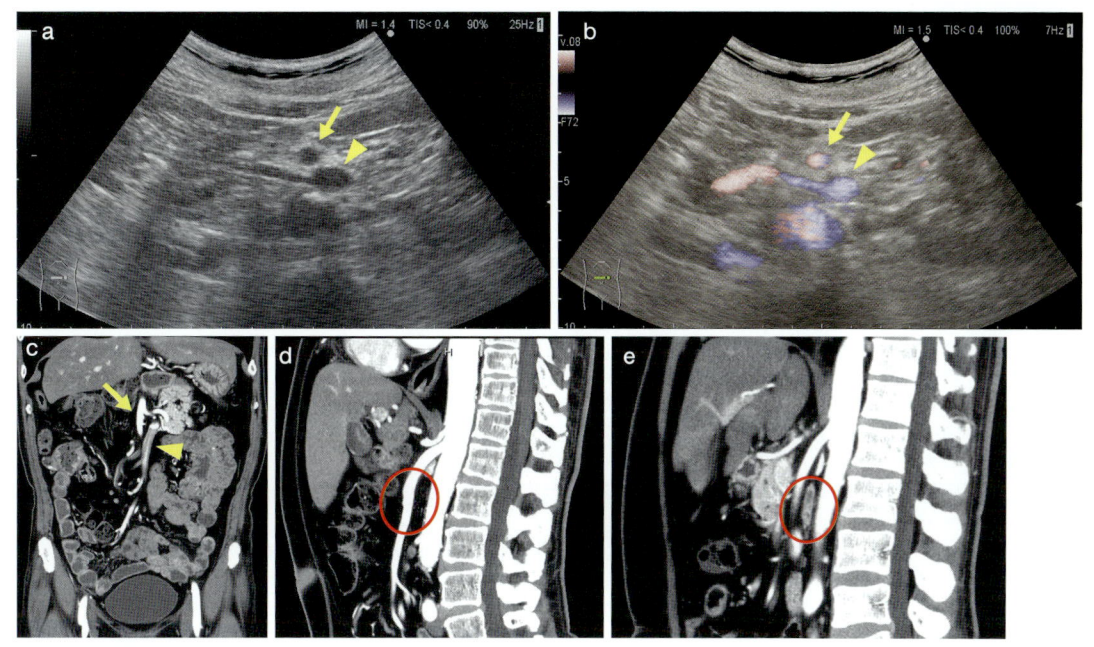

図6 中腸回転異常
　60代男性．S状結腸癌を指摘され紹介受診．SMA（矢印）とSMV（矢頭）の位置異常がみられ，中腸回転異常を疑った（a）．SMA，SMVともに内部血流は保たれており，狭窄や閉塞はなかった（b）．CTでは，結腸は右側に，小腸が左側に集簇し，腸回転異常症（無回転）と診断された（c）．十二指腸水平脚は存在しない（d〇印）．肝内の門脈枝の分岐異常もみられた（非掲載）．eは別症例で，SMAと大動脈間に十二指腸水平脚が描出されている（〇印）．

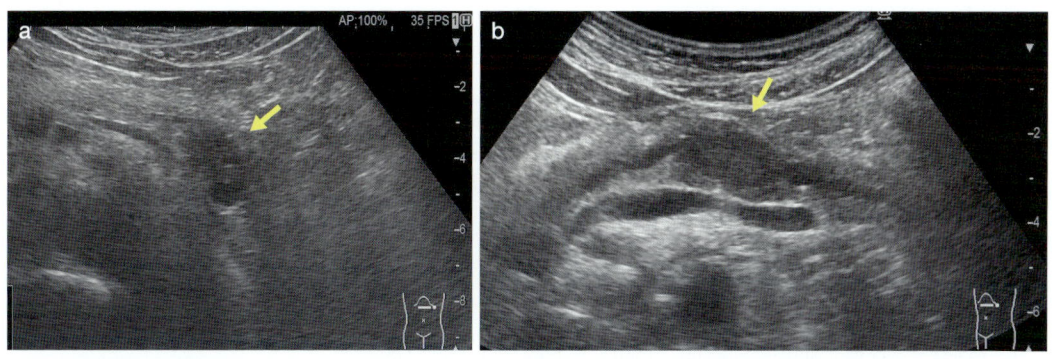

図7 体位変換の重要性
　70代男性．CEA：2.7 ng/mL，CA19-9：108 U/mL，HbA1c：8.4％．糖尿病で通院中，膵管拡張が指摘され紹介受診．膵尾部に19×15 mmの輪郭不整で不明瞭，内部低エコー不均一な腫瘤を認めた．尾側膵管は4 mmで不整拡張があり，膵癌と診断した．仰臥位（a）よりも右側臥位（b）にて腫瘤性状および膵管構造は明瞭である．

　基本的に仰臥位で検査を行うが，必要に応じて頭部の観察は左側臥位，尾部は右側臥位で検査することで描出能は改善される（図7）．特に尾部の描出の場合，仰臥位では，左季肋部横走査にて左腎短軸像を描出し腹壁脂肪を持ち上げるようにプローブでしっかりと押しつけながら頭側に振り上げるように走査する．一方，痩せている患者では，膵臓が腹壁直下に位置することが多く多重反射の影響を受けやすいため，プローブで押しつけすぎないようにする．さらに，膵臓の観察の際に障害となる胃，十二指腸，横行結腸などの消化管ガスを排除する方法としては，プローブでの圧排方法と飲水法がある．飲水法では，胃内の水分が音響窓となりガスの影響を排除することができる．当院では，冷蔵庫で冷やした紅茶を400〜500 mL摂取してもらっている．不十分な飲水ではかえっ

表 1　膵腫瘍の組織分類

[1] 上皮性腫瘍　Epithelial neoplasms
　A．外分泌腫瘍　Exocrine neoplasms
　　1．漿液性腫瘍　Serous neoplasms（SNs）
　　　a）漿液性嚢胞腺腫　Serous cystadenoma（SCA）
　　　b）漿液性嚢胞腺癌　Serous cystadenocarcinoma（SCC）
　　2．粘液性嚢胞腫瘍　Mucinous cystic neoplasms（MCNs）
　　　a）粘液性嚢胞腺腫　Mucinous cystadenoma（MCA）
　　　b）粘液性嚢胞腺癌，非浸潤性　Mucinous cystadenocarcinoma（MCC），noninvasive
　　　c）粘液性嚢胞腺癌，浸潤性　Mucinous cystadenocarcinoma（MCC），invasive
　　3．膵管内腫瘍
　　　a）膵管内乳頭粘液性腫瘍　Intraductal papillary mucinous neoplasms（IPMNs）
　　　　（1）膵管内乳頭粘液性腺腫　Intraductal papillary mucinous adenoma（IPMA）
　　　　（2）膵管内乳頭粘液性腺癌，非浸潤性　Intraductal papillary mucinous carcinoma（IPMC），noninvasive
　　　　（3）膵管内乳頭粘液性腺癌，浸潤性　Intraductal papillary mucinous carcinoma（IPMC），invasive
　　　b）膵管内オンコサイト型乳頭状腫瘍　Intraductal oncocytic papillary neoplasms（IOPNs）
　　　　（1）膵管内オンコサイト型乳頭状腺癌，非浸潤性　Intraductal oncocytic papillary carcinoma（IOPC），noninvasive
　　　　（2）膵管内オンコサイト型乳頭状腺癌，浸潤性　Intraductal oncocytic papillary carcinoma（IOPC），invasive
　　　c）膵管内管状乳頭腫瘍　Intraductal tubulopapillary neoplasms（ITPNs）
　　　　（1）膵管内管状乳頭腺腫，非浸潤性　Intraductal tubulopapillary carcinoma（ITPC），noninvasive
　　　　（2）膵管内管状乳頭腺腫，浸潤性　Intraductal tubulopapillary carcinoma（ITPC），invasive
　　　d）膵上皮内腫瘍性病変　Pancreatic intraepithelial neoplasia（PanIN）
　　　　（1）低異型度膵上皮内腫瘍性病変　Low-grade PanIN
　　　　（2）高異型度膵上皮内腫瘍性病変　High-grade PanIN
　　4．浸潤性膵管癌　Invasive ductal carcinomas（IDCs）
　　　a）腺癌　Adenocarcinoma
　　　　ⅰ）高分化型　Well differentiated type（wel）
　　　　ⅱ）中分化型　Moderately differentiated type（mod）
　　　　ⅲ）低分化型　Poorly differentiated type（por）
　　　b）腺扁平上皮癌　Adenosquamous carcinoma（asc）
　　　c）粘液癌　Mucinous carcinoma（muc）
　　　d）退形成癌　Anaplastic carcinoma（anc）
　　　　ⅰ）多形細胞型退形成癌　Anaplastic carcinoma, pleomorphic type
　　　　ⅱ）紡錘細胞型退形成癌　Anaplastic carcinoma, spindle cell type
　　　　ⅲ）破骨型多角巨細胞を伴う退形成癌　Anaplastic carcinoma with osteoclast-like giant cells
　　5．腺房細胞腫瘍　Acinar cell neoplasms（ACNs）
　　　a）腺房細胞嚢胞　Acinar cystic transformation（ACT）
　　　b）腺房細胞癌　Acinar cell carcinoma（ACC）
　B．神経内分泌腫瘍　Neuroendocrine neoplasms（NETs）
　　1．神経内分泌腫瘍　Neuroendocrine tumors（NETs，G1，G2，G3）
　　2．神経内分泌癌　Neuroendocrine carcinnoma（NEC）
　C．混合腫瘍　mixed neuroendocrine non-neuroendocrine neoplasms（MiNEN）
　D．分化方向の不明な上皮性腫瘍　Epithelial neoplasms of uncertain differentiation
　　1．充実性偽乳頭状腫瘍　Solid-pseudopapillary neoplasm（SPN）
　　2．膵芽腫　Pancreatoblastoma
　E．分類不能　Unclassifiable
　F．その他　Miscellaneous

[2] 非上皮性腫瘍
　各当該規約などで規定
　　（血管腫 Hemangioma，リンパ管腫 Lymphangioma，平滑筋肉腫 Leiomyosarcoma，悪性リンパ腫 Malignant lymphoma，傍神経節腫 Paraganglioma，その他 Others）

（日本膵臓学会編：膵癌取扱い規約．第 8 版．金原出版，2023）

III 膵臓の病変

膵癌取扱い規約では，膵腫瘍は上皮性腫瘍と非上皮性腫瘍に大別される（**表1**）．上皮性腫瘍は，外分泌腫瘍（浸潤性膵管癌など），内分泌腫瘍，併存腫瘍（外分泌腫瘍と内分泌腫瘍の混在），分化方向の不明な上皮性腫瘍（SPN：solid-pseudopapillary neoplasm など）などに分類され，非上皮性腫瘍には，血管腫や悪性リンパ腫などが含まれる．

1. 脂肪腫　lipoma

膵内の脂肪浸潤は，肥満者や肝胆道系疾患を有する患者でみられることが多く，高エコー領域として観察される．肝では肝細胞内に脂肪がみられるので脂肪変性というが，膵では腺房細胞内ではなく周囲から脂肪組織が侵入するようにみえるため脂肪浸潤と表現する．

膵脂肪腫は，非上皮性の良性腫瘍で，全膵腫瘍中の1～2％とまれな腫瘍である．高エコーや低エコー腫瘤としてみられる（**図8**）．低エコーでは膵癌と鑑別を要するが，線維増生を伴い膨張性に発育する膵癌とは異なる（**図9**）．

医中誌における1980～2016年までのわが国の報告は17症例みられる．平均年齢は65（42～81）歳で，男女比は7：10と女性が多い．存在部位は，膵頭部が10例と多く，大きさの平均は51

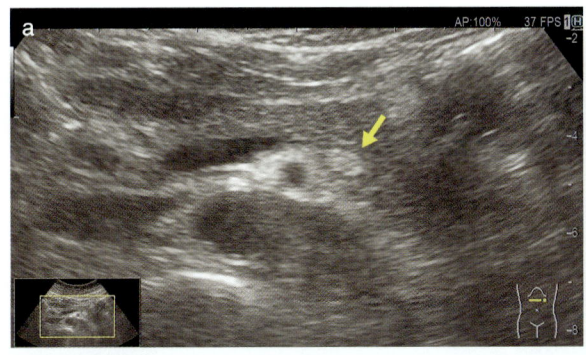

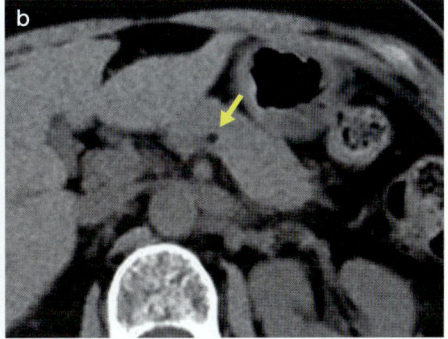

図8　脂肪腫疑い
60代女性．膵尾部に9×5 mmの高エコー腫瘤がみられる（a）．CT値は−65 HUであり，脂肪組織含有病変に矛盾しない（b）．

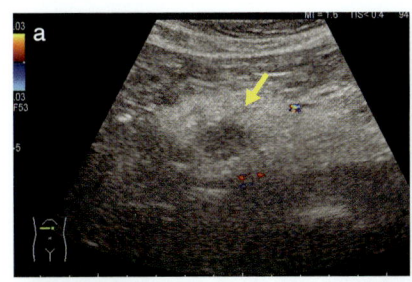

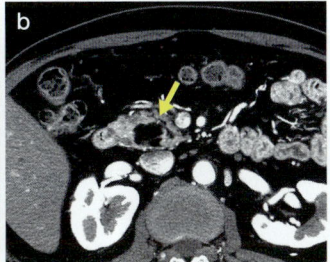

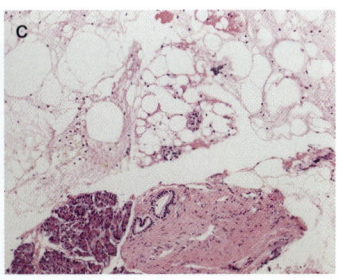

図9　脂肪腫
70代男性．膵頭部に23×14 mmの輪郭不明瞭で不整な低エコー腫瘤を認める．内部不均一で線状高エコーが多数みられ，後方エコー増強，内部血流なし，周囲の脂肪組織と同様の性状であった（a）．CTでは周囲圧排所見に乏しい病変で，腫瘤内に膵管が貫通するが拡張や狭窄は認めない．CT値は−113 HUであり，脂肪組織含有病変である（b）．

FNAを施行し，脂肪組織と膵組織の間に被膜はなかったが，萎縮した膵組織が混在し，脂肪腫，脂肪浸潤に矛盾しない結果であった（c）．

mm（4～150 mm）であった．エコーレベルは高が4例，低が8例，混合が1例，記載なしが4例の報告がある．

　組織上は細い結合組織で区画され，成熟脂肪細胞が増生するものや，既存の脂肪織や脂肪沈着によるものである．腫瘍部のCT値は－100～－120 HU程度で，腹壁脂肪層などと同様の値であるため鑑別に役立つ．MRI検査の脂肪抑制像でも確定診断が得られる．

　超音波検査では，限局的な高エコー腫瘤あるいは低エコー腫瘤として観察され，内部エコー不均一，輪郭不整で不明瞭，内部は淡い点状エコーがみられる．

2. 膵の奇形

1）輪状膵　annular pancreas

　胎生期の腹側膵原基が十二指腸壁に癒着・固定されて，背側膵原基の後方へと回転しながら移動することで腹側膵原基が伸展し，十二指腸下行脚の一部または全部を輪状に取り囲む先天奇形とされる説と，胎生期に退化するはずだった左腹側膵原基が残存し右腹側膵原基とともに回転する説がある．頻度は剖検2万例中3例（0.015％）とまれである．男性に多く，膵胆管合流異常などを合併することが多い．1歳以下が最も多く，次いで40代に多い．小児では十二指腸狭窄に伴う嘔吐，成人では半数は無症状だがときに腹痛，嘔吐，腹部膨満感などの症状がみられる．

　超音波検査では，膵頭部内に十二指腸に連続する消化管像がガスエコーを伴って観察される（図10）．膵頭部内のガスエコーは，輪状膵の他に傍十二指腸憩室（図11）や石灰化像と紛らわしい場合がある．傍十二指腸憩室は，注意して観察すると遭遇する頻度は比較的高いが，輪状膵では正

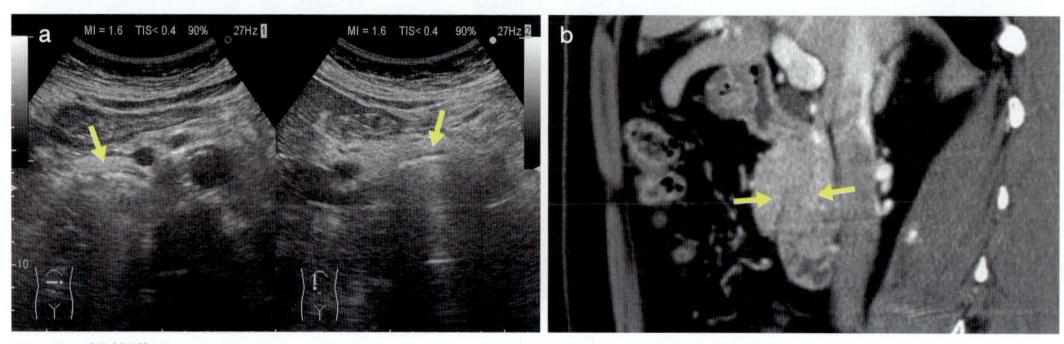

図10　輪状膵
　60代女性．膵頭部の中央部に消化管ガスエコーが観察される（a矢印）．CT矢状断にて膵中央部に十二指腸の走行が確認できる（b矢印）．

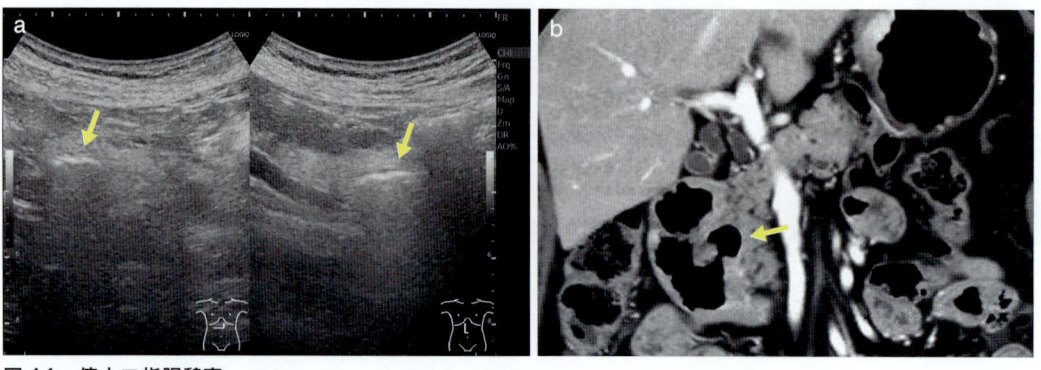

図11　傍十二指腸憩室
　60代男性．胃噴門部癌術前精査．膵頭部に十二指腸から連続する線状高エコーとガスエコーがみられる（a矢印）．CT冠状断でも傍十二指腸憩室を確認できる（b矢印）．

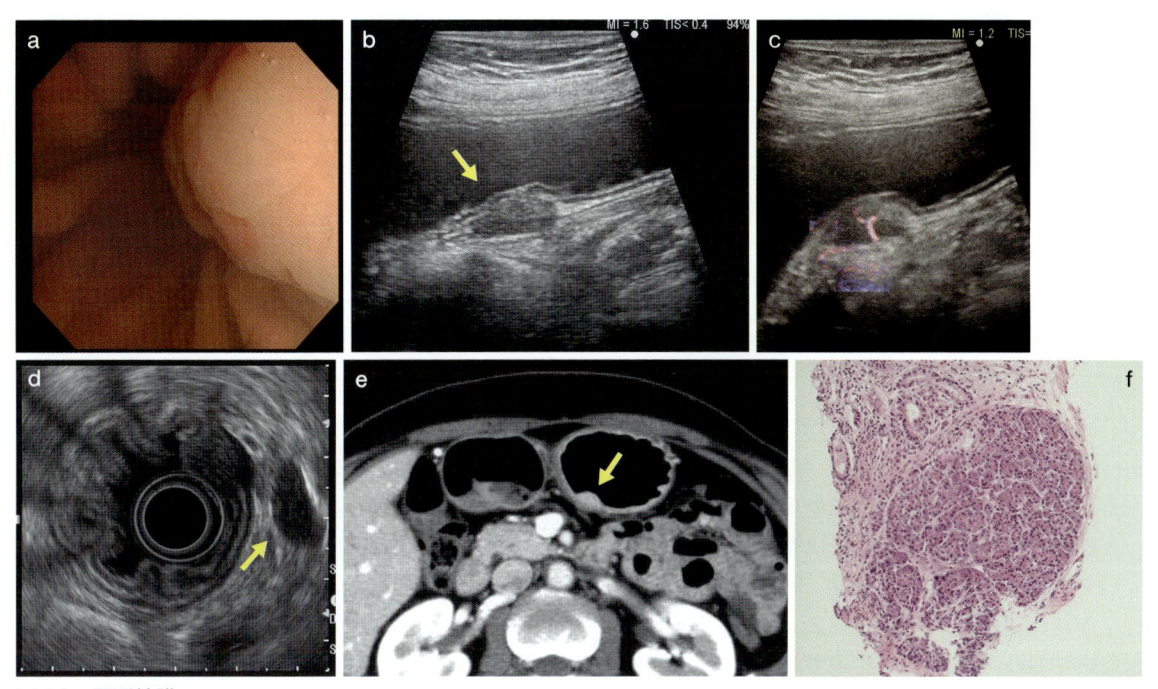

図12 異所性膵
40代女性．検診にて，胃体下部後壁に凹凸不整な粘膜下腫瘍を指摘される（a）．400 mL 飲水法で胃体部後壁第3層に19×8 mmの腫瘤，楕円形〜やや不整，境界明瞭，辺縁平滑，内部低エコー不均一（b矢印），多血性で24 cm/sの拍動波を認めた（c）．超音波内視鏡（d矢印）．CT（e矢印）．粘膜下層に膵腺房細胞を認め，異所性膵と判明した（f）．

常の位置に十二指腸下行脚がみられず連続性を追うことで鑑別される．

2）異所性膵　heterotopic pancreas

　膵の回旋と癒合は，異所性膵の原因にもなる．解剖学的に正常膵と連続性を欠き，血管支配も異なり，異所性に存在する膵組織である．同義語には，迷入膵，副膵がある．膵原基の癒合が不完全な場合にそのごく一部が原腸に取り残され（迷入），腸管の発達に伴って十二指腸や胃壁内に異所性に発生する．胃の粘膜下に入り込んでいるため粘膜下腫瘤の形態をとる．男女比は2：1と男性に多く，発生頻度は開腹手術の0.25％，剖検例の0.3〜2.3％である．発生部位は，胃，十二指腸で全体の50％以上を占め，続いて空腸，回腸，Meckel憩室などに多いとされている．存在部位は粘膜下層が最も多いが，筋層内や漿膜下層にも発生する．多くは無症状で経過するが，正常膵と同様に，膵炎や囊胞形成，まれに膵癌やインスリノーマの発生もみられる．

　超音波検査での報告は少ないが，正常膵に著変を認めず，1〜4 cmの境界明瞭な内部はやや不均一な低エコー腫瘤として描出されることが多い（図12）．

3．急性膵炎　acute pancreatitis

　膵腺房細胞内の活性化された膵酵素による自己消化が原因で起こる急性の炎症で，患部の圧痛を認める．急性膵炎診療ガイドライン2021によると，アルコールと胆石が二大成因で，男性では，アルコール性43％，胆石性20％，特発性16％であり，女性では，胆石性38％，特発性25％，アルコール性12％である．その他の原因には，ERCP後，胆汁・十二指腸液逆流，肝胆膵や胃の術後，薬剤（バルプロ酸ナトリウムが最多），脂質異常症（中性脂肪≧500 mg/dL），HIV，慢性膵炎の急性増悪，膵癌などの膵腫瘍，ステロイド，遺伝などがある．急性膵炎の診断基準は，①上腹部に急性腹痛発作と圧痛がある，②血中または尿中に膵酵素の上昇がある，③超音波，CTまた

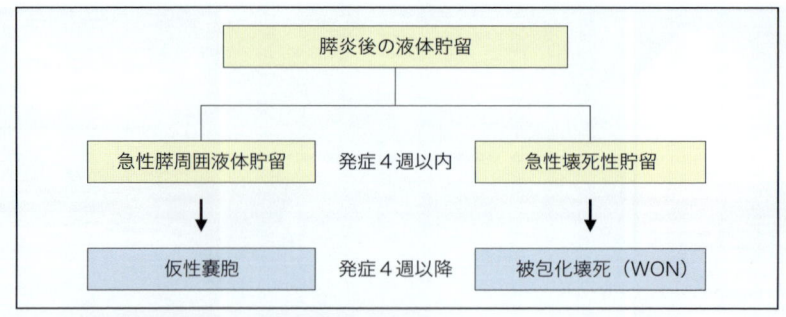

図13 急性膵炎の膵および膵周囲液体貯留

はMRIで急性膵炎に伴う異常所見，の3項目中2項目以上を満たし，他の膵疾患や急性腹症を除外した場合とされている．ただし，慢性膵炎の急性増悪は急性膵炎に含める．入院時に軽症膵炎と診断された場合でもその後重症化することがあるため，繰り返し判定を行うことが推奨されている．経験例として，胃内視鏡検査後，心窩部痛が出現した患者に膵尾部から腹側に伸展する嚢胞性腫瘍を認めたこともあるため，検査時のアルコール歴，腹部外傷，手術などの病歴確認は大切である．症状は，軽度の炎症から死に至る重度のものまで様々であるが，腹痛が92％以上と最も多く，次いで嘔吐，発熱，背部痛である．

血液生化学検査では，リパーゼ，アミラーゼ，P型アミラーゼ，尿アミラーゼ，トリプシン，エラスターゼ1が有用であるが，アミラーゼは半減期が短く重症度の判定には用いられない．また，リパーゼは感度・特異度ともによく，測定が推奨されている．血清アミラーゼおよびリパーゼは，急性膵炎の初日に上昇して3〜7日で正常に戻る．また，血清アミラーゼ上昇には他の原因として，唾液腺疾患，マクロアミラーゼ血症，アミラーゼ産生腫瘍があるため，膵型（P型）と唾液腺型（S型）に分画測定することにより精度が上昇する．

急性膵炎の重症度を予測する指標として，厚生労働省重症度判定基準の予後因子スコアによる点数化が用いられている．膵炎後に生じる液体貯留は，発症後4週以内と以降で分類されている（図13）．4週以内の急性膵周囲液体貯留は，均一な液体成分で膵に隣接するのみで膵実質には及ばないものである．4週以降の仮性嚢胞は膵周囲に炎症性の線維性被膜が嚢胞壁を形成し被包化したもので上皮細胞はなく，4週以上の経過で成熟したものとされ，嚢胞壁は薄く境界明瞭であり，脾門部，網嚢などの膵外に発生することがある．周囲と明瞭に境界された円形あるいは卵円形の均一な液体貯留である．急性膵炎，アルコール多飲，交通外傷，開腹術などの病歴が重要であり，仮性動脈瘤を形成することがある．大酒家などでは，慢性膵炎の急性増悪による症状を呈することもある．仮性動脈瘤は脾動脈，胃十二指腸動脈，膵十二指腸動脈などに生じる．一方，壊死性膵炎後に生じる急性壊死性貯留は，発症後4週以内の急性壊死性貯留と4週以降の被包化壊死（walled-off necrosis：WON）に分類される（図14）．前者は，被包化されていない不均一な液体貯留で，しばしば膵実質に及ぶことがあるもので，後者は，壊死巣の周囲に被膜様の構造が出現し膵実質あるいは膵周囲に完全に被包化された，不均一な液体貯留と非液体成分の異なる濃度を呈する貯留物である．

重症化膵炎では，膵壊死により主膵管が破綻し，断裂した主膵管から膵液が腹腔・胸腔あるいは背中側に漏れることがある（主膵管破綻症候群）．脂肪壊死は4週間経過すると壁を伴い被包化壊死（WON）を形成する．内部に脂肪壊死後の壊死物質や出血を含むことが多く不均一で，辺縁も不整である．また，膵周囲のみでなく腸間膜や傍結腸溝への感染の進展にも注意する．

限局性（腹側）膵炎は，膵管癒合不全による膵液流出障害が原因と考えられ，腹側膵の鉤部領域に好発する．

膵外傷でも，受傷時期により膵炎と同じような画像所見を呈する（図15）．日本外傷学会臓器

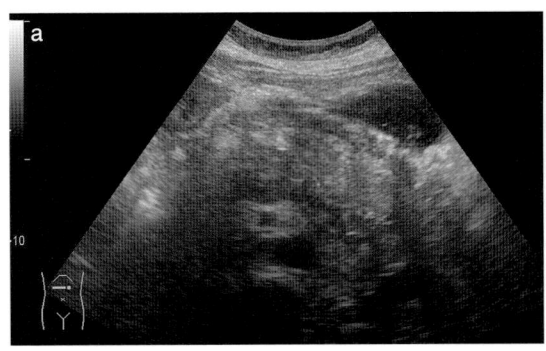

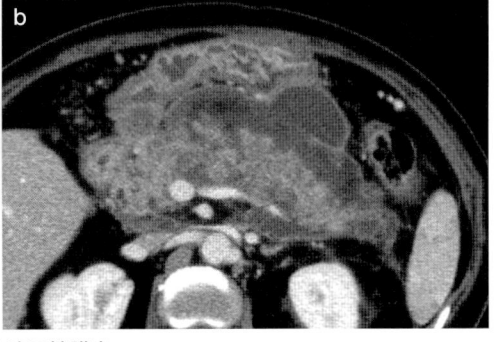

図14 被包化壊死（walled-off necrosis：WON） 重症壊死性膵炎
　50代女性．AMY：58 U/L，CA19-9：814 U/mL．胆嚢癌で経過観察中，急な腹痛，嘔吐，水様便にてERCPを施行し，胆管ステント留置したが，心窩部痛持続のため紹介受診．USにて膵体部は28 mmと腫大，内部エコー不均一．膵周囲に内部エコーを伴う最大範囲100 mmに及ぶ被包化された囊胞性貯留液を認める（a）．CTでも同様の所見である（b）．

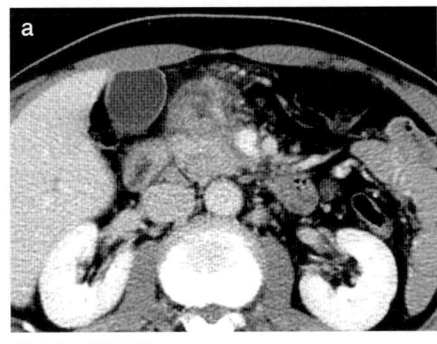

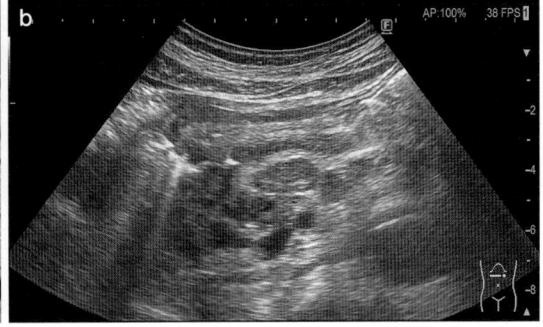

図15 膵外傷
　50代男性．AMY：74 U/L．仕事中に受傷したため来院．CTにて膵頭部周囲の不整な軟部陰影と周囲リンパ節腫大を認める（a）．受傷後20日目の経過USにて，groove領域に膵液漏または血腫の吸収過程を疑う36×23 mmの低エコー域，周囲に楕円形のリンパ節腫脹を認める（b）．Ⅲ型の深在性損傷と考えられる．

　損傷分類では，Ⅰ型：被膜下損傷，Ⅱ型：表在性損傷，Ⅲ型：深在性損傷（Ⅲa型：単純，Ⅲb型：複雑）に分けられる．
　超音波検査では，びまん性もしくは限局性腫大を呈する．間質の浮腫性変化を反映しているが，膵サイズは個人差があり，腫大が軽度の場合は異常の判断は困難である．また，初期段階である浮腫性の膵炎では，辺縁平滑，輪郭不明瞭，内部エコー均一で，エコーレベルは低エコーが基本であるが低〜高エコーまで様々である（図16）．壊死性膵炎では，凝固壊死や微小腫瘍により高・低混在した不均一に散在する点状エコーとなる．腫大した膵実質の圧迫により膵管は通常描出されないことが多く，膵管拡張はみられないことが多い．膵管拡張がみられた場合には，慢性膵炎急性増悪や閉塞性膵炎を疑う．随伴所見として，膵周囲液体貯留の他に，胸水や腹水がみられる．軽症の急性浮腫性膵炎では，アミラーゼが高値でも形態的な変化が少ないことが多いが，初期段階の浮腫性変化を高周波プローブで観察すると，膵表面にわずかな貯留液がみられ，膵表面の細かな分葉状凹凸構造の不明瞭化や平坦化がみられる（図17）．このような軽微な変化をとらえることで膵炎の診断率の向上につながる．また，前腎傍腔や膵周囲腔へも炎症が波及するため，腎周囲から骨盤腔まで観察を怠らないようにする．仮性囊胞は，囊胞壁には上皮細胞は存在しないため，囊胞壁は薄く輪郭鮮明である．仮性囊胞内に生じた仮性動脈瘤は，カラードプラにて血流がみられる．また，静脈系の合併症として，上腸間膜静脈，脾静脈，門脈血栓形成や側副血行路の有無の評価も行う．

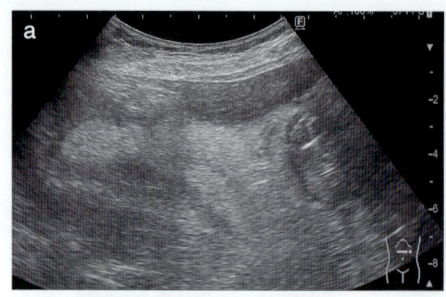

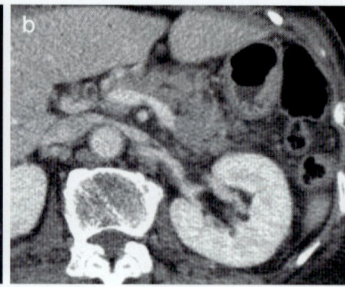

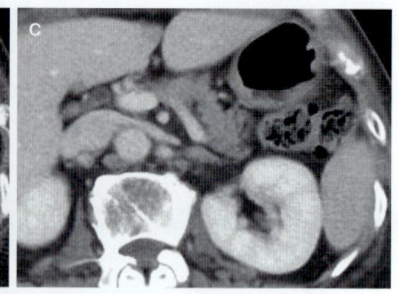

図16　急性膵炎

60代女性．AMY：282 U/L，P-AMY：259 U/L．肺癌の化学療法中，心窩部痛，アミラーゼ上昇で急性膵炎が疑われ紹介受診．膵の内部エコーは高エコーで，膵管は3 mmと平滑拡張していた．膵体尾部はびまん性の均一な腫大で，エコー輝度が高く，浮腫性腫大と考えた（a）．頭部周囲には微量の腹水を認めた．同日のCTでも体尾部腫大を認めた（b）．50日前のCT（c）と比較して腫大が明らかである．

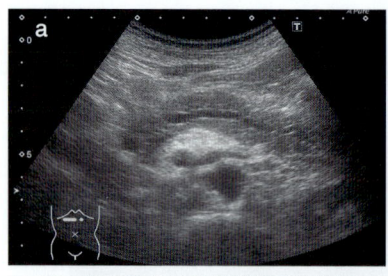

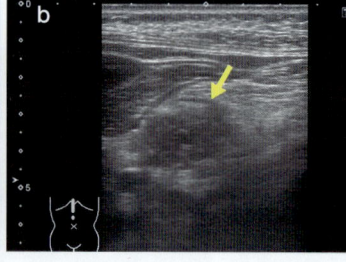

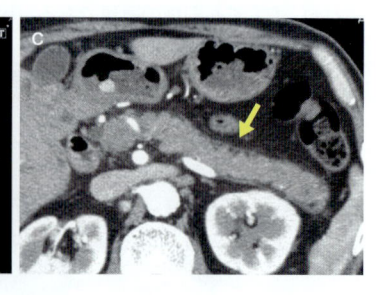

図17　急性膵炎（急性膵周囲液体貯留）

60代男性．AMY：889 U/L，P-AMY：845 U/L，リパーゼ：3,969 U/L．膵頭部癌にて化学療法中．腹痛にて救急外来を受診した．膵頭部の腫瘤を起点に尾側膵管は5 mmの不整拡張を認める（a）．高周波プローブにて，膵周囲に微量の液体貯留を認め（b 矢印），随伴性膵炎による急性膵周囲液体貯留を疑った．CTでも同様に，膵周囲に浮腫性変化を認める（c 矢印）．

4. 慢性膵炎　chronic pancreatitis

　膵臓の内部に不規則な線維化，炎症細胞浸潤，実質の脱落，肉芽組織，膵石の形成，膵管の不規則な拡張などの慢性変化が生じ，進行すると外分泌・内分泌機能の低下を伴う病態である．原因は飲酒によるものが最も多く，アルコール性と非アルコール性（特発性，胆石，膵管の奇形，脂質異常症，遺伝性，自己免疫性，閉塞性など）に分類される．膵石は，膵管狭窄，膵液流出障害などでうっ滞が起こり，膵液中の蛋白質が析出し蛋白栓（protein plug）が形成され，そこに炭酸カルシウムが沈着して作られるとされている．蛋白栓は白色不透明な不整形小塊状物や半透明の粘稠なゼリー状塊であり，膵管内で膵液の流出障害を起こし慢性膵炎の発症の原因と考えられている．

　症状は腹痛，腹部圧痛，下痢，体重減少，脂肪便，インスリン分泌低下のため糖尿病も引き起こしやすくなる．病期は，膵内外分泌機能障害の程度から代償期，移行期，非代償期に分類される．代償期は，反復する急性膵炎と腹痛の治療が中心で，膵石や仮性嚢胞などの合併症も好発する．移行期では，膵の働きが徐々に衰え腹痛は軽減する．非代償期では，膵の働きがほとんど失われ腹痛が消失していることが多く，栄養障害や糖尿病の管理の良し悪しが生命予後を左右する．急性増悪では強い症状が出現し，急性膵炎所見に準じるが，限局性腫大や膵周囲の液体貯留に注意する．

　慢性膵炎臨床診断基準2019によると，慢性膵炎の確診所見および準確診所見として，以下のいずれかが認められるとしている．

（1）確診所見（以下のいずれかが認められる）
　・膵管内の結石
　・膵全体に分布する複数ないしびまん性の石灰化

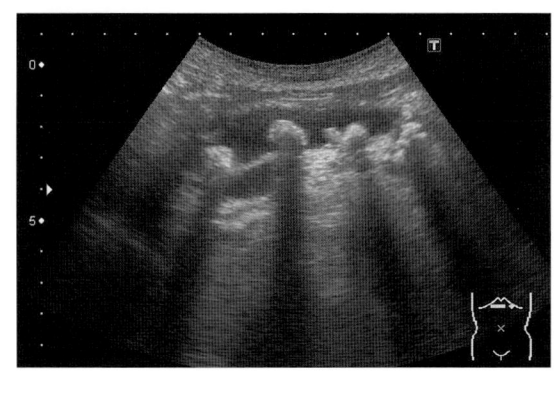

図 18　慢性膵炎
　60代女性．AMY：45 U/L．血糖値は230 mg/dLと高値．飲酒歴なし．20代膵炎，60代糖尿病発症．肺癌にて化学療法中．膵管は最大14 mmと平滑拡張がみられ，内部に明瞭な音響陰影を伴う膵石を多数認める．膵石の最大径は13 mmであった．

- MRCPまたはERCP像において，主膵管の不規則な拡張とともに膵全体に不均等に分布する分枝膵管の不規則な拡張
- ERCP像において，主膵管が膵石や蛋白栓などで閉塞または狭窄している場合，乳頭側の主膵管と分枝膵管の不規則な拡張

（2）準確診所見（以下のいずれかが認められる）
- US（EUS）において，膵内の結石または蛋白栓と思われる高エコー，または主膵管の不規則な拡張を伴う膵の変形や萎縮
- CTにおいて，主膵管の不規則なびまん性の拡張とともに膵の変形や萎縮
- MRCPまたはERCP像において，膵全体に不均等に分布する分枝膵管の不規則な拡張，主膵管のみの不規則な拡張，蛋白栓のいずれか

　超音波検査では，膵管内の結石や蛋白栓がみられる（図18）．膵石は，ストロングエコーが明瞭でも音響陰影は明瞭でないことも多いので，膵石をガス像と，血管壁の石灰化・動脈硬化を膵石と間違えないようにする．また，膵萎縮，実質の菲薄化のために，内部は粗大高エコー，辺縁は不規則な凹凸を呈するようになる．膵管の不規則な拡張や膵管壁の輝度上昇も認める．実質の壊死組織の融解により仮性嚢胞が形成されることもある．仮性嚢胞は，単房性もしくは多房性で境界は明瞭，内部無エコーであるが，出血や壊死物質を含む内部エコーを認めることもある．

5. 腫瘤形成性膵炎　mass-forming pancreatitis

　慢性膵炎に限局した急性炎症が発症し膵の限局性腫大を示す病変で，膵頭部に好発する．画像上，膵癌との鑑別を要する．病理学的には，浮腫やリンパ球などの炎症性細胞，膿瘍，壊死，蛋白栓などが核になった肉芽組織で，自己免疫性膵炎に起因する腫瘤像である（図19）．
　超音波検査では，輪郭不明瞭で不整，内部エコーは比較的均一な低エコー腫瘤として認める．膵管拡張はないか軽度であり，平滑な場合が多い．主膵管は病変部を閉塞することなく貫通する膵管穿通徴候（penetrating duct sign）がみられ（図20），膵癌との鑑別には有用なことが多いが，例外もあるため注意する．

6. 自己免疫性膵炎　autoimmune pancreatitis（AIP）（IgG4関連膵疾患）

　自己免疫機序が関与する慢性膵炎で，膵画像所見，血液所見（高IgG4血症：≧135 mg/dL），病理組織所見，膵外病変（硬化性胆管炎，硬化性涙腺・唾液腺炎，後腹膜線維症，間質性肺炎，間質性腎炎，腹腔・肺門リンパ腺腫大，慢性甲状腺炎，下垂体炎，前立腺炎など），ステロイド反応などより総合的に診断する．
　自己免疫性膵炎診療ガイドライン2020によると，自己免疫性膵炎とは，「しばしば閉塞性黄疸で

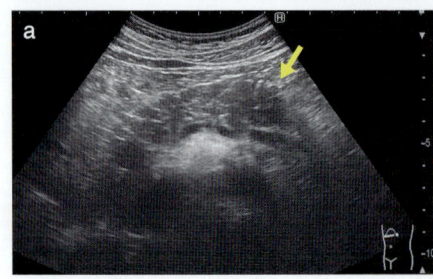

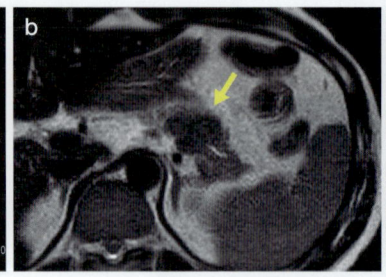

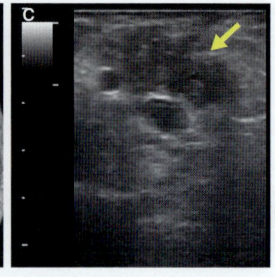

図19 腫瘤形成性膵炎
　20代男性．AMY：70 U/L，アルコール 1L/日．上腹部痛で紹介受診．膵体尾部に15 mmの輪郭不明瞭な腫瘤がみられた．尾側の膵実質は萎縮していた．膵管は1 mmと拡張はみられず，penetrating duct sign がみられ，腫瘤形成性膵炎を疑った（a）．MRIではT2WIで不均一な低信号を示す境界不明瞭な腫瘤を認めた（b）．尾側膵実質は萎縮し，主膵管の拡張を伴い，腫瘍随伴性膵炎後の線維化状態が疑われた．造影動脈相で，腫瘤は経時的に漸増性の弱い増強効果を示し，SPN，膵癌が鑑別とされた（b）．膵体尾部切除により，膵の線維化，炎症性細胞浸潤と線維増生，組織球集簇などがみられ，腫瘤形成性膵炎と診断された．術中US（c）．

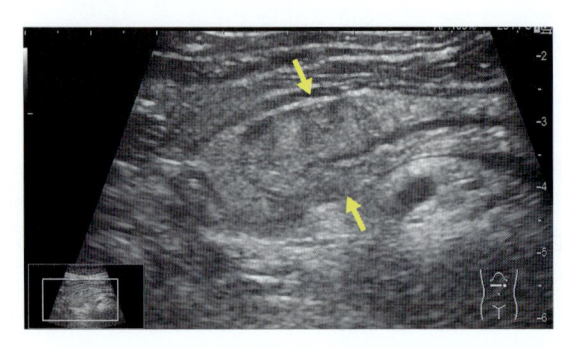

図20 膵管穿通徴候（penetrating duct sign）
　70代女性．AMY：46 U/L，P-AMY：44 U/L，IgG：1,110 mg/dL．他院にて膵頭部癌が疑われ紹介受診．膵頭体部に輪郭不整で不明瞭な等～やや低エコーの領域がみられる．内部にはpenetrating duct sign がみられ，腫瘤形成性膵炎が疑われた．FNAにて炎症細胞浸潤を伴う線維化組織，リンパ球集簇がみられ，悪性所見はなかった．IgG4陽性形質細胞浸潤（12個/HPF）などから，AIPを背景とした腫瘤形成性膵炎と診断された．

　発症し，ときに膵腫瘤を形成する特有の膵炎であり，リンパ球と形質細胞の高度な浸潤と線維化を組織学的特徴とし，ステロイドに劇的に反応することを治療上の特徴とする」ものである．1型と2型の自己免疫性膵炎に分類され，わが国では1型が多く，単なる「自己免疫性膵炎」とは1型を意味する．1型は著明なリンパ球・形質細胞浸潤，IgG4陽性形質細胞の浸潤，花筵状線維化，閉塞性静脈炎を特徴とする．IgG4関連疾患（IgG4-related disease）の膵病変とされる．

　原因は不明であるが，高γグロブリン血症，高IgG血症，高IgG4血症や自己抗体の存在，ステロイド反応性など，自己免疫機序の関与が考えられてきた．血清IgG4の上昇とIgG4陽性形質細胞の著しい浸潤を伴う硬化性胆管炎などの膵外病変が特徴であり，IgG4関連疾患の膵病変と考えられているが，診断基準を満たさない症例も多い．原発性硬化性胆管炎のなかで，ステロイドに反応し，IgG4高値なものがIgG4関連胆管炎とよばれる．

　一般的に無症状が多く，約半数の患者に閉塞性黄疸，1/3の症例で軽度の腹痛があり，背部痛や体重減少は約15％と報告されている．他に食欲不振，全身倦怠感，便通異常があるが，いずれも非特異的である．高年男性に好発する．

　近年，免疫チェックポイント阻害薬の適応癌種の拡大による免疫関連有害事象（irAE：immune-related adverse events）が全身のあらゆる臓器に出現し増加している．免疫チェックポイント阻害薬には，悪性黒色腫，胃癌，肺癌などで用いるイピリムマブ（ヤーボイ®），ニボルマブ（オプジーボ®）などがある．免疫チェックポイント阻害薬使用後のirAE膵炎の出現率は2%程度とされ，膵腫大や周囲の浮腫がみられ，自己免疫性膵炎様の画像所見を呈することがある．その他には，肝炎，胆管炎，腎炎，膀胱炎，甲状腺炎，筋炎，関節炎などがあるが，irAEの画像所見は非特異的なものが多い．したがって，阻害薬の治療中または治療歴のある患者では，原疾患の増悪や感染などの要因を除外しながらirAEの可能性を考える必要がある（図21）．

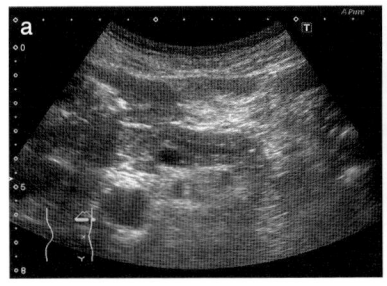

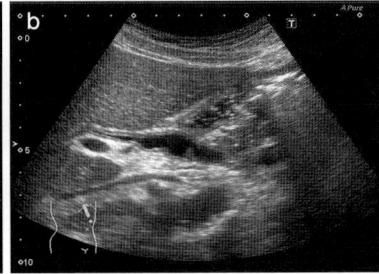

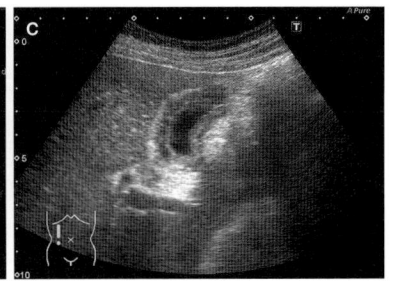

図 21 免疫関連有害事象（irAE）
　70 代男性．AMY：224 U/L．左上葉肺腺癌にて免疫チェックポイント阻害薬の PD-L1 使用中，膵酵素上昇にて検査依頼された．膵管は 4 mm と平滑拡張がみられたが，閉塞起点は認めなかった．膵のエコーレベルは低下しており，急性膵炎も否定できなかった（a）．総胆管径は 9 mm と拡張し，全周性に 2 mm の肥厚がみられ，胆管炎を疑った（b）．胆嚢壁もびまん性肥厚を認めた（c）．経過から，免疫チェックポイント阻害薬による免疫関連有害事象と診断された．

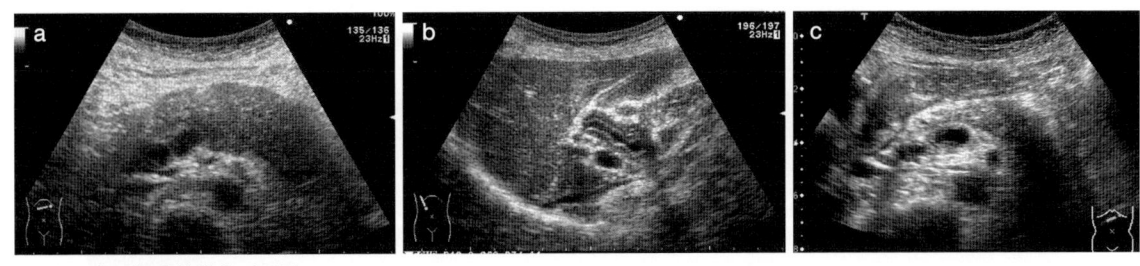

図 22 自己免疫性膵炎（AIP）
　70 代女性．慢性顎下腺炎．AMY：39 U/L，P-AMY：7 U/L，T-Bil：0.9 mg/dL，IgG：3,199 mg/dL．
　膵頭部 32 mm，体部 31 mm，尾部 23 mm と著明に腫大し，内部エコーはびまん性に均一な低下がみられ，AIP を疑った（a）．膵管拡張はなし．胆囊は 49×19 mm で，壁は 4 mm の全周性肥厚を認めた．総胆管壁は 5 mm と肥厚し，IgG4 関連硬化性胆管炎を考えた（b）．大動脈の壁肥厚はなし．ステロイド治療により，膵頭部 19 mm，体部 18 mm，尾部 12 mm，IgG：1,080 mg/dL と改善がみられた（c）．経過 19 カ月，頭部に 35×30 mm の腫瘤を認め，手術で扁平上皮癌の成分を伴う腺癌と，組織学的に AIP の診断であった．

　超音波検査では，ソーセージ様（sausage-like appearance）の膵のびまん性腫大，限局性腫大，辺縁の分葉状構造の消失がみられる（図 22）．限局性腫大を呈する場合は，膵癌や腫瘤形成性膵炎との鑑別を要する（図 23）．腫大部のエコーレベルは低下し，高エコースポットが散在する．膵の悪性リンパ腫との鑑別診断が困難な場合がある．膵の狭細像がみられ主膵管拡張は認めないことが多く，膵管穿通徴候が膵癌との鑑別には有用である．また，膵周囲の被膜様構造（capsule-like rim）や，胆管狭小化，胆管壁や胆囊壁の肥厚，膵周囲リンパ節腫脹がみられる．肝外胆管を中心に，肝内胆管や胆嚢にも壁肥厚が及ぶこともある．胆管壁肥厚は，高・低・高エコーの 3 層構造を呈するものと，肝外胆管そのものが低エコー実質様に描出されるパターンがある．治療経過とともに経時的に膵の計測が必要になってくるため，再現性のある計測を残すようにする．

7. グループ膵炎　groove pancreatitis

　十二指腸下行脚と膵頭部，総胆管に囲まれた溝である groove 領域を中心とした限局性慢性膵炎である．groove に限局し膵実質に病変のみられない pure form と，膵頭部に炎症の波及がある segmental form に分類されるが後者が多い．グループ膵癌との鑑別は難しいが，膵癌よりもエコー輝度が高く，病変の範囲がより不明瞭である．また，グループ膵炎では腫瘤内に仮性嚢胞を合併することもあり参考になる．
　大酒家の男性に多く発症し，症状は上腹部痛，反復嘔吐，体重減少などを呈する．長期のアルコール摂取が十二指腸の Brunner 腺過形成や高粘稠性膵液分泌を誘発し，十二指腸内異所性膵，副膵

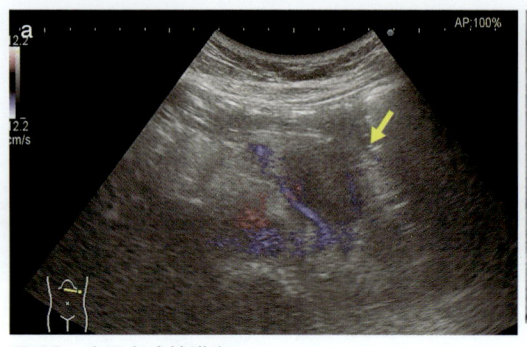

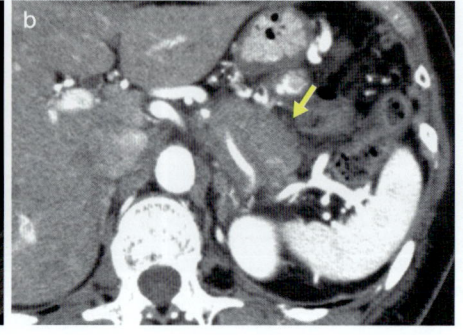

図23 自己免疫性膵炎
　60代女性．IgG：1,438 mg/dL，AMY：70 U/L．肝内胆管癌および膵腫瘤にて紹介受診．尾部に37×27 mmの膨脹性に腫大した低エコー腫瘤を認めた（a）．脾動静脈と接しているが，狭細像なく浸潤所見に乏しい．主膵管は腫瘤内部を貫通し，AIPを疑った．CTでは腫瘤形成性膵炎＋硬化性胆管炎が疑われた（b）．FNAにて膵組織は間質に中等度のリンパ球浸潤主体の炎症細胞浸潤を認めた．IgG4陽性細胞などからAIPと診断された．治療3カ月後には腫瘤の縮小がみられた．

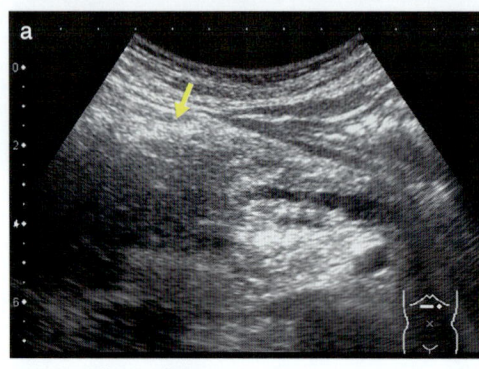

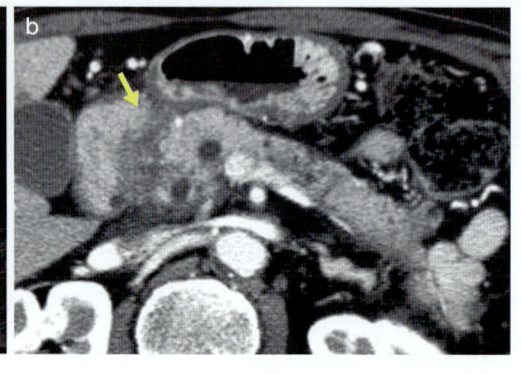

図24 グルーブ膵炎
　60代男性．AMY：108 U/L，P-AMY：44 U/L，エラスターゼ1：670 ng/dL．膵頭部腫瘤を指摘され紹介受診．膵頭部は51×37 mmの境界不明瞭な腫瘤様に腫大し，総胆管を圧排している（a）．腫瘤内部に小石灰化が数カ所みられる．膵管は体部から尾部にかけて最大10 mmと平滑に拡張し，頭部では先細りしている．総胆管は25 mmと拡張し閉塞性の所見であるが，末梢は先細り状態であった．CTでも同様の所見であった（b）．

管からの膵液流出障害，膵液うっ滞との関連が示唆されている．炎症の波及方向により十二指腸壁や膵頭部への炎症浸潤が強く，十二指腸の壁肥厚や腫瘤像形成，十二指腸狭窄，総胆管狭窄がみられるため，十二指腸癌や膵頭部癌との鑑別が困難な例もある．
　超音波検査では，境界不明瞭な低エコー域として描出される（図24）．また，主膵管は正常か軽度の狭窄を示し，膵癌との鑑別が困難な例もある．

8. 膵神経内分泌腫瘍　neuroendocrine neoplasm（NEN）

　膵・消化管神経内分泌腫瘍は，neuroendocrine neoplasms（NEN）と総称される．年間初診数は，人口10万人に3～5人と比較的まれな腫瘍である．神経内分泌系細胞への分化を示す腫瘍で，発生頻度は膵腫瘍全体の1～2％である．また，組織学的分化度，増殖能，拡がりや転移により細分類される．典型例は膨脹性に発育する充実性腫瘍である．膵・消化管NENは膵・消化管神経内分泌腫瘍診療ガイドラインに準じて，組織学的に神経内分泌パターンを示す腫瘍を高分化と称し，Ki-67指数が＜3％，3～20％，＞20％の判定によりそれぞれNET（neuroendocrine tumor）-G1，G2，G3と分類される．免疫染色ではクロモグラニンA，シナプトフィジンなどの神経内分泌マーカー

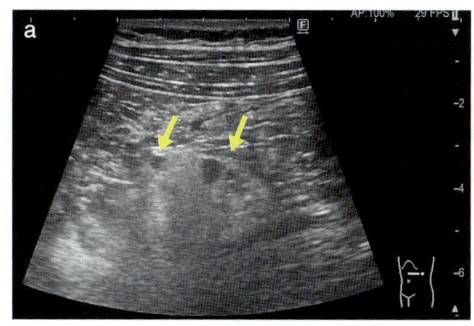

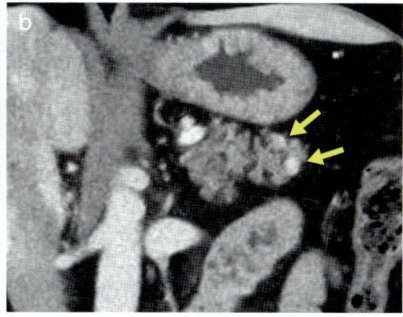

図 25　NET，遺伝性腫瘍症候群（MEN1）
　50 代男性．MEN1 の実子．15 カ月前の US では腫瘍はなかった．膵尾部に最大径 5 mm 大の 3 個の低エコー腫瘤がみられた（a）．輪郭整で明瞭，内部エコー均一，膵管拡張は認めず，ドプラにて血流は確認できなかった．CT 冠状断で膵尾部に多血性結節を認め，NET を疑う（b）．遺伝性腫瘍症候群（MEN1）が疑われた．

が陽性であることが特徴である．低分化な神経内分泌腫瘍で，Ki-67 指数が 20％をこえる腫瘍を神経内分泌癌（NEC：neuroendocrine carcinoma）とよぶ．NET G3 と NEC は遺伝的に異なる腫瘍と位置付けられている．両者とも Ki-67 指数は 20％をこえるが，NEC では 50％をこえる異常高値を示すことが多い．NEC では高頻度に広い壊死巣がみられるが，NET G3 では壊死がみられても小範囲である．NET でも，梗塞，治療，組織崩壊，自己融解などによる広範な変性・壊死をきたしうることに注意する．両者ともホルモン過剰症状を示すことはまれである．上皮性腫瘍のうち非神経内分泌腫瘍と神経内分泌腫瘍が混在する腫瘍（腺癌，腺房細胞癌，内分泌癌の混合）は，以前は MANEC と称されていたが，mixed neuroendocrine-non-neuroendocrine neoplasms（MiNENs）とよばれるようになった．

　NET は遺伝性腫瘍症候群（multiple endocrine neoplasm type 1：MEN1），von Hippel-Lindau（VHL）病，神経線維腫症 I 型（NF1：von Recklinghausen 病）などに合併し，若年発症，多発性といった遺伝性疾患の特徴がみられる．MEN1 では，膵に NET が多発し多彩な像が同一膵内に観察される（図 25）．十二指腸にも好発し，特に MEN1 に合併するガストリノーマ（Zollinger-Ellison 症候群）の責任病巣は膵よりも十二指腸粘膜に存在することが多い．十二指腸ガストリノーマは小さいため，十二指腸病変の有無を十分に検索する必要がある．VHL 病ではときに膵 NET の合併がみられる．NF1 病も，まれに膵や消化管に NET が発生し，なかでも Vater 乳頭部やその近傍に好発する．内分泌症状を引き起こすものや血中ホルモンの異常高値を示すものは機能性腫瘍に分類される．該当するホルモンの免疫染色は，機能性腫瘍の責任病変の検索に有用である．NET には，多彩な組織亜型（オンコサイト型，淡明細胞型，ラブドイド型，多形型，パラガングリオーマ様型，紡錘細胞型など）が存在する．

　NEC は境界不明瞭な髄様性腫瘍を形成し，急速な発育を示す．インスリノーマ，ガストリノーマ以外のまれな機能性膵 NET として，グルカゴノーマ，VIP オーマ，ソマトスタチノーマ，GRF オーマ，PP オーマ，ACTH オーマ，PTH オーマなどがあり，悪性度は高く予後不良である．機能性膵 NET の多い順に，インスリノーマ，ガストリノーマ，グルカゴノーマ，ソマトスタチノーマ，VIP オーマとされる．

　超音波検査では，ときに線維性被膜を有し小さなものは境界明瞭，輪郭明瞭で整，内部エコー均一な低エコー腫瘤として描出される．嚢胞変性も多く，嚢胞変性を伴うものは単房性で，壁は厚く，あるいは隔壁構造もみられ，MCN と鑑別を要する（図 26）．2 cm 以下の球形小腫瘍像が多いが，描出が困難な例も多い．大きな腫瘍も内部は不均一で，様々な二次的変化として腫瘍内出血，虚血による壊死，線維化，浮腫，腫瘍内部や辺縁に石灰化を伴うこともある．豊富な血管増生や毛細血

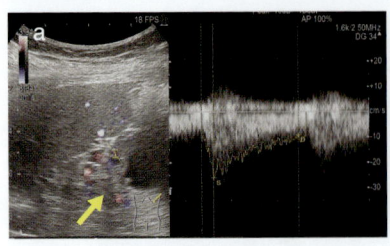

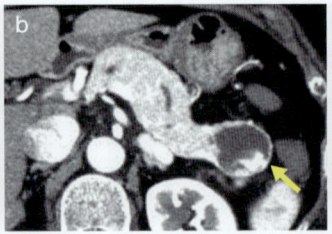

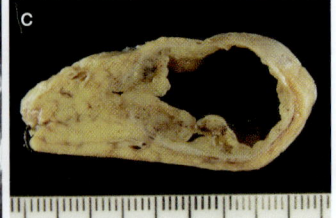

図26　NET-G2
　60代女性．膵尾部腫瘍にて紹介受診．CEA：0.5 ng/mL，CA19-9：16 U/L，AMY：123 U/L．尾部に41×28 mmの輪郭明瞭で整，楕円形，後方エコー増強する囊胞性腫瘍を認めた．被膜は厚く，内腔へ隆起する乳頭状充実部があり，PSV 26 cm/sの拍動性血流を認めた（a）．CT, MRIでも囊胞変性を伴うNETを疑った（b）．NET-G2で，腺腔形成を伴う腫瘍細胞の増生を認めた（c）．

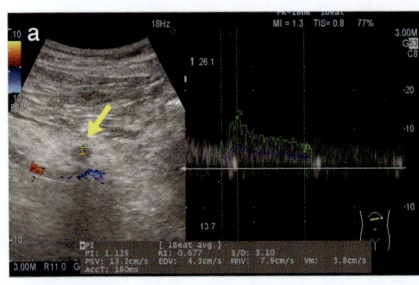

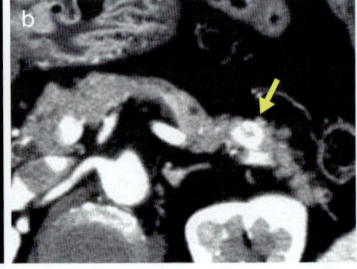

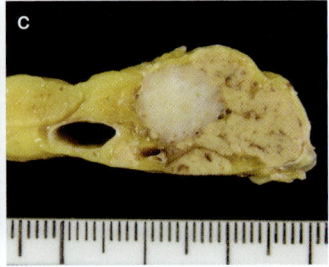

図27　NET-G1
　60代女性．検診USで膵尾部腫瘍を指摘され紹介受診．尾部に12×9 mmの低エコー腫瘤を認めた．輪郭整，内部低エコー均一，後方エコー減弱，主膵管は1 mmで拡張は認めなかった．多血性で，内部に13 cm/sの拍動波がみられ，NETを疑った（a）．手術にてNET-G1と診断された（c）．b：CT．

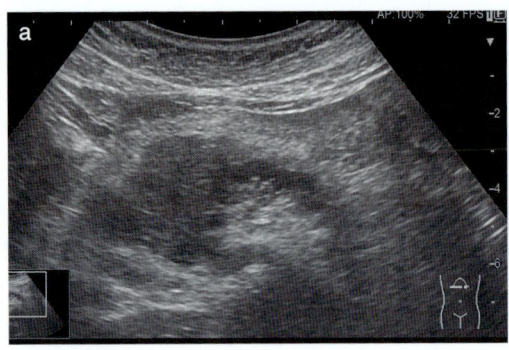

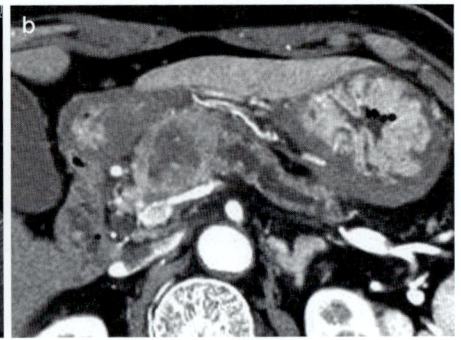

図28　NEC
　70代女性．CEA：3.4 ng/mL，CA19-9：34 U/L．数ヵ月で10 kg体重が減少した．CTにて膵頭部腫瘍を指摘され，精密検査が依頼された．膵頭部に37×29 mmの輪郭明瞭，内部低エコー不均一な腫瘍を認めた．血流は腫瘍辺縁にはみられたが，中央部にはみられなかった．尾側膵管は6 mmの数珠状拡張を呈し膵頭部癌を疑った（a）．CTで乏血性腫瘍を認め，周囲浸潤傾向は強く，特殊型膵癌やNEN，SPNも鑑別にあがった（b）．免疫染色含め，神経内分泌癌（NEC）と診断された．

管網により多血性で特に辺縁で豊富である（図27）．肝転移を起こしやすく，次いでリンパ節転移であるが，骨転移も比較的頻度が高い．膵管拡張はないか軽度である．NETの多くは境界明瞭な髄様性腫瘍を形成し，NECは浸潤性の境界不明瞭な広がりを示し，しばしば壊死を伴う（図28）．造影CTでは，早期動脈相～膵実質相で比較的均一に濃染する．尾部に発生した場合は，脾と等エコーの多血性結節として描出されるため膵内副脾と鑑別を要するが，SPIOを用いた造影MRIが有用とされる．

9. 膵嚢胞性疾患

　膵嚢胞は，炎症によって発生したものや腫瘍性のものなど様々である．腫瘍性嚢胞には，SN，MCN，IPMN，P-NET，SPN などがあり（表2），まれなものにはリンパ上皮嚢胞，類上皮嚢胞，類皮嚢胞などがある．このなかで最も多いのは IPMN である．二次性嚢胞には，貯留嚢胞，仮性嚢胞（炎症性，外傷性，手術性，腫瘍随伴性，寄生虫性），壊死性嚢胞（SPN，NET など）などがある．先天性嚢胞には，多発性嚢胞症（polycystic disease：PCD），von Hippel-Lindau 病，嚢胞線維症，類上皮嚢胞，類皮嚢胞などがある．その他，嚢胞性変性をきたしやすい腫瘍には，腺扁平上皮癌，退形成性膵管癌，腺房細胞癌などがある．

　超音波検査では，輪郭整で明瞭，後方エコーの増強，単発や多発，単房性や多房性など疾患により様々な像を呈する．内部エコーはないが，嚢胞内出血や壊死により膵組織片や器質化した血液，コレステリン結晶などによって内部エコーを認めることがある．

1）まれな腫瘍性嚢胞
（1）類上皮嚢胞　epidermoid cyst（同義語：類表皮嚢胞）

　膵内副脾類表皮嚢胞は，脾門部に近い膵尾部に存在する膵内副脾の嚢胞性病変で，皮膚付属器をもたない良性の真性嚢胞である（脾の項，図7 参照）．

2）二次性嚢胞
（1）貯留嚢胞　retension cyst

　膵炎や膵癌などで導管が閉塞や狭窄をきたし，膵液のうっ滞により内圧が上昇し，末梢の膵管が嚢胞状に拡張した二次性嚢胞である．

（2）仮性嚢胞　pseudocyst

　破綻した膵管から膵液が漏出して，膵周囲に炎症性の線維性被膜が嚢胞壁を形成した二次性嚢胞で，上皮細胞はない．急性膵炎，膵癌の項（p.212，234）参照．

3）先天性嚢胞
（1）von Hippel-Lindau 病（フォン・ヒッペル・リンドウ病）

　2人の医師名（ドイツの眼科医とスウェーデンの神経病理医）を冠した病名である．常染色体優性遺伝で，多臓器に腫瘍性あるいは嚢胞性病変を多発する．発症する主な腫瘍は，網膜血管腫，中枢神経系（小脳，延髄，脊髄）の血管芽腫，膵臓の神経内分泌腫瘍・嚢胞，副腎褐色細胞腫，腎臓の腫瘍（腎細胞癌）・嚢胞，精巣上体嚢胞腺腫などで，いずれも多発し再発するため，生涯にわたり経過観察する必要がある．von Hippel-Lindau 病は，膵嚢胞や神経内分泌腫瘍（PNET）の合併を高率にきたすことが知られているが，その大部分は多発性病変である．

　超音波検査では，膵嚢胞は膵全体に膵管との交通のみられない壁の薄い多発嚢胞がみられる（図29）．PNET では，膵内に多発する境界明瞭な多血性の類円形腫瘤で，ドプラ検査が有効である．

（2）多発性嚢胞症　polycystic disease（PCD）

　多発性嚢胞腎，多発肝嚢胞の頻度が高く，膵嚢胞が同時に発見されることがあるが頻度は低い．多発嚢胞を認めた際には，US にて多臓器の検索をするように心掛ける（腎臓，肝臓の項参照）．

10. 漿液性腫瘍　serous neoplasms（SNs）

1）漿液性嚢胞腺腫　serous cystadenoma（SCA）

　腺房中心細胞あるいは細膵管上皮から発生する腫瘍である．内容物は漿液性の嚢胞性腫瘍で，中年女性（40～50歳）に好発し，女性が70％を占める．ほとんど良性であるが悪性例（漿液性嚢胞腺癌）の報告がある．体尾部に好発する．内部は壁の薄い微小嚢胞が蜂巣状に集簇する多房性嚢胞で，スポンジ状ないし海綿状の腫瘍である．

　超音波検査では，類円形を呈する多血性腫瘍で，間質は多数の毛細血管の増生と線維性組織で構

表 2　主な膵嚢胞性病変の特徴と画像

	分枝型 IPMN	SN	MCN	SPN
好発部位	頭部＞体尾部	体尾部	体尾部	体尾部
年齢，性差	高齢，やや女性	中年，やや女性	中年，女性	若年，女性
被膜	なし	あり，薄い	あり，厚い	あり，厚い
輪郭	凹凸	明瞭，整	明瞭，整	明瞭，整
隔壁	あり，多房性	あり，多房性	あり，多房性	なし，単房性
嚢胞部	小さな嚢胞 嚢胞相互の交通あり 局所性壁肥厚	微小嚢胞の集簇では蜂巣状・車軸状で中心瘢痕や星芒状線維化を伴うまたは数 cm 大 cyst by cyst	球形で大きめ cyst in cyst 嚢胞相互交通なし内部は淡い点状で粘液性・粘血性局所性壁肥厚	大きさ不定 球形，楕円形 充実部と出血壊死性の嚢胞部が共存 充実性/嚢胞性あり
主膵管拡張	ときにあり	なし	なし	なし
主膵管との連続性	あり，壁在結節に注意	なし	なし，まれにあり	なし
石灰化	なし	ときにあり	あり，壁在性	あり
ドプラ	局所的	嚢胞壁が多血性	乏血性	乏血性
その他	粘液産生性腫瘍 良悪性の鑑別が重要 多発 分葉状 cyst by cyst	腺癌はごくまれ 充実型は NET や腎癌の転移などと，大嚢胞型は MCN や IPMN と鑑別を要す	上皮下卵巣様間質 SN，IPMN と鑑別を要す 悪性が多い 分葉状ではない	間質は毛細血管性で血管を軸に偽乳頭構造を示す 卵殻状の石灰化 低悪性度 NET と鑑別を要す
超音波像	IPMA / IPMA / IPMC / IPMC	macro 40代女性 / micro(+macro) 60代女性 / micro 80代男性 / solid 60代女性	MCA 20代女性 / MCA 20代女性 / MCA 60代女性 / MCC 40代女性	20代女性 / 20代女性 / 30代女性 / 40代男性

IPMA：膵管内乳頭粘液性腺腫（intraductal papillary mucinous adenoma），IPMC：膵管内乳頭粘液性腺癌（intraductal papillary mucinous carcinoma），IPMN：膵管内乳頭粘液性腫瘍（intraductal papillary mucinous neoplasm），SN：漿液性腫瘍（serous neoplasm），MCA：粘液性嚢胞腺腫（mucinous cystadenoma），MCC：粘液性嚢胞腺癌（mucinous cystadenocarcinoma），MCN：粘液性嚢胞腫瘍（mucinous cystic neoplasm），SPN：充実偽乳頭状腫瘍（solid-pseudopapillary neoplasm）．詳細は本文参照のこと．

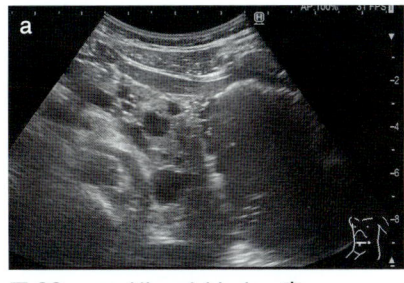

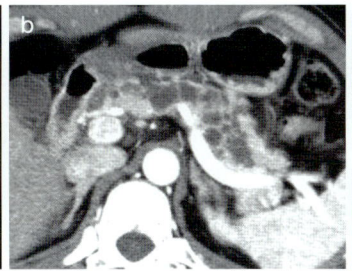

図 29　von Hippel-Lindau 病
30 代男性．左腎細胞癌術後スクリーニング検査．膵頭部から尾部に多数の囊胞性病変を認める．頭部 45 × 20 mm，体部 41 × 13 mm，尾部 17 × 16 mm など，多房性で内部は無エコー，膵管との連続性はみられない（a）．b:CT．c:MRCP．いずれの検査でも von Hippel-Lindau 病を疑った．

成され，ドプラにて血流信号が検出されることが多い．

肉眼的な囊胞腔の大きさや数から，① microcystic type（蜂巣状），② macrocystic type（大囊胞性），③ mixed type（混合型），④ solid type（充実性）の 4 型に分類される（表 2）．

① microcystic type は，漿液性腫瘍の 70％以上を占める．スポンジ状ないし海綿状を呈し，壁の薄い小囊胞（10 mm 以下）からなる多房性囊胞で，蜂巣状構造を呈し，囊胞が小さいため充実性腫瘍のように描出される．内容物は漿液性（グリコーゲン含有）の囊胞性腫瘍である．中心部から放射状に伸びる星芒状の線維化や石灰化，中心性瘢痕がみられることがある．周囲に大きめの囊胞が取り囲む形態が典型的で，囊胞壁の間質は血流豊富である．

② macrocystic type は，数個の 20 ～ 30 mm 程度の大きめの囊胞から構成され，小囊胞が外側に突出する像（cyst by cyst）がみられるが，粘液性囊胞腫瘍では，囊胞内に小囊胞が存在する像（cyst in cyst）が特徴である．MCN や IPMN との鑑別が問題となる．

③ mixed type は，大小の囊胞が混在し薄い被膜を有する分葉状腫瘤である（図 30）．

④ solid type は，同様の腫瘍細胞が腺様，腺房状に増生し，肉眼的に充実性にみえるものである．microcystic type のうち，画像的に囊胞が識別できないほど小さいものである．境界明瞭な充実性の低エコー腫瘍で，NEN との鑑別が問題となる（図 31）．

2）漿液性囊胞腺癌　serous cystadenocarcinoma（SCC）

腺腫の悪性腫瘍でまれである．組織像からの鑑別は困難で，転移（肝転移など）の存在で診断されることが多い．

11. 粘液性囊胞腫瘍　mucinous cystic neoplasms（MCNs）
　　粘液性囊胞腺腫　mucinous cystadenoma（MCA）（図 32）
　　粘液性囊胞腺癌，非浸潤性　mucinous cystadenocarcinoma（MCC），noninvasive
　　粘液性囊胞腺癌，浸潤性　mucinous cystadenocarcinoma（MCC），invasive（図 33）

胎生 4 ～ 5 週に左原始生殖腺と背側膵原基が近接することや，女性優位，体尾部に好発することなどからも，発生学的に異所性卵巣組織の迷入に起因するとも考えられている．中年女性（40 ～ 50 歳）に多く，一般的に悪性化のリスクが高い．病理学的に，典型例では被膜内や隔壁には卵巣様間質（紡錘形細胞の密な増殖）の明瞭な部分がみられる．高齢あるいは変性や炎症性反応が強い際は，卵巣様間質が不明瞭な場合がある．隔壁の部分的な肥厚や，内腔に突出する不整な壁在結節は，囊胞腺癌の可能性がある．単房性の場合は仮性囊胞や貯留囊胞と，多房性の場合は漿液性囊胞腫瘍や分枝型 IPMN と鑑別を要することがある．

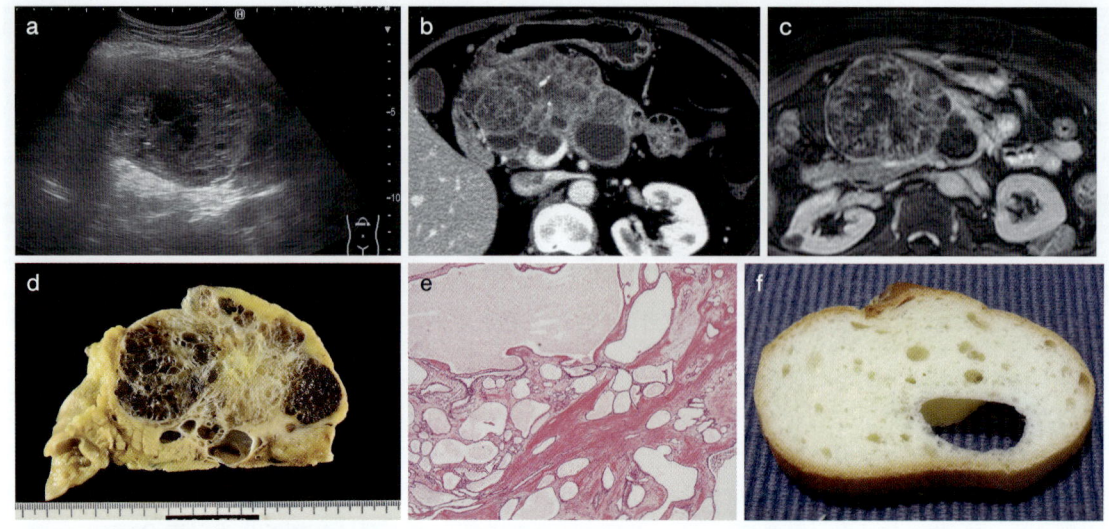

図30 漿液性腫瘍（mixed type）
　60代女性．腫瘍マーカー陰性，AMY：58 U/L．膵体部に100×71 mmの分葉形〜多房性，輪郭明瞭，後方エコー増強，内部血流を有する囊胞性腫瘍を認める．尾側の膵管拡張なし．周囲血管を圧排するが浸潤なし（a）．CTでは，123×100 mmの大小囊胞の集簇した像で，中心の多房性病変は隔壁に沿った石灰化を認める（b）．MRIでは，隔壁の造影効果が目立つ（c）．手術にて，出血を伴うSCAであった．小囊胞の内面は立方状あるいは扁平な小型の明るい細胞に被われる．大小混在する囊胞からなり，内容は透明で漿液性であった（d, e）．フランスパン（f）に類似の形状である．

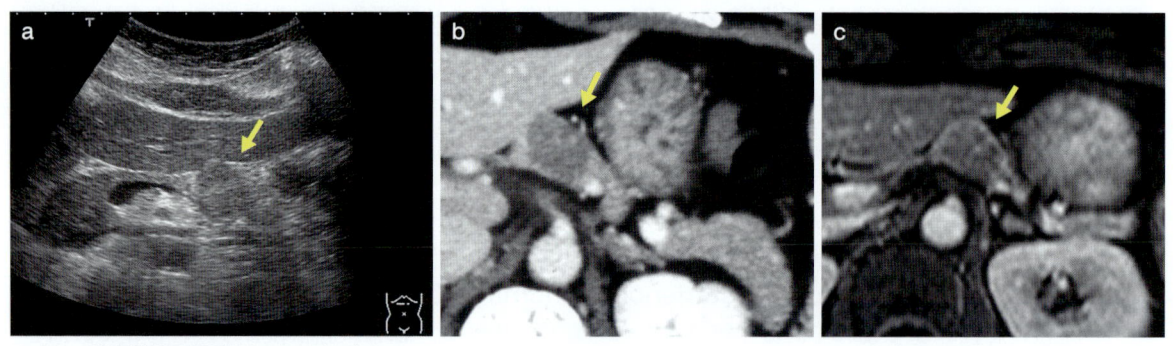

図31 漿液性囊胞腫瘍（solid type）
　50代女性．膵腫瘤で紹介受診．膵体部に21×21 mmの輪郭整，境界明瞭，後方エコー増強，内部高エコーだが一部に小さな囊胞構造を有する充実性と考える腫瘤を認めた．尾側膵管拡張なし．腫瘤内部から21 cm/sの拍動波がみられ，多血性腫瘤であった．MRIにてT1低信号，T2高信号でいくつかの小さな成分が集合した囊胞性腫瘍の形態であった．造影効果も認め，漿液性囊胞腺腫が疑われた．CT（b），MRI（c，造影70秒後）でも矛盾せず，以後経過観察となり，15年以上変化は認めない．

　超音波検査では，比較的大きな囊胞成分からなる囊胞性腫瘍で，厚い線維性被膜を伴うため被膜は厚い．また，多量の粘液を囊胞内に含み，淡い点状エコーや粘液が濃縮した充実様エコーがみられる．多房性の場合，囊胞の中に小囊胞の集簇がみられる（cyst in cyst）．被膜や隔壁に石灰化を伴うことがあり，ドプラにて拍動性血流もみられる．

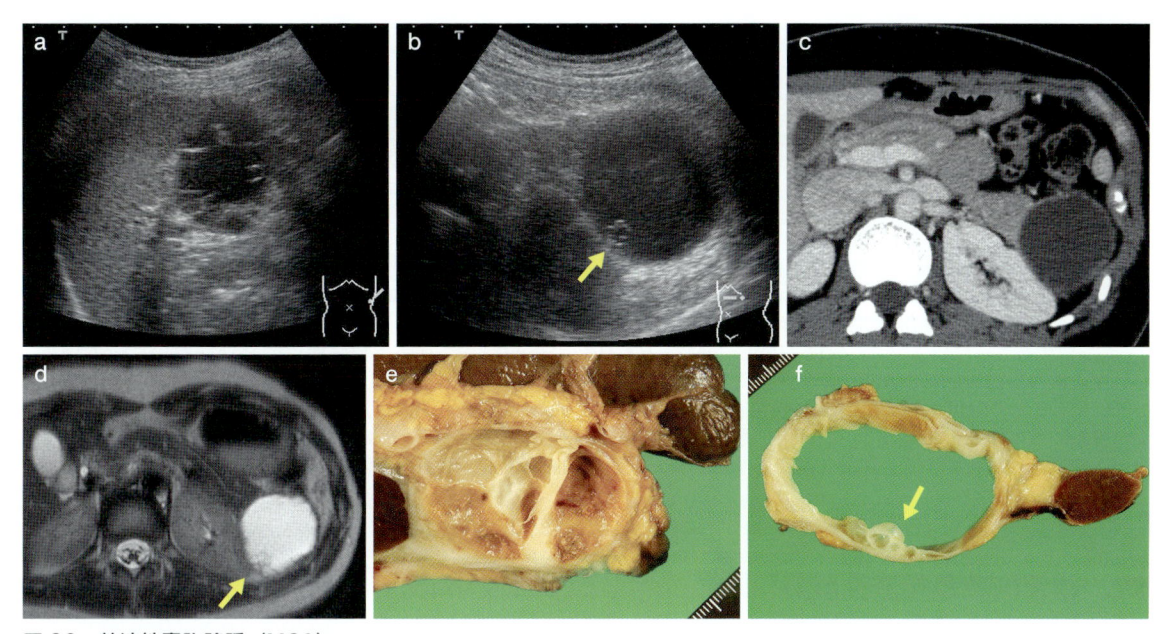

図32　粘液性嚢胞腺腫（MCA）

20代女性．AMY：105 U/L，CEA：0.8 ng/mL，CA19-9：2 U/mL以下．

膵尾部嚢胞の経過観察中，腹痛にて紹介受診した．膵尾部に，58 × 50 mmの嚢胞性腫瘤で，形状類円形，輪郭整で明瞭，後方エコー増強，膵管拡張は認めなかった．内部に淡い点状エコーと多数の隔壁様線状エコーを認める（a）．cyst in cyst 構造（b矢印）もみられ，嚢胞壁も厚く，MCNを疑う．CTでは，膵尾部に60 mm大の単房性・類円形の嚢胞性病変を認めた．隔壁なく，一部に壁の肥厚，小隆起性病変を認める（c）．MRIでは，T1強調で低信号，T2強調で高信号を呈する（d）．矢印はUSで指摘されたcyst in cyst 構造に一致する．手術にて，厚い線維性被膜をもつ嚢胞性病変で，線維性被膜内に卵巣様間質を認めた．嚢胞内面に部分的に粘液を含み，上皮に目立つ異型はなく，MCAと診断された（e，f）．cyst in cystの構造も明瞭である．

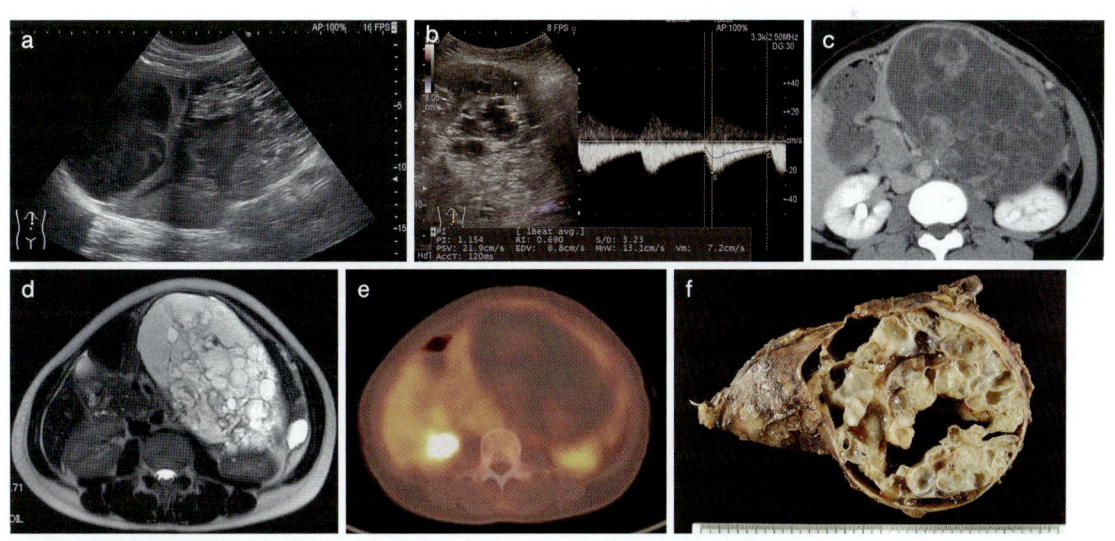

図33　粘液性嚢胞腺癌（MCC）

30代女性．上腹部腫瘤を自覚し，MRIで20 cm以上の腫瘤を指摘され紹介受診．241 × 118 mmの境界明瞭で内部に隔壁や充実部を伴う嚢胞性腫瘤で，腫瘤尾側の充実部にはPSV 21.9 cm/sの拍動波を認めた（a，b）．CTでは，明瞭な厚い被膜を有し，一部に石灰化を有する多房性腫瘤を認めた．高濃度部分は粘液や出血成分が疑われた（c）．MRIでは，内部は大部分がT2高信号，T1低信号．粘液や出血を含み，stained-glass appearanceがみられた（d）．PETでは，大部分が集積欠損像であった（e）．手術にて，嚢胞壁は厚く内面に隆起性病変や一部に巨大な腔がみられた．内容は粘液性あるいは粘血性であった（f）．卵巣様間質を伴う嚢胞性腫瘤で，腺腫の中に癌が混在していた．

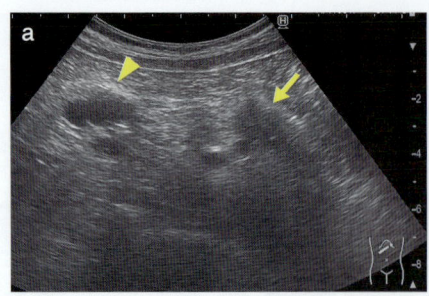

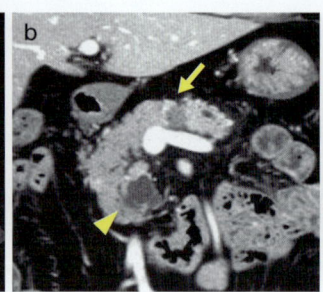

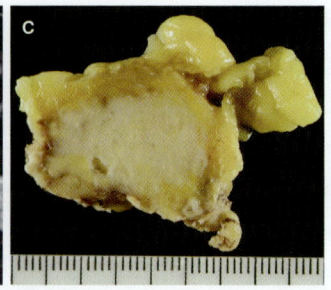

図34 膵管内乳頭粘液腫瘍（IPMN）＋膵体部癌

70代男性．CA19-9：2,107 U/mL，AMY：53 U/L，HbA1c：11.1%．糖尿病にて経過観察中，HbA1cが上昇し検査が依頼された．膵頭部に23×12 mm，17×10 mmのIPMNを認めた（a矢頭）．同時に，体部に18×15 mmの低エコー腫瘤を認めた（a矢印）．輪郭不整で不明瞭，尾側膵管は4 mmと拡張を認め，脾動静脈への浸潤を認めた．CTでは，腫瘤は経時的に造影されており，線維性間質に富む膵癌と診断された（b）．手術にて管状腺癌，n0，中分化型であった．後方浸潤，門脈系浸潤，動脈系浸潤もあり（c）．IPMNと離れた場所に膵癌発症と判明した．

12. 膵管内乳頭粘液性腫瘍　intraductal papillary mucinous neoplasms（IPMNs）
膵管内乳頭粘液性腺腫　intraductal papillary mucinous adenoma（IPMA）
膵管内乳頭粘液性腺癌，非浸潤性　intraductal papillary mucinous carcinoma（IPMC），noninvasive
膵管内乳頭粘液性腺癌，浸潤性　intraductal papillary mucinous carcinoma（IPMC），invasive

粘液産生性膵管上皮の乳頭状増殖からなる腫瘍で，多量の粘液貯留を伴った膵管拡張を特徴とする．高乳頭，低乳頭，完全平坦の増殖形態をとるが，乳頭増殖が全くみられない病変も含まれる．一般的に，悪性であっても緩徐に発育し予後良好な腫瘍である．男女比は2：1と高年男性（60～70歳）に多く，膵頭部（とくに鉤部）に好発するが，約20%は多中心性に多発する．通常型膵癌の合併が約10%にみられる（図34）．

病変の主座により，主膵管から発生する主膵管型（main duct type），分枝膵管から発生する分枝膵管型（branch duct type），混合型（combined type）に大別される（図35）．主膵管型は明らかな主膵管の閉塞機転を有さず，区域性もしくはびまん性の主膵管の拡張（＞5 mm）を呈するものである．主膵管型は，閉塞起点がなく，拡張した主膵管壁に乳頭状腫瘍を反映して壁在結節を伴うことが多い（図36）．著明な主膵管拡張は粘液高産生性で主膵管型が多く，主膵管の拡張がないか，あっても軽度の場合には粘液非産生性で分枝型が多い．分枝膵管型は，ブドウの房状をした分枝膵管の集簇であり，内部に隔壁様構造がみられ，辺縁は分葉状で被膜はなく，囊胞と主膵管との間に連続性を有する．主膵管型および混合型IPMNは癌になる可能性が60～80%と高いため，基本的に手術適応であるが，分枝型IPMNは癌になる可能性が2～3%程度であり，定期的な経過観察が必要とされる．

IPMNの組織亜型は，胃型（gastric type），腸型（intestinal type），膵胆道型（pancreatobiliary type）の3つに分類される．胃型は胃幽門粘膜上皮の形質を呈し，分枝型で腺腫相当のものが多い．腸型は近位小腸（十二指腸）上皮の形質を呈し，主膵管型に多く，粘稠な粘液を多量に産生し，膵管拡張を呈することが多い．膵胆道型は複雑で不整な構造を呈する．

2017年版国際診療ガイドラインでは，分枝型は主膵管の拡張（≦5 mm），主膵管との連続性を有する囊胞性病変（＞5 mm）で，ブドウの房状（cyst by cyst）が特徴である．混合型は両者の特徴をあわせもつものとされる．

悪性を強く示唆する所見（high risk stigmatas）として，①膵頭部囊胞性腫瘍による閉塞性黄疸，

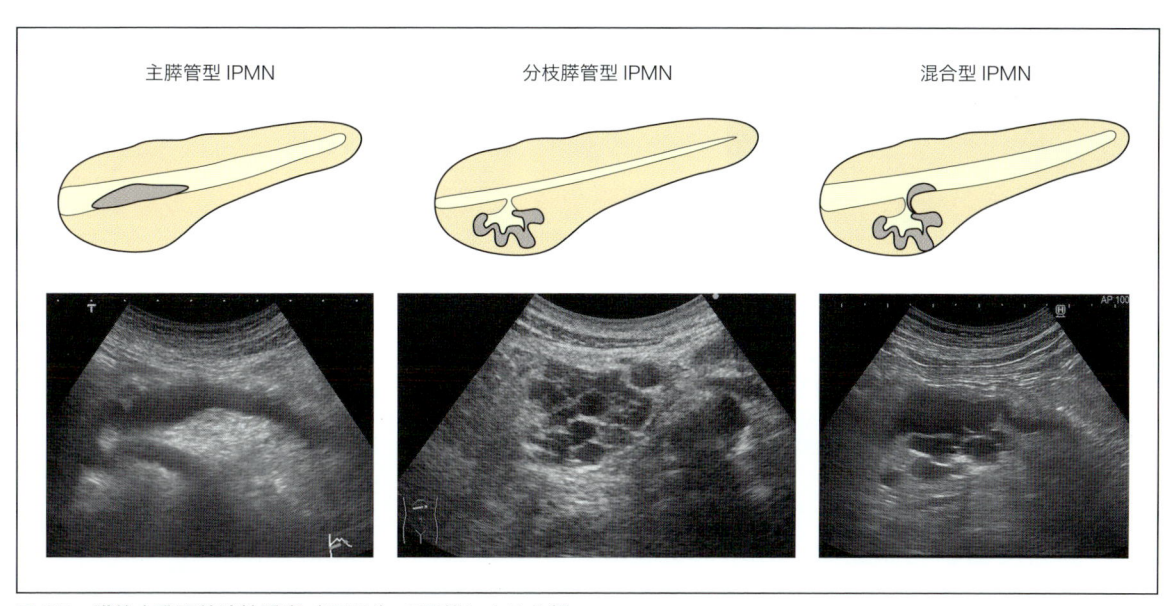

3 各臓器における超音波検査の進め方

図35 膵管内乳頭粘液性腫瘍（IPMN）の形態による分類
IPMNは病変の主座により，主膵管型（main duct type），分枝膵管型（branch duct type），混合型（combined type）に大別される．

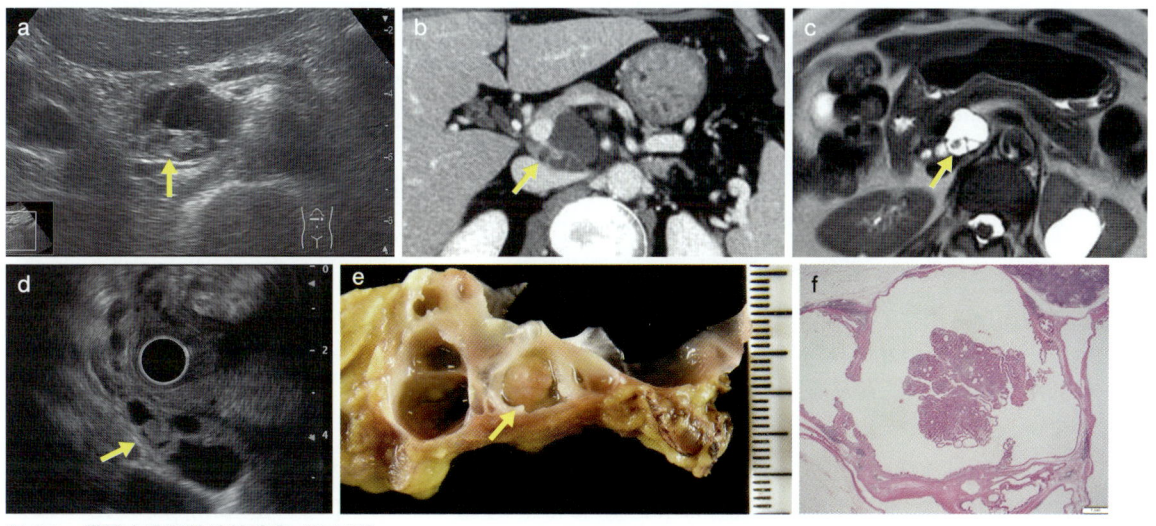

図36 膵管内乳頭粘液性腺癌（IPMC）
70代女性．検診にて，膵頭部に31 × 22 mmの多房性腫瘤を認めた．主膵管（2 mm）との連続性は認めなかった．嚢胞内腔に12 × 6 mmの充実部がみられ（a矢印），内部にPSV 19.1 cm/sの血流も認め，IPMCを疑った．CT，MRIでも，多房性嚢胞性腫瘤の内部に小さな結節を認めた（b矢印，c矢印）．EUSでも，多房性嚢胞性腫瘤は膵管との交通を認めなかった（d）．嚢胞内部に8 mmの結節性病変を認め（d矢印），ソナゾイドで造影された（非掲載）．手術にて，嚢胞内上皮，壁在結節も主に低異型度な上皮の増殖からなり，分枝型IPMC, noninvasiveと診断された．

②嚢胞内の造影される充実部分5 mm以上，③主膵管径10 mm以上である．悪性の疑いがある所見（worrisome features）は，①膵炎症状，②嚢胞径30 mm以上，③造影される嚢胞内の充実部分5 mm未満，④肥厚し造影される嚢胞壁，⑤主膵管径5〜9 mm，⑥尾側膵実質の萎縮を伴う主膵管径の急峻な変化，⑦リンパ節腫大，⑧CA19-9値上昇，⑨嚢胞の増大5 mm/2年以上とされる．
　単房性の場合，主膵管と交通のある仮性嚢胞と非腫瘍性嚢胞（真性嚢胞）などとの鑑別が必要となる．胃癌や大腸癌などの消化器癌の合併を伴うことも多い．

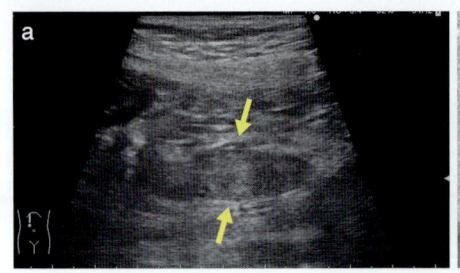

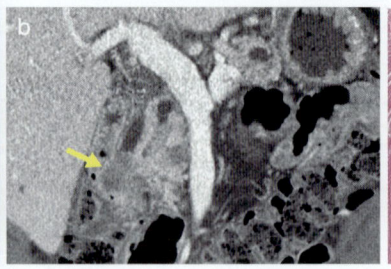

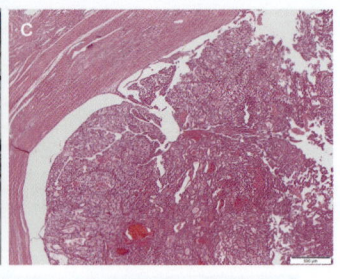

図37 膵管内管状乳頭腫瘍，非浸潤型（ITPN, noninvasive）

70代女性．AMY：36 U/L, CEA：1.4 ng/mL, CA19-9：11 U/L．膵頭部に 30×19 mm の形状不整，内部不均一で低エコー，境界不明瞭な乏血性腫瘍を認めた（a 矢印）．尾側の主膵管は 7 mm の拡張を認めた．胆管拡張は認めなかった．CT にて膵頭部の乏血性腫瘍は，主膵管から膵頭部の分枝膵管内に進展があり，膵管内主体の腫瘍が考えられた（b 矢印）．手術にて主病変として，副膵管内に広く発育・充満する乳頭状増殖病変がみられた．腫瘍は粘液産生乏しく，副膵管を首座とした ITPN, noninvasive と診断された（c）．

13. 膵管内管状乳頭腫瘍　intraductal tubulopapillary neoplasm（ITPN）

膵管内に管状乳頭状に増殖し，粘液を認めないまれな腫瘍で，しばしば壊死を伴う．IPMN のようなブドウの房状構造はみられない．結節状の腫瘍が主膵管を閉塞し，末梢が拡張する．ERCP, MRCP でカニ爪状陰影欠損像が特徴である．鑑別には IPMN や腺房細胞腫瘍，主膵管内に腫瘍栓を形成する疾患との鑑別が必要である．IPMN との違いは，粘液産生性や，乳頭側の膵管拡張がないことである．

超音波検査では，拡張膵管内に鋳型状に充満する充実性腫瘍で，膵管内にワインのコルク栓様（cork-of-wine-bottle sign）所見がみられる（図37）．

14. 充実性偽乳頭状腫瘍　solid-pseudopapillary neoplasm（SPN）

全膵腫瘍の1〜3%と比較的まれな疾患で，分化方向の不明な上皮性腫瘍である．膵体尾部に好発するとされるが，頭部での発生もある．男女比は1:9でほとんどが若年女性（20代〜30代）に好発する．無症状は20%近くあるが，腹部膨満感やしばしば腫瘍内出血により強い腹痛を伴うことがある．大部分は良性だが悪性例もあるため，外科的切除による治療が原則である．病理像は偽乳頭パターンで，細胞接着性に乏しい腫瘍細胞で構成されるため，変性や出血，囊胞変性を伴いやすい．

SPN の超音波像は多彩であるが，我々が行った病理診断の得られた12例の検討では，平均年齢38歳，男女比3:9，自覚症状（無58%，有42%），腫瘍サイズ（平均：43 mm，最小12〜最大107 mm），部位（体尾部9例，頭部3例），囊胞性部分（有67%，無33%），石灰化50%，内部血流なしが67%であった．充実成分と囊胞成分が混在し，線維性被膜に卵殻状の石灰化がみられる場合は SPN の可能性が非常に高い．また，内部に石灰化を認める場合も，SPN を鑑別にあげることができる．充実性腫瘍で囊胞性部分を認めない SPN は PNET と鑑別を要し，石灰化や内部血流が参考になる（図38, 39）．

超音波検査では，境界明瞭，辺縁平滑，厚い線維性の偽被膜を有する球形充実性腫瘤で，膨隆性発育を呈する．小さな腫瘍では大部分が充実性だが，増大すると充実部と出血などを伴った囊胞壊死部が併存する混合エコーを呈するため，囊胞性腫瘍と誤ることがある．ほとんどが単発性で，辺縁部の卵殻状石灰化が約30%みられる．間質は毛細血管性だが，ドプラ検査では血流が検出されず乏血性が多い．尾側膵管の拡張はみられないか軽度の平滑拡張である．

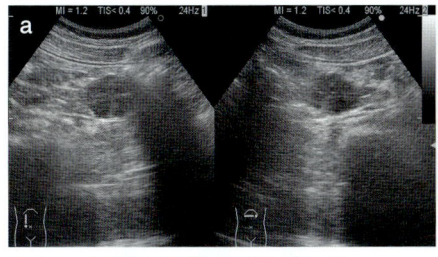

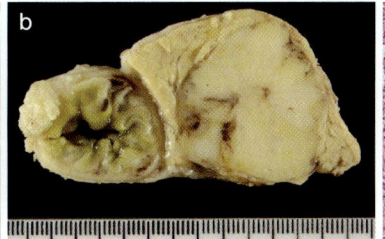

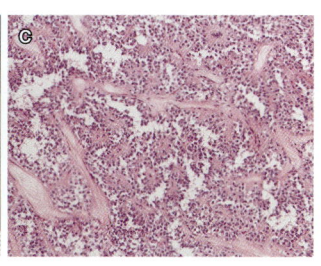

図 38 充実性偽乳頭状腫瘍(SPN)
30代男性．CEA：3.2 ng/mL，CA19-9：2 U/mL以下．単純CTで膵頭部に腫瘤を指摘され紹介受診．33×30×29 mmの輪郭明瞭で整な充実性腫瘍を認めた．PSV 22 cm/sの拍動波が描出され，腫瘍内部に石灰化も認める（a）．手術によりSPNと診断された（b）．血管を軸とした偽乳頭状構造も明瞭である（c）．

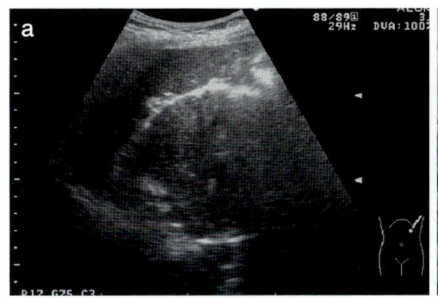

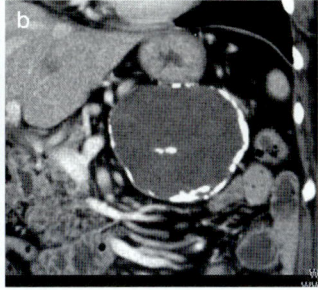

図 39 充実性偽乳頭状腫瘍(SPN)
50代女性．AMY：31 U/L，CA19-9：7 U/L．膵尾部に93×73 mmの卵殻状石灰化を伴う被包化された腫瘤を認めた．内部不均一で，高低エコーが混在，内部血流はみられず，内部変性を伴った嚢胞性腫瘍を疑った（a）．CTでは，辺縁や中央部に石灰化を伴う嚢胞性腫瘍で内部は造影効果を認めなかった（b）．手術にて，もろい黄褐色の古い血腫で，中心部の多くが壊死性で増生細胞が線維性被膜下の辺縁部にしか残存していなかった（c）．免疫染色でもSPNと診断された．

15. 浸潤性膵管癌　invasive ductal carcinoma

1）膵癌の死亡率

　　膵癌はわかりにくい，発見しにくい，完治しにくい難治性癌の代表である．膵癌の死亡率は，国立がん研究センターの2019年の統計では，男性4位，女性3位，男女合計では4位となっている．2018年の罹患数は42,359人（男性：21,559人，女性：20,800人），2021年8月の年間死亡者数は36,356人（男性：18,124人，女性：18,232人），2021年11月に更新された5年相対生存率は12.1%と，癌のなかでは最も悪い．原発腫瘍の大きさによるT分類では，T1腫瘍は20 mm以下（T1a：5 mm以下，T1b：5 mmをこえるが10 mm以下，T1c：10 mmをこえるが20 mm以下）となっているが，早期発見の目標は5年生存率が80%をこえる10 mm以下のT1a，T1bである．膵癌は，膵管上皮細胞に遺伝子異常が蓄積し，異型の程度が進む膵上皮内腫瘍性病変（PanIN）の状態から，段階的に浸潤性膵管癌に発育することが知られている．これとは別に，一気に進行する*de novo*癌としての報告もあり，見逃しのない検査が求められる．

2）膵癌のリスクファクター

　　膵癌のリスクファクターは，膵癌の家族歴がある場合（3～9%，リスクは1.6～3.4倍），糖尿病（25.9%，リスクは約2倍）では特に発症後2年以内の発癌が多く，新規発症や治療中のコントロール不良に注意する．糖尿病は膵癌患者の60～81%に認める．肥満（20代にBMI 30 kg/m^{2}以上の男性，危険率3.5%増加），慢性膵炎（膵癌発生頻度は5%），喫煙，大量飲酒，IPMN（膵管内乳頭粘液性腫瘍）などは膵癌発症のリスク因子となる．日本膵臓学会によると，分枝型IPMNにおける膵癌の合併頻度は2～10%との報告がある．

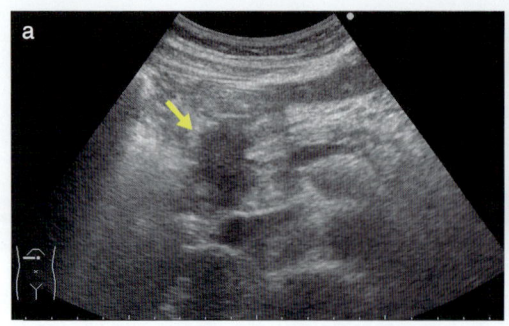

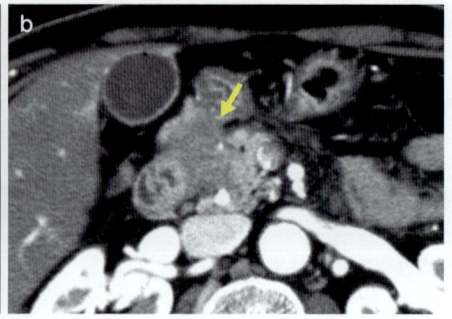

図40　グルーブ領域浸潤
　50代男性．AMY：63 U/L，CEA：2.4 ng/mL，CA19-9：3 U/L．十二指腸下行脚と膵頭部，総胆管に囲まれた溝（グルーブ領域）に35×21×26 mmの輪郭不整で不明瞭な充実性腫瘍を認める（a）．CTでも同部位に腫瘍を認める（b）．手術にて中分化腺癌であった．

3）膵癌の症状と検査データ

　症状は，腹痛，背部痛，体重減少，食欲不振，黄疸，腹部膨満などである．また，腹腔神経叢などへの浸潤が疑われ，主膵管閉塞による随伴性膵炎に伴う疼痛や，随伴性膵炎に伴うランゲルハンス島の減少に由来する糖尿病発症や耐糖能異常がみられることもある．膵癌が疑われる際には，**A**bdominal pain（腹痛），**A**ppetite loss（食欲不振），**B**ack pain（背部痛），**B**ody weight loss（体重減少）の「2A2B」の症状を確認しておくとよい．大きさにもよるが，これらの症状がなく膵癌様の病変がみられた場合には，神経浸潤のみられない膵癌，AIP，腫瘤形成性膵炎なども考える．

　2 cm以下の膵癌腫瘍マーカーの陽性率は，CA19-9が53.2％，SPAN-1が50.7％，DUPAN-2が37.2％程度であるため，早期膵癌の検出にはスクリーニングエコーが有用とされる．

4）膵癌の占拠部位

　腫瘍の占拠部位により膵頭部癌，体部癌，尾部癌，全体癌に分けられる．膵癌の発生部位，臨床症状，画像所見からは以下のように6領域に分ける．①膵頭部：膵内胆管や主膵管の閉塞．十二指腸やSMA，SMVへの浸潤．②膵頸部：頭部と体部の移行部で，門脈からSMVの腹側に位置．膵外へ進展し腹腔動脈，総肝動脈に浸潤．主膵管への浸潤なし．③膵鉤部：SMVの背側，SMVより左側に位置．膵外進展が強く，十二指腸水平脚やSMVへの浸潤がみられる．総胆管や膵管の拡張，SMA浸潤や神経周囲浸潤，黄疸は少ない．④グルーブ領域：十二指腸下行脚と膵頭部，総胆管に囲まれた溝（groove）に発生（**図40**）．十二指腸狭窄や総胆管狭窄などが起こる．主膵管は正常か軽度の狭窄．⑤膵体部：脾動脈，脾静脈への浸潤．⑥膵尾部：脾門部の脾動脈，脾静脈，脾門部への浸潤．

　膵癌は浸潤性増殖が多く，膵を覆う線維性被膜も薄いため，隣接臓器への直接浸潤をきたしやすい．さらに，膵周囲の所属リンパ節転移，肝転移，脈管浸潤も多い．リンパ節転移は，胃癌などの転移と異なり，5 mm程度の大きさでも約半数が転移のことが多い（**図41**）．膵癌の輪郭が不整に突出しているような場合には，膵癌に癒合し一体化したリンパ節であることが多い．サイズによらず，不整形や内部壊死も参考になる．肝転移も10 mm以下の小さなものが散在することがあり，見逃しも多いため注意する．膵癌の前方や後方浸潤は線維結合組織，脂肪組織などへの浸潤，胃や十二指腸（下行脚・水平脚），脾臓などの他臓器への浸潤の有無で評価する．

5）膵癌の神経浸潤

　膵癌は神経に沿って浸潤しやすく，動脈浸潤があるとその周囲のエコー輝度の低下，動脈を取り囲む低エコー域（cuff sign：襟巻き状）がみられる（**図42**）．腫瘍による血管の取り巻きや血管周囲の脂肪織を反映する高エコー部分の低エコー化が浸潤の所見である．個々の動脈周囲には同心円

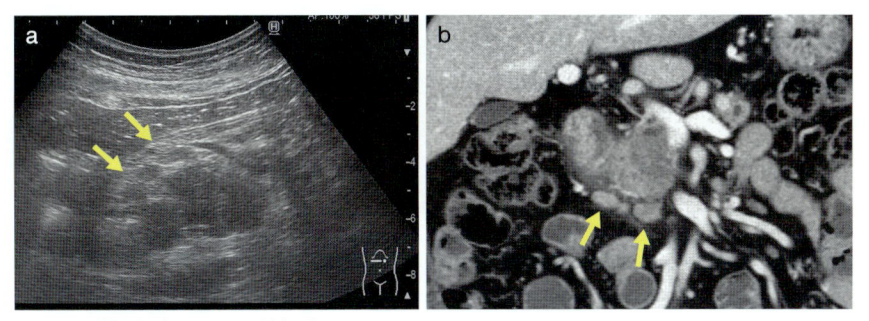

図41 膵頭部癌のリンパ節転移
　60代男性．血糖コントロール不良にて紹介受診．CEA：33 ng/mL，CA19-9：68 U/L．膵頭部に 47 × 37 × 28 mm の輪郭明瞭で不整な低エコー腫瘤を認めた．膵頭前部に多数のリンパ節を認め転移を疑う（a）．CTでも同様の所見であった（b）．手術にてリンパ節転移（8/52）が確認された．

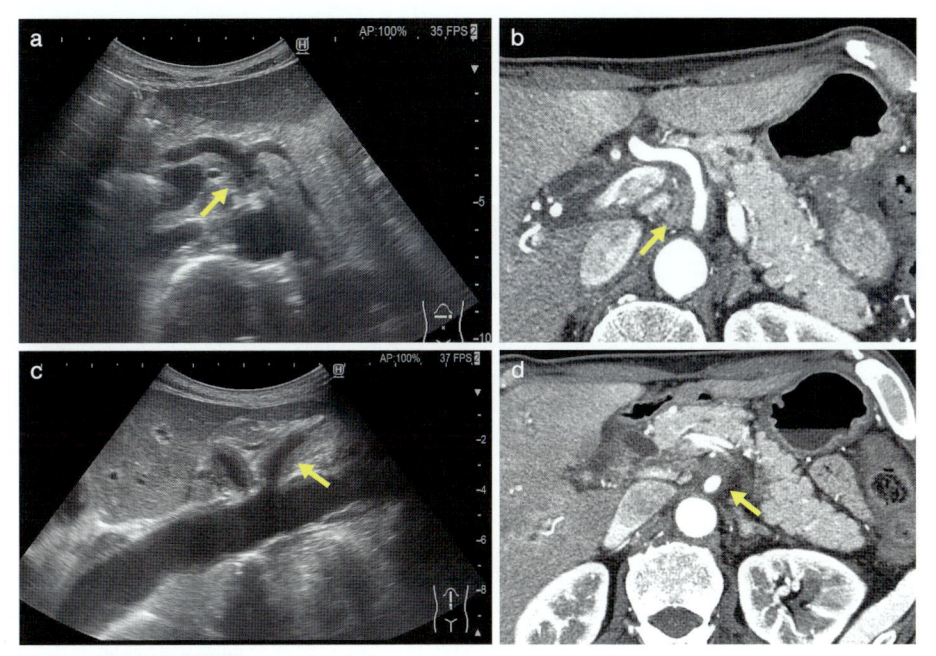

図42 膵癌の神経浸潤
　60代男性．CEA：4.0 ng/mL，CA19-9：1,320 U/L．腹痛，背部痛，倦怠感，食欲不振．10 kg/3 カ月の体重減少があり紹介受診．膵鉤部に 35 × 29 × 19 mm の形状楕円形，輪郭不明瞭，内部低エコーの腫瘤を認めている（非掲載）．腹腔動脈（a：US像，b：CT像），上腸間膜動脈（c：US像，d：CT像）に全周性の浸潤を認め，切除不能膵癌となった．

状に神経線維が取り巻いているが，USで神経線維を描出するのは困難である．神経叢浸潤は手術適応外となることが多いため，慎重な検査が望まれる．特に腹腔動脈，上腸間膜動脈への浸潤の有無は手術適応を決定する重要因子である．膵周囲血管浸潤でみられる不整な狭窄，鋸歯状変化はencasementとよばれる（**図43**）．
　血管との関係には，腹腔動脈（CA），総肝動脈（CHA），脾動静脈，SMA，胃十二指腸動脈（GDA），上腸間膜静脈（SMV），門脈，胃結腸静脈（GCV），大動脈，下大静脈，第一空腸動静脈（J1A，J1V）などを観察する．TNM分類では，T1は膵に限局し 20 mm 以下であるが，CA，SMA に浸潤があれば T4 となるため，血管浸潤は重要な所見である．
　膵癌取扱い規約では，膵癌神経叢を，膵頭神経叢第Ⅰ部・第Ⅱ部，総肝動脈神経叢，腹腔神経叢，

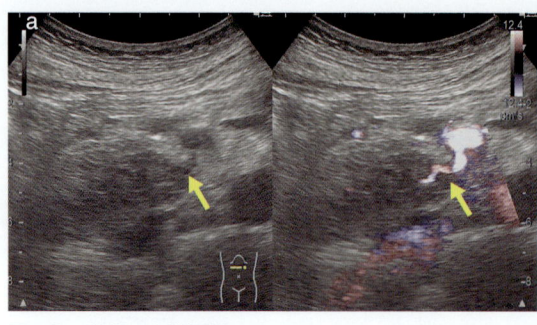

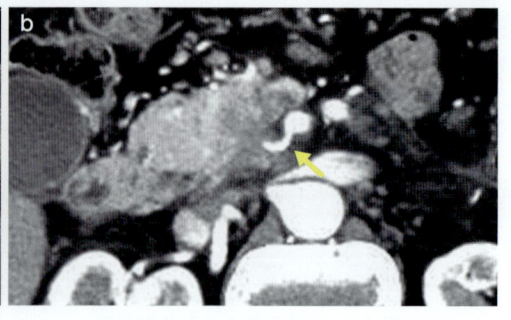

図 43　膵癌の血管浸潤
　70 代男性．腹背部痛はなかったが，1 カ月で 4 kg の体重減少がみられた．CA19-9：256 U/L，P-AMY：149 U/L，D-Bil：5.8．36 mm の膵頭部癌による PSPDA（後膵十二指腸動脈：post.sup.pancreatico-duodenal a.）への浸潤を認めた（a 矢印）．CT でも同様に血管浸潤がみられた（b 矢印）．

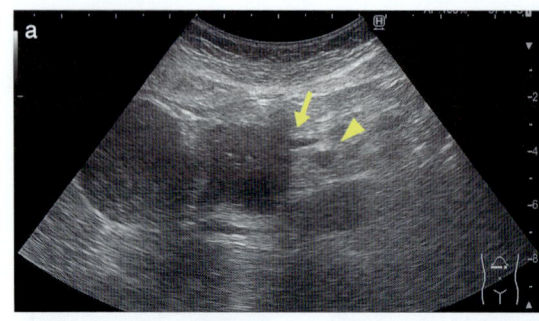

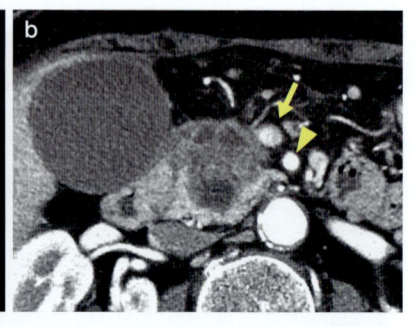

図 44　膵癌の血管浸潤
　60 代女性．腹痛もあり，11 kg の体重減少がみられた．AMY：89 U/L，CEA：6.1 ng/mL，CA19-9：398 U/L，DUPAN-2：1,200 U/mL，SPAN-1：110 U/mL．SMV は 40 mm の膵頭部癌と 180°未満での接触ありとした（a 矢印）．CT でもわずかな接触がみられた（b 矢印）．手術にて線維性に癒着し一部わずかに浸潤を認めるとの結果であった．SMA には接触はなかった（a,b 矢頭）．

上腸間膜神経叢，肝十二指腸間膜内神経叢，脾動脈神経叢の 7 つに分類している．神経支配は発生学的に考えると理解しやすい．すなわち，膵頭部前部は腹腔神経叢から CHA，GDA 沿いに分布する前肝神経叢に支配される．膵頭部後部は，腹腔神経叢から分岐し，膵頭後面を下方に放射状に分岐し，総胆管，乳頭を支配する後肝神経叢に支配され，SMA 根部に向かって進展する．鉤状突起は，SMA 神経叢に由来し下膵十二指腸動脈に沿った神経に支配される．特に，鉤部背側の腫瘍や膵頭部癌では，十二指腸下行脚や水平脚，上腸間膜動静脈周囲の神経叢浸潤を認めることが多い．また，門脈，上腸間膜静脈，脾静脈の門脈系への浸潤は，腫瘍による門脈系への圧排，狭窄，閉塞などの所見により判断する（**図 44**）．門脈，上腸間膜静脈浸潤による閉塞では膵頭部周囲の側副血行路が，脾静脈浸潤では胃周囲の静脈に側副血行路の発達がみられる．門脈が閉塞すると cavernous transformation がみられる．

　神経叢浸潤は手術適応外となることが多いため，慎重な検査が望まれる．そのうえで，切除可能な段階での膵癌の早期発見が重要である．

6）膵癌の切除可能性のチェックポイント
（1）切除可能（resectable：R）の判定
　SMV/門脈に 180°未満の浸潤で閉塞を認めないもの．かつ，CA，SMA，CHA に浸潤を認めないものであれば切除可能．
（2）切除不能（unresectable：UR）の判定
　CA あるいは SMA に 180°以上の浸潤．または，CHA に浸潤し固有肝動脈あるいは CA に浸潤．

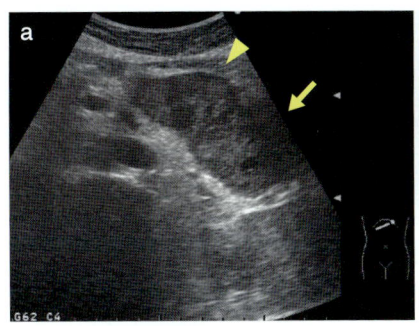

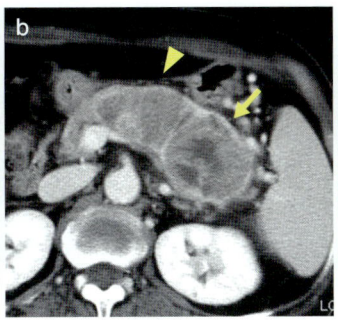

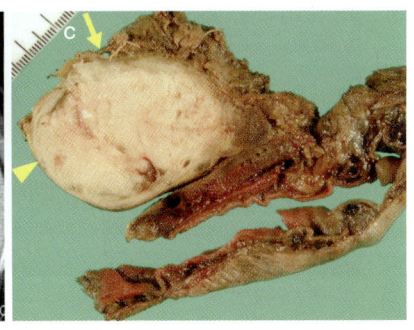

図 45　腺扁平上皮癌
70 代女性．膵体部から尾部に 84 × 35 mm の低エコー腫瘤を認める．輪郭明瞭で整，内部エコー不均一で囊胞性部分がみられ，腫瘍内壊死を疑った．通常型膵管癌とは異なる性状から，腺房細胞癌，腺扁平上皮癌などを疑った（a）．CT では，腫瘍内部の腫瘍血管が発達しており，一部で壊死をきたしていた（b）．手術にて腺扁平上皮癌であった．膵の尾部から体部に存在する結節型の腫瘍で，頭部側は腺癌（矢頭），尾部側は扁平上皮癌（矢印）であった（c）．

または，大動脈に浸潤．または，SMV/門脈に 180°以上の浸潤あるいは閉塞を認め，かつその範囲が十二指腸下縁を超えるもの，遠隔転移（M1）のあるものである．また，第 1 空腸動静脈枝に接触するものは，米 NCCN ガイドラインでは切除不能と判断されている．NCCN ガイドラインは全米を代表するがんセンターで結成されたガイドライン策定組織 NCCN（National Comprehensive Cancer Network）により作成され，世界的に広く利用されている癌診療ガイドラインである．

（3）切除可能境界（borderline resectable：BR）の判定
　CA あるいは SMA に 180°未満の浸潤があるが狭窄や変形は認めないもの．かつ，CHA に浸潤はあるが，固有肝動脈や CA へ浸潤がないもの．あるいは，CA，SMA，CHA に浸潤は認めないが，SMV/門脈に 180°以上の浸潤を認め，浸潤の範囲が十二指腸下縁を超えないものとされている．

　浸潤性膵管癌は，腺癌（高分化型，中分化型，低分化型），腺扁平上皮癌，粘液癌，退形成癌（多形細胞型，紡錘細胞型，破骨型多核巨細胞を伴う）に亜分類されるが，複数の組織亜型が混在することがあり，優勢像をもって分類される．最も多い組織型は腺癌で，著明な線維増生を伴う硬性型のパターンが多く，膵悪性腫瘍の 90％以上は膵管上皮から発生する腺癌（膵管癌）である．予後は，高分化型が良好で，中分化型，低分化型の順に不良となる．

　腺癌と扁平上皮癌の成分が混在する腺扁平上皮癌（adenosquamous carcinoma：ASC）は 1 ～ 2％とまれである（図 45）．内部に粘液基質を多く含み，肉眼でも判別できるほどの粘液塊を形成する粘液癌（mucinous carcinoma：MUC）は，浸潤性膵管癌の 0.5 ～ 1％とまれである．全膵癌の 0.3 ～ 0.5％と非常にまれな退形成癌（anaplastic carcinoma：ANC）は，従来，未分化癌と分類されていた（図 46）．膵管内乳頭粘液性腫瘍や膵管内管状腫瘍に由来する膵管内腫瘍由来の浸潤癌は，浸潤性膵管癌の 0.7％程度とまれである．

　超音波検査では，膵管閉塞による貯留囊胞や膵管の破綻による仮性囊胞がみられる（図 47）．輪郭不明瞭で不整形な乏血性低エコー腫瘤を認める．内部エコーは小病変では均一，大きくなると内部の出血や壊死により不均一となる．尾側膵管の数珠状拡張（図 28）や，病変部での主膵管の途絶像がみられる．膵周囲血管浸潤（encasement）として cuff sign（襟巻き状）がみられる．動静脈への浸潤像は，血管狭小像，口径不同としてみられ，特に血管周囲が低エコー化する（図 42）．血管周囲の脂肪織への浸潤所見は，脂肪織のエコー輝度が高いのに対し，癌の浸潤部分は低エコーに描出されるため，低エコー領域が血管を包むように描出され浸潤範囲が明瞭化する．血管途絶により側副血行路がみられる．胆管への浸潤や圧排により，肝内・肝外胆管の拡張，胆囊腫大を認める．膵外浸潤が主体の膵癌は，膵自体の異常所見がみられないことがあり，後腹膜腫瘍，十二指腸腫瘍，腸間膜腫瘍などと誤認され，膵癌と診断がつけられないことがあるため注意する．

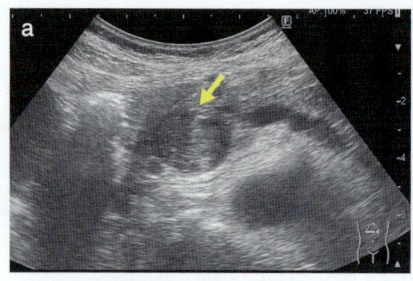

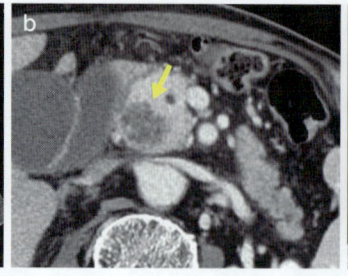

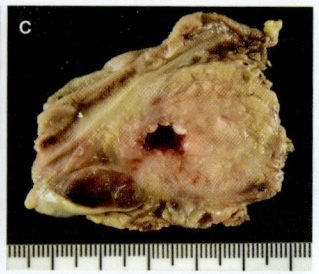

図46　退形成癌
　70代男性．前立腺癌経過観察中に，膵頭部に輪郭明瞭で整な27×26×23 mmの乏血性腫瘍を認めた．腫瘍の辺縁は低エコーだが，内部のエコー輝度が高く不均一で，変性所見と考えた（a）．膵管は7 mmの数珠状拡張を認めた．bはCT像である．手術にて，膵頭部を主座に，胆管や膵内胆管を巻き込む境界不明瞭な浸潤性腫瘍であった（c）．背景にhigh grade PanINが散見された．組織型は多形細胞型退形成癌であるが，中〜低分化腺癌や扁平上皮癌の成分もみられた．

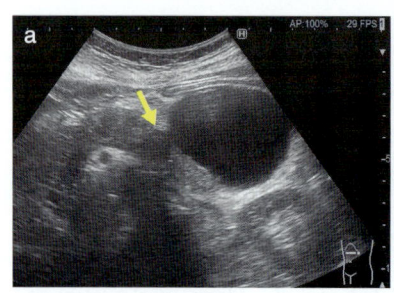

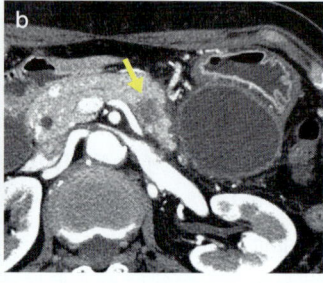

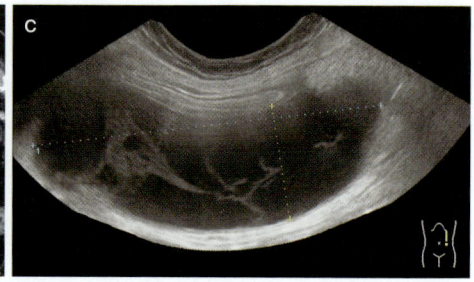

図47　膵癌＋仮性嚢胞
　60代女性．CEA：3.3 ng/mL，CA19-9：51 U/L，AMY：178 U/L．膵尾部の仮性嚢胞の経過観察中に腹痛があり紹介受診．体尾部に12 mmの輪郭不明瞭で不整な低エコー腫瘤を認めた（a）．腫瘤尾側の膵実質から連続するように133×55 mmの仮性嚢胞もみられた．輪郭明瞭で整，内部無エコーだが嚢胞底部に堆積する充実部も認めた．bはCT像である．3カ月後には仮性嚢胞は159×98×53 mmと増大しており，内部にフィブリン塊も認めた（c）．FNAで腺癌と診断されている．

　膵癌の多くは膵管上皮から発生する膵管癌であるため，直接的に膵癌の同定が困難であっても，嚢胞，分枝膵管の拡張，腫瘍周囲の膵萎縮などの間接所見をとらえることが早期発見の糸口となる（図48）．膵は，加齢とともに小葉構造が分葉状を呈するが，分葉が大きい場合や分葉間に入り込んだ内臓脂肪も腫瘍と紛らわしいことがある．膵癌は血流に乏しいが，腫瘤内に血流信号がみられる膵病変では，内分泌腫瘍，漿液性腫瘍，充実性偽乳頭状腫瘍を考慮する．

16. 膵上皮内腫瘍性病変　pancreatic intraepithelial neoplasia（PanIN）
低異型度膵上皮内腫瘍性病変　low-grade PanIN
高異型度膵上皮内腫瘍性病変　high-grade PanIN
同義語：上皮内癌　carcinoma in situ：CIS

　膵管内に限局する上皮内増殖性病変で，原則として肉眼的な膵管拡張を伴わず，あっても径5 mm程度までのことが多い．組織では，平坦〜低乳頭状増殖を示す円柱状から立方状上皮より構成され，種々の程度の異型を呈する．上皮内癌相当のものは高異型度，上皮内癌に満たないものは低異型度とされる．Stage 0の上皮内癌では腫瘍の直接的な同定は困難で，EUSやMRCPでの主膵管の限局的な狭窄や狭窄周囲の嚢胞性病変，造影CTでの限局的な脂肪沈着，膵萎縮などの間接所見を契機に診断されている．したがって，早期癌の発見には，超音波検査においても限局的な膵萎縮および膵管の拡張や不整な狭窄を確実にとらえることが大切である（図49）．

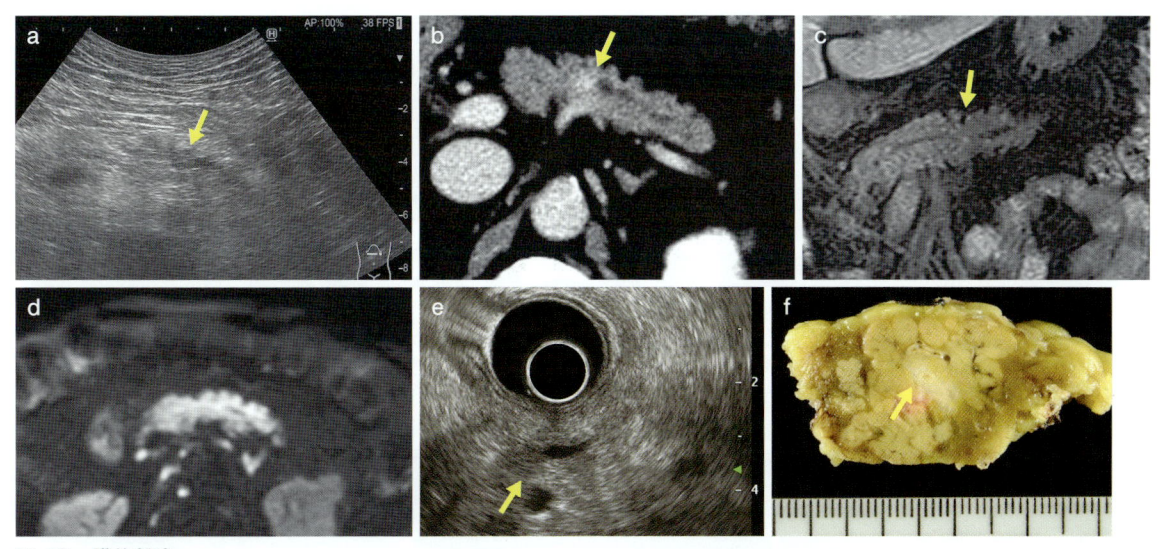

図48 膵体部癌
　60代男性．CEA：9.5 ng/mL，CA19-9：9 U/L，HbA1c：7.5%．検診受診者である．膵体部に8 mmの低エコー腫瘤を認めた（a）．尾側膵管は4 mmと拡張がみられた．CTでは遅延性濃染を認める（b）．MRIでは病変は指摘できないが，腫瘍周囲の膵実質に萎縮がみられる（c）．MRI（d：DWI）．超音波内視鏡（e）．手術にて管状腺癌，中分化型．T1bN0M0，StageⅠAと診断された（f）．早期の癌の検出には，腫瘍周囲の膵萎縮などの間接所見は重要である．

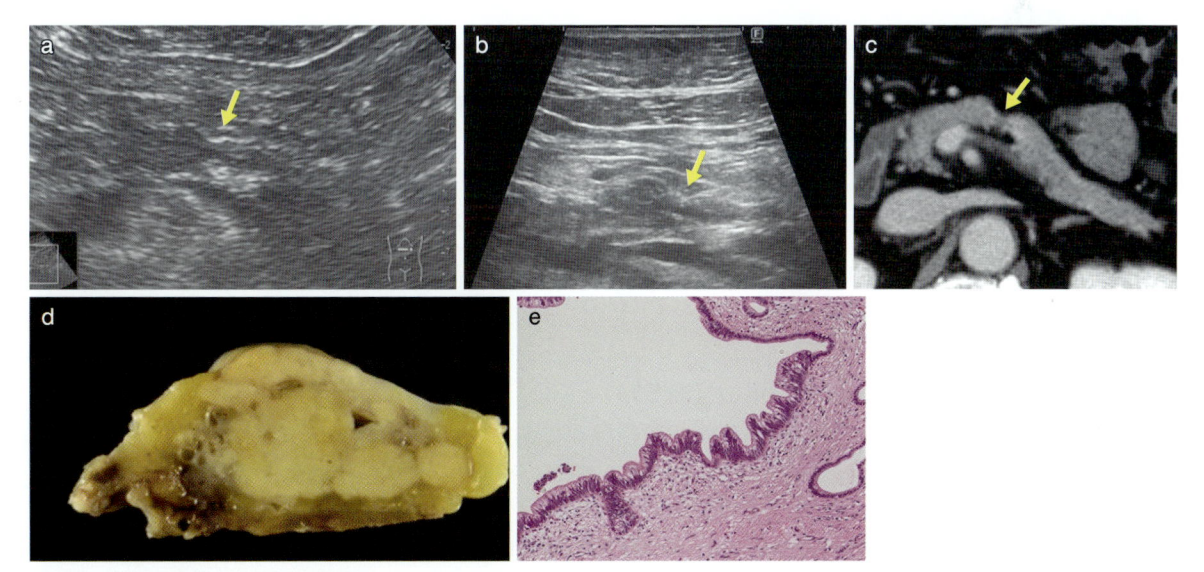

図49 高異型度膵上皮内腫瘍性病変（high-grade PanIN）
　70代男性．主膵管狭窄，慢性膵炎で紹介受診．HbA1cが6.7%と高値以外は基準値であった．膵は低エコーで膵体部の限局的萎縮がみられる（a）．主膵管は2 mmと拡張は認めないが，高周波プローブにて膵管の口径不同および頭側での狭小化がみられPanINを疑った（b）．CTでは膵体部に限局性の萎縮変化がみられ，平衡相で遷延性の造影効果がありPanIN～小膵癌が疑われた（c）．MRIも同様であった．手術にて膵表面に不整な凹みがある部分を中心に膵実質の脱落，線維化や脂肪置換がみられた（d）．low-grade PanINやhigh-grade PanIN病変が，主膵管や分枝膵管にみられた（e）．

17. 腺房細胞腫瘍　acinar cell neoplasms（ACCs）

　腺房細胞嚢胞と腺房細胞癌がある．腺房細胞癌は腺房細胞への分化を示す悪性腫瘍で，膵癌の約1%を占める予後不良で比較的まれな腫瘍である．腺房細胞癌の男女比は2：1とやや男性に多く，頭部に多い傾向がある．ほとんどが単発である．50代～70代での発症が多く，平均60歳の中高年層に多いが，5～12歳の若年発症もある．

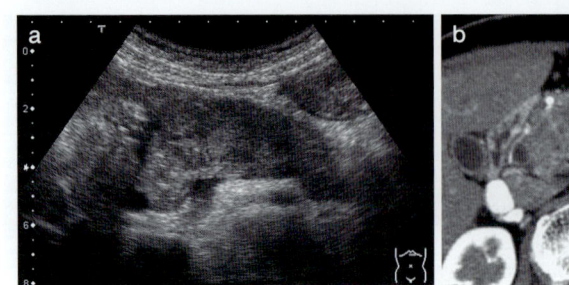

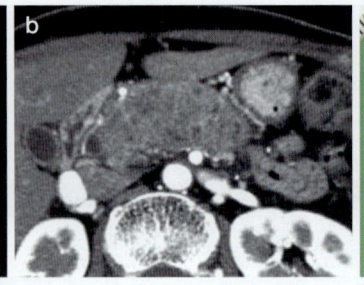

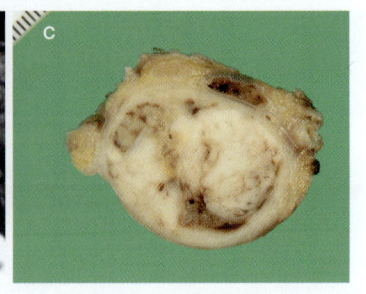

図50 腺房細胞癌
60代女性．前医で主膵管型IPMN疑いにて紹介受診．膵全域に広がるように腫瘍性病変を認め，膵癌を疑った（a）．脾静脈の腫瘍栓やSMV，脾動脈への浸潤も認めた．bはCT像．手術にて腺房細胞癌と診断された．静脈侵襲が目立っており，膵組織はほとんど消失していた（c）．

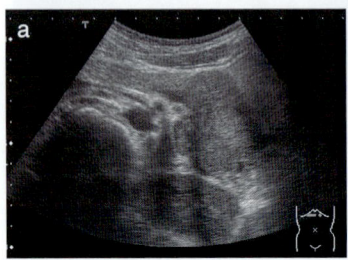

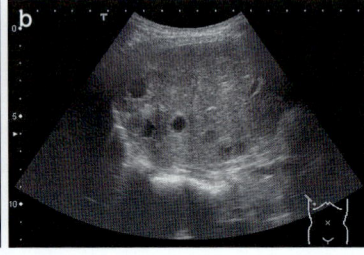

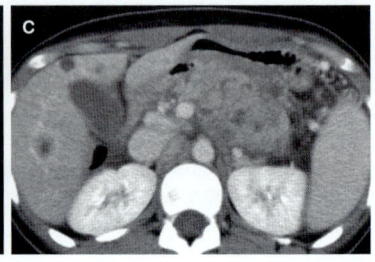

図51 膵芽腫
10代女性．腰痛にて他院を受診し，膵癌，肝転移疑いにて紹介受診．膵体部から尾部に50×40 mmの腫瘤を認めた（a）．形状不整，内部やや低エコー不均一，内部血流に乏しい．腹腔動脈，脾動脈への浸潤を認めた．病変周囲に多数のリンパ節転移，肝転移を認めた（b）．CTでは腫瘤内部濃度は不均一で，漸増性の造影効果を呈している（c）．肝生検にて蜂巣状，小集塊状，偽乳頭状構造を示す腫瘍を認めた．免疫染色の結果を含め，膵芽腫の可能性が考えられた．

　超音波検査では，被膜に覆われ，境界明瞭，類円形の充実性腫瘍を認める．膵表面より外向性，圧排性発育をする多血性腫瘍である．主膵管途絶やencasementは少ない．腫瘍の増大により，壊死，出血，石灰化もみられる（図50）．

18. 膵芽腫　pancreatoblastoma（図51）

　10歳未満の小児，特に男児に発生する悪性腫瘍である．成人例では18歳〜70代までの発生例があるが，膵管上皮細胞へ分化する部分と腺房細胞へ分化する部分とからなる．

19. 転移性膵腫瘍　metastatic tumors the pancreas

　原発巣は腎癌，肺癌，乳癌，大腸癌，悪性黒色腫，肉腫などの頻度が高く，腎細胞癌が最も多い．多発例よりも単発例が多い．膵転移は進行例に多く，原発巣が存在するため確認が必要である．腎癌からの転移では，5〜10年の経過例が多いが，20年以上の経過例も多くみられる（図52）．また，胞巣内に繊細な血管性間質が豊富に介在することから多血性の腫瘍として知られており，内分泌腫瘍との鑑別が問題となる．

　超音波検査では，原発巣により違いはあるが，膵癌に比べるとエコー輝度は高いが形状不整な低エコー腫瘤として描出される．多発している場合には転移の可能性がより高い．腫瘍の大きさに対して膵管拡張は少なく，周囲血管への浸潤は膵癌に比べ少ない．輪郭明瞭で整，円形〜類円形の腫瘤で，原発巣が多血性ならば膵転移も多血性なことが多いため，ドプラ検査が診断に有効である．多血性では内分泌腫瘍との鑑別が問題となることが多い．腎癌の転移の場合では，比較的境界明瞭な類円形腫瘤で多血性が多い．肝十二指腸靱帯へのリンパ節転移が膵実質に浸潤し，膵癌と紛らわ

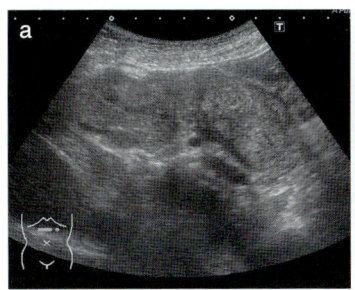

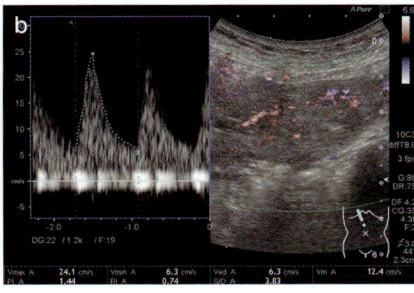

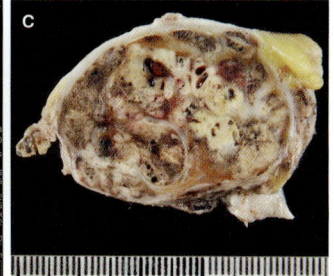

図 52　膵転移（右腎細胞癌）
　60 代女性．閉塞性黄疸にて紹介受診．膵全体を占拠する内部低エコー不均一な腫瘍を認めた．正常の膵実質や膵管は描出されない（a）．周囲血管への浸潤所見乏しく，多血性腫瘍であり，膵転移を疑った（b）．腫瘍は十二指腸乳頭部近傍まで進展し，下部胆管を圧排しており閉塞機転である．原発巣は，21 年前の腎細胞癌からの遷移性転移と考えた．手術にて腎癌（淡明細胞型腎細胞癌）からの膵転移と診断された（c）．その後，乳腺，肝転移となる．

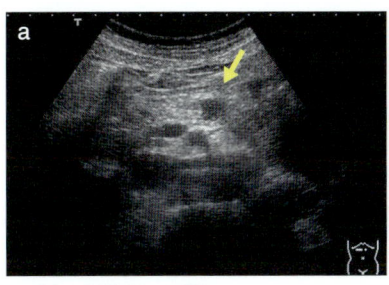

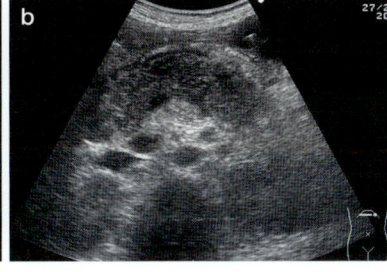

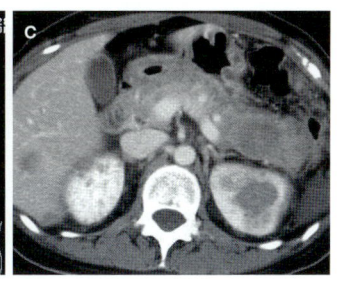

図 53　悪性リンパ腫
　40 代女性．非ホジキンリンパ腫にて CHOP 療法中である．腹部リンパ節，肝，膵，両側腎，頸部，甲状腺など再燃を繰り返す．膵尾部に 13 mm の境界不明瞭な低エコー腫瘤を認めた（a）．10 カ月経過後には膵全体が腫大し，低エコー化がみられたため，びまん性浸潤と考えた．膵管拡張は認めなかった（b）．CT でも再燃増悪と診断された（c）．

しいことがある．

20. 悪性リンパ腫　malignant lymphoma

　膵悪性腫瘍の 0.16 〜 1.5％を占めるきわめてまれな非上皮性腫瘍で，膵原発の悪性リンパ腫は非ホジキンリンパ腫が多い．症状は腹痛が最も多い．
　超音波検査では，腫瘍内の変性が少なく，AIP との鑑別を要する．高い細胞密度で間質が少ないことを反映し，内部エコー均一な低エコー腫瘤像を呈する（**図 53**）．血管増生少なく乏血性で，主膵管に狭窄や閉塞は認めない．周囲への浸潤傾向は弱く，血管浸潤にも乏しいため，既存の構造への影響がみられないことが多い．膵周囲のリンパ節や大動脈周囲リンパ節に腫脹を伴っていることがあり，全身の検索が必要である．この場合，既存血管が腫瘍内を貫通する所見もみられる．

参考文献
1) 日本膵臓学会膵癌診療ガイドライン改訂委員会編集：膵癌診療ガイドライン 2022 年版．金原出版，2022.
2) 日本膵臓学会編集：膵癌取扱い規約 第 7 版増補版．金原出版，2020.
3) 最新がん統計：国立がん研究センターがん統計．更新・確認日：2021 年 8 月 3 日．
4) 柳澤昭夫：膵癌早期発見と早期膵癌　早期膵癌とは何か—早期膵癌診断に必要な病理組織像—．日消誌，**115**：350 〜 356，2018.
5) 平田啓一郎，他：十二指腸から発生した異所性膵癌の 1 例．日臨外会誌，**74**（4）：1066 〜 1070，2013.
6) 急性膵炎診療ガイドライン 2021 改訂出版委員会編：急性膵炎診療ガイドライン 2021．第 5 版，金原出版，2021.

7) 日本外傷学会臓器損傷分類委員会：膵損傷分類 2008（日本外傷学会）．日外傷会誌，**22**：264, 2008.
8) 日本膵臓学会：慢性膵炎臨床診断基準 2019．膵臓，**34**：282〜292, 2019.
9) 日本膵臓学会：自己免疫性膵炎診療ガイドライン 2020．膵臓，**35**：465〜550, 2020.
10) 日本神経内分泌腫瘍研究会（JNETS）他編：膵・消化管神経内分泌腫瘍（NEN）診療ガイドライン 2019．第 2 版．金原出版, 2019.
11) 大塚隆生，田中雅夫：国際診療ガイドライン—時期改訂に向けて—．膵臓，**36**：238〜244, 2021.

〔南里和秀〕

5. 腎臓・副腎

5-1　腎臓・尿管

Ⅰ　腎臓の検査ポイント

腎の位置，形態，腎サイズ，実質（皮質，髄質）の性状，腎盂の状態，結石や石灰化の有無，腫瘤性病変の有無，腎周囲の状態，腎血管の異常の有無などをチェックする．

Ⅱ　腎臓の病変

1．位置異常

腎は胎生期に骨盤腔内で発生し，徐々に頭側へ移動して腹部に定位する．また，発生初期は腎門が腹側に向いているが，腎が頭側へ移動するにつれて約90°内旋して腎門が前内方を向くようになる．

通常，腎は第12胸椎から第3腰椎ほどの高さに位置しているが，胎生期に腎の移動が不十分だった場合には，腎は骨盤腔に留まることになり，これを低位腎（図1）とよび，なかでも骨盤腔にあるものを骨盤腎とよぶ．逆に，移動が過剰に起こった場合には，通常より頭側に位置することになり，これを高位腎（図2）とよび，胸腔を押し上げるレベルまで達したものを胸部腎とよぶ．腎の位置異常は低位腎が最も多く，上昇に伴う内旋が足りないため腎門が腹側を向くという特徴を有する．また，片側の腎臓が体の中心線をこえて反対側に存在する場合は，交差性偏位腎とよばれる．

腎は健常人でも吸気時や立位にて4～5cm下方へ移動するが，これが2椎体分（約10cm）をこえて下垂した場合を遊走腎とよぶ．立位での鈍痛や血尿などの臨床症状を認めることもある．一般にX線撮影（臥位，立位）で判定される．超音波検査では立位で検査することはほとんどないため，上下方向の移動を正確にとらえることは困難であるが，側臥位にした際に，正中をこえて対側まで移動がみられた場合には固定異常（遊走腎）が疑われる．

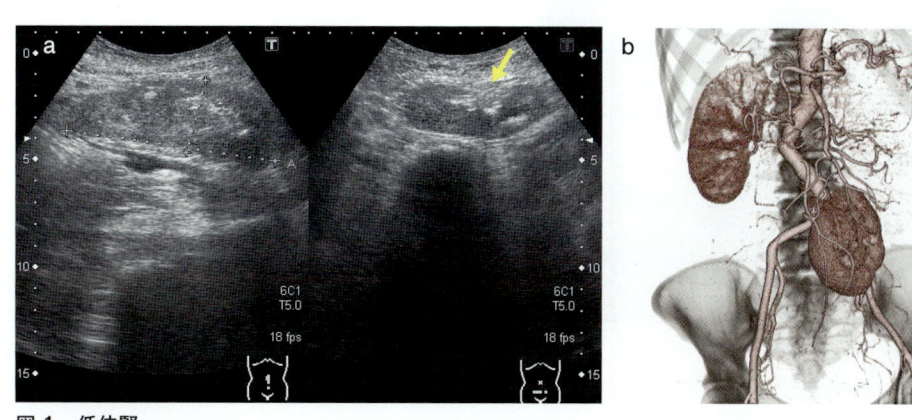

図1　低位腎
50代女性．
a：左腎が臍部より低位かつ正中寄りに描出されており，その腎門部は腹側を向いている（矢印）．
b：CTでも左腎が低位に存在していることが確認できる．

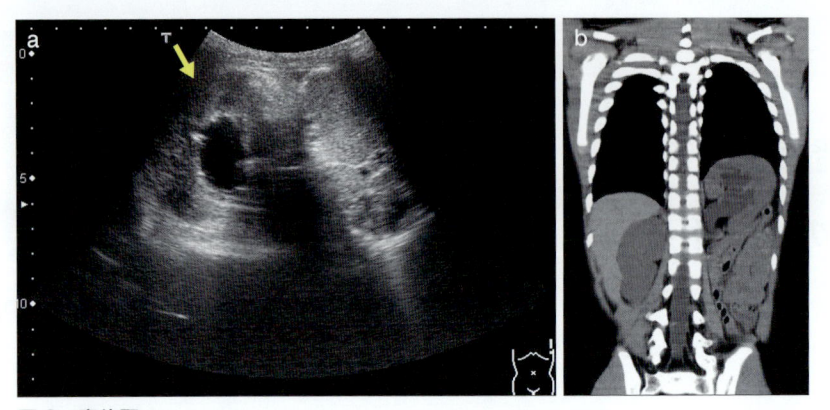

図2　高位腎
　6歳男児.
　a：左腎が脾臓より頭側に位置している（矢印）．腎盂が開大し水腎症所見を呈している．
　b：CTでも左腎が左横隔膜を押し上げるように位置していることが確認できる．

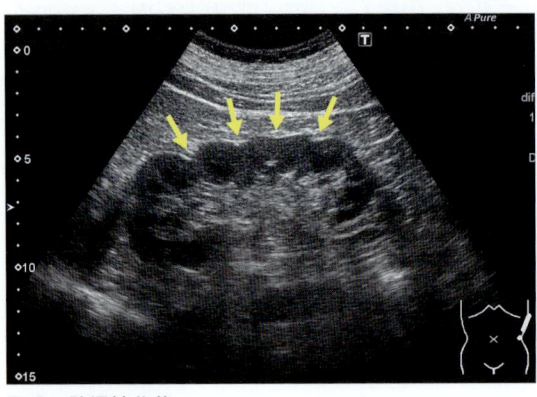

図3　胎児性分葉
　50代男性．腎葉に一致して腎辺縁に複数の切痕を認める（矢印）．

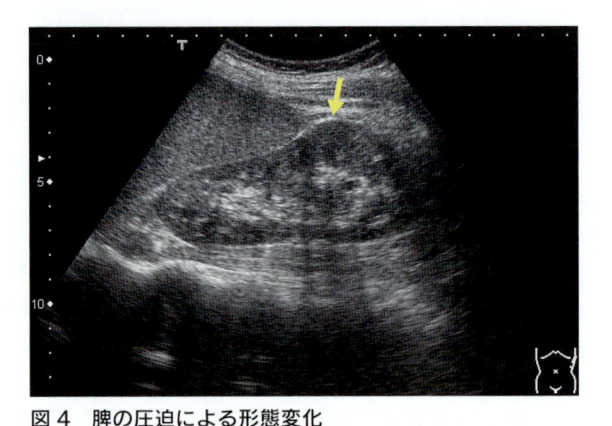

図4　脾の圧迫による形態変化
　40代女性．左腎の上極側が腫大した脾に圧排されており，圧迫されていない部分が隆起するように描出されている（矢印）．この隆起部分をdromedary hump（ひとこぶラクダのこぶ）とよぶこともある．

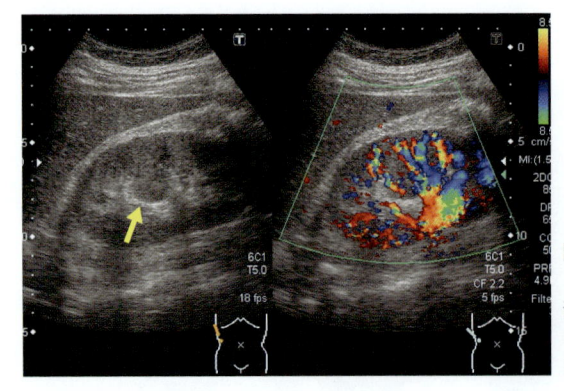

図5　腎柱の肥大
　20代男性．右腎皮質と連続する腎柱の一部が肥大し，中心部エコー像を圧排している（矢印）．確認のためのカラードプラ法では既存血管が走行しており，腫瘤ではないことが推定できる．

2. 形態異常

　腎の形態的変化は，胎児性分葉（図3），脾の圧迫によるもの（図4），腎柱の肥大（図5）などの正常異変の他に，梗塞後の凹化，形成不全，癒合腎，重複腎盂など様々なものが存在する．

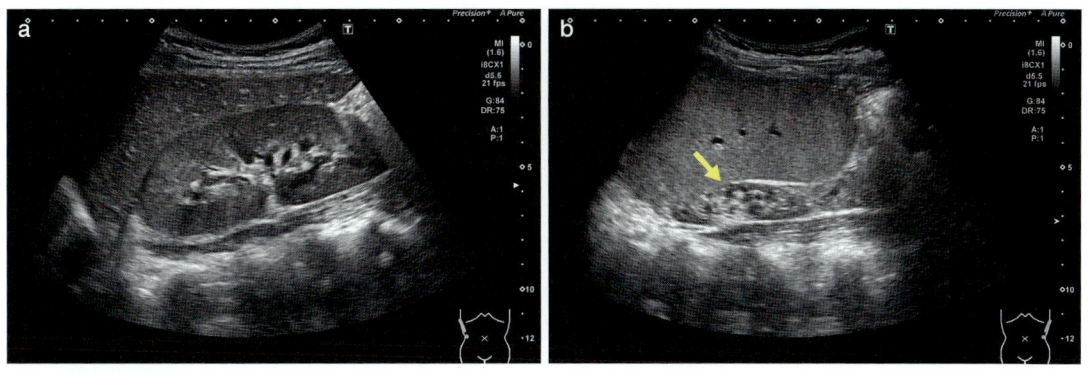

図6 腎形成不全
9歳男児．左腎（b矢印）は58×18 mmと小さく，右腎（a）は107×45 mmと代償性腫大が疑われる．

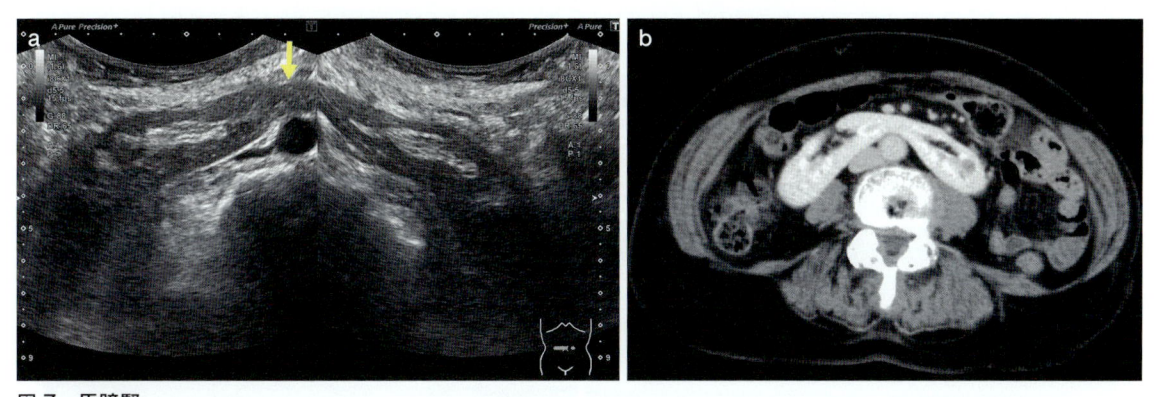

図7 馬蹄腎
80代女性．
a：臍上部レベルでの腹部正中横走査にて，腹部大動脈の腹側で両腎下極の癒合像を認める（矢印）．
b：CTでも同様に両腎下極の癒合像を認める．

1）腎形成不全　hypoplastic kidney（図6）

後腎組織の発生異常により生じるとされる．超音波検査で通常の位置に腎が同定できない場合は，位置異常，低形成，無形成，摘出後などを考えて検索を進める．片側が低形成や無形成の場合でも，対側腎が正常であれば無症状であることが多く，その場合には対側腎は代償性に腫大する．

2）馬蹄腎　horseshoe kidney（図7）

両腎が癒合した先天性奇形であり，下極癒合型の馬蹄腎では腹部大動脈腹側において両腎の下極の連続像がみられる．癒合した部分を峡部とよび，尿管は峡部の腹側を走行する．通常は無症状であるが，体幹を伸展した際や妊娠後期などに腹痛をきたすことがある．

超音波検査では癒合部を描出することが重要であるが，両腎の下極が不鮮明な場合や下極が細長く伸びている場合には，腹部正中横走査にて腎の癒合がないか確認する．

3）重複腎盂尿管　duplicated renal pelvis and ureter（図8）

尿管が膀胱まで完全に2本存在する完全型と，途中で合流する不完全型がある．不完全型が多く，不完全型では無症状であることが多い．完全型では上極の尿管と下極の尿管が途中で交差して（Weigert-Mayerの法則），上極側の尿管が下極側の尿管より下部に異所性開口する．上極側の腎盂や尿管が拡張をきたすことで症状を有する場合が多い．

超音波検査では腎中心部エコー像が二分されて描出される．

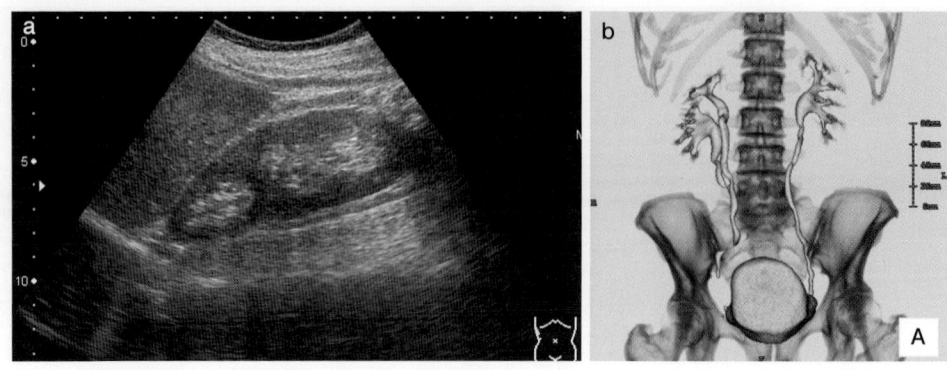

図 8　重複腎盂尿管（不完全型）
60 代女性．
a：右腎の中心部エコー像が二分されて描出される．
b：CT では腎盂の二分像と尿管の途中合流がみられ，不完全型の重複腎盂尿管と診断された．

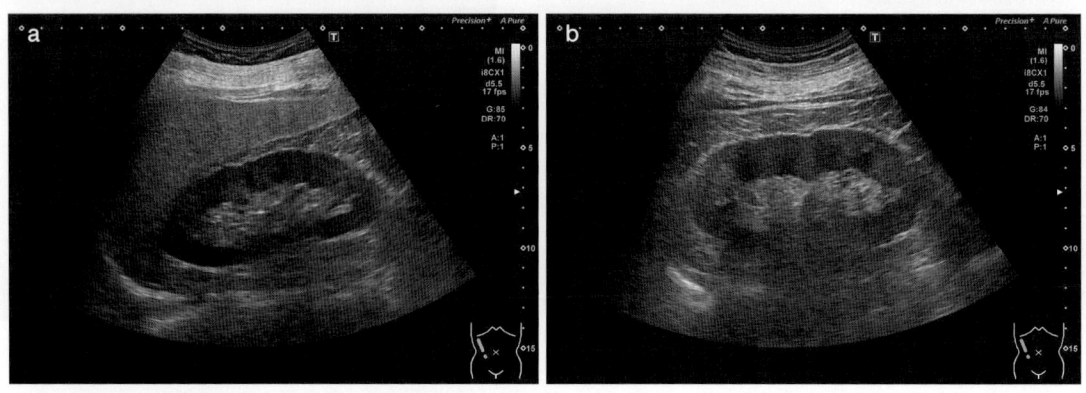

図 9　腎皮質評価時の注意点（脂肪肝の影響を少なくする）
50 代男性．
a：肝臓を介して右腎を描出している．
b：1 肋間下げて肝臓が入らないように描出している．a に比べて皮質輝度が高く，髄質も明瞭である．腎実質の評価をする際には，b のような画像を描出することを心がける．

3．腎実質の異常所見

　腎サイズ（萎縮の有無）が機能推測には重要であるが，腎門部（腎洞）に脂肪が入り込むことで，見かけ上はサイズの萎縮がみられないものがあり，腎皮質の菲薄化や皮質輝度の上昇を評価することが重要となっている．

　脂肪肝が存在する場合は，エコー減衰にて右腎実質のエコーレベルが過小評価されることがあるため，腎実質の評価を行う際には，肋間を下げて検査するなど，肝など周囲の影響が少なくなるように走査する（図 9）．

1）慢性腎臓病　　chronic kidney disease：CKD（図 10）

　糸球体濾過量（GFR）が次第に低下した結果生じる病態であり，推算糸球体濾過量（eGFR）などを基準にして重症度分類が行われている．原因には原発性腎疾患（慢性糸球体腎炎，腎盂腎炎，多発性嚢胞腎，腎結核など）や，続発性腎疾患（糖尿病，痛風，アミロイドーシス，SLE など）があり，近年は糖尿病を原因とするものが増加している．

　重症度が進むにつれて，超音波検査では腎皮質エコー輝度の上昇，腎皮質の菲薄化，腎の萎縮，後天性腎嚢胞性疾患や石灰化などがみられる．糖尿病で肥満状態の場合には，腎洞に脂肪が蓄積し，皮質は菲薄化していても全体の腎サイズが基準範囲内であることがあり，サイズだけで判断しない

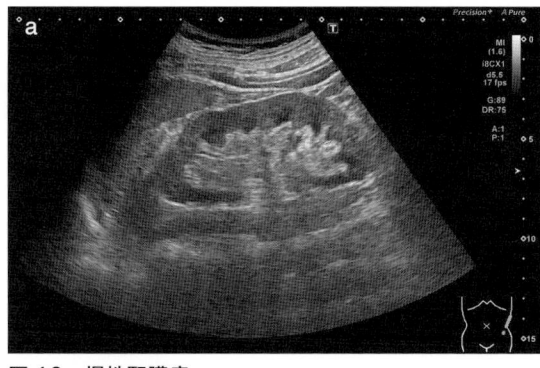

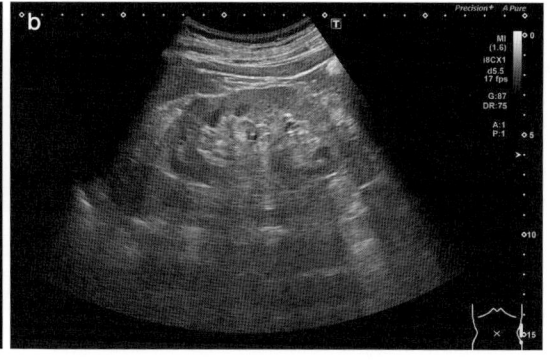

図 10　慢性腎臓病
60 代男性.
a：糖尿病，高血圧および蛋白尿にて治療中．eGFRcreat（血清クレアチニンを用いた eGFR）は 34.0 mL/min/1.73 m^2 と CKD 重症度分類では G3b であった．左腎サイズは 107×47 mm 大と基準範囲内であるが，皮質エコー輝度の軽度上昇を認める．
b：約 3 年後，eGFRcreat は 7.6 mL/min/1.73 m^2 まで低下し，CKD 重症度分類では G5（末期腎不全）の診断となる．左腎サイズは 85×44 mm 大と萎縮傾向を示し，皮質エコー輝度の上昇を認める．

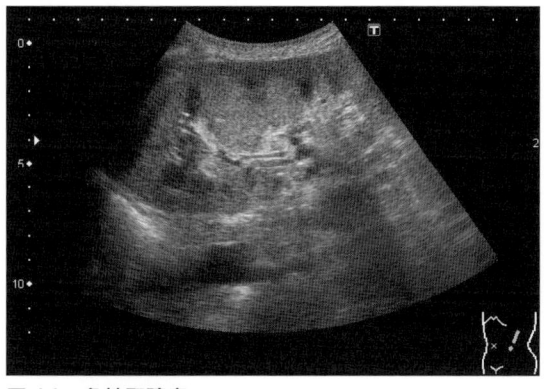

図 11　急性腎障害
60 代女性．糖尿病の治療中に，食欲低下によるインスリン過量にて低血糖昏睡をきたし，脱水・ショック状態にて搬送された．クレアチニンは 3.2 mg/dL であった．左腎の腫大（123×63 mm 大）および皮質エコー輝度の上昇を認める．

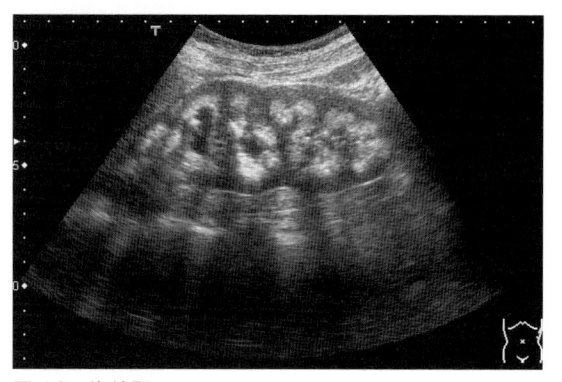

図 12　海綿腎
50 代女性．左腎髄質が高エコー輝度に描出され，髄質のいくつかは内部に strong echo を認める．両腎とも同様の所見を呈していた．

ように注意が必要である．

2）急性腎障害　acute kidney injury：AKI（図 11）
短期間に腎機能が急速に低下した状態の総称で，急激に腎機能が低下することにより，無尿，乏尿，クレアチニンの上昇などが起こる．その多くは適切な治療を受ければ腎機能は回復する．
①腎前性：ショックによる低血圧・腎動脈狭窄などの循環障害など．
②腎　性：ショックによる虚血，急性尿細管壊死，急速進行性糸球体腎炎，溶血性尿毒症症候群，挫滅症候群，薬剤性など．
③腎後性：尿路結石，悪性腫瘍などによる両側尿路の閉塞が原因で腎盂内圧が上昇した場合など．
腎性の場合は，超音波検査で腎腫大や皮質エコー輝度の上昇を認めることが多い．

髄質の異常としては，髄質が高輝度を呈する hyperechoic medulla 所見を認めることがあり，その原因は海綿腎，痛風腎，尿細管性アシドーシスなど様々である．

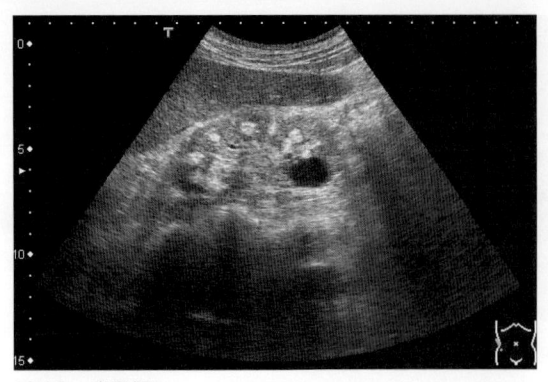

図13　痛風腎
60代男性．高尿酸血症で経過観察中．右腎髄質に一致してstrong echoの集簇を認める．下極には囊胞もみられる．

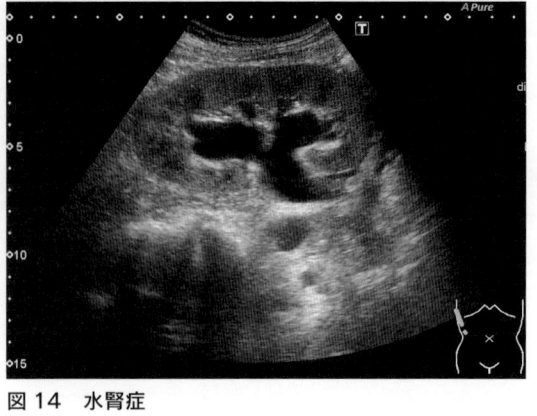

図14　水腎症
70代女性．右腎盂が拡張し，腎杯の一部もわずかに拡張している．拡張した腎盂内は無エコーである．下部尿管の屈曲による水腎症であった．

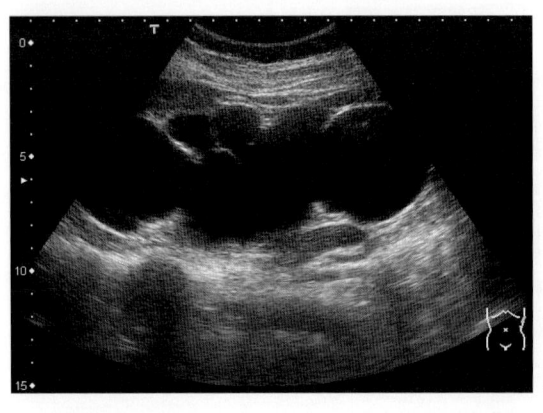

図15　水腎症（高度）
50代女性．左腎盂が高度に拡張しており，腎実質はほとんど描出されない．無機能腎の状態と考えられる．

3）海綿腎　medullary sponge kidney（図12）

集合管の多発性囊胞拡張により髄質部分が高エコー輝度に描出される．両側性に認められ，拡張した集合管に石灰化や結石が形成されることが多い．石灰化の進行した例では，痛風腎（gouty kidney, 図13）と類似したエコー像を呈することもある．

4．腎盂・腎洞部の異常所見

1）水腎症　hydronephrosis（図14, 15）

尿の通過障害により腎盂腎杯が拡張した状態であり，腎盂から尿管まで拡張しているものは水腎水尿管症とよばれる．

生理的拡張と区分するために，超音波検査では腎盂（中心部エコー像）が10 mm以上拡張したもの（乳幼児では6 mm以上）を水腎症と判定する．傍腎盂囊胞を水腎症と見誤らないように注意が必要である．高度の水腎症では，腎実質が菲薄化して腎は無機能化する．水腎症や水腎水尿管症を認めた場合には，拡張した腎盂や尿管を追跡走査して，結石や腫瘍，腎盂尿管移行部狭窄，後腹膜線維症や子宮内膜症などの周囲病変による狭窄などの原因を検索する．

水腎症例で腎被膜下に液体貯留を認めることがあるが，これは腎被膜下溢流や腎盂外溢流とよばれ，尿路結石などによる腎盂内圧の急激な上昇により腎杯円蓋部に微細な亀裂が生じて尿が腎盂外に流出するものである．

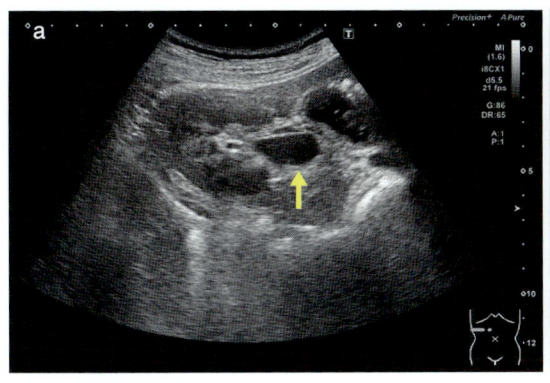

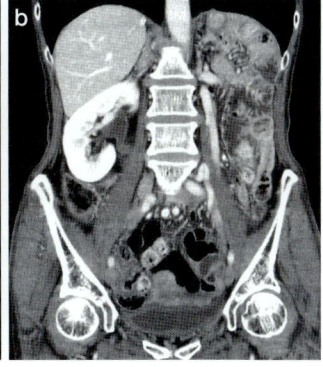

図16　腎外腎盂
70代女性.
a：右腎門部において腎外腎盂の拡張を認める（矢印）. 腎内腎盂の拡張はみられない.
b：CTでも右腎門部に限局した腎盂拡張像を認めるが，明らかな閉塞起点はみられない.

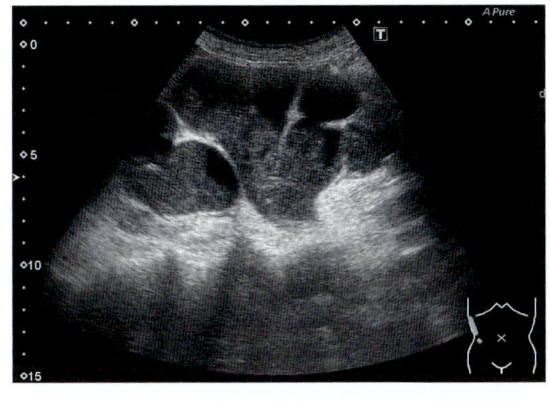

図17　膿腎症
70代女性. 高度の右腎盂拡張を認め，拡張した腎盂内に点状エコーの堆積がみられる.
　膀胱内にも多量のdebrisと結石を認めたため，カテーテルを挿入したところ多量の膿尿がみられた.

2）腎外腎盂　extrarenal pelvis（図16）

　腎外腎盂だけが部分的に拡張した状態であり，本来は形態異常の項に含まれるべきものであるが，水腎症との鑑別が必要なためこの項に記載する. 病的意義は少ないが，水腎症や傍腎盂嚢胞との鑑別が必要となる場合がある.
　超音波検査では，腎門部に限局した腎盂拡張像を認める.

3）膿腎症　pyelonephrosis（図17）

　遷延する水腎症において停滞した尿に感染をきたし，内容液が膿状となったものである. 全身投与での抗菌薬だけで治療するのが困難であり，敗血症の原因となりやすいため，早期に腎摘出術や経皮的ドレナージなどを行う必要がある.
　超音波検査では，拡張した腎盂内に点状エコーを認め，腎盂内壁の肥厚がみられることもある.

4）腎洞脂肪腫症　sinus lipomatosis（図18）

　腎洞に脂肪組織が蓄積した状態であり，腎実質が菲薄化傾向で，かつ内臓脂肪が多い場合にみられることが多い. ほとんどが両側性に認められる.
　超音波検査では，中心部エコー像内にやや低エコーな部分を認め，カラードプラ法では脂肪組織内を貫通する既存血管が描出される. 腎盂腫瘍との鑑別が必要な場合もあるため注意が必要である.

5. 腎結石・腎石灰化

1）腎結石　renal stone（図19）

　約90％は腎盂および腎杯に生じ，腎実質部の発生は少ない. 腎盂腎杯を鋳型状に結石が占める

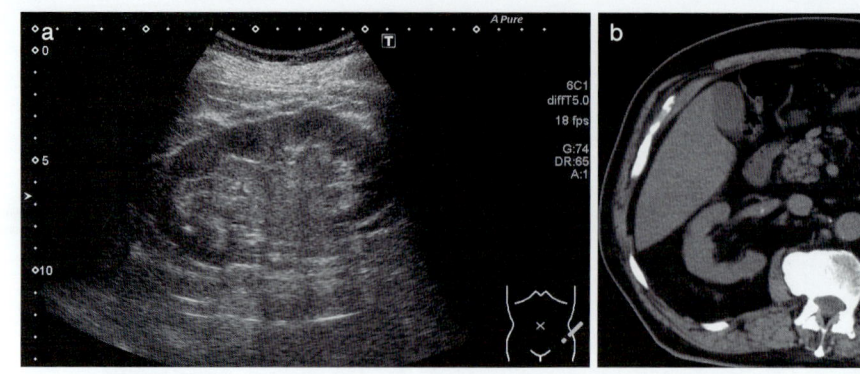

図 18　腎洞脂肪腫症
　70 代男性．
　a：左腎の中心部エコー像内を形取るような充実性エコーを認める．
　b：CT では腎洞部の脂肪組織（CT 値：－100 HU）が確認できる（矢印）．

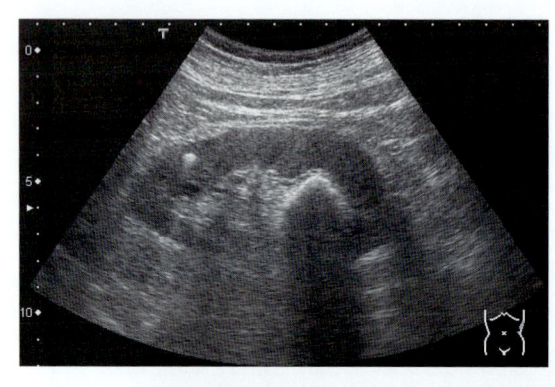

図 19　腎結石，腎石灰化
　60 代男性．左腎下極に音響陰影を有する strong echo を認め，結石が疑われる．上極には音響陰影を伴わない strong echo を認め，石灰化が疑われる．

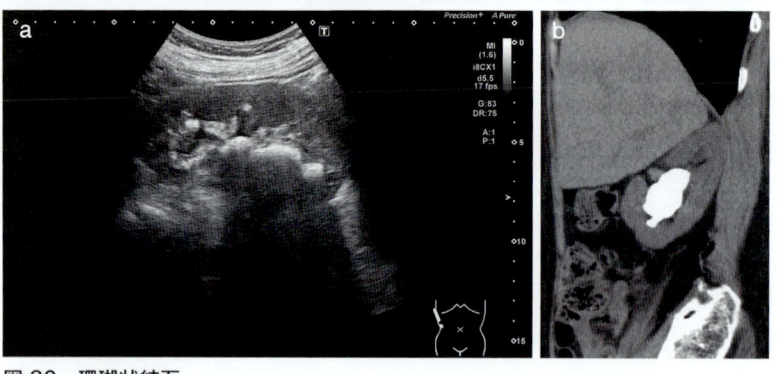

図 20　珊瑚状結石
　20 代女性．
　a：右腎中央から下極の腎盂内に塊状の strong echo を認める．その他にも strong echo が散見される．上極の腎盂が軽度拡張している．
　b：CT でも塊状の石灰化像を認め，珊瑚状結石と診断された．

　場合は珊瑚状結石（図 20）とよばれる．血尿と疼痛を主訴とするが，小さな腎結石は無症状のことが多い．シュウ酸カルシウム結石，リン酸カルシウム結石が約 80％ と多く，X 線陰性結石（約 10％）である尿酸結石，シスチン結石，キサンチン結石も超音波検査では描出可能である．
　超音波検査では，音響陰影を伴う strong echo を結石，伴わないものを石灰化と表現する．弓状動脈などの血管壁の反射を石灰化と見誤らないように注意が必要である．

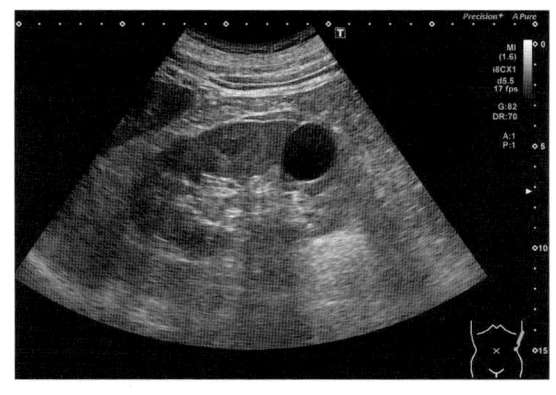

図21 腎嚢胞
60代男性．左腎下極の実質部に内部無エコーの嚢胞性腫瘤を認める．

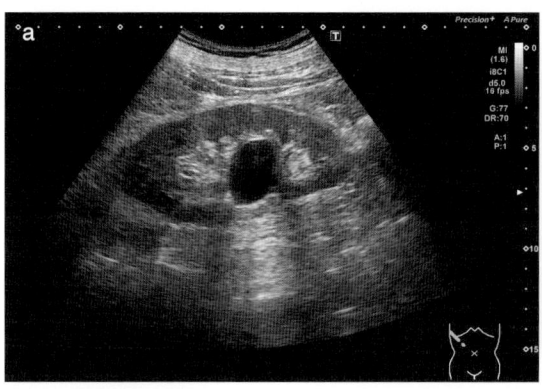

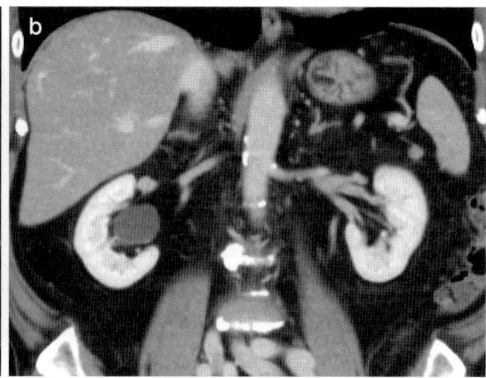

図22 傍腎盂嚢胞
60代男性．
a：右腎の中心部エコー像内に嚢胞性腫瘤を認める．
b：CTでも腎洞部に嚢胞と思われる結節を認める．

6. 腎の嚢胞性疾患

非遺伝性嚢胞性腎疾患として，先天性腎嚢胞（多嚢胞性異形成腎，多房性腎嚢胞，海綿腎），単純性腎嚢胞，複雑性腎嚢胞，傍腎盂嚢胞，腎杯憩室，後天性嚢胞性腎疾患（ACDK）などがある．

1）単純性腎嚢胞　renal cyst（いわゆる腎嚢胞）（図21）

尿細管由来とされ，内容は原尿に近い漿液様成分である．単発性または多発性に発生する．30歳以降加齢とともに単純性腎嚢胞の保有率は増加するため，加齢による発生および緩慢な増加増大傾向を有する病変と考えられる．

超音波検査では，類円形，嚢胞壁エコーは薄く，内部は無エコー，後方エコーの増強を伴う．

2）傍腎盂嚢胞　parapelvic cyst（図22）

腎盂近傍や腎洞部分に発生した嚢胞であり，狭義では腎洞から発生したリンパ管系の嚢胞を指すが，広義では腎洞に近い腎実質から腎洞側へ突出した単純性腎嚢胞も含まれる．傍腎盂嚢胞が腎盂を圧排することにより血尿の原因となることがあるため，単純性腎嚢胞とは区別すべき病変である．軽度の水腎症との鑑別が必要である．

3）腎杯憩室　calyceal diverticulum（図23）

腎杯と細い交通を有する憩室であり，腎杯近傍（髄質と中心部エコー像の境界付近）に描出される．多くは内部に石灰乳尿や小結石を伴うが，これは尿に含まれるカルシウム塩が沈殿や結石化をきたすためである．石灰乳尿は音響陰影に乏しく，多重反射様のcomet like echoを呈する．

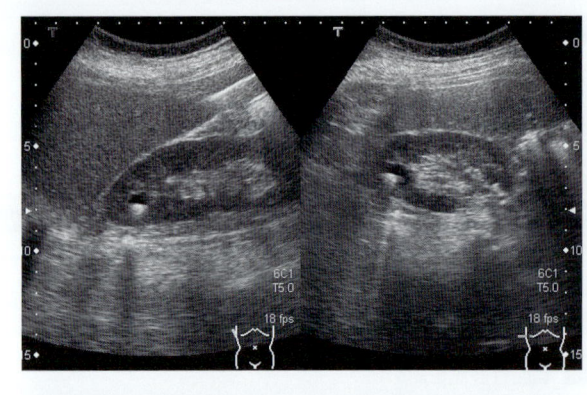

図23 腎杯憩室および石灰乳尿
60代女性．右腎上極には内部に strong echo を有する囊胞性腫瘤を認め，腎杯憩室内の石灰乳尿が疑われる．

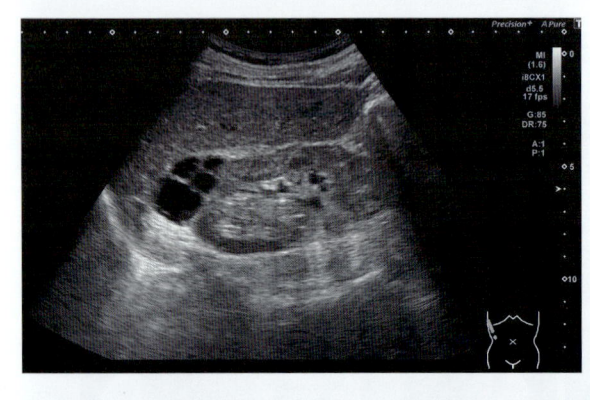

図24 複雑性腎囊胞
80代男性．右腎上極に複数の隔壁を有する囊胞性腫瘤を認める．

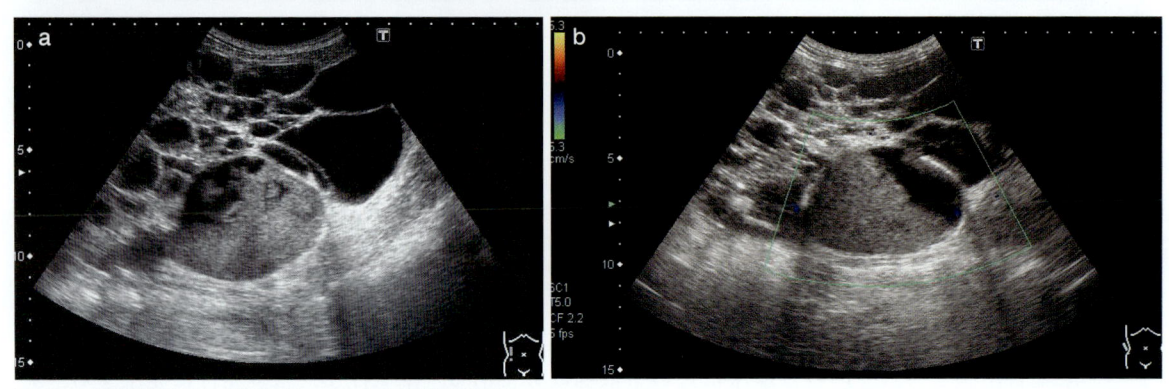

図25 複雑性腎囊胞（囊胞腎にみられた囊胞内出血）
50代男性．
a：右腎において多数の囊胞の一部に内部エコーを認める．
b：カラードプラ法にて明らかな血流シグナルは認めず，囊胞内出血が疑われる．

4）複雑性腎囊胞　complicated cyst（図24，25）

囊胞に隔壁を伴うもの，囊胞壁が石灰化したもの，内部に出血を伴うものなどが含まれる．囊胞内に隔壁を認めた場合，隔壁の厚みや不同性についてもコメントする．充実性腫瘤との鑑別が困難な場合には，カラードプラ法で内部の血流評価を行う．後天性腎囊胞（ACDK）や囊胞腎では，囊胞内出血をきたす場合が多いが，腎細胞癌の発生率も高いため，注意深い観察が必要である．腎囊胞性腫瘤の画像診断における良悪性評価に Bosniak 分類が用いられることがあるが，これは造影CT所見がベースとなっており（造影MRI所見も含めた定義の見直しが議論されている），超音波所見ベースではないことに注意したい．

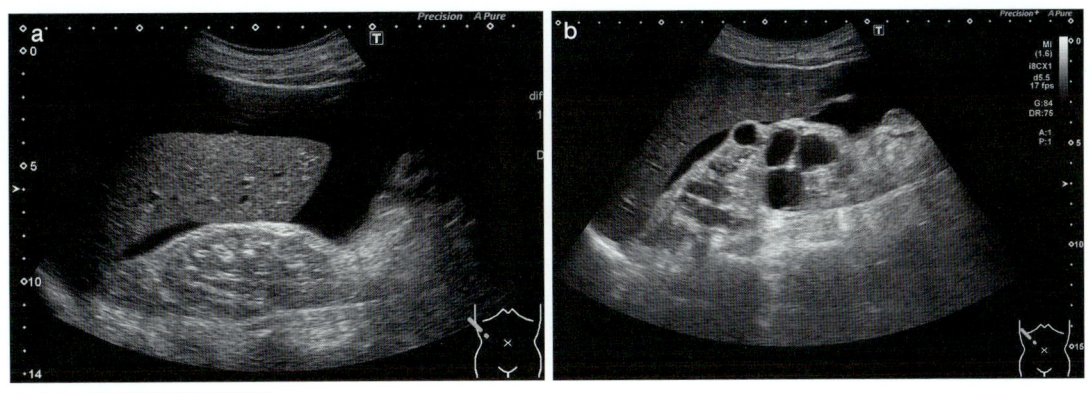

図26 後天性嚢胞性腎疾患
70代男性.
a：末期腎不全にて腹膜透析中. 右腎は75×38 mm大と萎縮し, 皮質の菲薄化やエコー輝度上昇がみられる.
b：5年後の超音波像. 右腎に多数の嚢胞を認め, 後天性嚢胞性腎疾患と診断された.

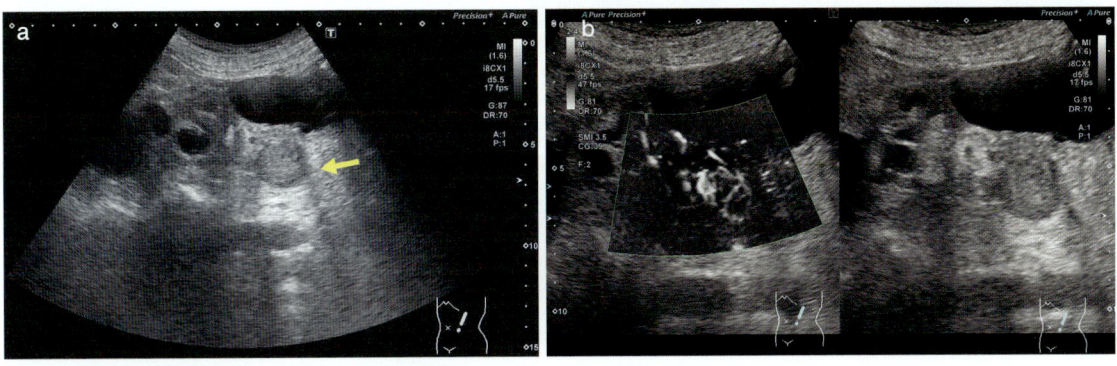

図27 後天性嚢胞性腎疾患に発生した腎細胞癌
80代女性.
a：左腎に多数の嚢胞性腫瘤を認め, 下極には27×24 mm大の充実性腫瘤を認める（矢印）.
b：高感度カラードプラ法にて充実性腫瘤内に血流シグナルを認める.

5）後天性嚢胞性腎疾患　acquired cystic disease of the kidney：ACDK（図26, 27）

多嚢胞化萎縮腎や後天性嚢胞腎ともよばれ, 血液透析などを導入中の慢性腎不全に発生した腎嚢胞を指し, 経年的に嚢胞の増加や増大傾向がみられる.

このため超音波検査では, 嚢胞の数だけでなく, 嚢胞の最大径を計測して前回と比較できるような画像を記録することが重要である. また, 嚢胞内に感染や出血をきたしやすく, 腎細胞癌の発生率も高いため, カラードプラ法を併用して注意深い観察が必要である.

6）多嚢胞性異形成腎　multicystic dysplastic kidney：MCDK（図28）

正常なネフロンや腎盂が形成されず（無機能）, ブドウ房状の多数の嚢胞が生じる先天性疾患である. ほとんどが片側性であるが, その対側腎にも水腎症や膀胱尿管逆流現象などの異常を認めることが多い. 嚢胞は自然に退縮することが多いため, 保存的に観察される.

胎児超音波検査時に発見されることが多く, 超音波検査上も大小多数の嚢胞性腫瘤を認め, いわゆる腎実質構造は描出されない.

遺伝性嚢胞性腎疾患として, いわゆる嚢胞腎とよばれる常染色体優性多発性嚢胞腎の他, 常染色体劣性多発性嚢胞腎, ネフロン癆などがある.

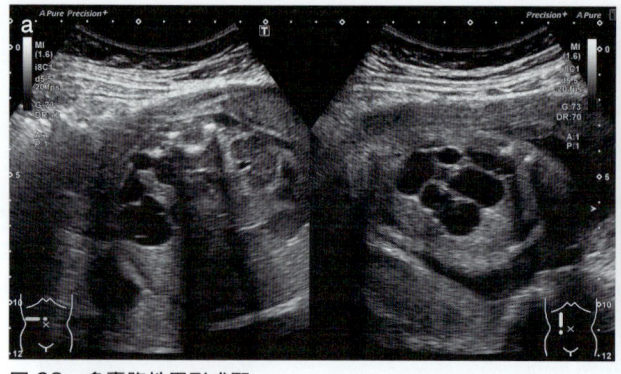

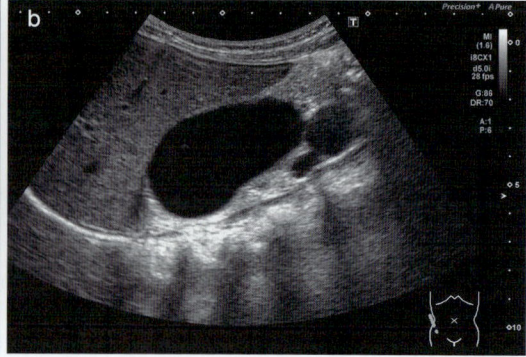

図 28　多囊胞性異形成腎
a：胎児エコー（31 週時）にて右腎に多房性囊胞性腫瘤を認める.
b：同一患者の幼児期の超音波像. 右腎は複数の囊胞性腫瘤からなり, 腎実質は確認できない.

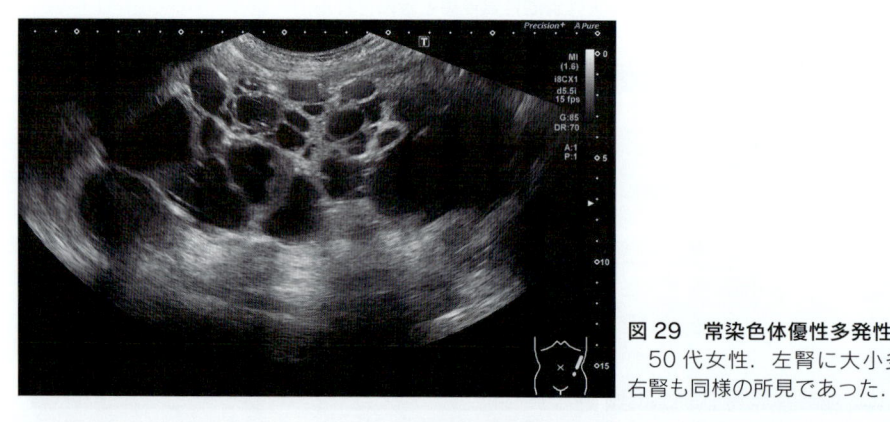

図 29　常染色体優性多発性囊胞腎
50 代女性. 左腎に大小多数の囊胞性腫瘤を認める.
右腎も同様の所見であった.

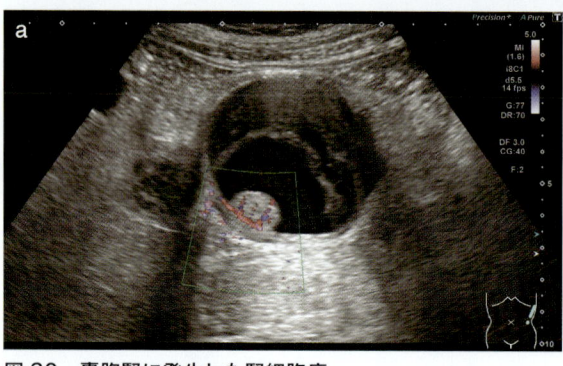

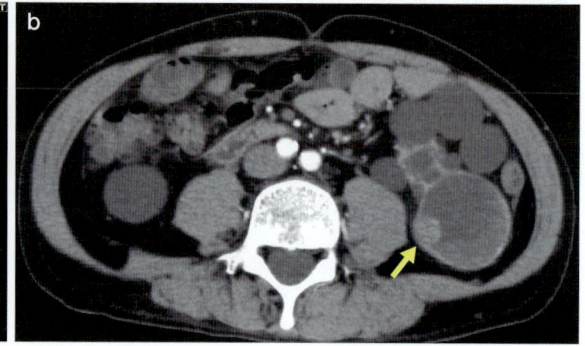

図 30　囊胞腎に発生した腎細胞癌
50 代男性.
a：左腎下極の囊胞の内部に隆起性腫瘤を認める. カラードプラ法にて腫瘤内に血流シグナルがみられ, 悪性腫瘍が強く疑われる. また, 囊胞内には層状の凝血塊様エコーを認める.
b：CT でも隆起部に造影効果がみられ, 悪性腫瘍が疑われる（矢印）.

7）常染色体優性多発性囊胞腎　autosomal dominant polycystic kidney disease：ADPKD（図 29, 30）

　遺伝性腎疾患のなかでは最も頻度の高い疾患であり, PKD1 遺伝子（第 16 番染色体短腕）と PKD2 遺伝子（第 4 番染色体長腕）の 2 つの原因遺伝子が明らかとなっている. 両腎に多数の囊胞が進行性に発生・増大し, 随伴して腎機能が低下していき, 最終的に腎不全に至る. 囊胞だけでなく石灰化もみられる. 囊胞内に出血をきたしやすく, 腎細胞癌の発生率も高いため, 注意深い観

察が必要である．

　超音波検査では，おおよその腎全体の体積を求めるため長径，短径，厚みを計測するが，全体計測が困難な場合には，囊胞の最大径を計測して経過観察を行う．また，囊胞に内部エコーが認められる場合には，それが出血なのか腫瘍なのかを鑑別することが重要であり，特に高感度カラードプラ法を用いた内部血流シグナルの評価が有用である．

8）常染色体劣性多発性囊胞腎　autosomal recessive polycystic kidney disease：ARPKD

　PKHD1 遺伝子（第 6 番染色体短腕）が原因遺伝子として特定されている．大部分は新生児期に症候を示し，肺の低形成を伴う児の多くは出生直後に死亡する．

　超音波検査では，多数の微小囊胞による散乱のために，腎皮質の高輝度化を伴う腎腫大所見としてとらえられることが多い．

7．腎の充実性腫瘤

1）血管筋脂肪腫　angiomyolipoma（図 31 ～ 33）

　組織学的に血管，平滑筋，脂肪組織からなる良性腫瘍である．ほとんどは単発性で無症状であるが，増大により圧迫症状や腫瘍内に発生する動脈瘤破裂などの危険性が高まるため，腫瘍サイズ 4 cm 程度が治療対象の目安となる．一般的な治療としては，血管カテーテルを用いた塞栓術が施行

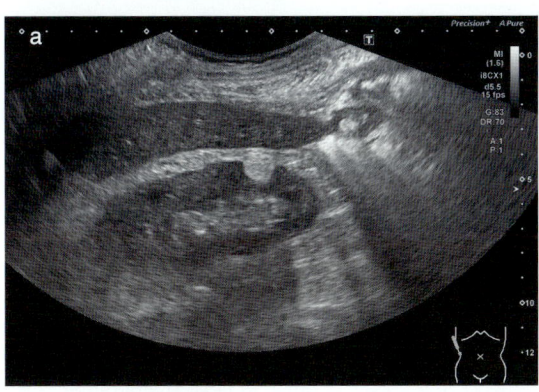

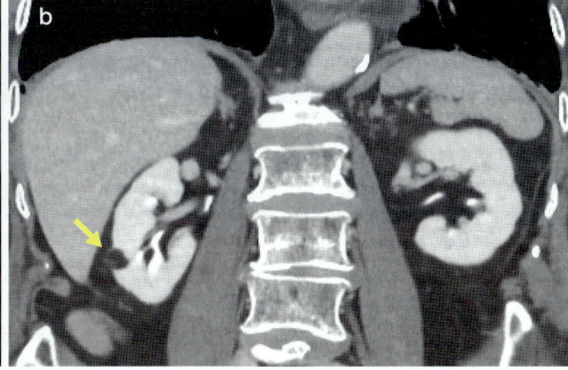

図 31　腎血管筋脂肪腫
80 代女性．
a：右腎下極に一部突出する高エコー腫瘤を認める．
b：CT でも脂肪性の結節を認め，腎血管筋脂肪腫が疑われる（矢印）．

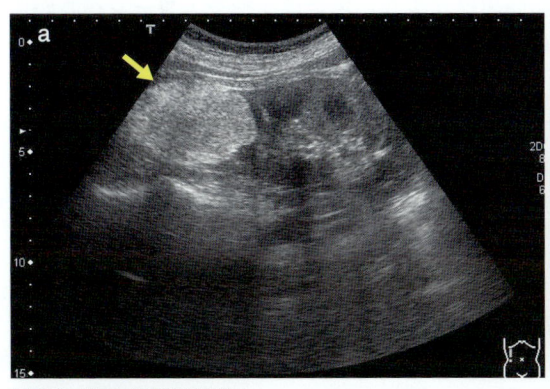

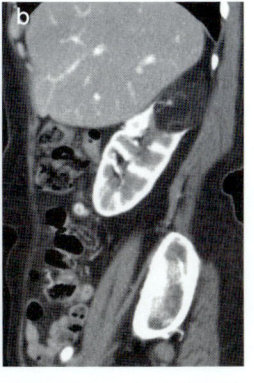

図 32　腎血管筋脂肪腫
60 代女性．
a：右腎上極に beak sign を有する高エコー腫瘤を認める（矢印）．
b：造影 CT では脂肪性の結節内に血管構造がみられる．

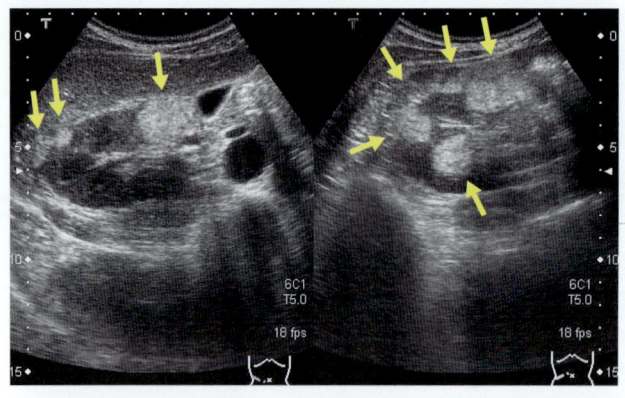

図33 腎血管筋脂肪腫の多発例（多発性硬化症）
40代女性．右腎内に多数の高エコー腫瘤を認める（矢印）．

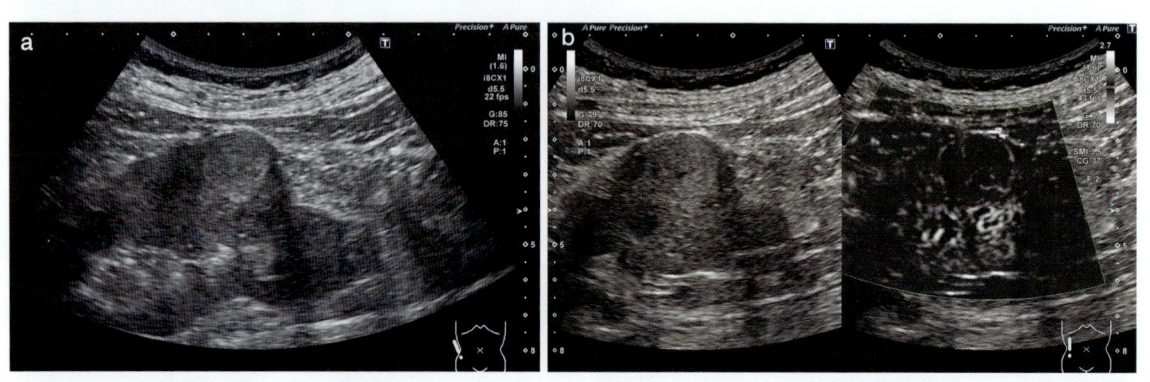

図34 オンコサイトーマ
60代女性．
a：右腎に20mm大の高エコー腫瘤を認める．
b：高感度カラードプラ法にて腫瘤辺縁および内部に血流シグナルを認め，腎細胞癌が疑われる．
　CTでも腎細胞癌に矛盾しない所見であり，部分切除術を施行した．病理組織でオンコサイトーマと診断された．

される．結節性硬化症患者では60〜80％に腎血管筋脂肪腫の合併を認め，両側性かつ多発性であることが多い．また，ごくまれではあるが，上皮様細胞が多いものは類上皮性血管筋脂肪腫とされ，局所再発や転移といった悪性所見を有することがある．
　超音波検査では，類円形で境界明瞭な高エコー腫瘤（きわめて高いエコーレベル）として認められ，サイズが増大すると内部不均一となる．カラードプラ法では，腫瘤内にスポット状や線状の血流シグナルを認めることが多い．脂肪組織が少ない場合は，ややエコーレベルが低くなり腎細胞癌との鑑別が必要となるため，高感度カラードプラ法での詳細な血流観察や他画像検査での精査が重要となる．

2) オンコサイトーマ　oncocytoma（図34）

　好酸性腺腫ともよばれ，腎臓の他に唾液腺や甲状腺などにも発生する．腎臓では同じ遠位尿細管由来の嫌色素性腎細胞癌との類似点が多く，嫌色素性腎細胞癌のオンコサイトーマ様亜型や両者のハイブリッド腫瘍も存在するため，治療は腎細胞癌に準じたものとなる．両側にみられる場合もある．
　超音波検査では，Bモード上，高エコー，低エコー，混在型，多房性囊胞様など多様なパターンを呈し，カラードプラ法での血流シグナルも乏しいものから豊富なものまで様々であり，超音波検査による鑑別はきわめて困難である．

3) 腎細胞癌　renal cell carcinoma（図35〜38）

　多くは近位尿細管が発生母地とされる．60〜70代に好発し，男女比は2〜3：1と男性に多く

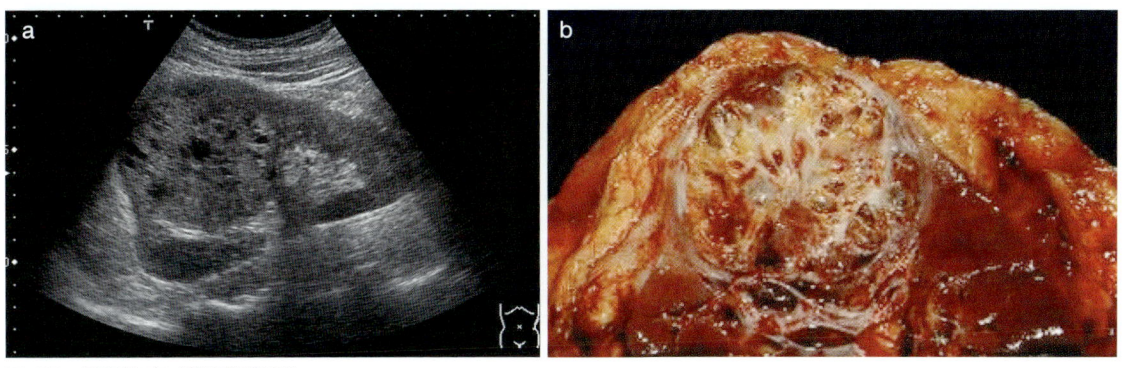

図 35　腎細胞癌（淡明細胞型）
　40 代男性.
　a：左腎上極から中央部にかけて 75×70 mm 大の腫瘤性病変を認め，中心部エコー像を圧排している．腫瘤内部には多数の囊胞域がみられる．
　b：摘出腎の腫瘍割面では，腫瘍内の囊胞部や出血部がみられる．

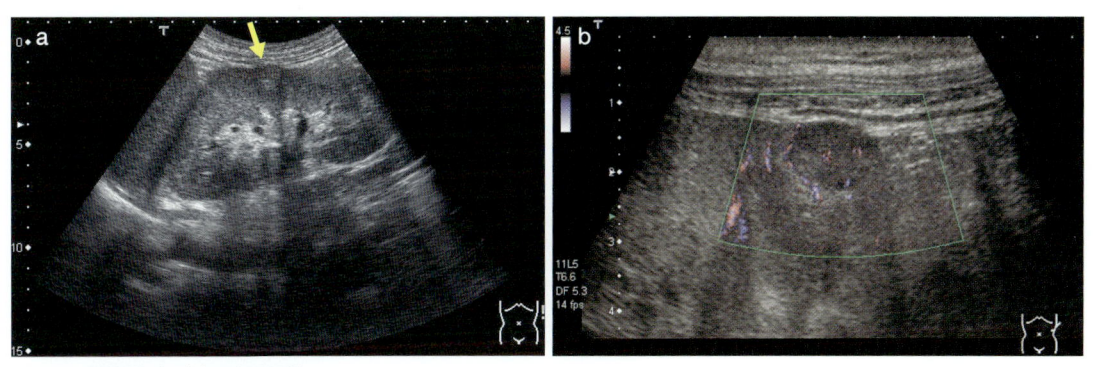

図 36　腎細胞癌（淡明細胞型）
　60 代女性.
　a：左腎中央の実質部に 13 mm 大の等～高エコー腫瘤を認める（矢印）．
　b：高周波リニアプローブで観察すると，腫瘤内に血流シグナルが確認される．

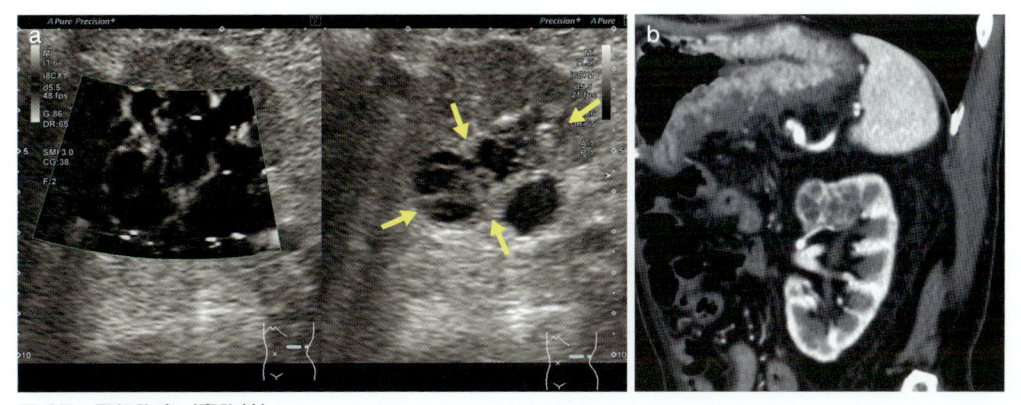

図 37　腎細胞癌（囊胞性）
　60 代男性.
　a：左腎上極に多房性囊胞性腫瘤を認め（矢印），高感度カラードプラ法にて囊胞隔壁に血流シグナルがみられる．
　b：CT でも多房性の囊胞構造を認め，隔壁様構造がやや厚く造影されており，Bosniak 分類カテゴリーⅢ（悪性の可能性あり）とされた．
　　左腎摘出術が施行され，病理組織では多房囊胞性腎細胞癌と診断された．

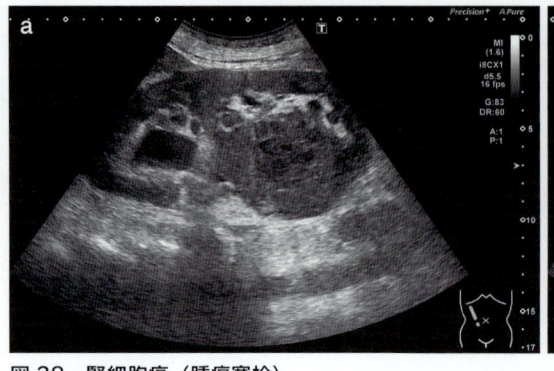

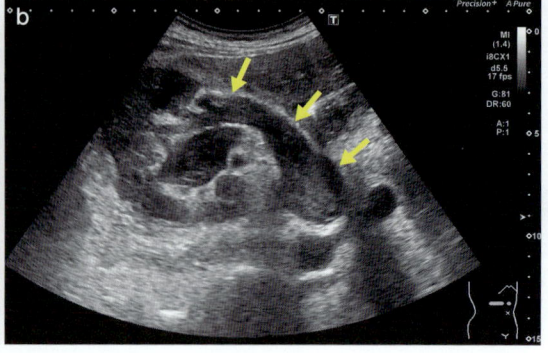

図 38 腎細胞癌（腫瘍塞栓）
40 代男性.
a：右腎下極に境界不明瞭，内部エコー不均一な充実性腫瘤を認める．中心部エコー像を圧排している．また，上極側の腎盂が拡張している．
b：腫瘤は右腎静脈から下大静脈まで連続しており，腫瘍塞栓と考えられる（矢印）．

表 1 病理組織学的 TNM 分類

pT—原発腫瘍
 pTX 原発腫瘍の評価が不可能
 pT0 原発腫瘍を認めない
 pT1 最大径が 7 cm 以下で，腎に限局する腫瘍
  pT1a 最大径が 4 cm 以下
  pT1b 最大径が 4 cm を超えるが 7 cm 以下
 pT2 最大径が 7 cm を超え，腎に限局する腫瘍
  pT2a 最大径が 7 cm を超えるが 10 cm 以下
  pT2b 最大径が 10 cm を超え，腎に限局する
 pT3 主静脈または腎周囲組織に進展するが，同側への副腎への進展がなく Gerota 筋膜を越えない腫瘍
  pT3a 腎静脈やその区域静脈に進展する腫瘍，または腎盂腎杯システムに浸潤する腫瘍，
    または腎周囲および／または腎洞（腎盂周囲）脂肪組織に浸潤するが，Gerota 筋膜を越えない腫瘍
  pT3b 横隔膜下の下大静脈内に進展する腫瘍
  pT3c 横隔膜上の大静脈内に進展，または大静脈壁に浸潤する腫瘍
 pT4 Gerota 筋膜を越えて浸潤する腫瘍（同側副腎へ連続的進展を含む）

pN—領域リンパ節
 pNX 領域リンパ節の評価が不可能
 pN0 領域リンパ節転移なし
 pN1 領域リンパ節転移あり

pM—遠隔転移（病理学的に確認された場合のみ記載する）
 pM1 遠隔転移あり（副腎合併切除や転移巣切除術で確認しえた場合のみ記載）

みられる．病理組織学的にいくつかの細胞型に分類されるが，なかでも淡明細胞型腎細胞癌（80％），乳頭状腎細胞癌（10％），嫌色素性腎細胞癌（5％）の 3 型が多い．腫瘍が増大すると内部に出血をきたし，腎静脈や下大静脈に腫瘍塞栓を形成する他，Gerota 筋膜をこえて他臓器へ浸潤することもある．遠隔転移としては，肺，骨，肝臓への転移が多く，まれに頭部への転移もみられる．病理組織学的に検索を行った場合は TNM 分類にて腫瘍進展の程度を表す（**表 1**）．
　超音波検査では，等～やや高エコーな充実性腫瘤として描出され，サイズが大きいものは内部の囊胞部分や不均一が認められる．カラードプラ法では腫瘍内に豊富な血流シグナルを認めることが多いが，これは淡明細胞型の割合が高い影響であり，嫌色素性ではさほど血流シグナルは豊富ではなく，乳頭状や Xp11.2 型のように血流シグナルの乏しいタイプのものもあり注意が必要である．腫瘤を認めた場合には，腎静脈や下大静脈への腫瘍塞栓，腎盂浸潤，他臓器浸潤，腎門部リンパ節

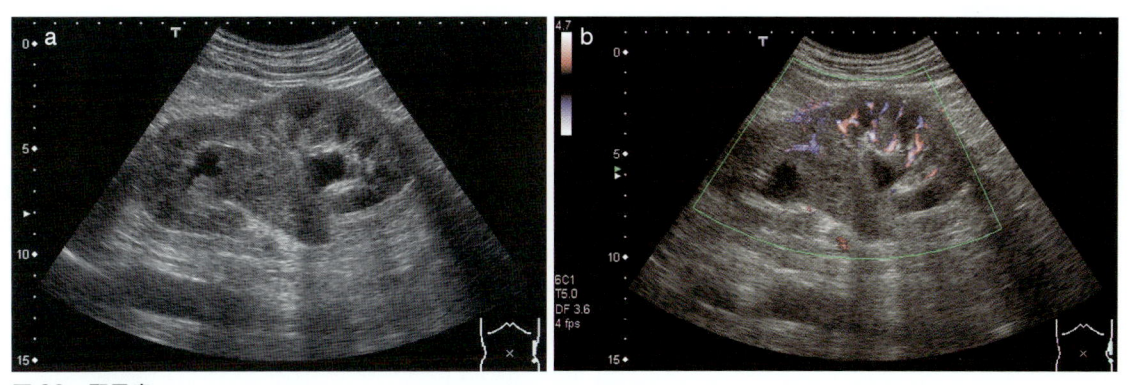

図 39　腎盂癌
50 代男性.
a：左腎盂内に充実性腫瘤を認める．腎盂の軽度拡張もみられる．
b：カラードプラ法にて腫瘤部分は血流シグナルが乏しい．

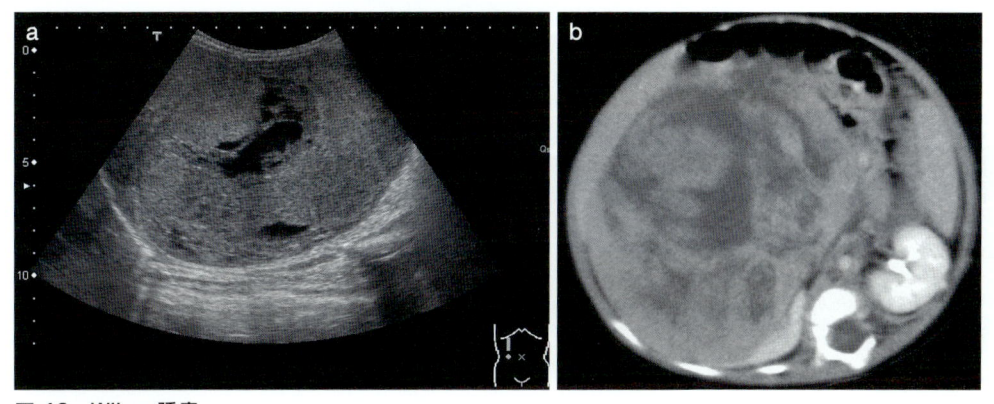

図 40　Wilms 腫瘍
5 カ月男児.
a：右腎相当位に 125×90 mm 大の高エコー腫瘤を認め，内部エコー不均一で囊胞性部分もみられる．
b：CT でも右腎の位置に巨大腫瘤を認め，内部は不均一で囊胞形成や壊死が疑われる．
　　右腎摘出術を施行し，病理組織で Wilms 腫瘍と診断された．

腫脹の有無などを確認する．

4）腎盂癌　renal pelvic carcinoma（図 39）

尿路上皮細胞（移行上皮細胞）より発生することが多く，高齢者に多い傾向がある．

超音波検査では，腫瘤部のエコーレベルは腎皮質と同程度の場合が多く，サイズが小さいものは中心部エコー像内に類円形や楕円形の充実性腫瘤像を呈し，増大すると腎盂形状をなぞったような充実性腫瘤として描出され，腫瘤近傍に拡張した腎盂や腎杯がみられることもある．さらに進行すると腎実質に浸潤する場合もある．カラードプラ法では腫瘤内の血流シグナルが乏しいという特徴がみられる．まれに腎洞脂肪腫症が腫瘤様に描出されることがあり，腎盂癌との鑑別が必要となる．

5）Wilms 腫瘍（図 40）

腎芽腫ともよばれており，胎児期の後腎芽細胞を発生母地とする腫瘍である．多くは 5 歳以下にみられる．5％程度の頻度で両腎に発生する（時間差を伴うこともある）．腹部腫瘤や腹痛，血尿で発見されることが多く，軽度の腹部打撲でも腫瘍被膜が破れ，腫瘍内の出血や激痛の原因になる．肺や肝に転移しやすい特徴がある．

超音波検査では，内部エコー不均一な巨大な充実性腫瘤を認め，腎実質の一部が辺縁に圧排され

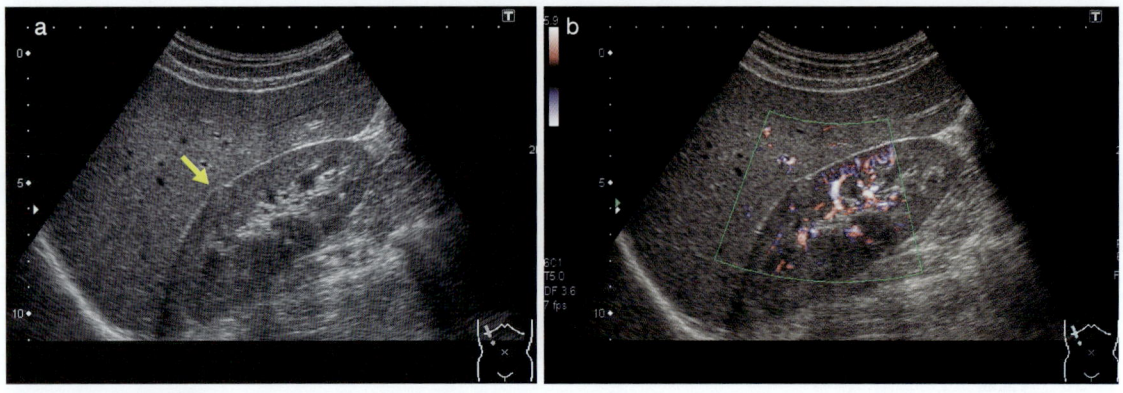

図 41　転移性腎腫瘍
50 代男性．右上葉小細胞肺癌で放射線治療中．腫瘍マーカー高値のため転移検索目的に腹部超音波検査を施行．
a：右腎中央にやや突出する等エコー腫瘤を認める（矢印）．
b：カラードプラ法では，腫瘍は周囲の腎実質に比べて血流シグナルが乏しい．

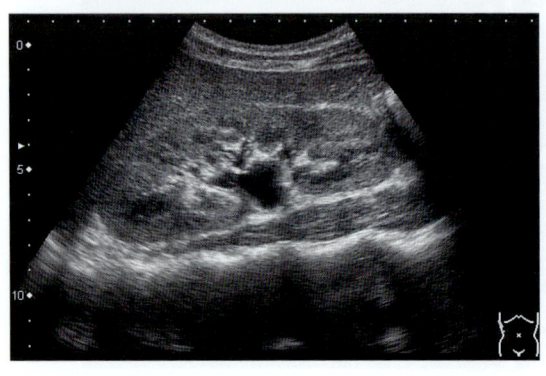

図 42　腎盂腎炎
20 代女性．右腎盂は軽度拡張し，腎盂壁の軽度肥厚がみられる．腎サイズは 114×48 mm 大と基準範囲内である．

偏位して認められることが多い．

6）転移性腎腫瘍　metastatic renal tumor（図 41）

多くは血行性転移によるもので，肺癌や乳癌，消化器の癌などが原発巣であることが多い．両側性に腫瘍がみられることもある．

超音波検査では，低〜等エコー腫瘤として描出されることが多いが，腎細胞癌に比べて境界不明瞭であり，カラードプラ法では腫瘍内部の血流シグナルは乏しいことが多い．

8. 腎の炎症性疾患

1）腎盂腎炎　pyelonephritis（図 42）

腎の炎症性疾患で最も多く，腎盂腎杯および腎実質の細菌感染により引き起こされる．ほとんどは膀胱からの上行性感染であるが，まれにリンパ行性や血行性感染もみられる．10〜30 代の女性に多い．男性では前立腺疾患が増加する 50 歳以後に発症することが多い．

超音波検査では，腎の軽度腫大，腎盂の軽度拡張や腎盂内壁の軽度肥厚像を認めることがあるが，軽症例では超音波検査で有意所見をとらえられないこともある．

2）急性限局性細菌性腎炎　acute focal bacterial nephritis：AFBN（図 43）

急性巣状細菌性腎炎や急性局所性細菌性腎炎ともよばれ，腎盂腎炎が進行して腎実質に区域性の炎症をきたしたものである．幼児〜学童（特に膀胱尿管逆流症）に多く，成人では基礎疾患（糖尿病，肝硬変，悪性腫瘍，膀胱尿管逆流，神経因性膀胱，ステロイド投与など）が背景にあることが多い．

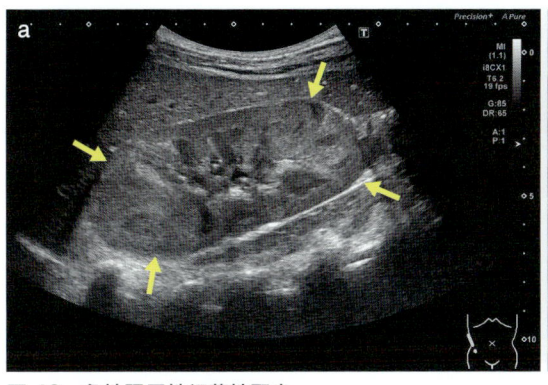

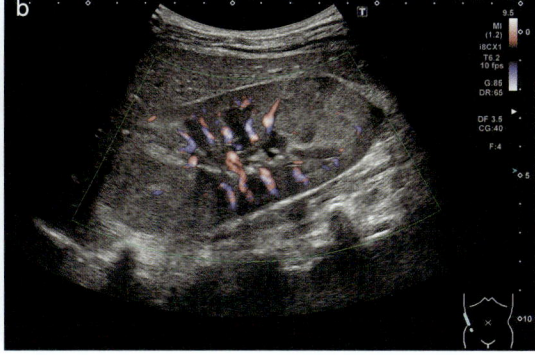

図43　急性限局性細菌性腎炎
7歳男児．
a：右腎上極と下極に境界やや不明瞭な高エコー域を認める（矢印）．
b：カラードプラ法では高エコー域に血流シグナルの乏化を認め，AFBNが疑われる．
　　抗菌薬投与により，3週間後にはほとんど消失した．

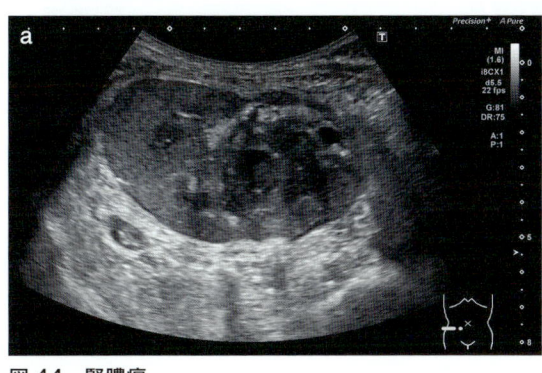

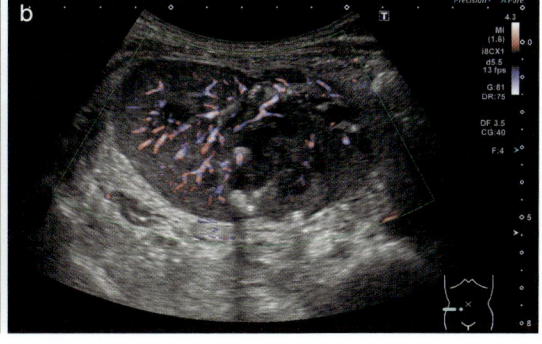

図44　腎膿瘍
60代女性．
a：右腎下極に形状不整，境界やや不明瞭な低エコー腫瘤を認め，内部は一部液状化している．腎被膜下にもご
　く少量の液体貯留がみられる．
b：カラードプラ法では腫瘤部に明らかな血流シグナルを認めず，膿瘍が疑われる．

　超音波検査では，病変部は楔状または区域性の等～高エコー域，または低エコー域として描出される．カラードプラ法では周囲に比べて病変部の血流シグナルの乏化がみられる．一部でも液状化した病変部は腎膿瘍と表現され，AFBNとは区別される．

3）腎膿瘍　renal abscess（図44）

　腎実質内に限局して膿が貯留したものを指し，進行して被膜下や腎周囲腔に膿瘍を形成したものは，腎周囲膿瘍とよばれる．大部分は上行性感染（急性腎盂腎炎からの移行）であるが，黄色ブドウ球菌による血行性感染や，リンパ行性感染も原因となりうる．糖尿病，膀胱尿管逆流，尿路結石や前立腺肥大による排尿障害，神経因性膀胱などの基礎疾患が存在することが多い．

　超音波検査では，腎実質内に境界やや不明瞭な高エコー部や低エコー部など，病期によって多彩な像を呈するが，液状部分を伴っているのが特徴である．

4）気腫性腎盂腎炎　emphysematous pyelonephritis（図45）

　急性腎盂腎炎の劇症型とされ，腎実質や腎盂，腎杯，腎被膜下にガスを認める．症例の大部分は糖尿病を合併している．進行が早く，早期から敗血症となりやすいため緊急を要する疾患である．気腫性腎盂腎炎の発生機序として，大腸菌などのガス産生性グラム陰性桿菌の存在，細菌が繁殖しやすい免疫低下状態，通性嫌気性菌が発酵しやすい高血糖状態，組織の虚血によるガスの停滞など

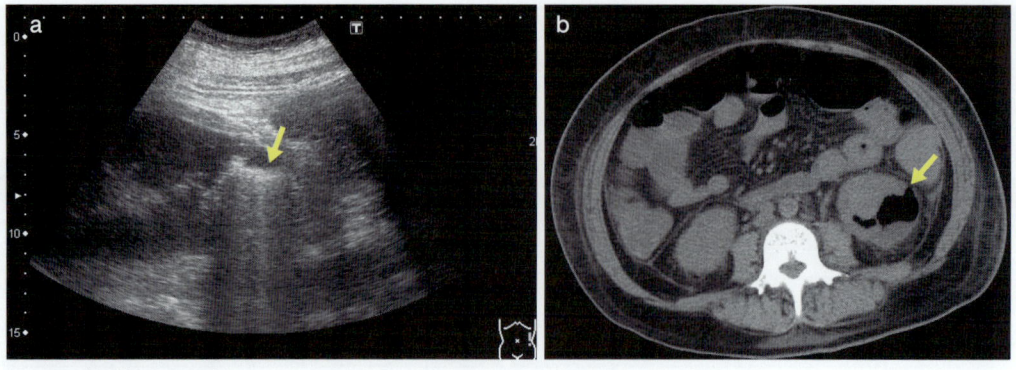

図45 気腫性腎盂腎炎
50代女性．糖尿病で治療中．尿培養で大腸菌が検出されている．
a：左腎下極に尾引き像を伴う高エコー像を認め（矢印），ガスの存在が疑われる．
b：CTでは左腎内にガスの貯留像を認める（矢印）．左腎周囲脂肪組織のケバ立ちもみられる．

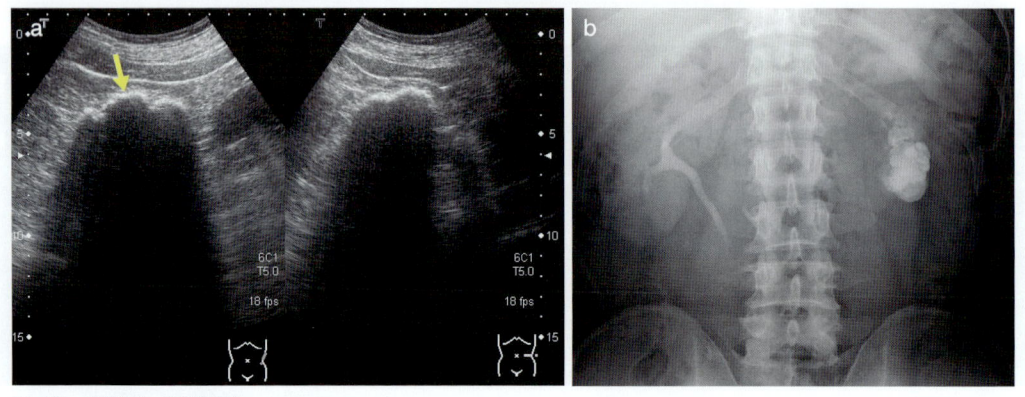

図46 腎結核（漆喰腎）
50代男性．過去に肺結核の既往歴あり．
a：左腎の位置に塊状のstrong echo（矢印）とそれに伴う音響陰影がみられる．
b：腹部X線検査でも左腎の位置に塊状の石灰化像を認める．

の複合的要因が考えられている．
　超音波検査では，腎内や腎被膜下にガスエコー（後方散乱を示唆する尾引き像を伴った高エコー像）が認められる．

5）腎結核　renal tuberculosis（図46）

　肺などの結核病巣からの血行性感染によるものであり，腎乳頭部に病巣を作り，次第に腎実質を破壊して石灰沈着をきたす．石灰沈着が腎のほぼ全体に起こったものを漆喰腎（mortar kidney）という．
　石灰化が腎全体に及んだ例では，超音波検査では強い音響陰影を伴う塊状のstrong echoとして描出され，腎実質の構造は不明瞭な場合が多い．

9．腎損傷

1）腎損傷　renal injury（図47）

　交通外傷，転落などの労働外傷，スポーツ外傷によるものが多く，日本外傷学会の腎損傷分類（2008年）では，損傷度合でⅠ～Ⅲ型に分類されている（下記参照）．損傷による血腫が後腹膜腔に留まっている場合は経過観察されることが多いが，Gerota筋膜の断裂例や血腫の経時増大がみられる場合には，経カテーテル的動脈塞栓術や観血的の手術が施行される．

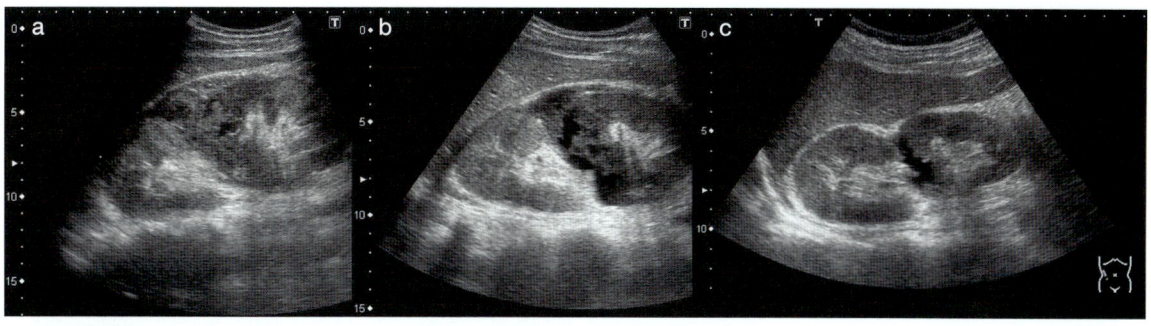

図47　腎損傷
30代男性．交通事故にて受傷．腎損傷分類ではⅢb型（複雑深在性損傷）．
a：受傷翌日．右腎の中心部エコー像を分断するように内部エコー不均一な低エコー域を認め，被膜下まで及んでいる．
b：2週間後．低エコー域はわずかに縮小し，内部に囊胞性部分が出現している．
c：2カ月後．低エコー域はほとんどみられず，わずかに囊胞性領域を認める．腎辺縁は凹化している．

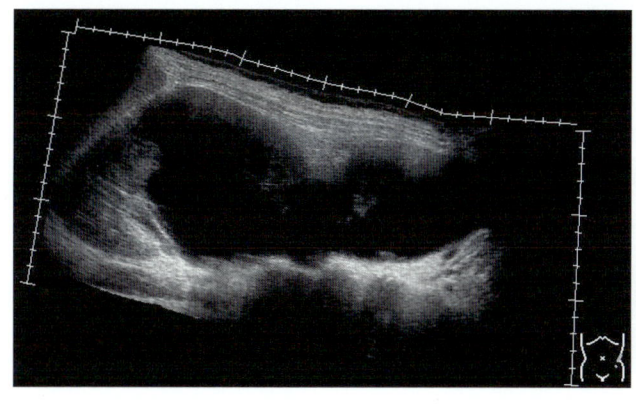

図48　尿瘤
10代男性．交通事故による左腎損傷にて保存的治療を行った．受傷後1カ月時に巨大な囊胞性エコーを認めたため，ドレナージを施行して尿瘤と診断された．

　　Ⅰ型：被膜下損傷（腎被膜連続性あり被膜外血液漏出なし）
　　　　a：被膜下血腫，b：実質内血腫
　　Ⅱ型：表在性損傷（腎皮質内損傷，腎被膜連続性なし）
　　Ⅲ型：深在性損傷（腎実質1/2以上の深さの損傷）
　　　　a：単純深在性損傷，b：複雑深在性損傷

　損傷程度によって超音波検査所見は様々であるが，Ⅱ型以上の損傷では，受傷直後は断裂部に一致した裂状または楔状の低エコー部を認め，その内部には出血を反映した点状エコーがみられる．出血がおさえられると血腫は徐々に凝固して内部エコーレベルが上昇する．次いで線溶が起こると，内部エコーレベルは低下して無エコーに近い状態になる．その後は退縮して瘢痕化する．
　尿路が損傷を受けた場合には尿漏が発生しやすい．尿瘤（urinoma）（**図48**）は溢流した尿が囊胞状に貯留したもので，腎損傷の数％に発生する．巨大な尿瘤や感染を伴った場合には，ドレナージや尿管のステント留置などの治療が必要になる．超音波検査では，腎や尿管周囲の囊胞性領域として描出される．腎被膜下溢流も尿瘤の一種であるが，こちらは腎被膜下に少量の貯留液を認めるものを指す．

10．腎の血管性疾患

1）腎動脈瘤　aneurysm of renal artery（図49）
　内臓動脈瘤のなかで発生頻度の高い動脈瘤であるが，無症状の場合が多く，腹部スクリーニング時に偶然発見されることが多い．腎門部付近に発生しやすく，壁の石灰化を伴うこともある．急速

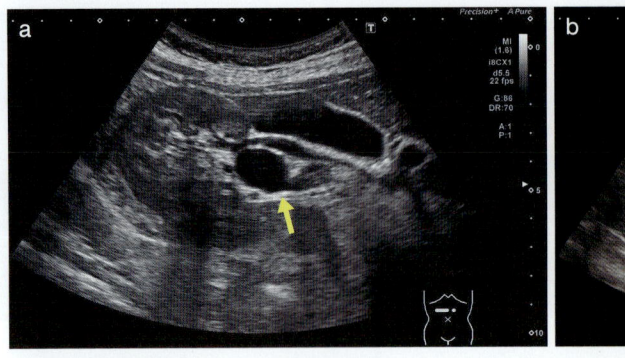

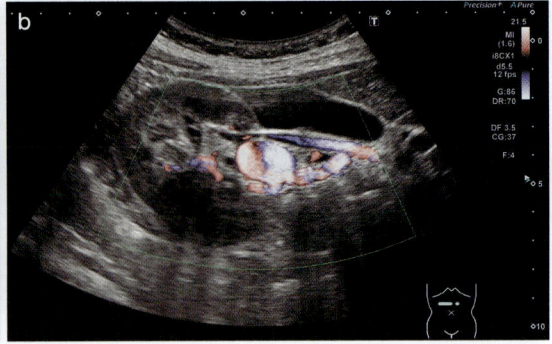

図49　腎動脈瘤
50代女性．CT検査時に偶然発見された．
a：右腎門部にて20×14 mm大の囊状に拡張する動脈瘤を認める（矢印）．
b：カラードプラ法にて瘤内に血流シグナルを認める．

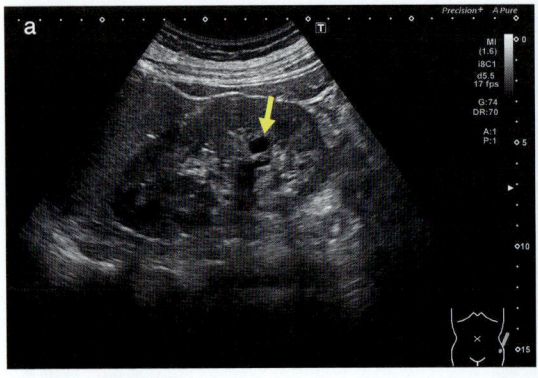

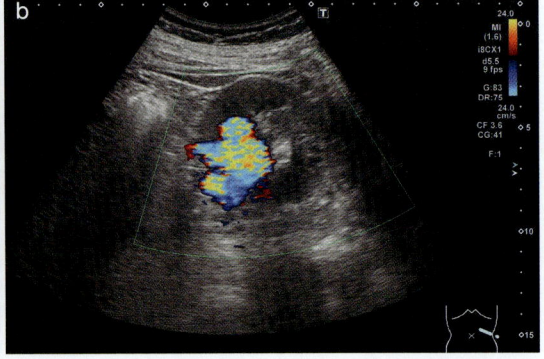

図50　腎動静脈瘻
40代女性．尿潜血陽性．
a：左腎下極の中心部エコー像内に10 mmの囊胞性腫瘤を認める（矢印）．
b：カラードプラ法では囊胞性腫瘤およびその周囲に高速のモザイク血流シグナルを認め，腎動静脈瘻が疑われる．
後日，血管造影下にコイル塞栓術が施行された．

に増大する場合や，瘤径2 cmをこえる場合，動脈瘤による高血圧症が疑われる場合などでは治療対象となるため，経過観察が重要である．腎の部分切除などの医原性によるものは腎内に発生することがある．

　超音波検査では，腎動脈に連続する球形の囊胞状エコーとして描出され，カラードプラ法では内部に渦巻くような血流シグナルを，パルスドプラ法では拍動性波形を認める．

2）腎動静脈瘻　renal arteriovenous fistula：AVF（図50）

　腎内で動脈系と静脈系に異常短絡が生じたものを指す．先天性と後天性があり，後天性の多くは腎生検などによる医原性である．先天性のものは腎動静脈奇形（arteriovenous malformation：AVM）ともよばれ，全体の20〜40％程度である．先天性の多くは成人後に短絡部が破綻して顕性血尿をきたすことが多い．病変部（nidus）はその形状によりcirsoid typeとaneurysmal typeに大別される．

　cirsoid typeは，Bモードでは病変が不明瞭なことが多く，必ずカラードプラ法を用いて検索する．aneurysmal typeは一見囊胞状に描出されることがあるため，やはりカラードプラ法での確認が必要である．病変部は高速血流を呈するため，通常で腎臓を観察する際の流速レンジ（10〜20cm/sec程度）よりも流速レンジを高くすると（50 cm/sec程度）検索しやすい．また，多量の出血に

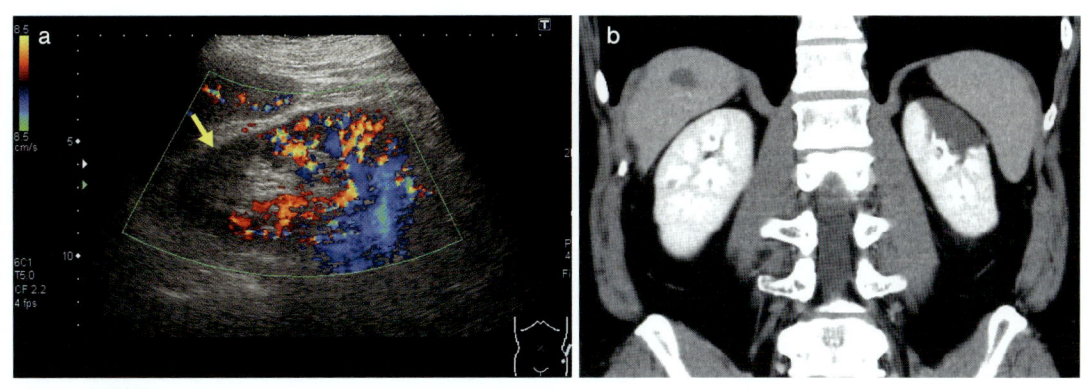

図51　腎梗塞
40代男性．左背部疝痛にて救急外来を受診．
a：カラードプラ法にて左腎上極に血流シグナルの乏しい領域を認める（矢印）．
b：造影CTにて左腎上極に区域性の低吸収域を認め，腎梗塞が疑われる．

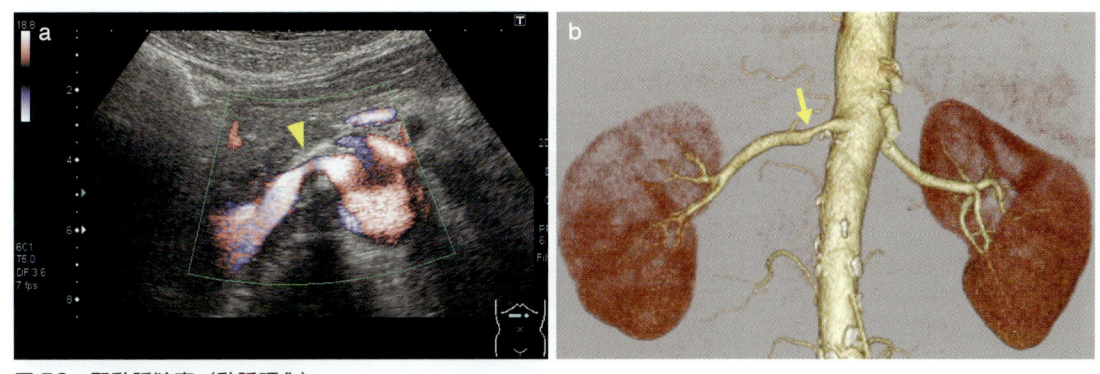

図52　腎動脈狭窄（動脈硬化）
60代男性．健康診断で高血圧を指摘され，精査目的に超音波検査を施行．
a：右腎動脈に狭窄部を認め（矢頭），パルスドプラ法で狭窄部の最高血流速度は347 cm/sec，RARは4.3であった．
b：3DCTでも同部の狭窄が疑われる（矢印）．

より膀胱内に凝血塊を形成することが多いため，膀胱の検索も忘れずに行う．

3）腎梗塞　renal infarction（図51）

　心房細動や感染性心内膜炎などの心疾患によって，心腔内に発生した血栓や疣贅が遊離して塞栓となることが多い．また，外傷では腎動脈の損傷により，腎全体が梗塞となることがある．

　急性期においては，Bモードでは腎実質エコーの変化は軽微であり，病変としてとらえにくい場合が多いため，必ずカラードプラ法を用いて，血流シグナルの低下部や欠損部がないかどうかを確認する．限局した梗塞部分が陳旧化すると，瘢痕化して徐々に吸収され，限局的な腎辺縁の凹化部として描出される．

4）腎動脈狭窄症　renal artery stenosis：RAS（図52，53）

　腎動脈の狭小化により，腎障害やレニン-アンジオテンシン-アルドステロン系（renin-angiotensin-aldosterone system）の活性化による血圧上昇をきたす．その多くは動脈硬化性であるが，線維筋性異形成や大動脈炎症候群などでも狭窄をきたすことがある．動脈硬化による狭窄は腎動脈起始部付近（分岐から1 cm程度の範囲）に多くみられる．線維筋性異形成（fibromuscular dysplasia：FMD）では，腎動脈中央付近から末梢に狭窄を認めることが多く，20～50代の女性に好発し，10%程度に腎動脈瘤の合併がみられる．

　超音波検査では，カラードプラ法にて病変部を検索し，パルスドプラ法で狭窄部の最高血流速度

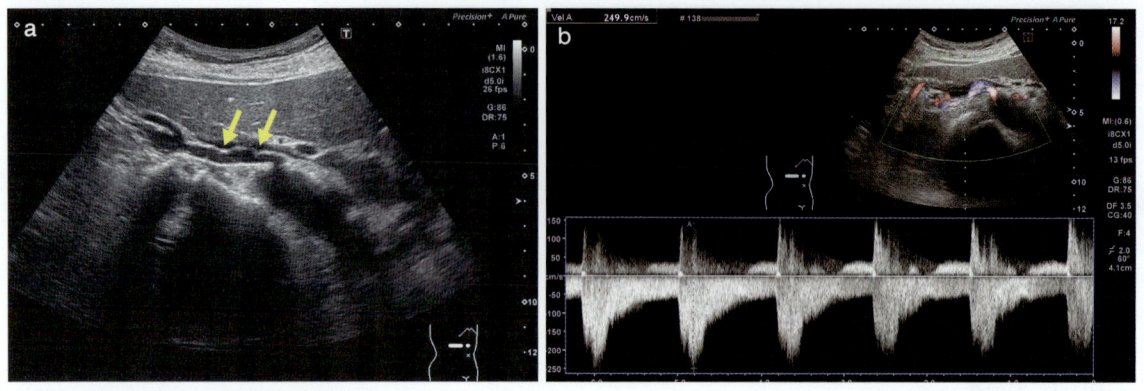

図53 腎動脈狭窄（線維筋性異形成）
50代女性．
a：右腎動脈の口径不同を認める（矢印）．
b：カラードプラ法にて腎動脈の血流シグナルが数珠状を呈し，パルスドプラ法では最高血流速度が250 cm/secと高速化し，狭窄が疑われる．

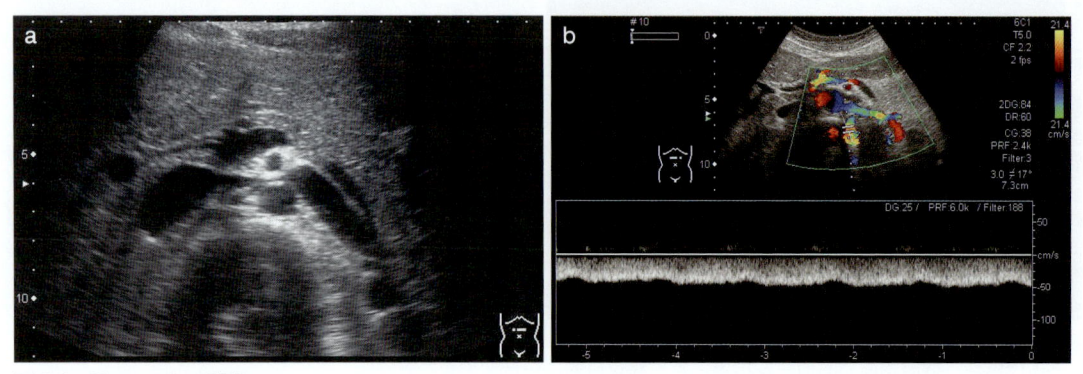

図54 Nutcracker 現象
a：20代女性．左腎静脈が上腸間膜動脈と腹部大動脈間で狭小化している．狭小部より腎側では腎静脈の拡張がみられる．
b：40代女性．左腎静脈から背側に向かう血流シグナルを認め，パルスドプラ法で定常波を呈しており，腰椎静脈叢への側副血行路が疑われる．

を計測する．最高血流速度が180 cm/secをこえる場合には50％以上の狭窄が疑われ，腎動脈・大動脈流速比（renal aortic ratio：RAR）が3.5をこえる場合には60％以上の狭窄が疑われる．また，腎動脈が消化管ガスなどで描出不能な場合には，腎内動脈の収縮期立ち上がり時間を計測して0.07 sec以上の場合には中枢側の狭窄が疑われるが，大動脈弁狭窄や大動脈縮窄の症例では収縮期立ち上がり時間が延長するので注意が必要である．

5）Nutcracker 現象（図54）

　左腎静脈が上腸間膜動脈と腹部大動脈に挟まれ狭小化した状態であり，左腎静脈圧の上昇により左腎からの血尿をきたす．ほとんどが痩せ体型の被検者にみられる．超音波検査で観察する際は，プローブで圧迫しないように注意が必要である．

　超音波検査では，上腸間膜動脈後面から大動脈前面までの距離が4 mm以下で左腎静脈の最大径が10 mm以上で本症を疑うが，左腎静脈の最狭小部2 mm以下かつ最拡張部10 mm以上を基準とすることもある．Nutcracker状態がある程度続くと左腎静脈から腰静脈叢などへ側副血行路を形成することがあるため，カラードプラ法による側副血行路の確認も行う．側副血行路を形成した例では，左腎静脈圧は軽減され，血尿を呈さない場合がある．パルスドプラ法で狭窄部の最高血

流速度から圧較差を求める方法もあるが，ドプラ角度が大きいうえに，プローブ圧迫による過大評価も起こりうるため，Ｂモード所見で強く疑われる場合の参考程度と考えた方がよい．

III 尿管の異常・病変

1. 尿管の閉塞性疾患

1）尿管結石　ureteral stone（図55）

腎結石が尿管に落下したもので，結石刺激による限局的疼痛や上部尿路拡張による背部痛などを呈する．尿管には生理的狭窄部（腎盂尿管移行部，総腸骨動静脈交差部，尿管膀胱移行部）があり，結石はその付近に留まりやすいため，重点的に検索する．

超音波検査では，拡張した尿路を追うと同時に生理的狭窄部の観察が重要となる．結石は尿管内のstrong echoとして描出され，音響陰影が明瞭なものは比較的同定しやすいが，音響陰影が不明瞭な場合もあり，注意深い観察が必要である．

2）尿管腫瘍　ureteral tumor（図56）

ほとんどが腎盂癌や膀胱癌と同じ尿路上皮癌である．肉眼的血尿が主な症状であるが，尿路閉塞による痛みを伴うこともある．ほとんどの症例で尿管拡張（水尿管症）や水腎症を呈する．

超音波検査では，拡張した尿管内に充実性エコーを認める．腫瘍部のエコーレベルがかなり低い場合もあるので，尿管拡張がみられた場合には注意深く観察する．

3）周囲病変による尿管の狭窄・閉塞

周囲病変による尿管の狭窄・閉塞として，後腹膜線維症や異所性子宮内膜症といった尿管を包囲

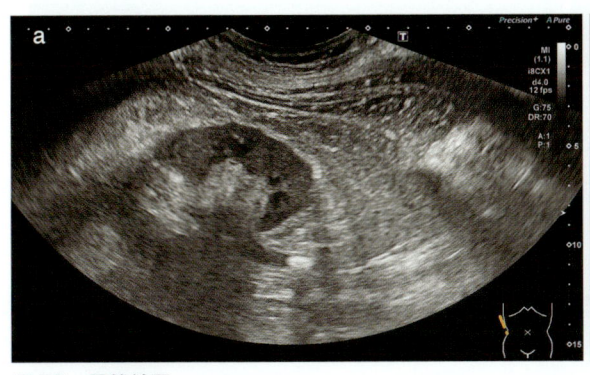

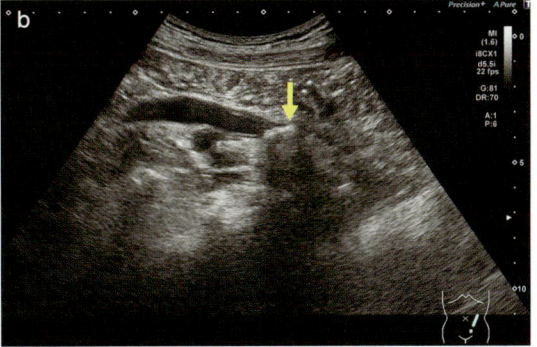

図55　尿管結石
a：50代男性．右腎盂尿管移行部付近にstrong echoを認める．
b：70代男性．左尿管は拡張し，総腸骨動静脈交差部付近にstrong echoを認める（矢印）．

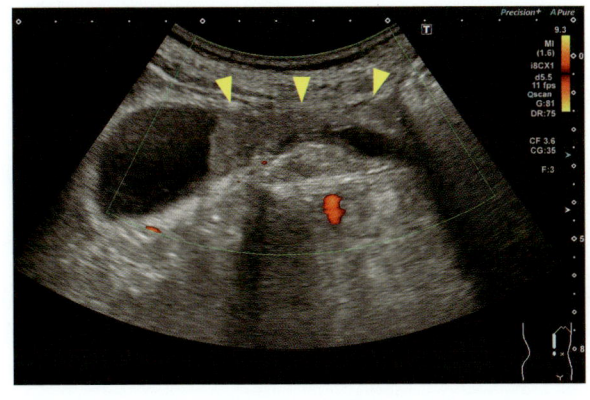

図56　尿管腫瘍
70代女性．右尿管は拡張し，内部に充実性腫瘤を認める（矢頭）．カラードプラ法にて腫瘤内に明らかな血流シグナルの亢進はみられない．

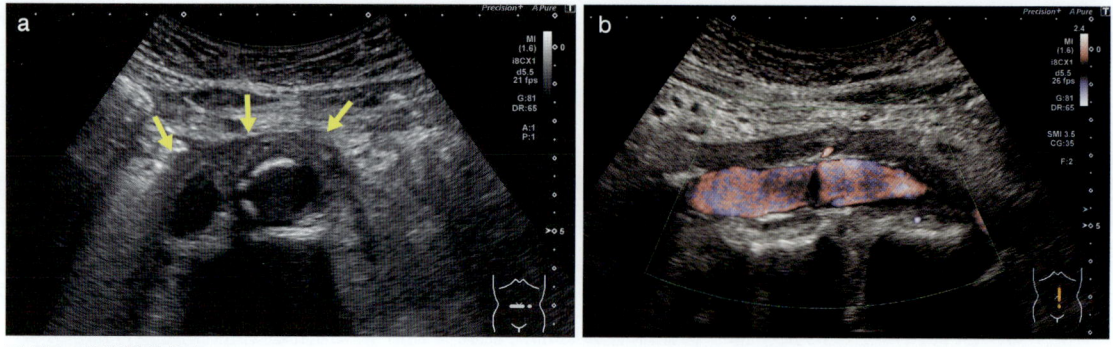

図57 後腹膜線維症
70代男性．IgG4：107 mg/dL．
a：腹部大動脈から総腸骨動脈を取り囲むように低エコー域を認め，一部で下大静脈周囲にもみられる（矢印）（左尿管が低エコー域の部位で狭窄して，左水腎水尿管症を呈していた）．
b：カラードプラ法にて低エコー域に明らかな血流シグナルの亢進はみられない．

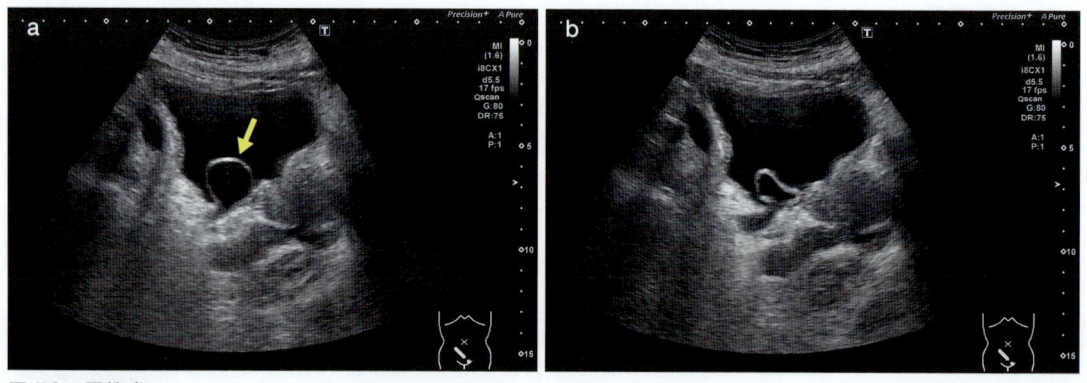

図58 尿管瘤
80代男性．
a：右尿管下端が袋状に膀胱内に突出しており，尿管瘤が疑われる（矢印）．
b：瘤部分は尿の排出後にしぼみ，また膨らむを繰り返している．

する性質の病変や，消化管腫瘍の尿管浸潤などがある．

　後腹膜線維症（retroperitoneal fibrosis，図57）は，後腹膜に非特異的炎症細胞浸潤や線維組織の増殖が生じる病変である．多くがIgG4関連疾患であるが，薬剤や外傷などが原因となる続発性のものもある．腹部大動脈周囲に好発し，進行すると尿管周囲に線維組織が増殖して，尿管を狭窄させることがある．また，まれに腎門部や十二指腸周囲に発生することもある．超音波検査では，血管を取り巻くような低エコー像を認める．

2. 尿管の形態異常

1）重複腎盂尿管　duplicated renal pelvis and ureter

　重複腎盂の項（p.241）でも述べたように，完全型では上極の尿管と下極の尿管が途中で交差して（Weigert-Mayerの法則），上極側の尿管が下極側の尿管より下部に異所性開口するため，上極側の尿管の蛇行や拡張を認めることが多い．

2）尿管瘤　ureterocele（図58）

　尿管末端が囊胞状に拡張したもので，尿管の拡張を伴うことが多い．大きな尿管瘤では尿の排出障害が起こり，膀胱尿管逆流現象や尿路感染をきたすこともある．また，重複腎盂尿管に伴う尿管瘤もみられることがある．

超音波検査では，尿管開口部である膀胱後壁に囊胞状構造を認め，尿管の拡張を伴う例では囊胞状構造と尿管の連続性がみられる．しばらく観察すると，尿の排出により尿管瘤サイズの変化をきたすことが多い．

5-2 副腎

Ⅰ 副腎の走査方法

1．右副腎の走査方法
1）右肋間走査（図59）
　右腎の長軸断面から，腎上極やや内側にプローブ位置を調整し，肝右葉下面と横隔膜脚に囲まれた領域を観察する．横隔膜脚の腹側に右副腎が描出される．副腎の中心に髄質を示唆する索状高エコー部を認めることもある．副腎検索の際は横隔膜脚が有効な目印となるが，横隔膜脚は吸気によって厚みが増し，呼気位では薄くなるといった特徴を有する．したがって，呼吸をさせながら検索することで横隔膜脚と副腎が鑑別しやすくなる．

2）右肋弓下走査
　右腎の短軸断面にて上極内側にプローブ位置を調整し，肝右葉下面と右腎上極の間を観察する．仰臥位での走査では副腎の内側部分が下大静脈の背側に位置するように描出されるが，左側臥位にて検査した場合には下大静脈がやや左側に移動することで，副腎が下大静脈と少し離れた位置に描出される場合もある．

2．左副腎の走査方法
1）左肋間走査
　左腎の長軸断面から，腎上極やや内側にプローブ位置を調整し，腹部大動脈方向に超音波ビームを入射すると，横隔膜脚の前方内側に左副腎が描出される．腫大や腫瘤がない場合には描出するのは難しい．

2）心窩部横走査（図60）
　膵体尾部を観察する部位からプローブ位置を調整し，左腎短軸断面にて腎上極内頭側を観察すると，膵尾部の背側に左副腎が描出される．痩せ型の被検者でないと，この走査で副腎を描出するのは難しい．

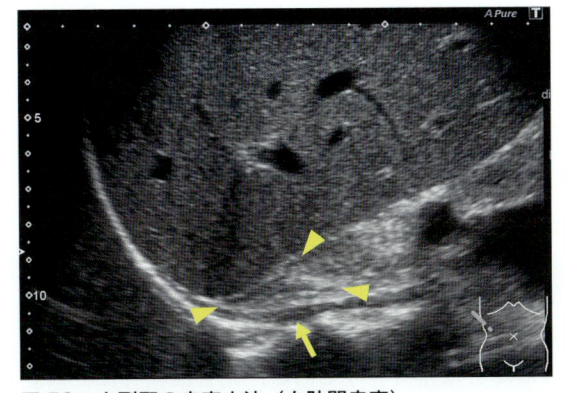

図59　右副腎の走査方法（右肋間走査）
　20代男性．右副腎が描出されている（矢頭）．横隔膜脚（矢印）と間違えないように注意する．

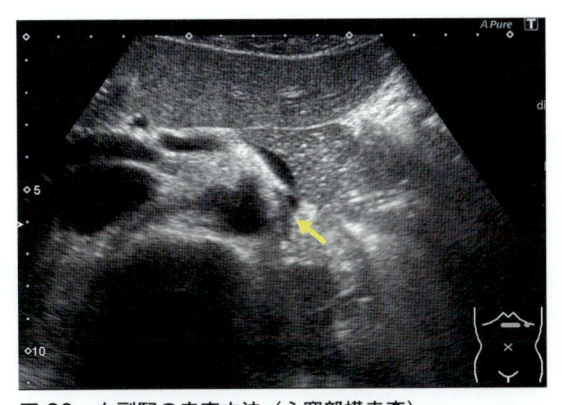

図60　左副腎の走査方法（心窩部横走査）
　20代男性．膵の背側，腹部大動脈の左側に左副腎が描出されている（矢印）．

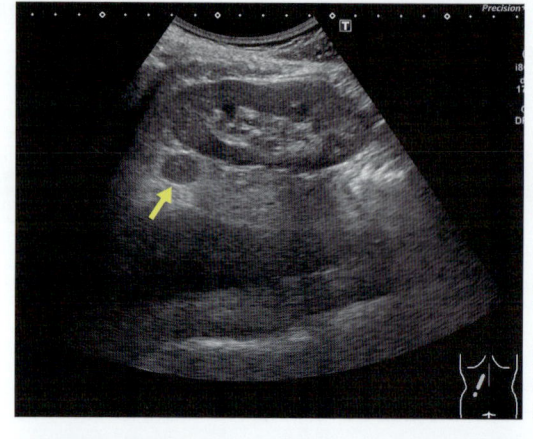

図61 左背部からの走査
 60代女性．正中横走査では消化管ガスの影響で腫瘤の同定が困難であったが，腹臥位にて背部から左腎を音響窓にして検索したところ18×12 mm大の副腎腫瘤（腺腫）が描出された（矢印）．

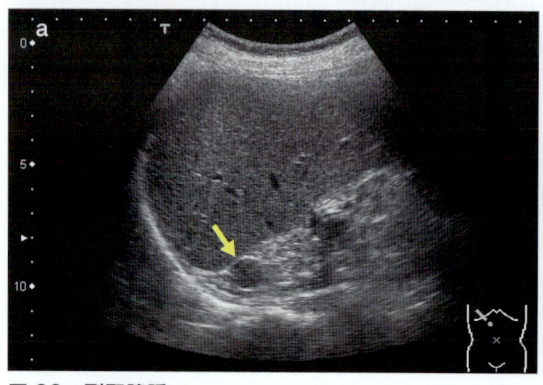

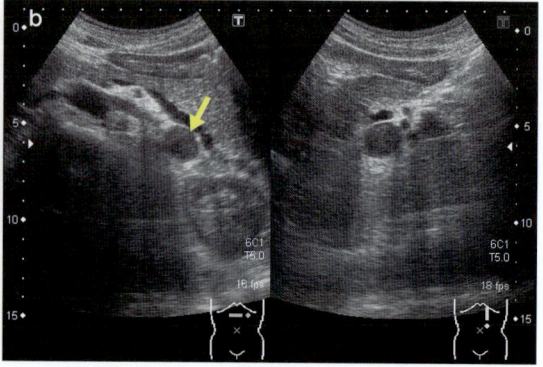

図62 副腎腺腫
a：60代女性．右副腎に14×12 mm大の類円形，内部エコー均一な低エコー腫瘤を認める（矢印）．
b：70代男性．左副腎に20×18mm大，類円形の低エコー腫瘤を認める（矢印）．横走査と縦走査で描出している．いずれも血液検査にて副腎ホルモンは基準範囲内であり，非機能性副腎腺腫と考えられた．

3）左季肋部縦走査

　左季肋部縦走査にて左腎上極にプローブ位置を調整し，その腹側を観察すると左副腎が描出される．痩せ型の被検者でないと，この走査で副腎を描出するのは難しい．

4）左背部からの走査（図61）

　腹臥位にて，左腎の長軸断面から，腎上極やや内側にプローブ位置を調整し，左腎上極内側と腹部大動脈との間を観察すると，横隔膜脚に接するように左副腎が描出される．この走査では副腎がやや深い位置に描出されるため正常副腎の同定は困難な場合が多いが，腫瘤性病変の検索には欠かせない走査である．

II 副腎の病変

1．副腎の良性腫瘤

1）副腎腺腫　adrenocortical adenoma（図62）

　副腎皮質に発生する腺腫であり，機能性と非機能性がある．機能性腺腫の一部は，原発性アルドステロン症，クッシング症候群，性ステロイド過剰産生などに関係する．腺腫は超音波検査やCT検査などで偶発的に発見されることが多く，そのほとんどは非機能性である．超音波検査にて機能性かどうかの判定は困難である．

　超音波検査では，サイズ1～2 cm程度の類円形の低エコー腫瘤を呈し，内部エコーは均一なこ

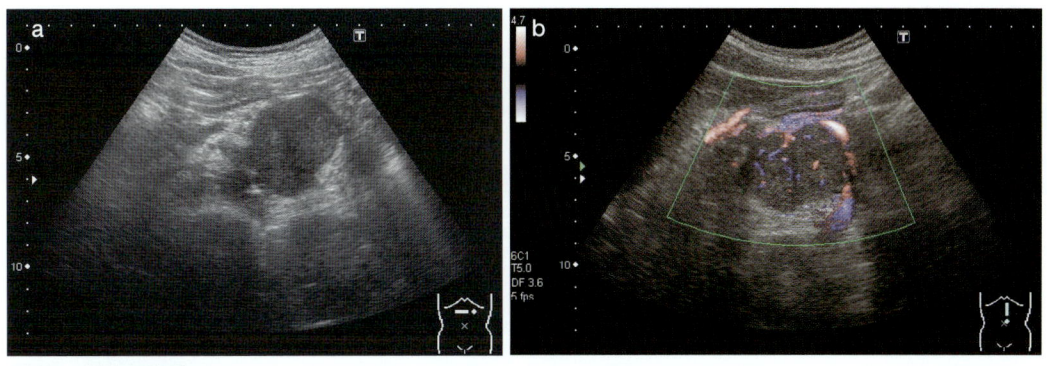

図63　褐色細胞腫
　　20代男性．手術確定例．
　　a：左副腎の位置に44×38 mm大の内部エコー不均一な低エコー腫瘤を認める．
　　b：カラードプラ法にて腫瘤内に血流シグナルを認める．

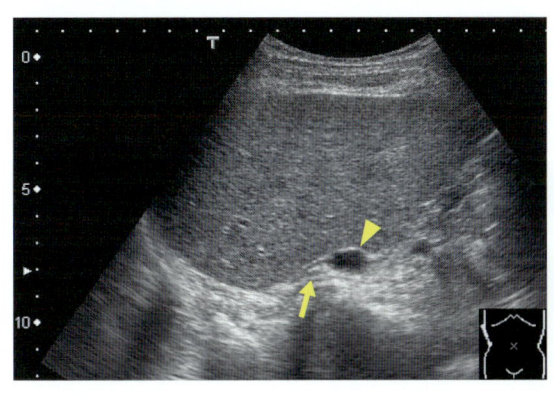

図64　副腎嚢胞
　　60代男性．右副腎に12 mm大の嚢胞性腫瘤を認める（矢頭）．副腎の正常部分も描出されている（矢印）．

とが多い．

2）褐色細胞腫　pheochromocytoma（図63）

　副腎髄質や副腎外の交感神経節などに存在するクロム親和性細胞から発生する腫瘍である．副腎では約10％が両側性である．多発性内分泌腫瘍症2型などの遺伝子変異に関係するものもある．まれに悪性褐色細胞腫も存在するが，原発巣の病理所見のみで良悪性を鑑別するのは困難とされ，転移の確認が悪性を診断する根拠となる．
　超音波検査では，やや大きな（サイズ4 cm以上が多い）類円形の低〜等エコー腫瘤を呈し，内部エコー不均一であり，出血や壊死による嚢胞変性を認めることが多い．カラードプラでは腫瘍内に血流シグナルを認める．

3）副腎嚢胞　adrenal cyst（図64）

　内皮性嚢胞が最も多く，偽嚢胞の多くは出血後変化と考えられている．
　超音波検査では，類円形で内部無エコーの腫瘤像として描出される．

4）骨髄脂肪腫　myelolipoma（図65）

　骨髄造血組織と脂肪組織からなる良性腫瘍である．非機能性であるため，自覚症状を呈することは少ないが，腫瘍径の増大に伴って腹痛や背部痛を呈し，まれに自然破裂をきたすことがある．
　超音波検査では，類円形〜楕円形の高エコー腫瘤を呈し，サイズが大きくなるにつれ内部エコー不均一となる．巨大なものでは，後腹膜に発生した脂肪肉腫との鑑別が必要になることがある．
　また，脂肪成分が少ない腫瘍の場合には，内部エコー不均一な等エコー腫瘤として描出されることもある．

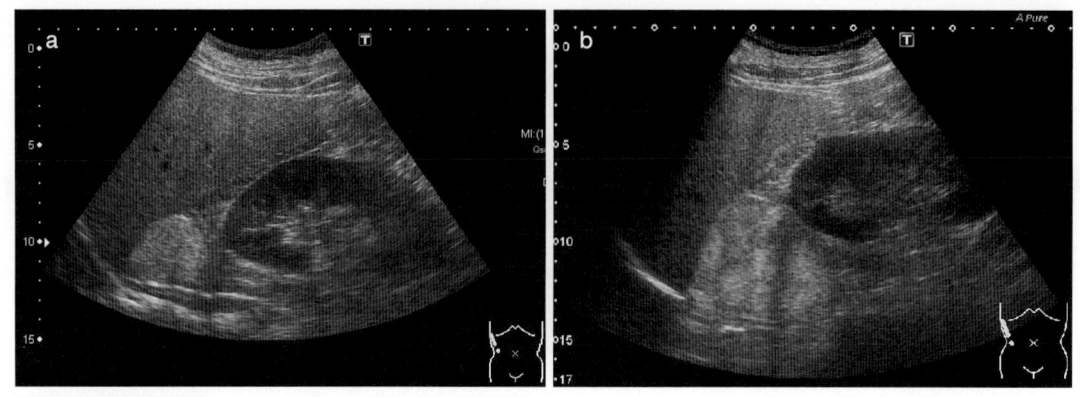

図65 骨髄脂肪腫
30代男性.
a：右副腎に40×38 mm大の高エコー腫瘤を認める.
b：6年後の超音波像. 高エコー腫瘤は72×65 mm大と増大し, 内部エコー不均一となっている.
副腎腫瘍摘出術が施行され, 病理組織診にて骨髄脂肪腫と診断された.

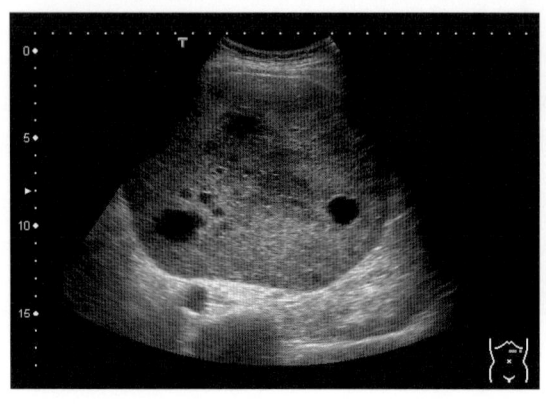

図66 副腎皮質癌
30代男性. 左副腎の位置に約160×120 mm大の巨大な腫瘤性病変を認める. 腫瘤内部エコーは不均一で, 複数の囊胞性領域もみられる. 腫瘍摘出術の結果, 副腎皮質癌と診断された.

2. 副腎の悪性腫瘍

1）副腎皮質癌　adrenocortical carcinoma（図66）

まれな腫瘍であり, ほとんどは成人に発症するが小児の発症例もある. 機能性と非機能性に分けられ, 60～70％にホルモンの過剰分泌がみられる.

超音波検査では, サイズの大きな類円形の低～等エコー腫瘤を呈し, 内部エコー不均一で嚢胞変性を伴うことが多い. カラードプラ法では腫瘍内に豊富な血流シグナルを認める.

2）悪性リンパ腫　malignant lymphoma（図67）

二次性のリンパ腫細胞浸潤によるものが多く, 原発性はまれである. 二次性のものは両側性に認めることが多い.

超音波検査では, 勾玉状や分葉状の低エコー腫瘤を呈し, サイズが大きなものは内部エコー不均一な場合が多い. 周囲のリンパ節腫脹にも注意する.

3）転移性副腎腫瘍　metastatic adrenal tumor（図68）

原発巣としては, 肺, 乳腺, 腎臓, 胃, 膵臓, 卵巣, 大腸などが多い. 半数以上は両側転移である.

超音波検査では, サイズは様々で, エコーレベルも軽度低エコー, 等エコー, 軽度高エコーまで様々である. 増大すると内部エコー不均一に描出される. 下大静脈などに腫瘍塞栓をきたすこともある.

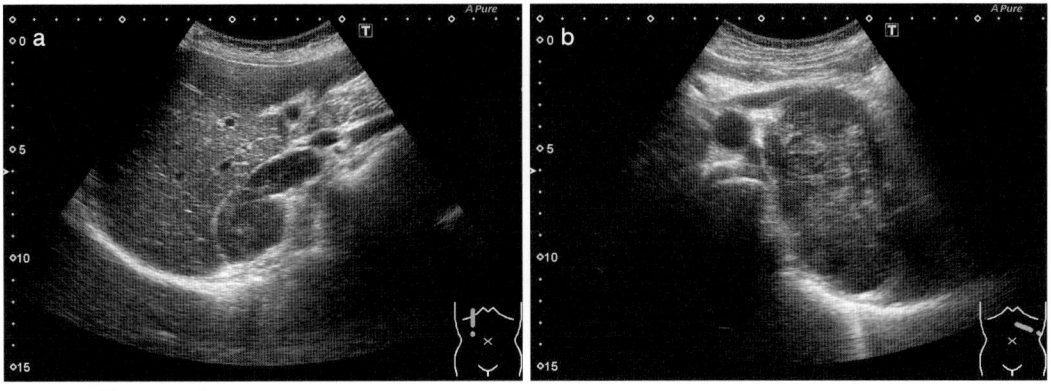

図67 悪性リンパ腫
40代女性．貧血，心窩部痛，LD上昇の精査目的に検査施行．
a：右副腎に勾玉状の低エコー腫瘤を認める．
b：左副腎に楕円形の低エコー腫瘤を認める．内部エコー不均一である．
副腎の針生検を行い，びまん性大細胞型B細胞リンパ腫と診断された．

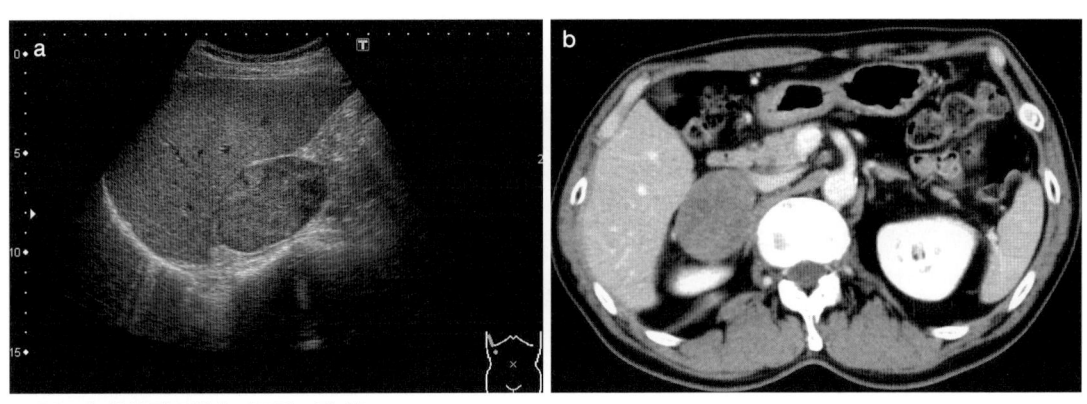

図68 転移性副腎腫瘍（原発：肺癌）
60代男性．
a：右副腎に63×41 mm大の内部エコー不均一な腫瘤像を認める．
b：CTでも右副腎に内部不均一な結節を認め，画像診断により副腎転移と考えられた．

4) 神経芽腫　neuroblastoma（図69）

交感神経系の原始神経芽細胞から発生する腫瘍で，原発部位としては副腎，後腹膜，胸部などが多い．尿VMA（バニリルマンデル酸）マススクリーニング陽性が80％と多いが，偽陽性やVMA非産生性の腫瘍もある．胎児期に認める副腎の囊胞性腫瘍は後に神経芽腫となることが多く，経過観察が必須である．

超音波検査では，サイズの大きな等〜軽度高エコー腫瘤を呈し，囊胞変性や内部に微細なstrong echoを伴うことがある．

3．その他の副腎病変

副腎出血は，外傷や高血圧，凝固能異常，高度のストレスなどで起こる．新生児に多くみられ，分娩時の外傷や仮死が原因とされる．出血は右側に多く，両側性も10〜20％に認める．超音波検査では，出血の初期には凝血塊による内部不均一な像を呈する．時間が経過すると凝血塊が線溶をきたすことにより囊胞性に近いパターンを呈し，最終的には消失するか瘢痕化がみられる．

副腎石灰化は，腫瘍内の石灰化（褐色脂肪腫や神経芽腫など），出血や血腫が器質化したもの，

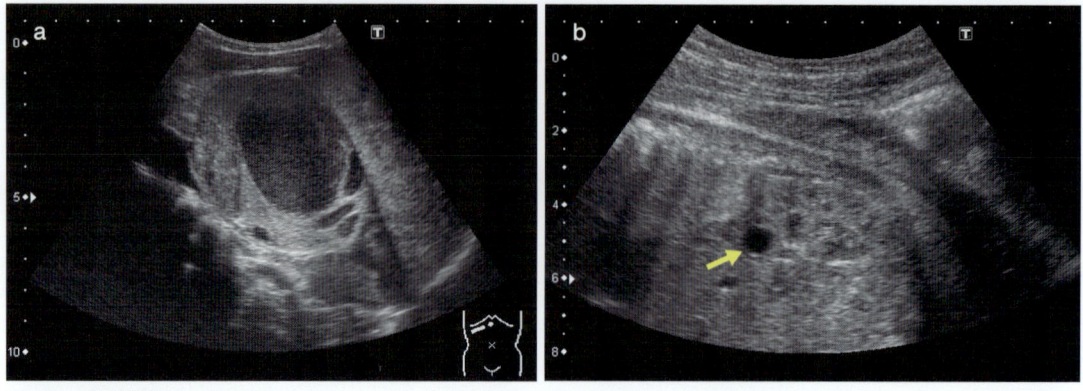

図69　神経芽腫
5カ月女児.
a：右副腎に72×52 mm大の内部に囊胞性部分を有する腫瘤を認める.
b：患児の胎生35週時の超音波像．右副腎の位置に6 mm大の囊胞性腫瘤を認める（矢印）.

結核などによる陳旧性肉芽腫，囊胞辺縁の石灰化，突発性のものなどがある．超音波検査では，音響陰影を伴う高エコー像やstrong echoを認める．

参考文献
1) 千葉　裕，齊藤弥穂，関根智紀編：腎・泌尿器領域の超音波検査．医歯薬出版，2016．
2) 日本腎臓学会編：エビデンスに基づくCKD診療ガイドライン2018．東京医学社，2018．
3) 日本外傷学会臓器損傷分類委員会：腎損傷分類2008．日外傷会誌，**22**：265, 2008．
4) 日本泌尿器科学会，日本病理学会，日本医学放射線学会編：腎癌取り扱い規約（第5版）．メディカルレビュー社，2020．

（白石周一）

6. 前立腺，膀胱，婦人科

6-1 前立腺

I 前立腺の検査ポイント

1. 正常像

1) 位置
前立腺は，男性の骨盤底部小骨盤腔内で膀胱の下方，直腸の前方に位置し，後部尿道を取り囲んでいる．恥骨結合の背側に存在するため，頭側から恥骨の裏側をのぞき込むようにプローブを押し当てて描出する．

2) 大きさ
前立腺の重量は，性的成熟後40～50歳頃までは20g前後で，加齢とともに大きくなることがある．前立腺の大きさは推定体積を求めて評価をする．一般的に楕円体の体積を求める式が用いられており，前立腺の3方向を計測し，以下の式にて求める（前立腺の比重はほぼ1であるので，推定体積≒推定重量として評価）．

推定体積（mL）＝左右径（cm）×前後径（cm）×上下径（cm）×$\pi/6$

3) 形状
形状は左右対称性で，栗の実様を呈する．

4) 内部構造（図1）
前立腺内部は解剖学的に以下の4つの構造からなる．経腹超音波検査では，辺縁域と移行域を認識することは可能だが，中心域と前部線維筋性間質を認識することは難しいことがある．

辺縁域：主に前立腺の背側辺縁部に存在する腺組織．
中心域：射精管周囲を取り囲む腺組織．
移行域：前立腺尿道近位部周囲を取り囲む腺組織．
前部線維筋性間質：前立腺前方腹側を占める三日月状の組織．平滑筋と線維組織からなる．

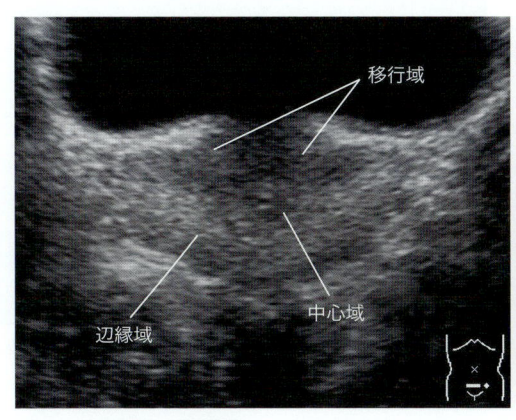

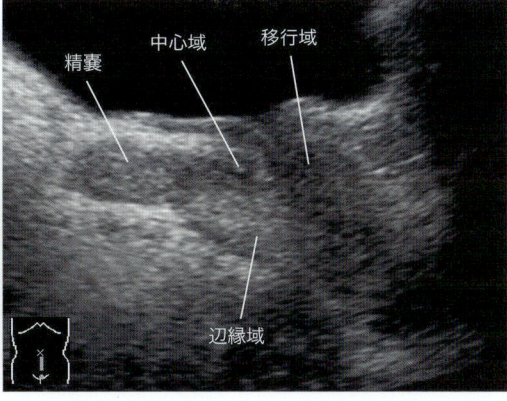

図1 前立腺の内部構造

2. 異常像

1) 腫大と形状

前立腺が腫大し，形状が左右対称性の場合は前立腺肥大の可能性が考えられるが，実質エコーが不均質で形状不整（もしくは前立腺の輪郭が一部不整）の場合は悪性の可能性が疑われる．

2) 内部

前立腺の尿道周囲や辺縁域と移行域の間にみられる高輝度エコーは，前立腺結石が疑われる．嚢胞性腫瘤はミュラー管嚢胞や前立腺小室嚢胞などの嚢胞が疑われ，発熱があり内部に点状エコーを伴う場合は膿瘍が疑われる．

II 前立腺の病変

1. 前立腺肥大症　benign prostatic hyperplasia（図2，3）

前立腺の良性過形成により体積が増大する疾患で，移行域と尿道周囲組織の間質・腺上皮細胞の過形成，増殖により多結節性の腫大を呈する．加齢により頻度は高くなり，症状には，蓄尿症状（尿意切迫感，頻尿，夜間頻尿，切迫性失禁），排尿症状（排尿開始の遅れ，排尿時間の延長，尿線細小，尿線途絶，尿閉，溢流性尿失禁，終末時滴下），排尿後症状（残尿感）がある．

超音波検査では，前立腺の腫大（前立腺の形状は左右対称性），移行域の腫大と辺縁域の菲薄化，膀胱頸部の圧排を認める．また，中葉肥大では前立腺の一部が膀胱内へ突出する（膀胱腫瘍と間違われることがあるため，前立腺との連続性を確認することが大切である）．

男性下部尿路症状・前立腺肥大症診療ガイドライン[1]には，『前立腺肥大症とは「前立腺の良性過形成による下部尿路機能障害を呈する疾患」と定義されており，画像検査では下部尿路症状を推測することは不可能であり，画像所見は「前立腺腫大を認める」との記載にとどめるべきである』と記載されている．

2. 前立腺結石　prostatic stone（図4）

前立腺実質内に存在する結石で，成因は明らかではないが，結石形成を促進する要因としてデンプン様小体への無機塩の沈着，感染，前立腺排泄管内への尿の逆流が考えられている．結石自体の症状はなく，結石に伴う炎症や前立腺肥大，癌，尿道狭窄などの症状で発見される．

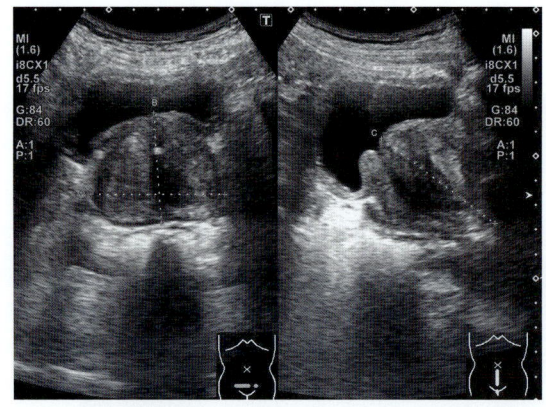

図2　前立腺肥大症
70代．前立腺サイズは 55 × 45 × 58 mm 大（推定体積 75 mL）と腫大し，丸みを帯びている．移行域は腫大し，辺縁域は背側に圧排されて菲薄化を認める．

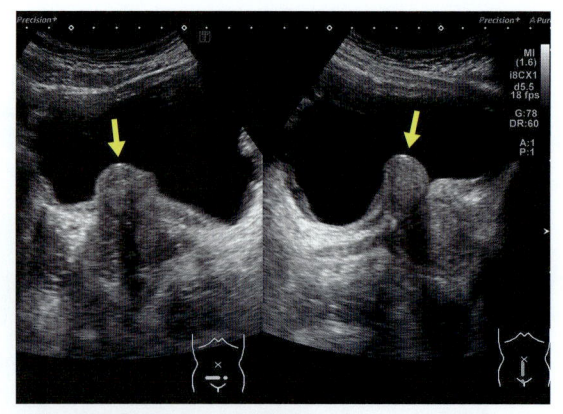

図3　前立腺肥大症（中葉肥大）
70代．前立腺から膀胱内腔への突出像を認める．

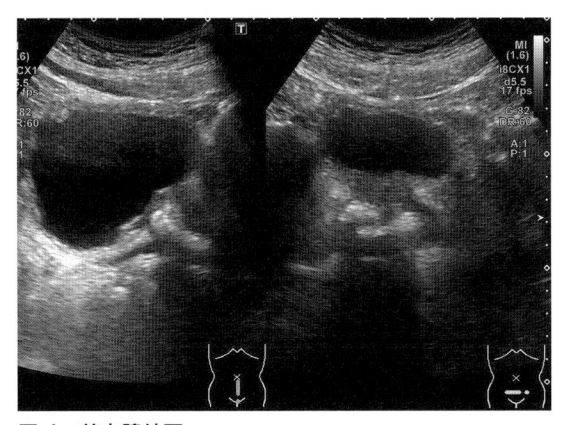

図4 前立腺結石
80代．移行域と辺縁域の間に高輝度エコーを認める．

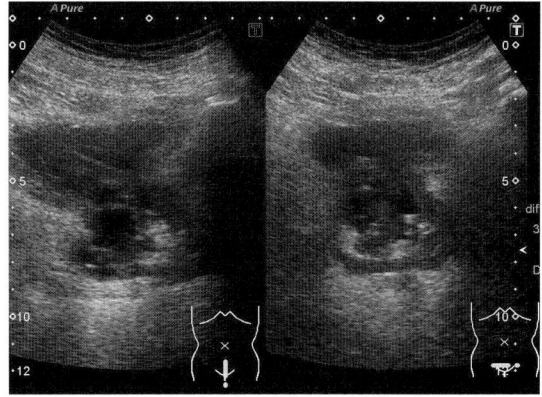

図5 急性前立腺炎（前立腺膿瘍）
70代．40℃台の発熱と頻尿，排尿困難あり．
前立腺内に内部エコーを伴う不定形の囊胞性領域を認める．尿培養検査で *Escherichia coli* が検出された．

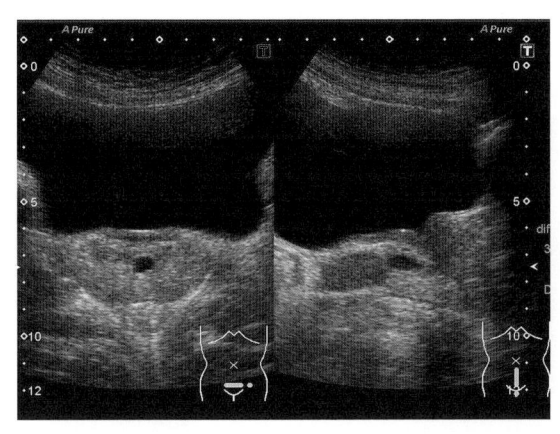

図6 前立腺囊胞
40代．前立腺内に囊胞性腫瘤を認める．

超音波検査では，尿道周囲や移行域と辺縁域の間に存在する高輝度エコーとして描出される．

3. 前立腺炎・膿瘍　prostatitis・prostatic abscess（図5）

米国 National Institute of Health（NIH）分類では，急性細菌性前立腺炎，慢性細菌性前立腺炎，慢性前立腺炎/慢性骨盤痛症候群，無症候性前立腺炎に分類される．原因は，前立腺管腔内への尿の逆流，前立腺結石，下部尿路閉塞性病変，前立腺液の前立腺間質内への漏出，自己免疫などが考えられている．症状は，急性細菌性前立腺炎では高熱，全身倦怠感，排尿痛，頻尿などがみられ，慢性前立腺炎では頻尿，残尿感，会陰部・骨盤腔不快感などがみられる．糖尿病や，ステロイドの使用，悪性疾患に対する化学療法後など，免疫力が低下している場合には炎症が増悪し，膿瘍を形成することがある．

超音波検査では，急性前立腺炎は，前立腺の腫大，内部エコーの不均質化と低エコー領域の出現がみられ，膿瘍を形成すると内部エコーを伴う囊胞性領域を認める．慢性前立腺炎では，前立腺の萎縮と被膜エコーの不整，内部エコーの不均質化を呈する．

4. 前立腺囊胞　prostatic cyst（図6）

前立腺に発生する囊胞性疾患で，ミュラー管囊胞，前立腺小室囊胞，射精管囊胞，前立腺肥大症の囊胞変性，貯留囊胞などがある．ミュラー管囊胞はミュラー管の遺残，前立腺小室囊胞は前立腺

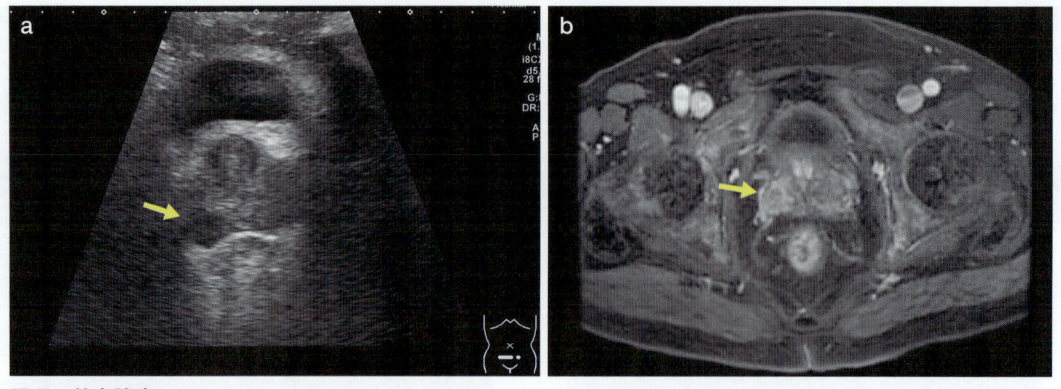

図7 前立腺癌
70代.
a：超音波画像では辺縁域右側に18×12 mm大の低エコー腫瘤を認める．腫瘤は背側にやや突出を認める（矢印）．
b：MRI画像（造影脂肪抑制T1強調画像）では辺縁域右葉に早期濃染を呈する腫瘤を認める（矢印）．多発骨転移あり．
生検標本では腺癌の浸潤性増殖を認め，Gleason score 4＋4＝8であった．

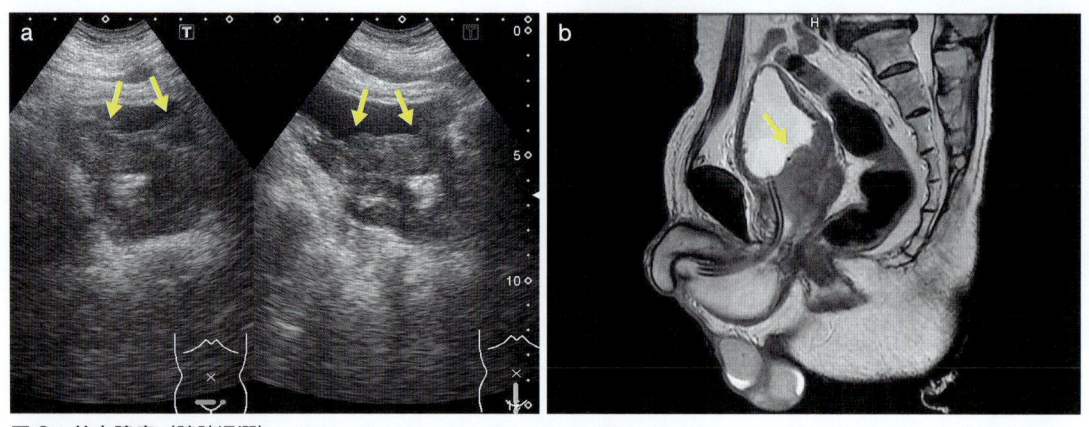

図8 前立腺癌（膀胱浸潤）
80代.
a：超音波画像では前立腺は腫大し，形状はやや不整形で内部は不均質である．前立腺の腫瘍により膀胱壁は断裂し浸潤を認める（矢印）．
b：MRI画像（T2強調画像）では前立腺癌は低信号を呈し，膀胱への浸潤を認める（矢印）．
生検標本では腺癌を認め，Gleason score 4＋3＝7であった．

小室の囊胞状拡大，射精管囊胞は射精管の先天的または炎症による閉塞で生じる．
　超音波検査では，前立腺内もしくは前立腺後上縁から突出する囊胞性腫瘤として描出される．

5. 前立腺癌　prostatic cancer（図7，8）

　前立腺癌は高齢者に好発し，そのほとんどが腺癌である．腺癌以外の腫瘍としては，尿路上皮癌，扁平上皮癌がある．約70％が辺縁域に発生し，約20％が移行域に発生する．精囊，膀胱，直腸へ浸潤をきたすことがある．早期癌では特有の臨床症状がほとんどなく，健診などで前立腺特異抗原（prostate specific antigen：PSA）の上昇をきっかけに精査を受け診断されることが多い．癌が尿道や膀胱へ浸潤すると，排尿障害，血尿，膀胱刺激症状などが出現する．
　超音波検査では，前立腺内の低エコー領域，前立腺の左右非対称性腫大，③前立腺輪郭の不整像，前立腺実質エコーの不均質化を呈する．

6-2　膀胱

I　膀胱の検査ポイント

1. 正常像

1）位置
膀胱は，骨盤底部に存在し，恥骨の背側に位置する．

2）構造，大きさ
ボール状の構造を呈する中空器官で，左右腎臓から尿管を通して送られてきた尿を一定量貯留し，尿道を通して体外に排泄させる臓器である．尿貯留がない場合は，膀胱壁は厚く描出されるが，尿の貯留とともに壁は容易に伸展し，厚みは薄く均一に描出される．

尿管口は後壁側の正中から左右約 1.5 cm の位置にわずかな隆起として描出され，これよりやや下方には内尿道口が管腔像に連続する陥凹部として描出される．左右の尿管口と内尿道口の間の領域を膀胱三角部といい，正常でも壁はやや厚く描出される（図9）．

成人の膀胱容量は 500 mL 程度である（250〜600 mL と個人差がある）．

2. 異常像

1）壁の肥厚
健常者の膀胱壁の厚さは，尿が充満した状態で 3 mm 以下である．肥厚を認めた場合は，全周性もしくは限局性の肥厚か，厚みが均一もしくは不均一か，内膜面は不整かなどの確認を行う．膀胱炎では壁肥厚を認めないことが多いが，肥厚を呈する場合は全周性の比較的均一な肥厚となる．神経因性膀胱では肉柱形成がみられ，内膜面は凹凸を呈する．浸潤性膀胱癌では偏在性の肥厚もしくは全周性で，壁外への浸潤所見を呈する．

2）内腔の異常
乳頭状に発育する膀胱腫瘍では，内腔に隆起する充実性腫瘤として描出され，体位変換による可動性は認めない．凝血塊が充実性エコー像として描出されることがあるが，体位変換で可動性を認める．膀胱結石では音響陰影を伴う高輝度エコーとして描出され，体位変換で可動性を認める．

3）その他
膀胱憩室は，膀胱壁から外側に突出する袋状エコーとして描出される．膀胱頂部には尿膜管由来の病変を認めることがあり，嚢胞性であれば尿膜管憩室，充実性であれば尿膜管腫瘍が疑われる．

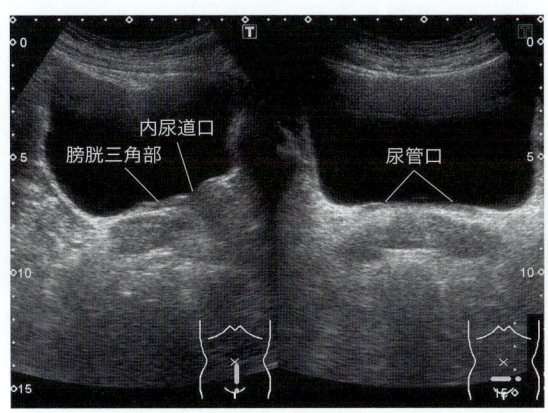

図9　膀胱の正常像

II 膀胱の病変

1. 膀胱結石　bladder stone（図 10）

　膀胱に原発した結石と腎・尿管結石が膀胱に落石した結石とがあり，前者の成因には前立腺肥大症や前立腺癌，尿道狭窄，神経因性膀胱，膀胱憩室などによる尿の停滞と尿路感染が重要である．女性に比べて男性に多く，50代以上に多い．症状は膀胱刺激症状と排尿異常（突然の排尿困難や尿閉，尿線中絶）である．膀胱結石は，上部尿路結石に比べて表面が平滑で大きいのが特徴である．超音波検査では，音響陰影を伴う高輝度エコーを呈し，体位変換による可動性を認める．

2. 膀胱炎　cystitis（図 11）

　尿路感染症のうち，膀胱に生じた細菌感染症のことをいう．経過の違いにより急性と慢性に，基礎疾患の有無により単純性と複雑性に分類される．

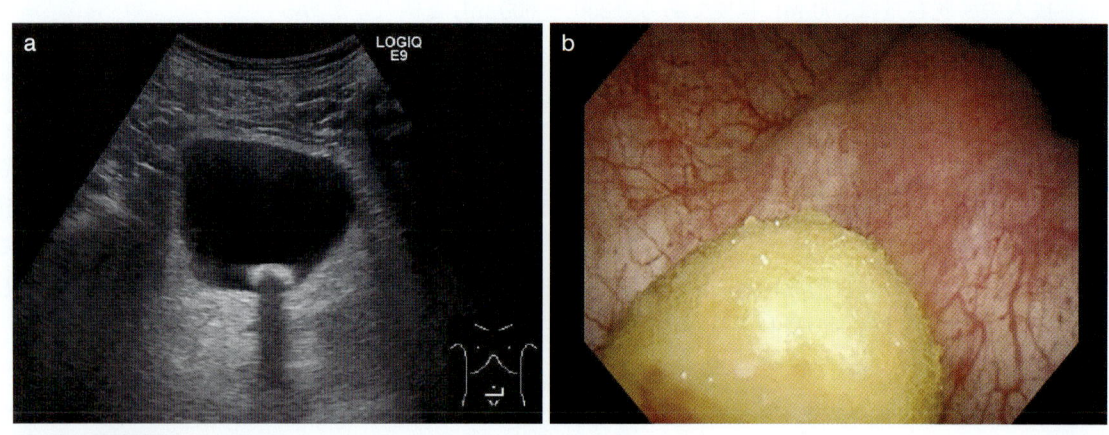

図 10　膀胱結石
70代男性．肉眼的血尿あり．
a：超音波画像では，膀胱内腔に音響陰影を伴う高輝度エコーを認める．
b：膀胱鏡画像では黄色調の結石を認める．
結石分析ではシュウ酸カルシウム 56％，リン酸カルシウム 44％であった．

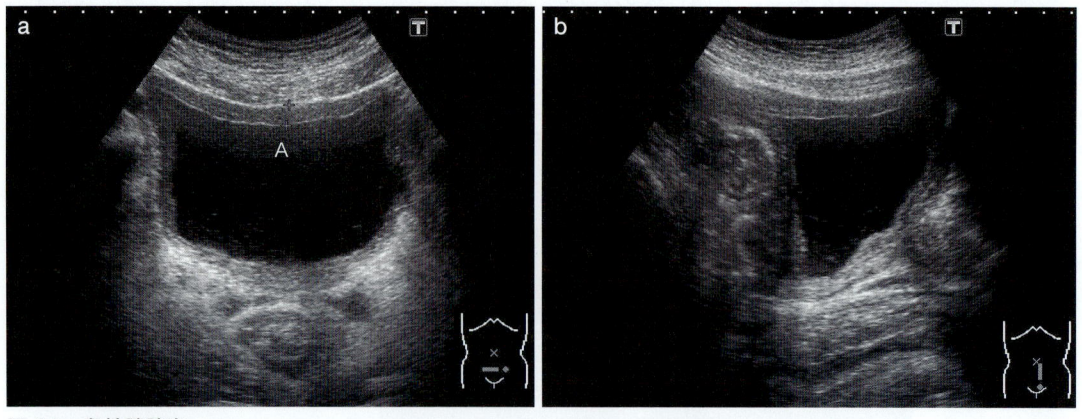

図 11　急性膀胱炎
60代男性．膿尿と排尿時痛あり．
全周性の膀胱壁肥厚を認める（A：7 mm 厚）．壁の厚みはほぼ均一で内膜面は平滑である．
尿培養検査で *Escherichia coli* が検出された．

急性単純性膀胱炎は尿路に基礎疾患のない患者に起こり，性的活動期の女性に多い．通常は尿道からの上行感染により生じる．原因菌は大腸菌が多い．症状は排尿痛，頻尿などの膀胱刺激症状が主体である．尿路に基礎疾患があり，慢性に経過する膀胱炎を慢性複雑性膀胱炎という．症状は急性単純性膀胱炎に比べて軽度もしくは無症状であるが，急性増悪し，急性膀胱炎と同様の臨床像をとるものもある．細菌感染以外の原因で膀胱炎症状を呈する疾患として，出血性膀胱炎，放射線性膀胱炎，好酸球性膀胱炎，間質性膀胱炎などがある．

　超音波検査では，急性単純性膀胱炎は，異常所見を認めないかあるいは全周性の膀胱壁肥厚を呈する（内膜面は平滑）．慢性膀胱炎は全周性の壁肥厚を呈し，肉柱形成や内膜面の不整像を認める．

3. 膀胱肉柱形成　bladder trabecular formation（図12）

　神経因性膀胱（脳血管障害，脊髄損傷，糖尿病などの中枢神経あるいは末梢神経の疾患により排尿障害をきたす病態）や前立腺肥大症などで排尿障害を生じると，膀胱の筋束が発達・肥大し，膀胱表面から隆起して肉柱を形成する．

　超音波検査では，膀胱内壁の凹凸不整，膀胱内腔に突出する小隆起像（描出角度を変えると索状）を呈する．

4. 膀胱憩室　bladder diverticulum（図13）

　膀胱憩室は，膀胱粘膜が筋層の脆弱な部分を貫いて膀胱壁外に突出することで生じる．原因として，後部尿道弁や前立腺肥大症，神経因性膀胱などの下部尿路通過障害による膀胱内圧の上昇によ

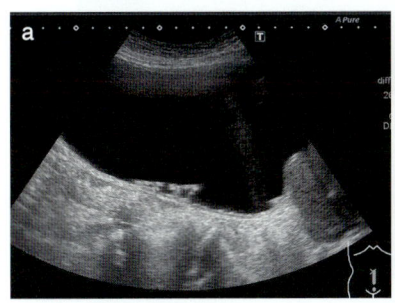

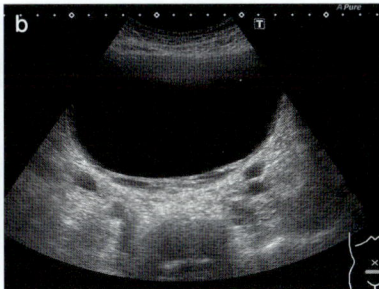

図12　膀胱肉柱形成
70代男性．前立腺肥大症あり．
a：膀胱後壁には縦断走査で内腔に突出する多数の小隆起を認める．
b：プローブを90°回転させ横断走査で描出すると，小隆起は索状に描出される．
c：膀胱鏡画像では網目状に発達した筋束を認める．

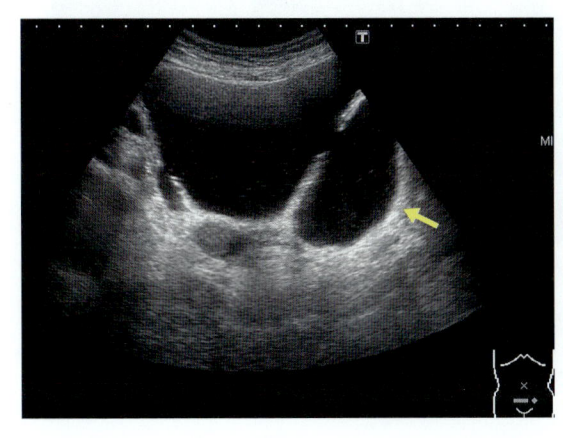

図13　膀胱憩室
70代女性．膀胱の左側壁から突出する大きな袋状エコーを認める（矢印）．右側壁にも小さな憩室を認める．いずれも膀胱内腔との連続性を認める．

り二次性に起こることが多い．小児では，先天的な膀胱筋層の脆弱により生じることがある．憩室内は尿がうっ滞しやすく，膀胱炎，憩室炎，結石形成などが起こりやすい．完全排尿が得られないため，残尿，二段尿などの症状がみられることがある．

超音波検査では，膀胱壁から外側に突出する袋状エコーを呈する．

5. 膀胱癌　bladder cancer（図14, 15）

膀胱癌は，膀胱の尿路上皮粘膜から発生する悪性腫瘍で，尿路上皮癌が90％以上を占め，それ以外が5～10％を占める（扁平上皮癌，腺癌，小細胞癌，まれに肉腫）．未治療の膀胱癌の約70％が膀胱粘膜下までの浸潤にとどまる筋層非浸潤性膀胱癌で，残りが筋層あるいは筋層外に浸潤する筋層浸潤性膀胱癌である．尿路上皮癌の多くは病理組織学的に乳頭状を呈するものが多い．膀胱癌の発生部位は膀胱三角部から尿管口付近にかけて多いが，膀胱頂部に発生した場合は尿膜管由来の腺癌の可能性が高い．危険因子は喫煙，膀胱結石，膀胱憩室，シクロホスファミドなどの薬剤であ

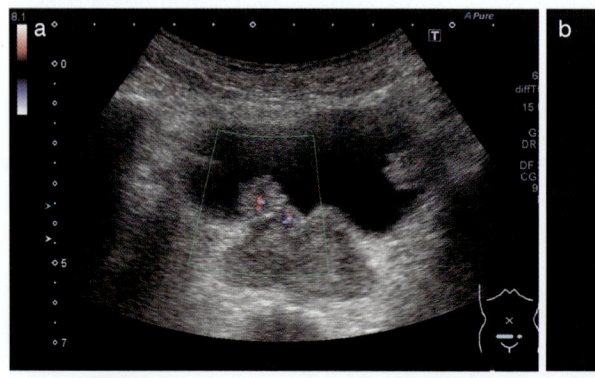

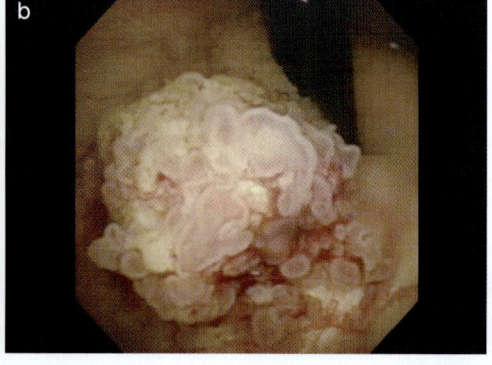

図14　膀胱癌
90代男性．肉眼的血尿あり．
a：超音波画像では右尿管口付近と左側壁に乳頭状の腫瘤を認める．腫瘤の輪郭は凹凸不整．カラードプラ法で膀胱壁から腫瘤内に連続する血流シグナルを認める．
b：膀胱鏡画像では有茎性の乳頭状腫瘤を認める．経尿道的に腫瘍切除し，非浸潤性乳頭状尿路上皮癌であった．

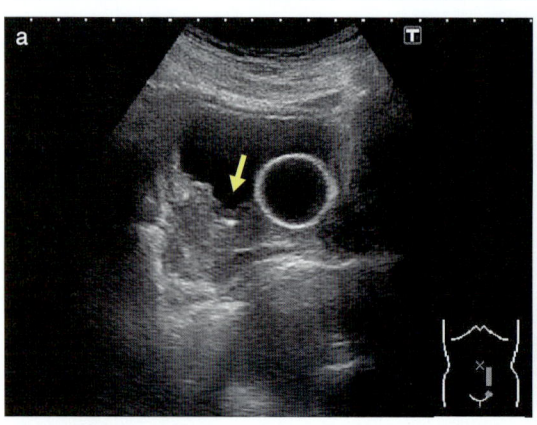

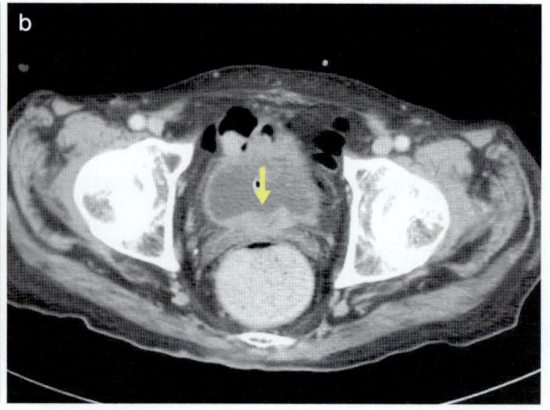

図15　膀胱癌
80代男性．
a：超音波画像では縦断走査で後壁を中心に限局性の膀胱壁肥厚を認め，壁外への浸潤を認める（膀胱内に描出されているリング状エコーは留置されたバルーンカテーテルである）．
b：造影CT画像でも後壁に壁外浸潤を伴う壁肥厚を認める．
生検標本では尿路上皮癌であった．

る．症状は肉眼的血尿，膀胱刺激症状が多い．膀胱癌は尿路内腔全体に空間的・時間的に多発する．
　超音波検査では，膀胱内腔に突出する有茎性あるいは広基性の充実性腫瘤（多発することがある），偏在性もしくは全周性の膀胱壁肥厚，不整な膀胱壁肥厚を呈し，カラードプラ法で腫瘤内に血流シグナルを認める．

6-3　婦人科

Ⅰ　子宮の検査ポイント

1．正常像

1）位置
　子宮は，女性の小骨盤腔のほぼ中央に存在し，前方に膀胱，後方に直腸が存在する．

2）大きさ，区分
　性成熟期では，長径は 7～8 cm，横径は約 4 cm，厚みは 2.5～3 cm である．子宮は下方約 1/3 の子宮頸部，上方約 2/3 の子宮体部，頸部と体部の移行部 5～10 mm の部位である子宮峡部に区分される．閉経後は萎縮し，長径は 3～4 cm 程度となる．

3）形状
　長軸像は洋梨状，短軸像は楕円形に描出される．腟軸と子宮頸部軸との角度を傾，子宮体部軸と子宮頸部軸との角度を屈という．通常，子宮は前傾前屈の状態にあるが，後傾後屈を呈する場合もある．

4）内部エコー（筋層，内膜）
　子宮筋層はエコー輝度がやや低く，内部均質な充実像を呈する．子宮の中央には内腔と内膜との境界エコーとして線状エコーが描出され，内膜は月経周期により厚みとエコー性状が変化し，増殖期では線状エコーの周囲に低エコーの層として描出され，分泌期ではさらに厚みが増し，浮腫性変化により内部は高エコーに描出される（図16）．

2．異常像

1）形態
　重複子宮や双角子宮では子宮体部が二分し，内膜像も二分して描出される．中隔子宮では子宮体

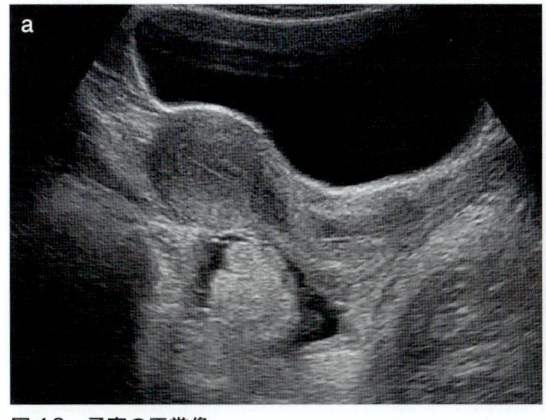

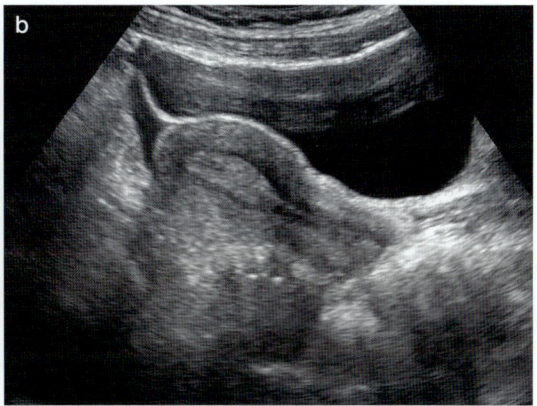

図16　子宮の正常像
a：増殖期．内膜は線状エコーの周囲に低エコーの層として描出される（子宮背側に卵巣成熟奇形腫あり）．
b：分泌期．内膜は厚く，高エコーに描出される．

部は二分せずに短軸像では楕円形に描出されるが，内膜像は二分して描出される．

2）腫大

妊娠では子宮内腔が拡大し，内腔に胎児像を認める．妊娠以外では，筋層内に結節像が認められれば子宮筋腫，筋層のびまん性あるいは限局性の肥厚が認められれば子宮腺筋症が疑われる．頸部の腫大では，頸部筋腫や進行した子宮頸癌が疑われる．

3）子宮内膜，内腔

内膜の肥厚は，良性疾患であれば内膜過形成，悪性疾患であれば子宮体癌が疑われる．また，内膜に一致して腫瘤像が認められれば，粘膜下筋腫や内膜ポリープが疑われる．

内腔の拡大では，子宮留水腫（子宮留血腫，子宮留膿腫）が疑われる．

II 子宮付属器（卵巣・卵管）の検査ポイント

1．正常像

1）位置

卵巣は子宮の左右側方に存在し，固有卵巣索（卵巣固有靱帯）と卵巣提索（骨盤漏斗靱帯）により子宮と骨盤壁に支持されている．卵巣は，子宮に接していたり，側方に離れていたり，子宮後方に存在することがある．

卵管は子宮角部から出て外側後下方を走行し，卵巣を外側から抱えるように取り囲んだ走行をしている．

2）大きさ，形状

卵巣の大きさは長径 3〜4 cm，短径 1〜2 cm で，形状は楕円形を呈する．

卵管は子宮腔から腹腔内に開口する長さ 10〜12 cm，約 1 mm 径の柔軟な細い管腔臓器であるが，通常，正常像の描出は困難である．

3）内部エコー

卵巣は充実性のエコー像として描出され，内部に卵胞が数 mm の小囊胞として描出される．卵胞は月経周期に応じて発育し，排卵前には 2 cm 程度になる（図 17）．排卵後，卵胞は黄体となる．

2．異常像

1）腫大（腫瘤）

卵巣には様々な腫瘤が発生し，エコーパターンは囊胞性パターン，混合パターン，充実性パターンを呈する．排卵誘発剤によって生じる卵巣過剰刺激症候群は，両側性多発性の拡張した卵胞囊胞を伴った卵巣腫大を呈する．

卵巣に近接した囊胞性腫瘤（あるいは拡張した管腔像）では，傍卵巣囊腫や卵管留水腫（卵管留血腫，卵管留膿腫）が考えられる．

2）卵管拡張

卵管内膜の炎症により間質部および卵管采が閉鎖することで卵管腔内に液体が貯留し，囊胞性腫瘤もしくは拡張した管腔像を呈する．内容液により卵管留水腫（漿液性），卵管留血腫（血性），卵管留膿腫（膿性）の3つに分けられる．

3）腹水貯留

子宮直腸窩には，正常でも少量の腹水を認めることがあるが，混濁した腹水貯留を認めたら，腹腔内出血や膿性腹水の可能性が疑われる．腹腔内出血では異所性妊娠破裂，卵巣出血などが考えられ，膿性腹水では骨盤腔内炎症性疾患や穿孔性虫垂炎などが考えられる．卵巣癌では多量の腹水貯留を認めることがある．

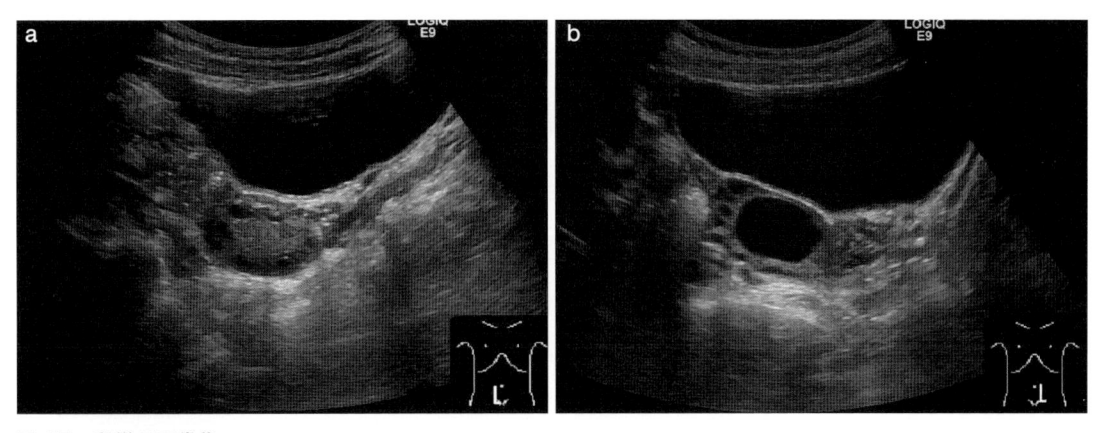

図 17 卵巣の正常像
30 代．最終月経開始日から 14 日目．
a：右卵巣は充実性のエコー像として描出され，辺縁に卵胞が小囊胞として描出される．
b：左卵巣内に 26 × 20 mm 大の囊胞性腫瘤を認め，排卵前の卵胞と考えられる．

Ⅲ 子宮および子宮付属器の病変

1. 子宮筋腫　uterine leiomyoma（図 18，19）

　子宮に発生する平滑筋腫で，婦人科腫瘍性疾患のなかで最も多く，40 歳前後に好発する．発生部位により体部筋腫と頸部筋腫に分けられるが，そのほとんどが体部筋腫である．発育方向により，漿膜下筋腫（漿膜面に突出），筋層内筋腫（筋層内に存在），粘膜下筋腫（粘膜面に突出）に分類される．漿膜下筋腫は，小さなものでは無症状であるが，大きなものでは下腹部腫瘤感や周辺臓器を圧迫することによる症状（頻尿，排尿障害，便秘，腰痛）を認めることがある．筋層内筋腫や粘膜下筋腫では，月経異常（月経過多，頻発月経，月経困難症）や不正性器出血を認めることがあり，粘膜下筋腫はときに筋腫分娩を起こす．エストロゲン依存性に発育するため，閉経後は一般的に縮小する．妊娠，閉経，ホルモン療法などのホルモン環境の変化により，筋腫内に循環障害が起こることで変性（硝子様変性，水腫様変性，赤色変性，粘液変性，石灰化など）や壊死といった続発性変化をきたす．さらには感染を認めることがある．

　超音波検査では，境界明瞭な低〜高エコー腫瘤を呈し，後方エコーの減弱を伴うことがある．内部エコーは均一なものから不均一なもの（渦巻き状，斑紋状）まであり，変性により囊胞性領域や石灰化を認めることがある．

2. 子宮腺筋症　uterine adenomyosis（図 20）

　子宮腺筋症は子宮内膜組織を筋層内に認める場合に用いる疾患名であり，広義の子宮内膜症に属する．病理所見では，①子宮筋層では内膜類似組織がびまん性に発生する，②病巣の境界は不明瞭である，③悪性変化をきたすことはまれである，などの特徴を有する．性成熟期〜更年期にかけて好発し，40 代でピークとなる．症状は月経前から月経期にかけての激しい骨盤痛，月経過多，不正性器出血である．

　超音波検査では，子宮体部病変側の筋層肥厚，ボール状の腫大を呈し，正常筋層と境界不明瞭な腫瘤状を呈することがある．また，肥厚した筋層内に散在する点状の低エコー領域を認める．

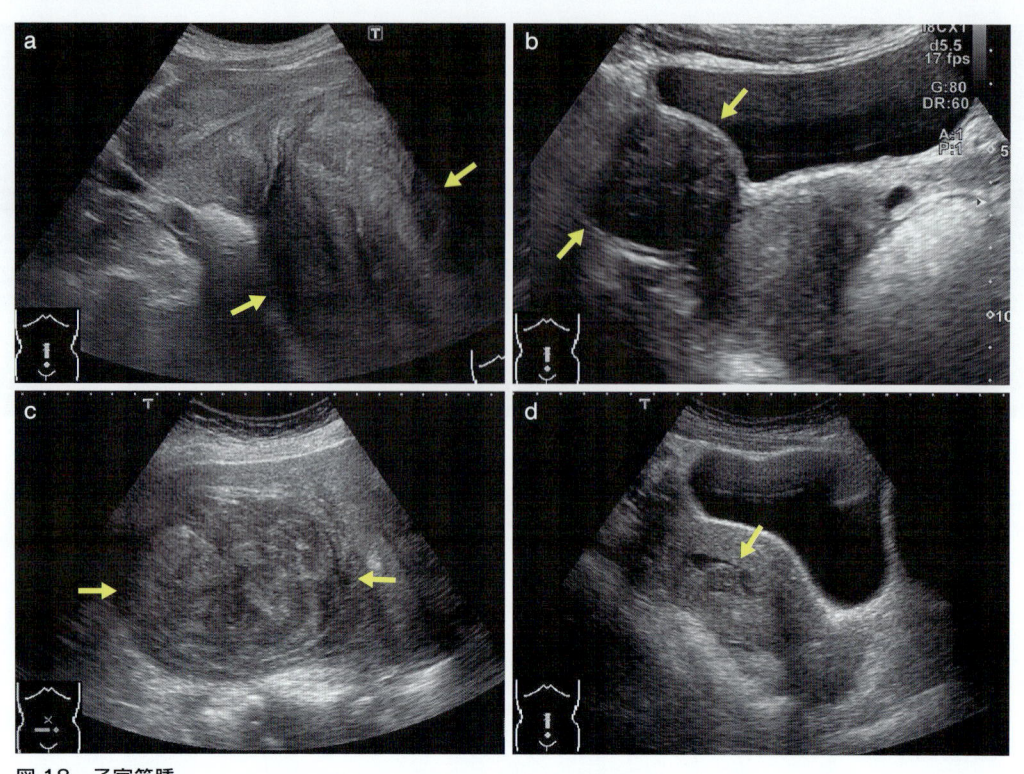

図18 子宮筋腫
　a：頸部筋腫，b：漿膜下筋腫，c：筋層内筋腫，d：粘膜下筋腫．

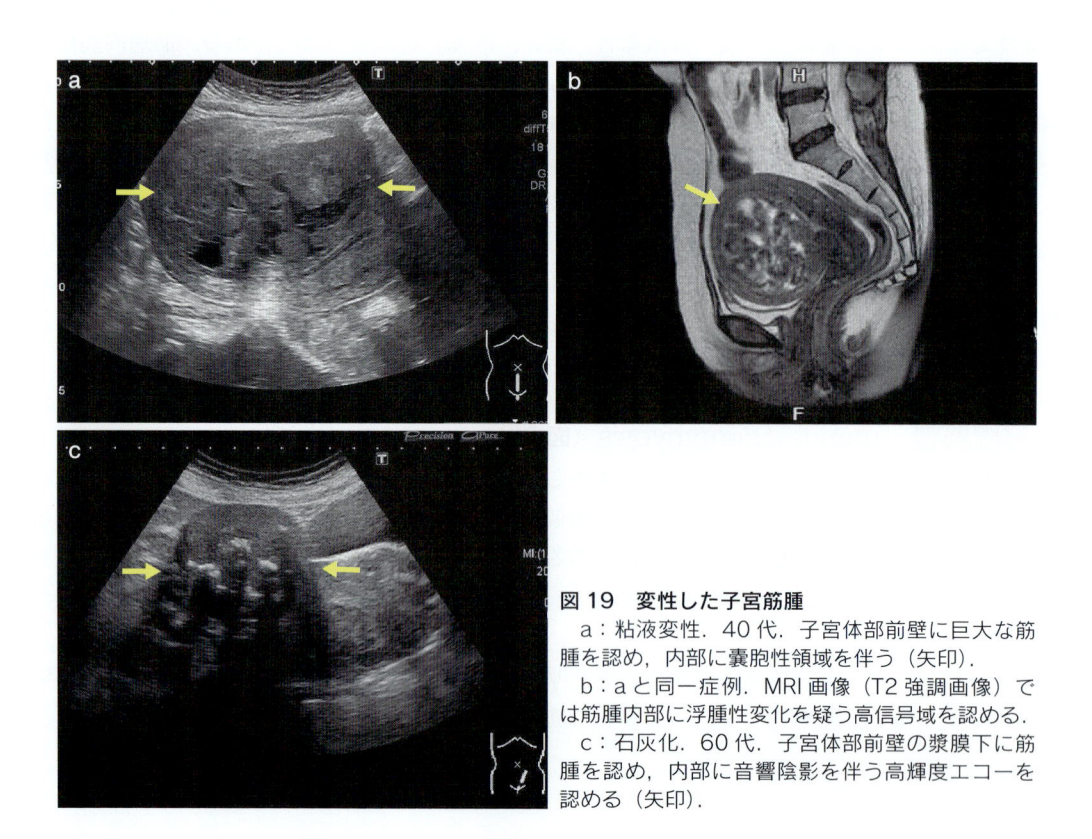

図19 変性した子宮筋腫
　a：粘液変性．40代．子宮体部前壁に巨大な筋腫を認め，内部に囊胞性領域を伴う（矢印）．
　b：aと同一症例．MRI画像（T2強調画像）では筋腫内部に浮腫性変化を疑う高信号域を認める．
　c：石灰化．60代．子宮体部前壁の漿膜下に筋腫を認め，内部に音響陰影を伴う高輝度エコーを認める（矢印）．

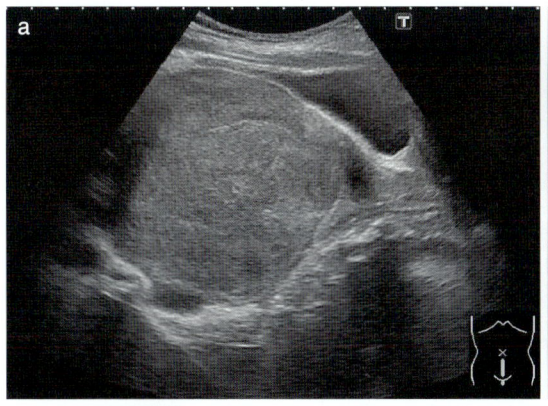

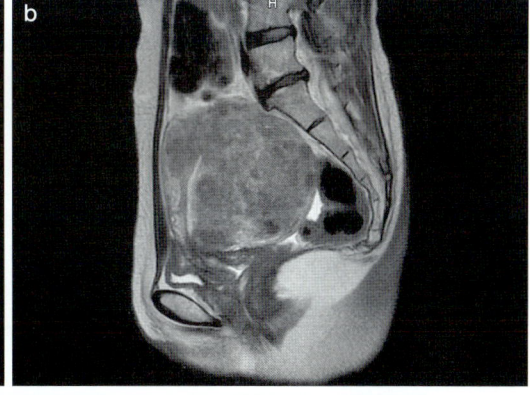

図 20 子宮腺筋症
40 代．
a：超音波画像では，子宮体部は後壁優位に肥厚を認め，ボール状を呈する．肥厚した筋層内は軽度不均一である．
b：MRI 画像（T2 強調画像）では，腫大した子宮壁内に不均一に低信号域を認める．

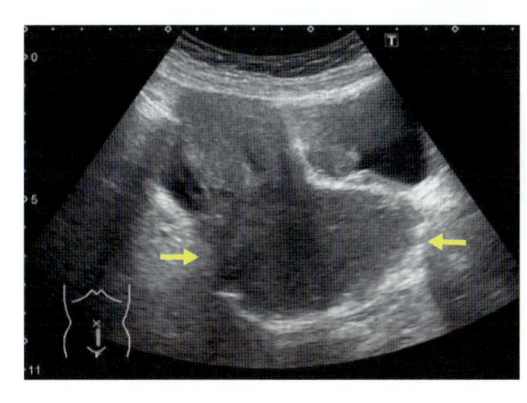

図 21 子宮頸癌 IVB 期（角化型扁平上皮癌）
50 代．子宮頸部に 69 × 47 mm の境界不明瞭な低エコー腫瘤がみられ，子宮体部の内膜エコーは腫瘤部で途絶し，子宮頸癌の体部進展を疑った（矢印）．また，膀胱右側壁から内腔に突出する腫瘤を認め，膀胱浸潤が疑われた．
MRI 検査で病変は内子宮口をこえて子宮体部に進展し，両側骨盤壁に浸潤を認めた．両側水尿管あり．生検標本では，一部に角化傾向を伴う異型扁平上皮が浸潤性に増殖する病変で，扁平上皮癌であった．その後，化学療法にて原発巣および膀胱腫瘤像は縮小した．

3. 子宮頸癌　cervical cancer（図 21）

　子宮頸部に発生する上皮性悪性腫瘍である．組織型分類では扁平上皮癌が約 7 割，腺癌が約 2 割を占める．年齢別の罹患率では 30 ～ 40 代が多い．発生にはヒトパピローマウイルス（human papillomavirus：HPV），特にハイリスク型 HPV の持続感染が関与している．
　初期癌では無症状であり，検診などで偶発的に発見されることがほとんどである．浸潤癌の典型的な症状は性交後出血であり，その他に帯下や不正性器出血を認めることも多い．
　局所での癌進展が子宮頸部をこえると，腹側では膀胱，背側では直腸に直接浸潤することがある．転移様式は一般的にはリンパ行性転移が主であり，骨盤リンパ節が所属リンパ節であるが，傍大動脈リンパ節に進展することもある．
　超音波検査では，初期は病変をとらえることができない．進行癌では子宮頸部の腫大・不整腫瘤像を呈し，膀胱や直腸への浸潤像を認めることがある．頸管閉鎖による子宮留膿腫や留血腫を認めることがある．

4. 子宮体癌　endometrial cancer（図 22）

　子宮体癌は子宮内膜から発生する悪性腫瘍で，臨床病理学的に 2 つの型に分類される．Ⅰ型体癌は閉経前あるいは閉経直後の女性に発生し，エストロゲン依存性で子宮内膜増殖症から次第に高分化型の類内膜癌へと変化する．Ⅱ型体癌は高齢の女性に多く，エストロゲン非依存性で萎縮内膜から直接発生し，低分化型の類内膜癌や漿液性癌，明細胞癌に移行する．好発年齢は 50 代で，主訴

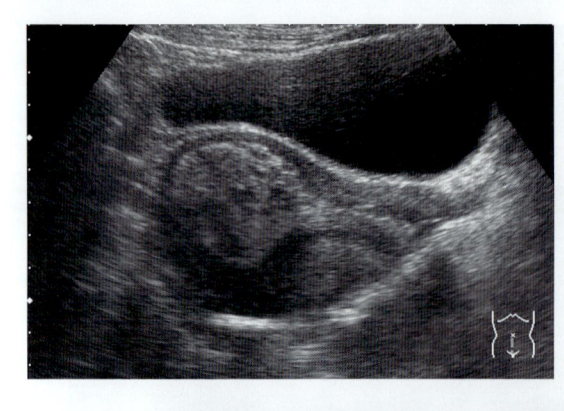

図22 子宮体癌
　50代．子宮内膜に一致して50×40 mm大の高エコー腫瘤を認め，内部は不均一である．子宮前壁は菲薄化を認め，筋層浸潤が疑われた．

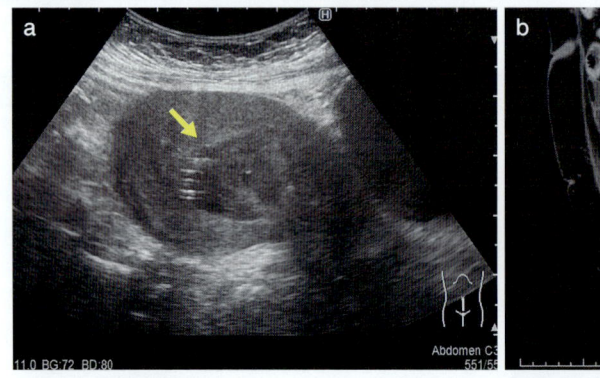

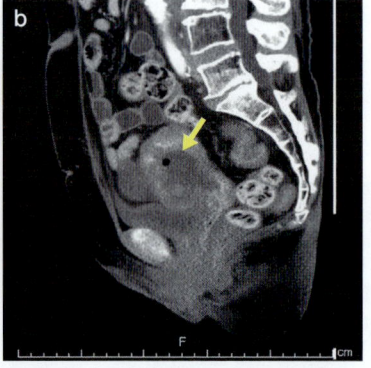

図23 子宮留膿腫
　50代．子宮体癌CRT後．菌血症で抗生剤加療中．40℃の発熱，骨盤や股関節に痛みあり．CRP：2.97 mg/dL，WBC：7,580/μL．
　a：超音波画像．子宮体部に腫瘤性病変を認め，既知の子宮体癌に合致する．腫瘍の一部は筋層内にも進展している．子宮内腔に微量の液体貯留とエアーがみられ，子宮留膿腫が疑われた（矢印）．
　b：CT画像．拡張した子宮内腔にエアーが出現しており，ガス産生菌による留膿腫が疑われた（矢印）．
　細菌培養検査で *Enterobacter cloacae*，*Klebsiella pneumoniae* などが検出された．

の多くは不正性器出血である．
　超音波検査では，子宮内膜の肥厚像（子宮体部の高エコー域や充実性腫瘤像）を認め，筋層浸潤があれば筋層との境界不明瞭化，筋層の菲薄化を認める．

5. 子宮留水腫，子宮留血腫，子宮留膿腫　hydrometra, hematometra, pyometra（図23）

　種々の原因により子宮頸管の狭窄，閉塞を生じ，子宮内分泌物の自然排泄が障害されて液体貯留を呈する．内容液が漿液や粘液の場合は子宮留水腫，血液の場合は子宮留血腫，膿の場合は子宮留膿腫となる．子宮留膿腫は細菌感染により膿や壊死物質が貯留した状態で，その原因の約25％は子宮体癌，頸癌などの腫瘤性病変による機械的排出障害である．症状として，閉経後の不正性器出血，膿性帯下，陣痛様の下腹部痛，腫大した子宮の触知がある．
　超音波検査では，子宮内腔の液体貯留を認め，子宮留血腫や留膿腫では，液体内部に網目状や点状エコーを認める．貯留液が多量になると子宮壁の菲薄化を認める．

6. 骨盤内感染症　pelvic inflammatory disease

　子宮，卵管，卵巣および周囲組織の炎症の総称である．子宮内膜炎，子宮留膿腫，卵管炎，卵管

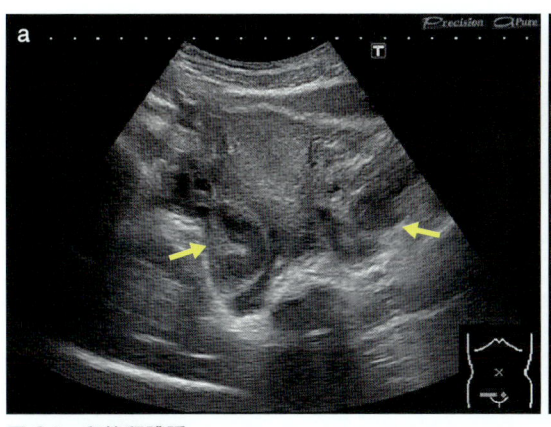

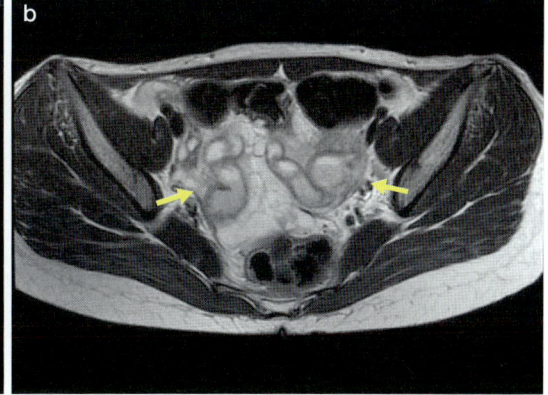

図 24　卵管留膿腫
10 代．下腹部痛，発熱あり．
a：超音波画像．子宮の左右に接して内部に点状エコーを伴う拡張した管腔構造を認める（矢印）．子宮直腸窩には少量の腹水貯留あり．
b：MRI 画像（T2 強調画像）では両側付属器から連続する拡張した管腔構造と卵管壁の肥厚を認める．頸管分泌物より *Chlamydia trachomatis* が検出された．

留膿腫（図 24），卵巣膿瘍，骨盤腹膜炎，ダグラス窩膿瘍などが含まれる．淋菌，クラミジアが主要な起炎菌で，多くは性感染症を原因として腟や頸管からの上行感染により発生する．

症状は，下腹部痛をはじめ，腟分泌物，不正性器出血，悪心，嘔吐，発熱などである．リスクファクターとして若年者，複数の性行為パートナー，経腟的医療行為，子宮内避妊器具などが知られている．

超音波検査では，卵管壁の肥厚（卵管炎），卵巣の腫大（卵巣炎），子宮周囲の内部点状エコーを伴う管状・紡錘状の囊胞性腫瘤（卵管留膿腫），卵巣内の膿瘍形成を認める．

7. 卵巣腫瘍　ovarian masses（図 25）

卵巣には様々な腫瘍が発生し，その発生起源から表層上皮性・間質性腫瘍，性索間質性腫瘍，胚細胞腫瘍などに大別され，それぞれに良性腫瘍，境界悪性腫瘍，悪性腫瘍がある．また，腫瘍性病変以外にも貯留囊胞や炎症性腫瘤がみられる．

日本超音波医学会の卵巣腫瘍エコーパターン分類[10]では，囊胞性パターン，混合パターン，充実性パターンによりⅠ～Ⅵ型に分類される．Ⅰ～Ⅲ型はほとんどが良性であるが，Ⅳ型は約 50％，Ⅴ型は約 70％，Ⅵ型は約 30％が悪性腫瘍・境界悪性腫瘍であるとされている．エコーパターン分類から想定される疾患を図 26 に示す．両側の卵巣腫瘍で混合～充実性パターンがみられた場合は，転移性卵巣腫瘍を疑い，消化管に原発病変がないか確認を行うことが必要である．

8. 卵巣腫瘍茎捻転　ovarian torsion（図 27）

卵巣あるいは卵管が固有卵巣索や卵巣提索の支持靭帯を軸にねじれを生じることで卵巣に血行障害を生じた病態である．多くは患側に卵巣腫瘍を伴っており，周囲との癒着に乏しい成熟奇形腫や機能性囊胞，良性囊胞性卵巣腫瘍の頻度が高い．特に，大きさが 5 cm 以上の腫瘍で捻転のリスクが高い．典型的な症状は，突然発症する下腹部痛で，しばしば悪心，嘔吐を伴う．

超音波検査では，子宮角のねじれた索状エコーもしくは充実性エコー像，卵巣の腫大（浮腫性），卵巣の囊胞性あるいは混合性腫瘤と腫瘤壁の肥厚を認め，骨盤内に腹水貯留を伴うことがある．卵巣壊死を生じている場合はドプラ法で血流シグナルの消失を認める（卵巣は卵巣動脈と子宮動脈の二重支配であり，また，捻転早期では血流シグナルを認めることがある．血流シグナルがある

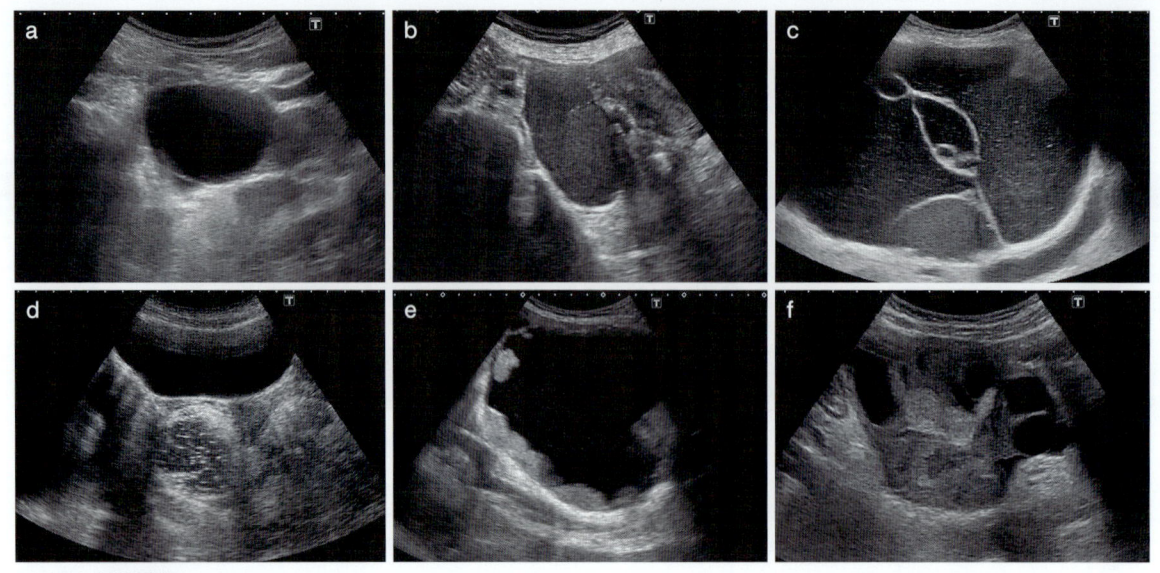

図25 卵巣腫瘤
a：Ⅰ型．機能性嚢胞．内部無エコー．1カ月後の再検査で嚢胞は消失．
b：Ⅱ型．内膜症性嚢胞．内部全体に点状エコーあり．
c：Ⅱ型．粘液性境界悪性腫瘍．内部に隔壁と点状エコーあり．
d：Ⅲ型．成熟奇形腫．内部に線状エコー，高エコーあり．
e：Ⅳ型．明細胞癌．内部は嚢胞性優位で，辺縁に充実性エコーあり．
f：Ⅴ型．虫垂癌による転移性卵巣腫瘍．内部は充実性エコーが優位で，辺縁に嚢胞性領域あり．

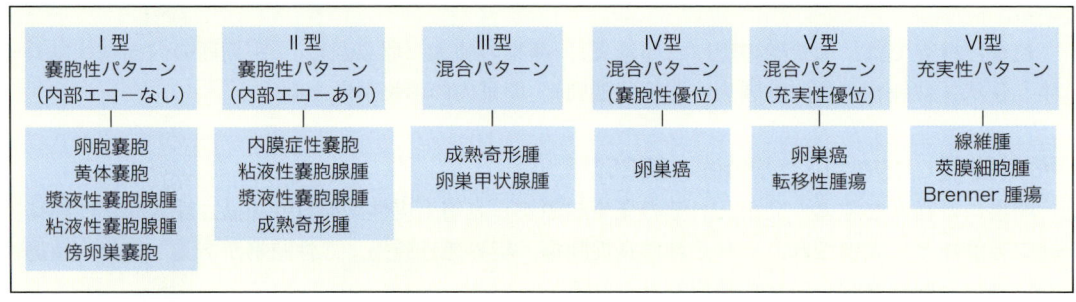

Ⅰ型 嚢胞性パターン（内部エコーなし）	Ⅱ型 嚢胞性パターン（内部エコーあり）	Ⅲ型 混合パターン	Ⅳ型 混合パターン（嚢胞性優位）	Ⅴ型 混合パターン（充実性優位）	Ⅵ型 充実性パターン
卵胞嚢胞 黄体嚢胞 漿液性嚢胞腺腫 粘液性嚢胞腺腫 傍卵巣嚢胞	内膜症性嚢胞 粘液性嚢胞腺腫 漿液性嚢胞腺腫 成熟奇形腫	成熟奇形腫 卵巣甲状腺腫	卵巣癌	卵巣癌 転移性腫瘍	線維腫 莢膜細胞腫 Brenner腫瘍

図26 卵巣腫瘤エコーパターン分類から想定される疾患

からといって捻転を否定しないよう注意する必要がある）．

9. 卵巣出血　ovarian hemorrhage（図28, 29）

　出血の原因となる卵巣嚢腫には，卵胞嚢胞と黄体嚢胞があり，多くは黄体嚢胞出血である．黄体嚢胞出血の発症は，最終月経から3週間後の新生血管の増生が活発な黄体中期に多くみられ，性交を誘発とすることが多い．卵胞嚢胞出血は排卵時の破綻出血で出血量は少ない．出血形態としては，嚢胞内に限局する内出血と，嚢胞壁外に破綻して腹腔内出血を生じる外出血の2通りがある．内出血は出血性嚢胞ともよばれ，腹痛は数時間内に軽減または消失し，そのほとんどが自然吸収・退縮する．外出血は腹腔内出血により急激な腹痛とともに腹膜刺激症状を認め，大量の出血とともにショック状態となることもある．
　超音波検査では，卵巣の嚢胞内に充実性エコーや網目状エコー，点状エコー像を呈する（出血による経時的な変化を呈する）．また，外出血では血性腹水を認める．

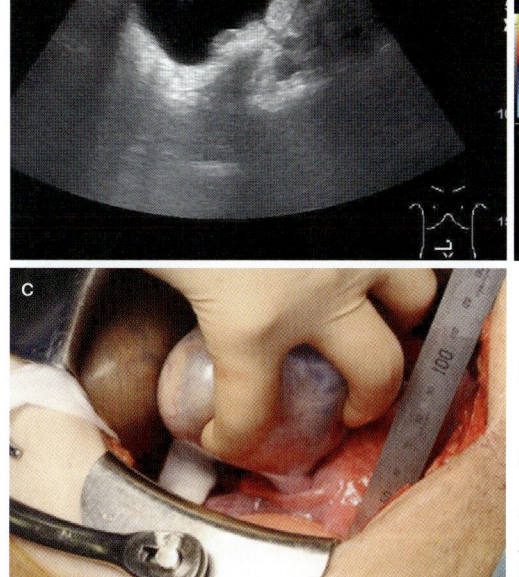

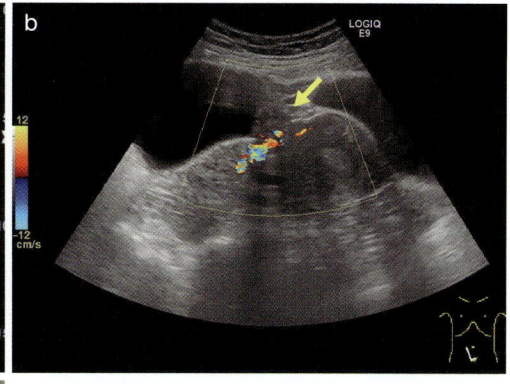

図 27　卵巣腫瘍茎捻転
40代．右下腹部痛あり．
a：子宮右側に 80 × 49 mm 大の囊胞性腫瘤を認め，内部は塊状の高エコーを伴っていた．
b：子宮と卵巣腫瘤の間には塊状エコー（矢印）を認め，カラードプラ法では子宮動脈と考えられる血流シグナルは認めるが，塊状エコーおよび卵巣囊腫壁には血流シグナルを認めなかった．
c：手術所見では 180°の捻転を認めた．腫瘤内部に脂肪と毛髪を認め，成熟奇形腫であった．

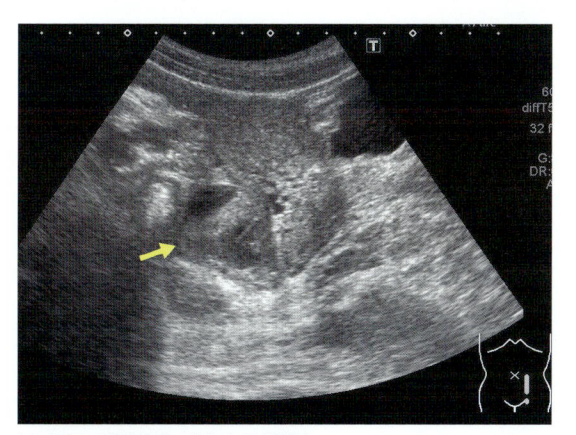

図 28　卵巣出血（出血性囊胞）
30代．下腹部痛あり．最終月経開始日から 30 日目．
左卵巣内に充実性エコーと点状エコーを伴う 36 × 28 mm 大の囊胞性腫瘤を認め，出血性囊胞（黄体出血）が疑われた（矢印）．3 ヵ月後の検査で腫瘤は消失していた．

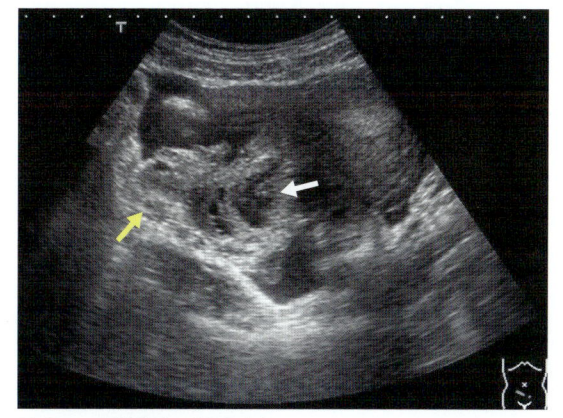

図 29　卵巣出血（外出血）
20代．下腹部痛あり，妊娠反応（−）．最終月経開始日から 21 日目．
右卵巣内に淡い点状エコーを伴う 25 × 18 mm 大の囊胞性腫瘤を認める（白矢印）．卵巣周囲には凝血塊と考えられる輝度の高い充実性エコー（黄矢印）と腹水貯留を認め，外出血が疑われた．

10．異所性妊娠　ectopic pregnancy（図 30）

受精卵が子宮腔以外で着床する妊娠の総称である．全妊娠の 0.5 〜 1％の頻度で発生する．異所性妊娠の多くが卵管妊娠で，卵管膨大部妊娠が 70％と最も多く，次いで卵管峡部妊娠が 25％，卵管間質部妊娠が 3％である．その他に，頸管妊娠，腹膜妊娠，卵巣妊娠がある．無月経，不正性器出血，下腹部痛が 3 徴候である．ヒト絨毛性性腺刺激ホルモン（human chorionic gonadotropin：hCG）測定では陽性を示す．卵管膨大部妊娠の多くは卵管流産に終わり，卵管留血腫を生じて腹腔

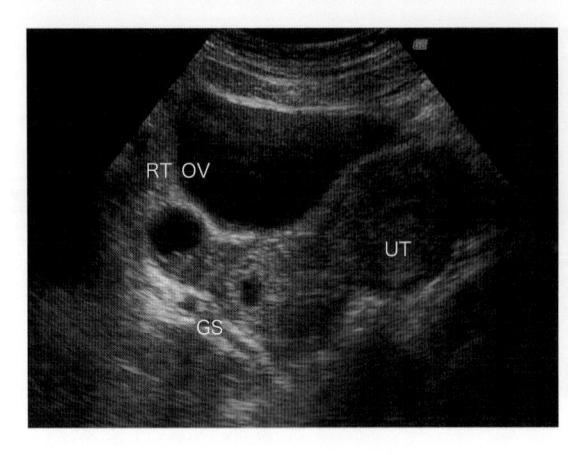

図30 異所性妊娠
子宮と右卵巣の間に，27 mm 大の，中心に囊胞性領域を伴う高エコー腫瘤を認め，胎囊が疑われた．明らかな腹腔内出血の所見は認めなかった．手術で右卵管妊娠を認めた（明石市立市民病院臨床検査課　岩崎昭宏先生より画像提供）．
RT OV：右卵巣．UT：子宮．GS：胎囊．

　内出血は少量に留まることが多いが，卵管峡部妊娠，卵管間質部妊娠では，発育した胎囊の増大とともに卵管壁が破れ，大量の腹腔内出血を生じる．
　超音波検査では，子宮内に胎囊を認めず（偽胎囊を認めることがある），子宮外に胎囊を認めることがある．また，卵管留血腫，卵管周囲血腫を認めることがある．破裂すると血性腹水を認める．

参考文献
1) 日本泌尿器科学会：男性下部尿路症状・前立腺肥大症診療ガイドライン．リッチヒルメディカル，2017．
2) 山下康之：画像診断．別冊 KEY BOOK シリーズ　知っておきたい泌尿器の CT・MRI．改訂第2版，学研メディカル秀潤社，2019．
3) 赤座英之監修，並木幹夫，堀江重郎編集：標準泌尿器科学．第9版，医学書院，2014．
4) 扇谷芳光, 他：前立腺・尿道・陰茎・精巣．臨床画像，29（5）：612～623，2013．
5) 森　秀明：超音波検査　泌尿器疾患．杏林医会誌，48（1）：81～85，2017．
6) 髙梨　昇：コンパクト超音波αシリーズ　腎・泌尿器アトラス．ベクトル・コア，2009．
7) 石原　理，柴原浩章，三上幹男，板倉敦夫編集：講義録産婦人科学．メジカルビュー社，2010．
8) がん情報サービス
https://ganjoho.jp/public/index.html
9) 高良博明, 他：急性腹症の画像診断　婦人科疾患．画像診断，28（12）：1344～1354，2008．
10) 超音波医学会用語・診断基準委員会：卵巣腫瘍のエコーパターン分類の公示について．超音波医学，27（6）：912～914，2000．
11) 日本超音波医学会：新超音波医学第4巻　産婦人科，泌尿器科，体表臓器およびその他の領域．医学書院，2000．
12) 宇治橋善勝：婦人科エコーマニュアル．ベクトル・コア，2009．

（山本真一）

第4章 造影超音波検査の進め方

1. 造影超音波検査（CEUS）の目的（用途）

　造影超音波検査（contrast enhanced ultrasonography：CEUS，以下 CEUS）は肝腫瘍の鑑別および存在診断を目的としているが，昨今では，腫瘍の進展度，治療法の選定，そして治療効果判定にも使用されている[1]．また，承認外使用では，肝臓の線維化測定や肝以外の腫瘍の鑑別に使用されることもある（肝腫瘍以外では乳腺にも適応となっている）．

2. CEUS の撮像方法

　CEUS の撮像方法（造影モード）は，harmonic imaging 法と amplitude modulation imaging（power modulation）法の2つが主流である．

1）harmonic imaging 法

　harmonic imaging 法では，pulse inversion harmonic imaging（phase inversion harmonic imaging：PIH）法が主である．

　PIH 法は，1回目と2回目で極性を反転したパルスを送信し，2つのエコー信号中の基本波成分は，極性が互いに反転しているが，第2高調波成分は極性が同じである．このため，2つのエコーを加算すれば，基本波成分（組織成分）は相殺されて減少し，第2高調波成分（harmonic 成分）が効率よく画像化される（図1）．

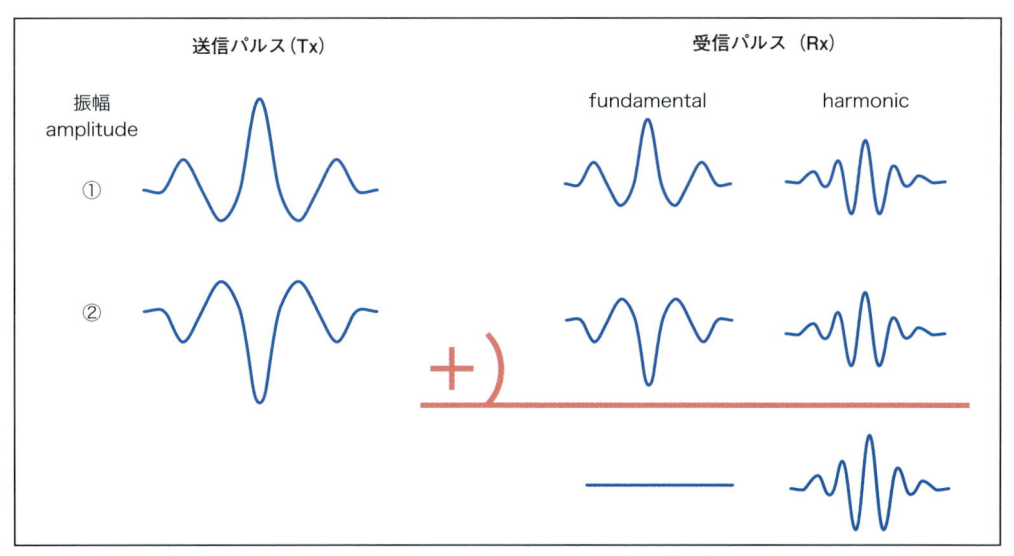

図1　pulse inversion imaging（phase inversion imaging）法の撮像原理
　180°位相の異なる2つのパルス波を送受信することによって，基本波成分（fundamental）を相殺し，組織と造影剤の気泡から発生する非線形成分のハーモニック成分を加算する方法．組織中を伝搬する際に発生する組織高調波（tissue harmonic）と造影剤の気泡から発生するハーモニック（harmonic）を描出することが可能である．

2) amplitude modulation imaging（power modulation）（AM）法

　AM 法には 2 つの方法がある．

　1 つは，位相は同じであるが振幅が異なる 2 つのパルス波を照射する方法である．異なる振幅のパルス波は 1 倍の振幅とその 1/2 倍の振幅となっており，1 倍の振幅のパルス波の反射波から 1/2 倍の振幅のパルスの反射波を 2 倍にした反射波を引き，そこから得られた信号を画像化するものである（図 2）．また，1/2 倍の振幅のパルス波の位相を反転させ，3 つの反射波を加算する方法（図 3）もある．この 3 つのパルスにて行う AM 法は，PIH 法に比して感度は良好であるが，空間分解能とフレームレートが低くなる傾向にある．

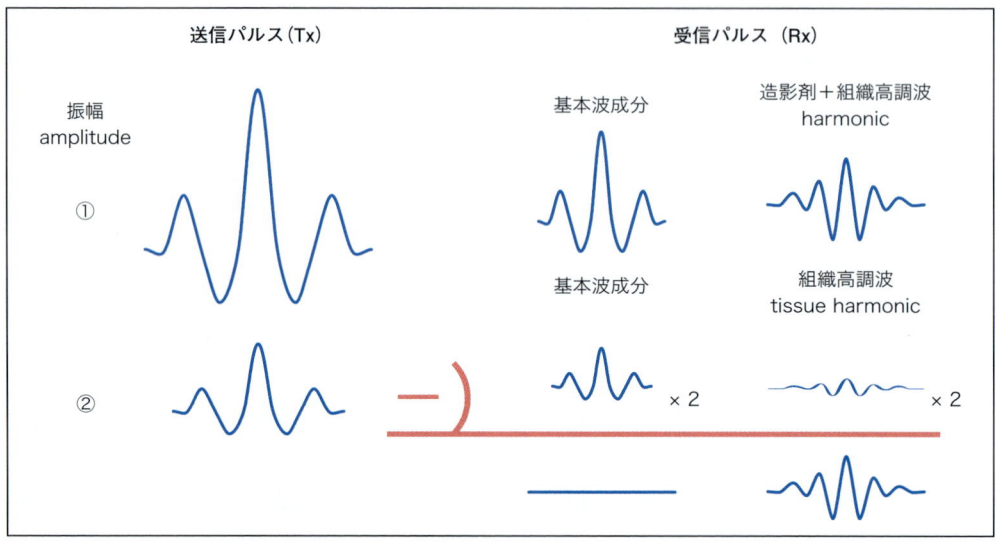

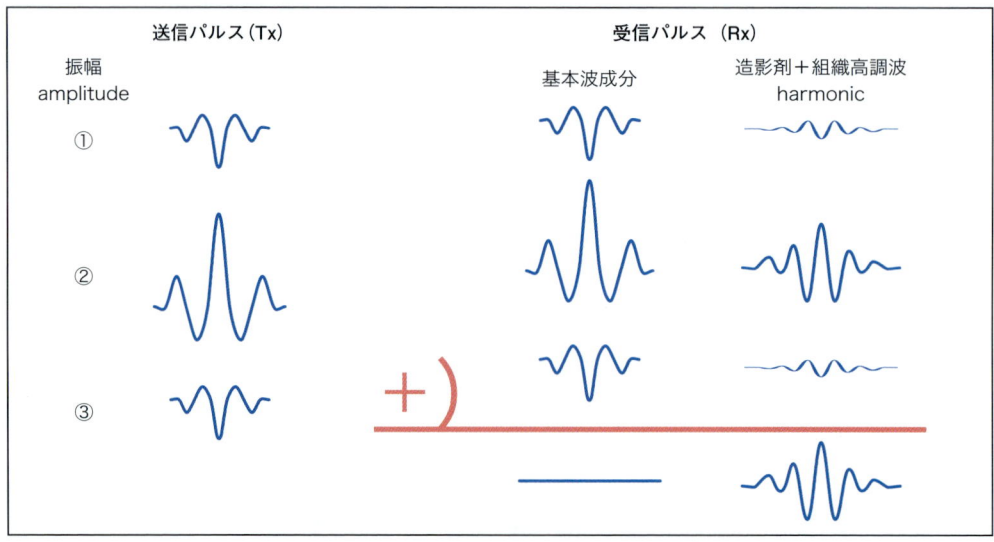

図 2　amplitude modulation imaging（power modulation）法の撮像原理（1）
　振幅の異なる 2 つのパルス波を送信する．この振幅の比は 1：2 として送信される．大きい送信波の受信波から小さい送信波の受信波を 2 倍したものを引き，組織信号を抑制して造影剤の受信波を抽出する方法である．

図 3　amplitude modulation imaging（power modulation）法の撮像原理（2）
　振幅および位相の異なる 3 つのパルス波を送信する．この振幅の比は 1：2 として小さな振幅の送信は位相を反転し送信する．この 3 つの受信波を加算する．位相変調法による高分解能と振幅変調法による高感度を兼ね備えた撮像法である．

3. CEUS の検査体制

　CEUS では，撮影の検者 1 名と造影剤投与のための医師（または看護師）1 名の 2 名が必要である．造影剤の自動注入器を用いれば 1 名で検査は可能だが，超音波造影剤用の自動注入器の普及は現時点で非常にまれであることから，2 名で行うことが主流である．また，通常の B モード検査やドプラ検査と異なり，造影剤の投与という侵襲が加わるため事前の患者への説明は必須であり，説明同意書等については各医療施設の内規に従い CEUS が施行されなくてはならない．

　特にソナゾイドの使用に関しては，卵または卵製品にアレルギーのある患者は原則禁忌とされているので，初回投与時の事前確認事項として必須である．

4. ソナゾイドの調製方法

　懸濁液は，調製後 2 時間以内に使用する．空シリンジに，添付の注射用水から 2 mL を取る．本剤（凍結乾燥注射剤）に添付のケモプロテクトスパイクを挿入する．注射用水 2 mL を取ったシリンジをケモプロテクトスパイクに取り付け，注射用水 2 mL をバイアルに入れ，シリンジを付けたまま，ただちに 1 分程度振盪する．ケモプロテクトスパイクの内部にあるデッドスペースには注射用水が残っているため，一度シリンジ内へ懸濁液を吸い取り，再度バイアル中に戻す．懸濁液採取用の空シリンジをケモプロテクトスパイクに取り付け，投与に必要な量の懸濁液をシリンジに取る．

5. 投与方法

　ソナゾイドは自動注入器を除き，通常はボーラス静注にて投与される．末梢血管から投与するため，静注後に 10 〜 20 mL の生理食塩水でフラッシュする．

　投与には延長チューブと三方活栓を用いることが多い．シリンジ内に投与量のソナゾイド溶液を満たし，三方活栓の他の接続部には 10 〜 20 mL の生理食塩水を満たして準備する．次にソナゾイドを延長チューブに注入し，その後生理食塩水にてフラッシュ投与する．また，CEUS を施行する 1 時間くらい前に点滴にてソナゾイドを持続投与し，肝細胞癌や転移性肝腫瘍などの存在診断をルーチン検査のはじめに行う施設もある．注意点として，生理食塩水投与時には強い圧力を加えることを避ける必要がある．一定以上の圧力がかかると，延長チューブ内のソナゾイドの気泡が一瞬で破壊されるためである．ソナゾイドが破壊されると白濁した液体が透明になるので，白濁したソナゾイドが確実に静注されることを確認する．

6. 描出方法

　CEUS による肝腫瘍の観察は，安定して描出できる部位で行うことはいうまでもない．具体的には，腫瘍はなるべく浅部で，超音波が垂直に当たるようなロケーションを心掛ける．さらに，可能なかぎり高周波数の条件にて行うことも重要である．また，肝腫瘍の描出が適当であるかを確認するために，CEUS の前にカラードプラにて腫瘍内血流の観察と腫瘍周辺（特に腫瘍後方）の既存の血流が観察できるかを確認するとよい．描出方法は，肝右葉ではなるべく肋間走査による観察を優先すべきであり，肝外側区では，心拍による影響を受けることが多いため縦走査による描出（走査）が推奨される．

7. フォーカス

　通常，フォーカス領域では周囲よりも音圧が高いため，気泡の収縮膨張や破壊が起きやすく，肝臓全体としては染影に若干のムラが生じる．これを避けるためには，多段階フォーカスや深さ依存の少ないビームフォーミングを用いる．また，1 点フォーカス（シングルフォーカス）の場合では，観察したい腫瘍の最深部もしくは画像の最も深部に設定するようにする．

8. 音圧

撮像条件のなかでは音圧は最も重要な要因となる．現時点で使用可能な造影剤はすべて低〜中音圧の造影剤で，ソナゾイドも低〜中音圧造影剤である．一般的に，生体内で低音圧から次第に音圧を上げていくと，マイクロバブルは収縮膨張や破壊しない状態から，収縮膨張し，さらに音圧を上げると短時間で破壊される．ソナゾイドでは，mechanical index（MI）値が 0.3〜0.4 をこえるとマイクロバブルの破壊が始まるので，MI 値は 0.3 以下で観察を行うようにする．

9. フレームレート（fps）

同じ条件（音圧およびフォーカスなど）であっても，フレームレートが違う場合は，造影剤の破壊の量が違ってくる．フレームレートが高い方がより造影剤の破壊が強くなる．しかし，CEUS の最大の利点の 1 つは，リアルタイムに腫瘍内造影剤組織還流形態観察（perfusion imaging）が可能であることであり，リアルタイム性を維持でき，かつ最小限のフレームレートで検査を行うことが理想である．通常，15 フレーム/秒（fps）程度で検査を施行することが推奨される．

10. 記録方法

CEUS の記録として，動画と静止画を残す．特に，動脈優位相（arterial [predominant] phase）から門脈優位相（portal [predominant] phase）まではダイナミックスタディにて観察することが重要であり，動画保存が必須である．その後，投与後 3 分程度まで 15 秒程度のダイナミックスタディを数回動画記録できるとよい．後血管相（post vascular phase）では，腫瘍を含めた全肝の観察を行うが，この時も 1 つの走査に 20 秒程度の動画記録が望ましい．

11. 肝腫瘍の CEUS の時相（phase）

肝臓は動脈と門脈の 2 つの血流にて支配されている（一部胆嚢や胃を介する血流も存在する）．このため，超音波造影剤を静脈から投与すると動脈優位な時相，門脈優位な時相が観察される．さらに，ソナゾイドの特性として Kupffer 細胞に貪食されることと類洞への停滞があり，肝実質相（後血管相）が観察される．

動脈優位相（arterial [predominant] phase）は造影剤投与後約 15〜25 秒，門脈優位相（portal [predominant] phase）は造影剤投与後約 20〜35 秒，造影剤投与後 30〜35 秒後から約 3 分後ま

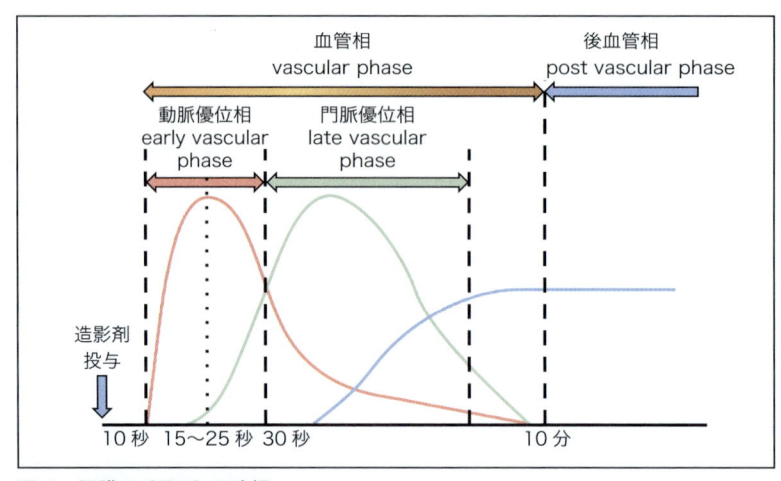

図 4　肝臓の CEUS の時相
　動脈優位相は造影剤投与後およそ 15〜25 秒，門脈優位相は造影剤投与後およそ 20〜35 秒，最後に後血管相は造影剤投与後 10 分以降．

表 1　肝腫瘍の診断基準

主分類	細分類	血管相 vascular phase 動脈（優位）相 arterial [predominant] phase	血管相 vascular phase 門脈（優位）相 portal [predominant] phase	後血管相 post vascular phase	付加所見
肝細胞癌	結節型2cm以下	造影剤が流入する場合もあるが血管として描出される本数は少ない 肝細胞癌の肝内転移例では染影することが多い	肝実質と同程度もしくは低下して染影される 門脈（優位）相の早期まで周囲肝よりも強く染影することもある	肝実質に比して軽度低下もしくは低下	動脈（優位）相で染影しない症例もある
肝細胞癌	結節型2cmをこえる	バスケットパターン，血管増生，不整な流入血管 肝実質に比し強い染影	肝実質と同程度もしくは低下して染影される 不整な流入血管を認めることもある 非染影部位が存在することもある	欠損もしくは不完全な欠損	後血管相で点状のシグナルが残存することあり
肝細胞癌	塊状型	バスケットパターン，血管増生，不整な流入血管 肝実質に比し強い不均一な染影	肝実質に比し低下して染影される 非染影部位が存在	欠損もしくは不完全な欠損 腫瘍の輪郭は不整	染影される腫瘍塞栓が描出されることあり
肝内胆管癌（胆管細胞癌）		辺縁に血管様染影 辺縁のリング状染影	腫瘍辺縁のリング状染影 肝実質に比し低下して染影される	明瞭な欠損もしくは不完全な欠損	中央を突き抜ける線状の血管を認めることもある 線維化強い時は腫瘍内に不整形な非染影域を多く認め，全く染影されない場合もある
転移性肝腫瘍（胃癌や大腸癌などの腺癌など）		腫瘍内の点状の血管影，辺縁のリング状染影	腫瘍辺縁のリング状染影 肝実質に比して低下して染影される	明瞭な欠損 腫瘍の輪郭は不整	中央を突き抜ける線状の血管を認めることもある 全く染影されない場合もあり
転移性肝腫瘍（腎癌，神経内分泌，GISTなどの多血性腫瘍）		血管増生，不整な流入血管 肝実質に比し強い染影	肝実質より低下して染影される 非染影部位の存在 腫瘍辺縁のリング状染影を認めることもあり	明瞭な欠損 腫瘍の境界は明瞭	膨張性発育の強い症例では特に腫瘍中心部に壊死による非染影域を認める場合もある
リンパ腫（転移性を含む）		肝実質に比し比較的に均一な染影	肝実質に比し低下して染影される	明瞭な欠損 腫瘍の境界は明瞭	リンパ腫の種類によっては動脈優位相で不均一な染影を呈するものあり
肝血管腫		peripheral globular enhancement 辺縁から中央に向かって染影され始める 辺縁が点状もしくは斑状に染影される	centripetal fill-in 辺縁が斑状に染影される 中央へ染影が進み，中心部は染影されないことが多い	肝実質と同等，一部染影されない場合あり（血栓，線維化，角質化など）	動脈門脈短絡（シャント）などの血管奇形等がある場合や小さなものでは急速に中央に向かって染影される場合もあり
肝血管筋脂肪腫		血管増生 不整な流入血管 肝実質に比し強い染影	肝実質と同程度もしくは低下して染影される	欠損もしくは不完全な欠損	動脈静脈短絡（シャント）を認めることがある 腫瘍内の血管，筋肉，脂肪成分の占める割合にて染影は多様
肝細胞腺腫		境界から中央に向かって細かな血管が流入する，血管増生，肝実質に比し軽度の染影	肝実質に比し染影される	同等もしくは不完全な欠損	出血・壊死を伴う場合には非染影部位を生じる
限局性結節性過形成（FNH）		spoke-wheel pattern，中央から外側に向かって極めて短時間に肝実質より染影	肝実質より染影あり 染影の低下する部分もあり（中心瘢痕）	染影は肝実質と同等，染影の低下する部分もあり（中心瘢痕）	中心瘢痕は複数存在することもあり

（日本超音波医学会用語・診断基準委員会：肝腫瘍の超音波診断基準．超音波医学，39：317〜326，2012をもとに作成）

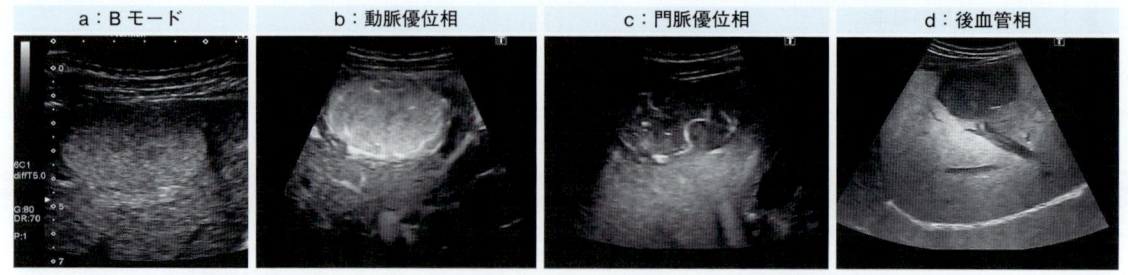

図5 pulse inversion imaging（phase inversion imaging）法による進行肝細胞癌
　a：約25mmの類円形の腫瘤を認める．腫瘤辺縁に低エコー帯，後方エコーの増強も確認される．
　b：血管相（vascular phase）の動脈優位相（early vascular phase）で，腫瘤内に血管像と周囲肝よりも強い染影を認める．
　c：門脈優位相（late vascular phase）では腫瘤内に血管の染影を認めるが，周囲肝よりは染影が低下している．
　d：後血管相（post vascular phase）では，腫瘤は明瞭な染影欠損像として確認される．

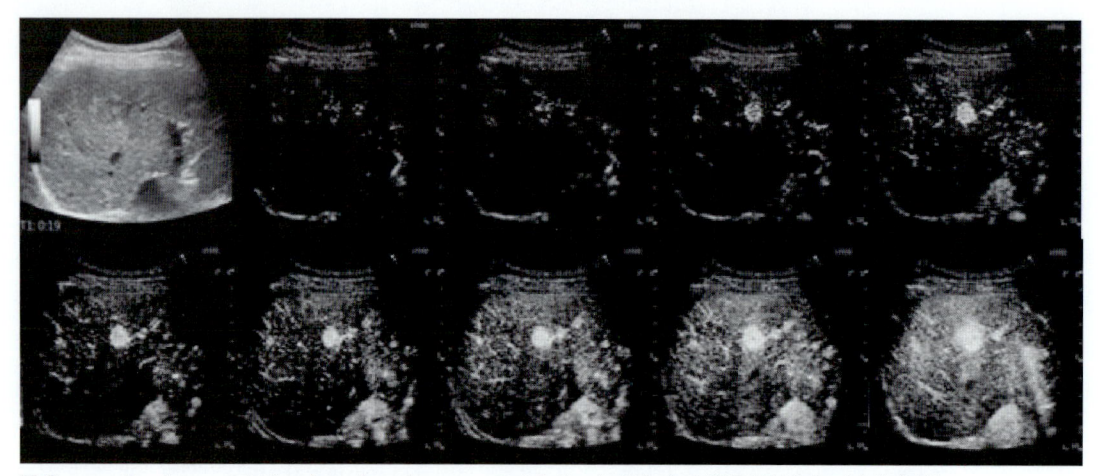

図6 amplitude modulation imaging（power modulation）法による進行肝細胞癌（中分化型）
　動脈優位相．約15mmの腫瘤を認める．はじめに肝動脈の染影が確認され始め，次いで腫瘤が周囲肝よりも早く染影していくことが確認できる．しばらくは周囲肝よりも強く染影されている．

では少量の動脈を含む門脈優位な時相，最後に造影剤投与後10分以降の後血管相（血管内の造影剤濃度が低下し，造影剤による可動的な造影効果が十分に低下した時相：post vascular phase）の4つの時相（phase）がオーバラップして発生する（図4）．

12. CEUSによる肝腫瘍の鑑別診断

　CEUSによる肝腫瘍の鑑別には，肝腫瘍診断基準[2]をもとに作成した**表1**を参考にしてもらいたい．
　しかし，特に造影超音波では，サイズの小さな腫瘍や逆に巨大な腫瘍では非典型的な染影を呈する症例も少なからず存在する．そこで本項では，鑑別診断に有用なCEUSの所見や撮像方法を中心に症例を解説する．

13. 症例

1）進行肝細胞癌（古典的肝細胞癌）

　動脈優位相で肝実質にくらべ強い染影を認め，バスケットパターン，血管増生，不整な流入血管などが観察される．門脈優位相では，染影は肝実質と同程度もしくは低下し，さらに不整な流入血

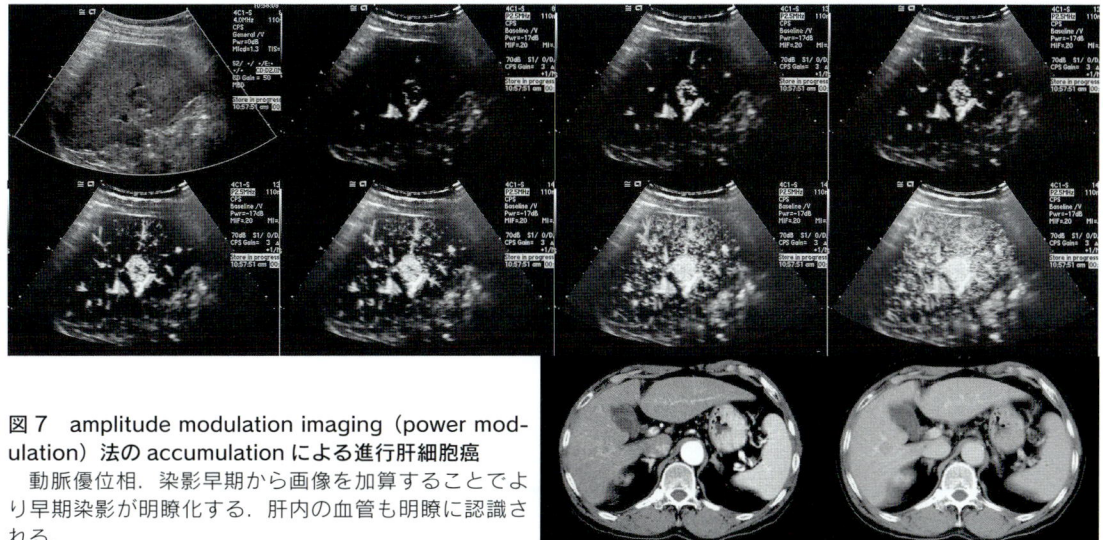

図7 amplitude modulation imaging（power modulation）法の accumulation による進行肝細胞癌
動脈優位相．染影早期から画像を加算することでより早期染影が明瞭化する．肝内の血管も明瞭に認識される．

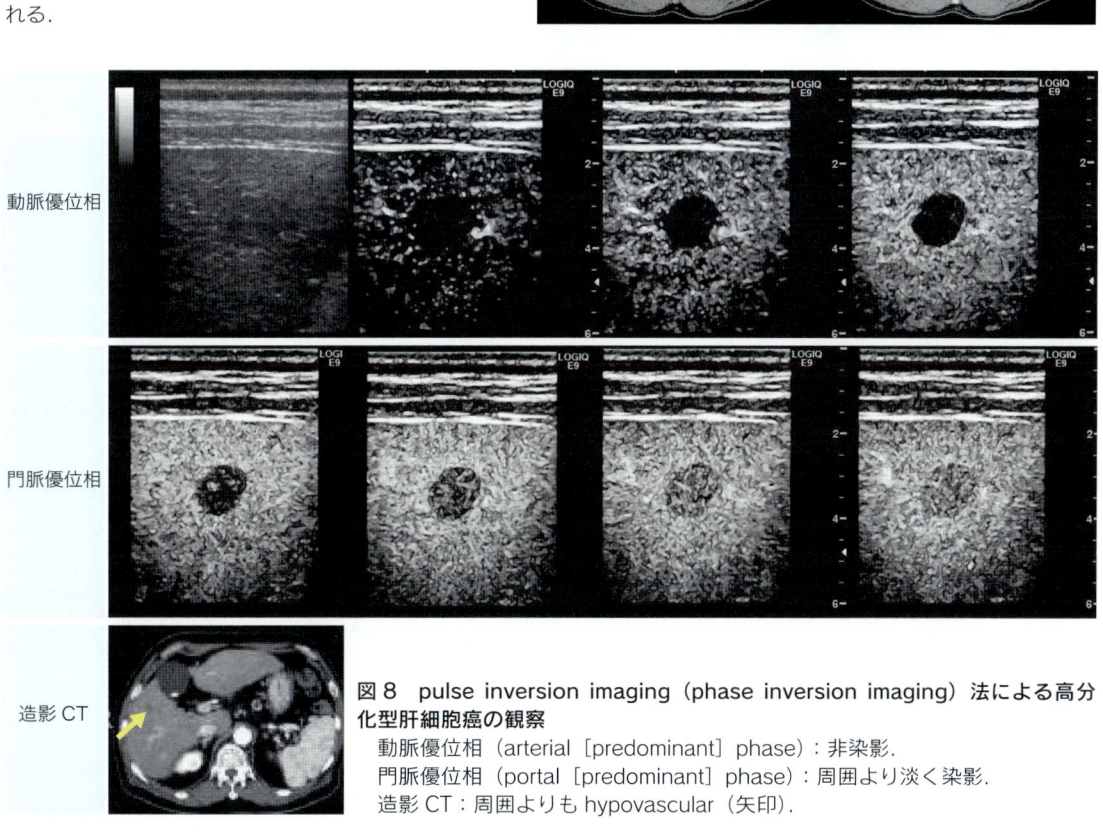

図8 pulse inversion imaging（phase inversion imaging）法による高分化型肝細胞癌の観察
動脈優位相（arterial [predominant] phase）：非染影．
門脈優位相（portal [predominant] phase）：周囲より淡く染影．
造影CT：周囲よりも hypovascular（矢印）．

管の残影や非染影部を認めることもある．後血管相では欠損もしくは点状の染影が残存する不完全な欠損像を認める（図5）．特に，PIH法ではAM法と比べ腫瘍内血管構造や非染影部の認識がよいが，AM法では小さな腫瘍でも明瞭な組織染影が得られる（図6）．AM法にて血管像をとらえる場合には，画像加算法（ピークホールド，accumulation）を使用することで描出の改善も期待できる（図7）．

2）高分化型肝細胞癌

動脈優位相で造影剤が流入する場合もあるが血管として描出される本数は少なく，門脈優位相で

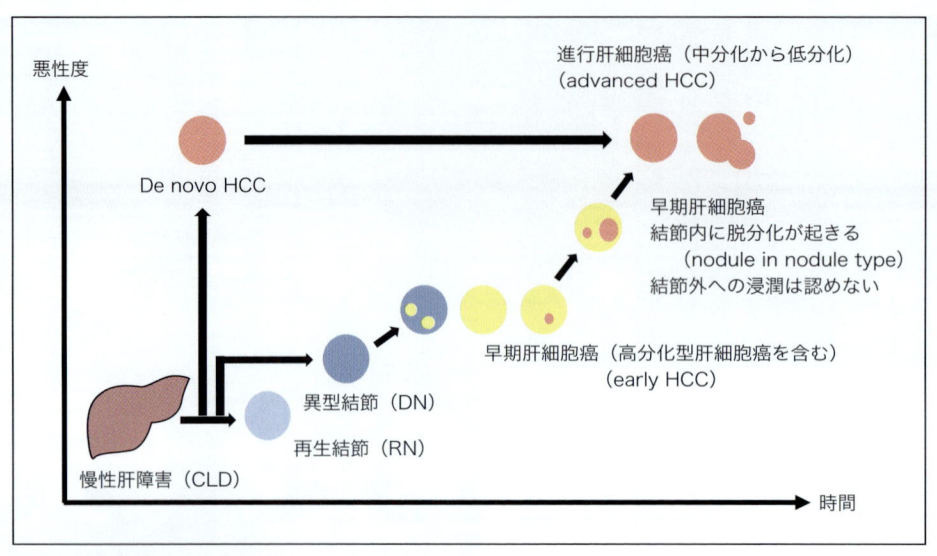

図9 肝細胞癌の多段階発育

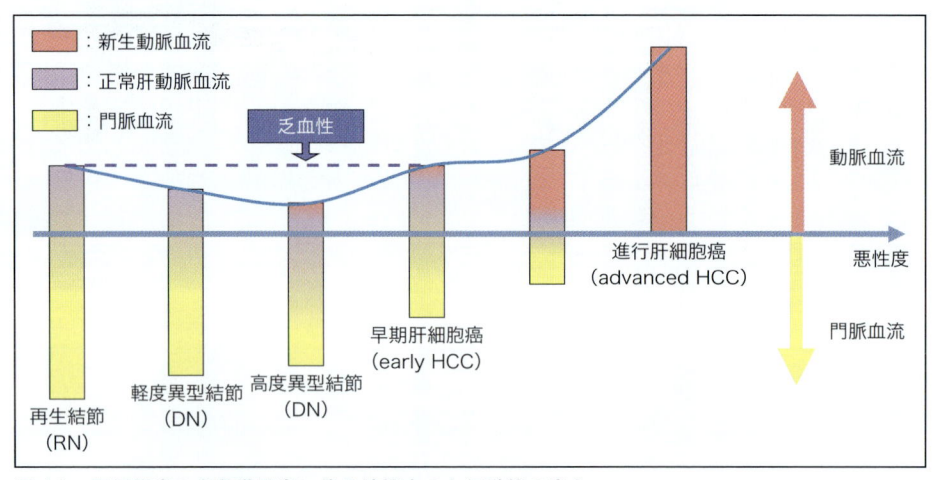

図10 肝細胞癌の多段階発育に伴う結節内の血行動態の変化
　異型結節では正常肝動脈の血流減少のために周囲肝よりも動脈血流が減少する．その後，新生動脈が徐々に増加し，早期肝細胞癌では周囲肝とほぼ同程度となり，高分化型肝細胞癌から脱分化し，中分化型肝細胞癌にかけてさらに新生血管が著増する．

は肝実質と同程度もしくは低下して染影される（図8）．高分化型肝細胞癌の腫瘍内は周囲肝よりも細胞密度が高く腫瘍内圧も高い．このため周囲肝よりも血液が流入しにくくなり，乏血状態となることに起因する．

　肝細胞癌はその発育過程すなわち肝細胞癌の多段階発育（図9）において，血行動態が変化することを十分に理解しておくことが必要である（図10）．

3）肝内胆管癌

　動脈優位相で辺縁に血管影やときにはリング状染影を認める．門脈優位相では肝実質より低下して染影され，ときにはリング状染影を認める．後血管相では明瞭な欠損もしくは不完全な欠損を認める．また，結節型の肝内胆管癌では腫瘍内を貫通する線状の血管を認めることもある（図11）．
　平坦型の肝内胆管癌では腫瘍の占拠部位や進展がBモードでは明確ではないことが多いが，

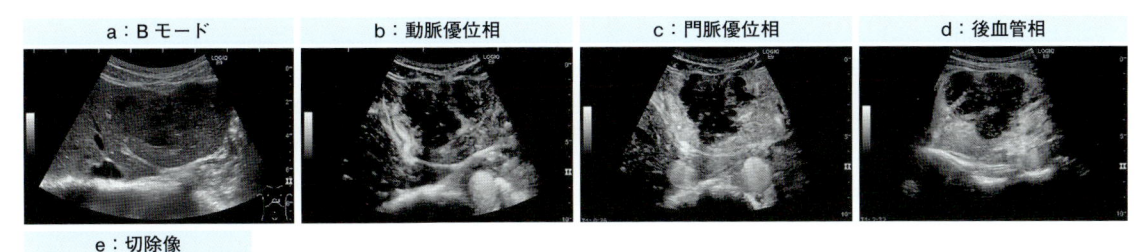

図11 pulse inversion imaging（phase inversion imaging）法による結節型肝内胆管癌の各時相別での染影像（典型例）と切除像
 a：Bモードでは境界軽度不明瞭で，癌臍を認める．
 b：動脈優位相で腫瘍内に部分的染影と線状の血管染影を認める．
 c，d：門脈優位相および後血管相で腫瘍内を貫通する大小の血管染影を認める．
 腫瘍全体としては乏血性の腫瘍である．

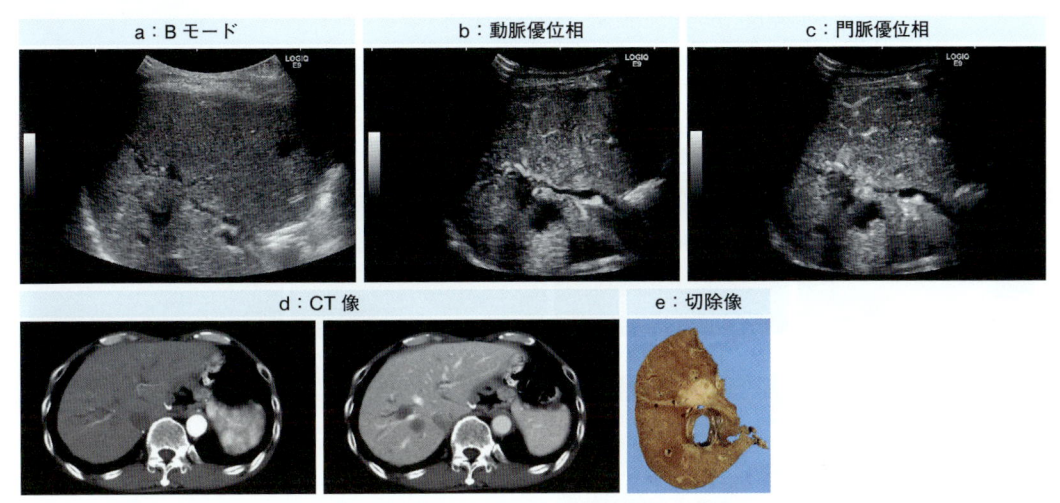

図12 平坦型＋結節型肝内胆管癌の各時相別での染影像，CT画像と切除像
 造影前は不整拡張した肝内胆管が確認されたが腫瘍は不明瞭であった．
 造影後に腫瘍の形態および範囲が明瞭化した．

CEUSでは明瞭な欠損像として腫瘍の形態が認識可能である（図12）．結節型や平坦型の肝内胆管癌は，比較的腫瘍内の線維化が強いため腫瘍内に不整形な非染影域を多く認め，ときにはまったく染影されない場合もある．

4）混合型肝癌

混合型肝癌は，肝細胞癌や肝内胆管癌および細胆管細胞癌が1つの結節を形成する悪性腫瘍である．また，混合型肝癌には多くの亜型があり（図13），それぞれの形成細胞成分の特性にて，種々の発育や血行動態を呈す．混合型肝癌として比較的報告例の多い肝細胞癌と肝内胆管癌を提示する．肝細胞癌占拠領域は血流豊富な腫瘍として観察され，肝内胆管癌占拠領域は乏血性腫瘍として観察される（図14）．

5）転移性肝腫瘍

消化器原発の上皮性腫瘍（主に癌）の肝転移では，動脈優位相で不均質な染影を認め，辺縁に血管影やときにはリング状濃染を認める．門脈優位相では肝実質より低下して染影され，ときにはリング状染影を認める．後血管相では明瞭で輪郭が不整な欠損を認める（図15）．また，浸潤性発育することが多く，腫瘍内を貫通する線状の血管を認めることもある．

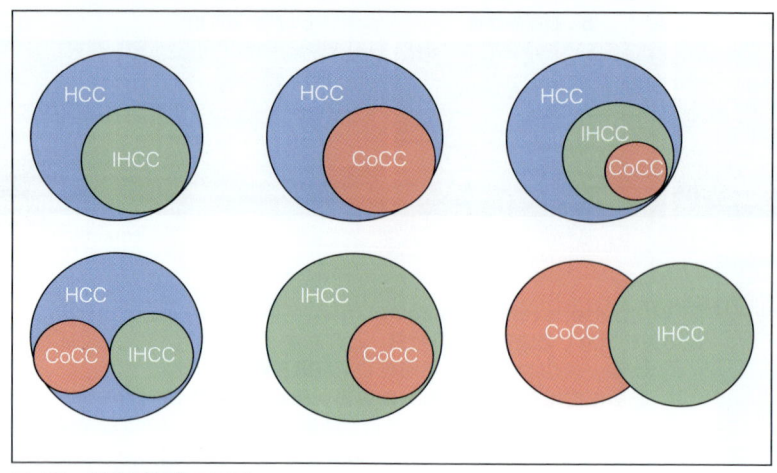

図13　混合型肝癌の亜型
　　HCC：肝細胞癌（hepatocellular carcinoma）．
　　IHCC：肝内胆管癌（intrahepatic cholangiocarcinoma）．
　　CoCC：細胆管細胞癌（cholangiolocellular carcinoma）．

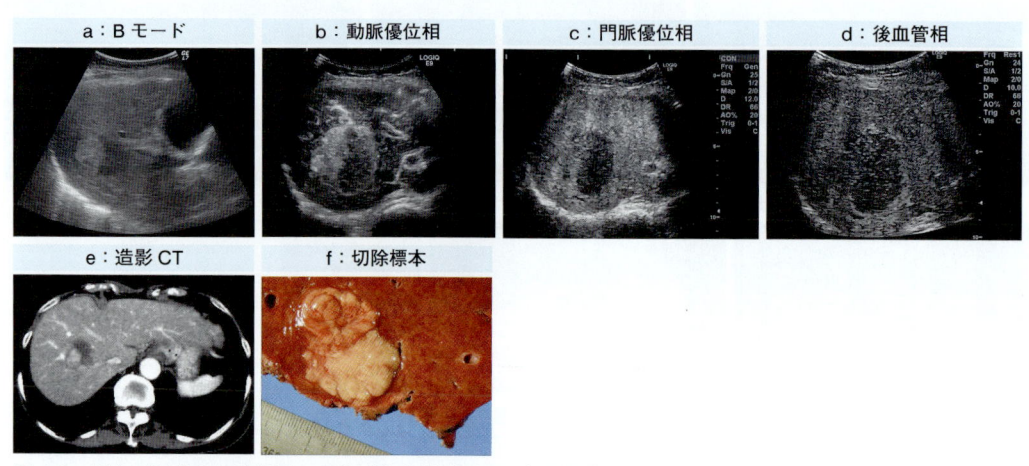

図14　混合型肝癌の各時相別での染影像と造影CT，病理組織切片
　　a：Bモードで高エコー部と低エコー部にわかれる腫瘤として描出される．
　　b〜d：CEUSでは，動脈優位相で腫瘤高エコー部が染影し，低エコー部は辺縁と内部の一部に染影を認める．門脈優位相では低エコー部は染影が欠損したが，高エコー部は染影が持続．後血管相では高エコー部も染影が欠損した．
　　e：造影CTでは超音波の高エコー部に早期濃染を認め，低エコー部は造影されなかった．
　　f：病理組織診断にて，高エコー部は肝細胞癌で，低エコー部は肝内胆管癌であった．

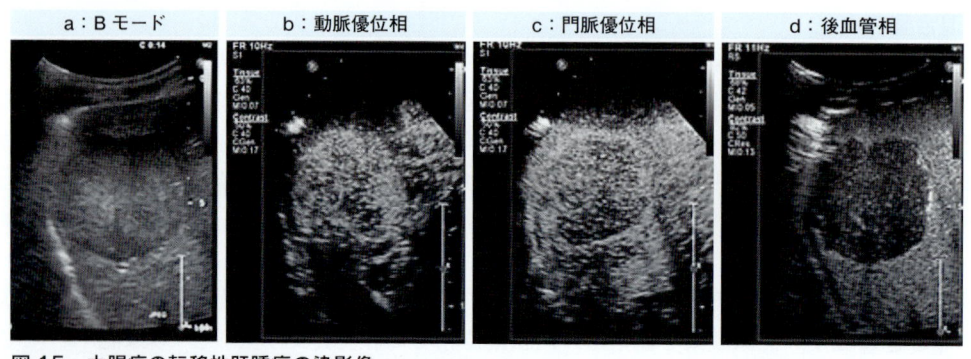

図15　大腸癌の転移性肝腫瘍の染影像
　　動脈優位相（b）で腫瘤は染影し，門脈優位相（c）では造影剤の流出（washout）が始まり，リング状染影を認める．後血管相（d）では良好な欠損像が確認される．

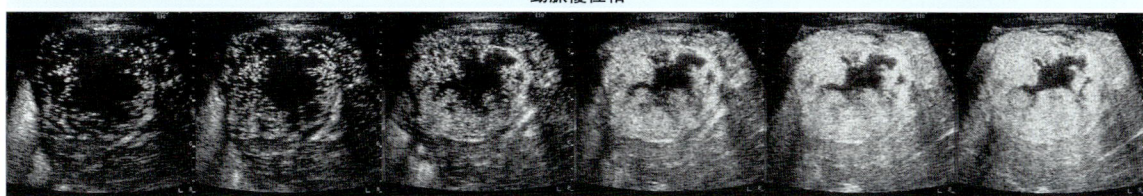

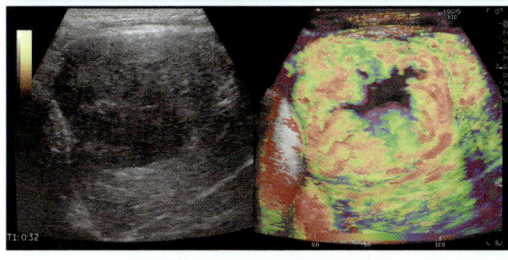

図16　平滑筋肉腫の肝転移の動脈優位相とパラメトリックイメージおよび病理組織切片
　Bモードで境界明瞭，輪郭軽度不整，内部は不均質な充実性腫瘤として描出される．
　CEUSの動脈優位相に辺縁から中心に向かって染影される．
　パラメトリックイメージでも経時的な染影の広がりが辺縁から中心方向に確認できる．また，腫瘤中心部には非染影域を認め，中心部のネクローシス（壊死）を伴った腫瘤であることが確認される．
　切除標本からも，境界明瞭な腫瘍で，中心部壊死を伴う平滑筋肉腫であると判定された．

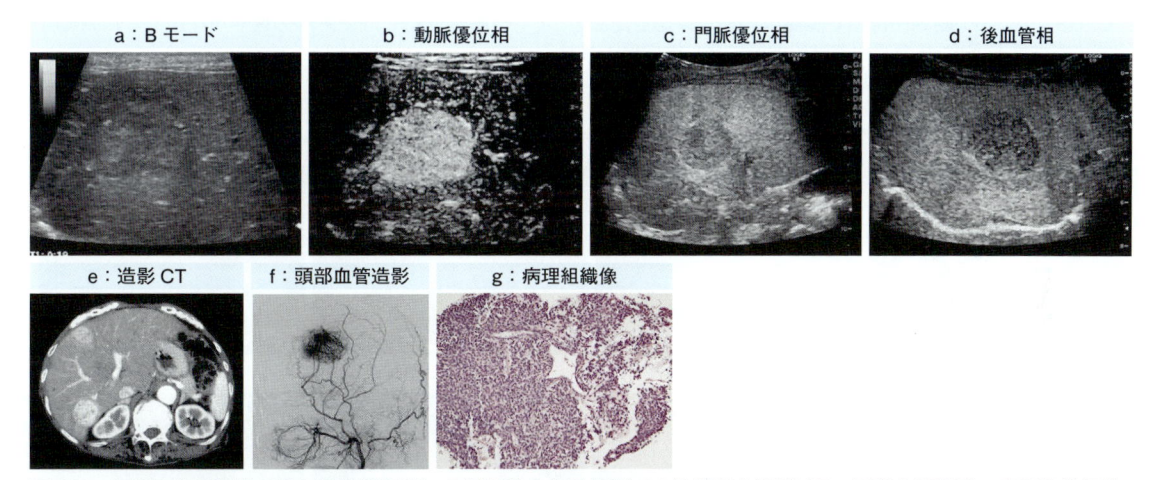

図17　血管外皮細胞腫（孤在線維性腫瘍）の肝転移の各時相別での染影像と造影CT，頭部血管造影，病理組織切片
　境界不明瞭な類円形腫瘤で，造影エコーでは早期染影したが，造影剤の流出（washout）も早く，門脈優位相ではリング状染影を認め，後血管相では欠損像となった．
　造影CTでも早期濃染，頭部血管造影でも濃染する頭部原発腫瘍が観察される．
　肝腫瘍の病理組織診断にて鹿角様（staghorn）とよばれるスリット状の血管腔が多数認められる．

　腎細胞癌（淡明細胞癌を主とした多血性腫瘍），神経内分泌腫瘍（neuroendocrine neoplasm：NEN），消化管非上皮性腫瘍のgastrointestinal stromal tumor（GIST）や肉腫を主とした多血性腫瘍などの血流豊富な腫瘍の肝転移では，動脈優位相で血管増生，不整な流入血管，肝実質に比し強い染影を認め，門脈優位相では肝実質に比し低下して観察される．増大の早い腫瘍では，腫瘍内に壊死に伴う非造影部位の存在を認めることも多い（図16）．また，腺癌の転移や肝内胆管癌と比べ多血性腫瘍の肝転移では，比較的早期に腫瘍辺縁のリング状染影をしばしば認める．後血管相では明瞭な欠損もしくは不完全な欠損を認める（図17）．

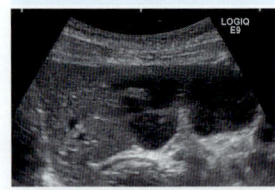

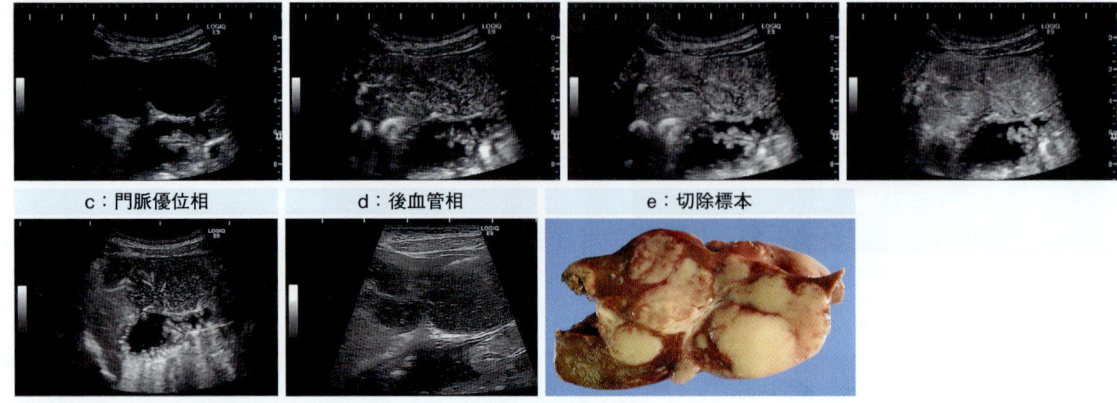

図18 悪性リンパ腫の肝転移の各時相別での染影像と病理組織切片
　a：比較的境界は明瞭で，形態は分葉状で，内部は均一な低エコー腫瘤を認める．
　CEUSでは，b：動脈優位相で腫瘤は均一な染影を認める．c：門脈優位相では造影剤の速やかな流出（washout）にて染影は低下．d：後血管相では周囲肝に比し染影低下される．
　e：病理組織診断より，門脈周囲に多発するリンパ腫と診断され，腫瘍内は非常に均一であった．

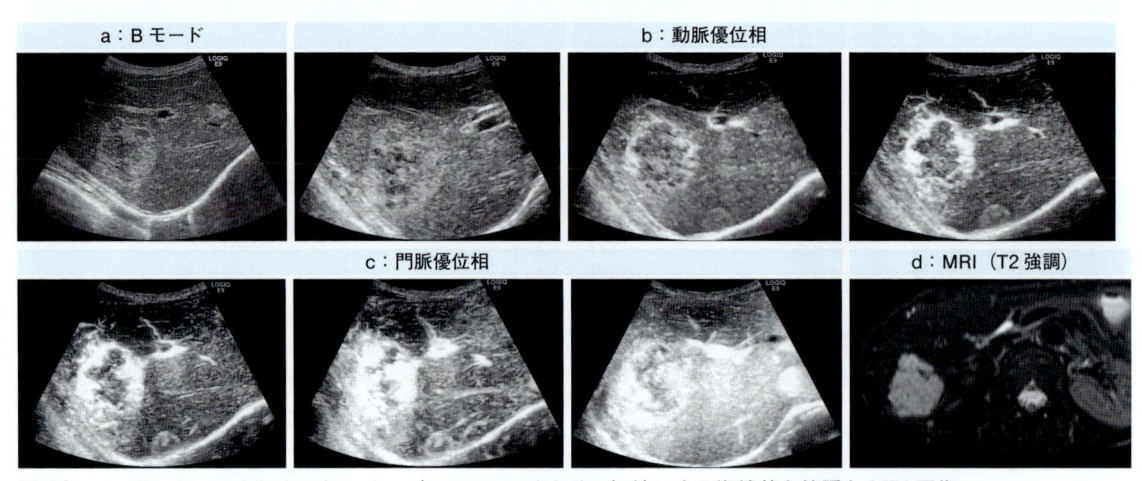

図19 amplitude modulation imaging（power modulation）法による海綿状血管腫とMRI画像
　b：動脈優位相で辺縁が点状もしくは斑状に染影するいわゆるperipheral globular enhancementを認める．
　c：門脈優位相で辺縁が点状もしくは斑状に染影し，中央へ染影が進み（centripetal fill-in），中心部は染影されない．
　d：MRIのT2強調画像では同部位に高信号な腫瘤を認める．

6）リンパ腫（転移性リンパ腫も含む）

　リンパ腫は，腫瘍内組織（リンパ球）が均一に配列した腫瘍であることから，CEUSでも動脈優位相に均一な染影が観察されることが多い．また，造影剤の流出（washout）も早く，門脈優位相では肝実質に比し低下して観察される（図18）．

7）肝血管腫

　動脈優位相で辺縁から中央に向かって染影され始める（centripetal fill-in）．辺縁が点状もしくは

300

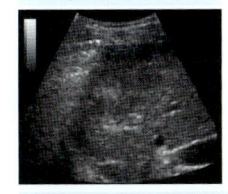

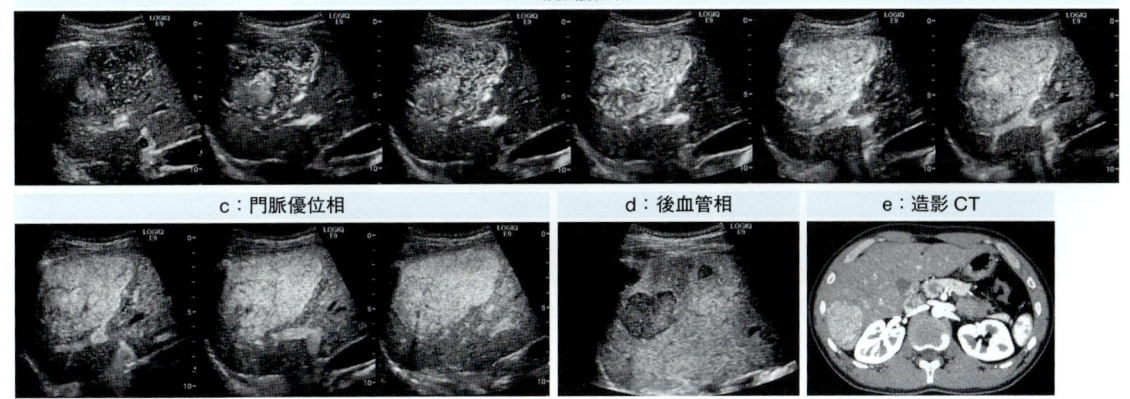

図 20　肝細胞腺腫と造影 CT 画像
a：Bモードでは，内部に一部高エコーの脂肪沈着を認める（炎症性タイプの肝細胞腺腫に認めやすい）．
b：動脈優位相では，境界から中央に向かって染影する．
c：門脈優位相では，肝実質に比し強く染影を認める．
d：後血管相では，腫瘍内に部分的な染影低下を認める．
e：造影 CT 画像でも，早期に不均質な濃染を認める腫瘍を認める．

斑状に染影する（peripheral globular enhancement）（**図 19**）．
　超音波検査にて慢性肝炎，肝硬変例で発見された血管腫様高エコー結節の 6 ～ 7 割程度が肝細胞癌あるいは前癌結節であったとされる報告もあり[3]，肝細胞癌の高危険群においては，Bモード検査で血管腫様高エコー結節を認めても血管腫と診断することはできず，CEUS を含めた他の画像検査や生検による診断が必須である．CEUS は，CT や MRI に比べ一断面の評価しかできないものの，血管腫の特異的な所見（peripheral globular enhancement：早期での辺縁部の点状～斑状の強い増強や，centripetal fill-in：増強が経時的に中心部におよぶ現象）を確認することで肝血管腫の診断の決め手に十分になりうる．

8）肝細胞腺腫
　動脈優位相では，境界から中央に向かって細かな血流が多数観察され，肝実質に比し染影を認める．門脈優位相でも肝実質と比し染影を認める．後血管相では肝と同程度もしくは不完全な欠損となる（**図 20**）．また，腫瘍内に出血性変化を伴う場合には不整形な非染影域を認め，肝静脈への流出血流が観察される場合もある．

9）限局性結節性過形成（focal nodular hyperplasia：FNH）
　特徴的な血流パターンである spoke wheel sign（中央から辺縁に向かって流れる）をとらえることが有用で，CEUS では血流と組織還流を同時に観察できるように，harmonic imaging 法とドプラ法の 2 画面にて観察することも考慮する必要がある（**図 21**）．腫瘍は染影し，後血管相ではKupffer 細胞が様々な程度に存在するため肝実質と比し染影は同等もしくは低下する．また，中心瘢痕は欠損像として観察される．

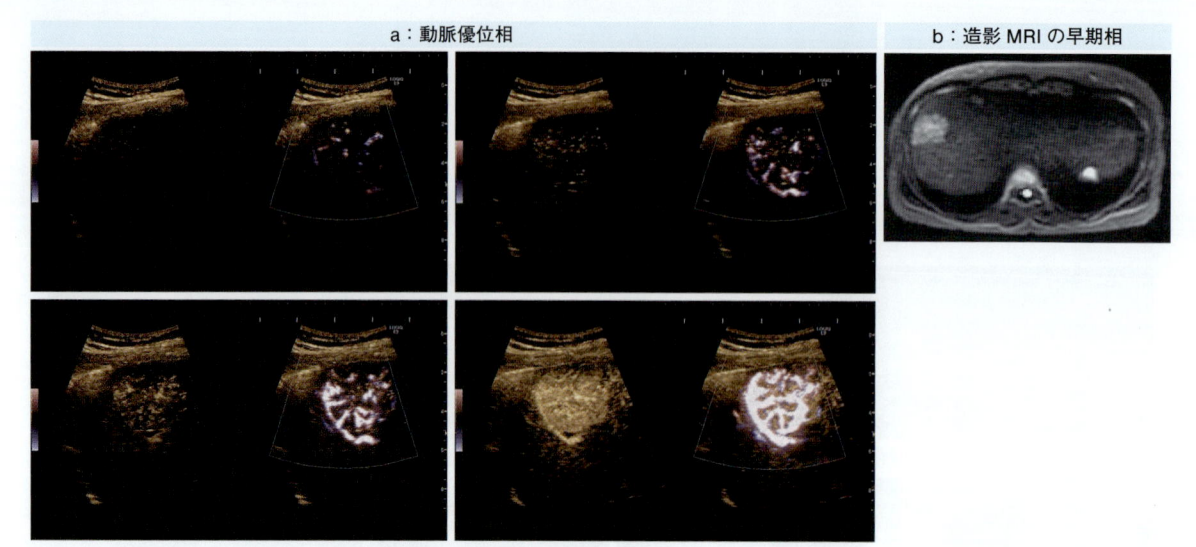

図21 harmonic法とドプラ法の2画面による観察と造影MRI像
画面左でharmonic法による組織還流を観察し，画面右でドプラ法による血流（血管構造）を同時に評価することで，動脈優位相で腫瘍は染影し，さらにドプラ法によってspoke wheel patternの血管構造を認める．

まとめ

CEUSは，生体内や腫瘍内の造影剤還流様式がリアルタイムに観察でき，この点においては，CTやMRIよりも詳細な評価が可能である．また，超音波診断装置の進歩や新たな観察モードが出現する昨今の状況から，CEUSはさらなる進化を遂げていくことと思われ，常に適切な走査や診断装置の設定を検討し，検査や診断にあたらなければならない．

参考文献

1) Kudo, M., Hatanaka, K., Maekawa, K.：Newly developed novel ultrasound technique, defect reperfusion ultrasound imaging, using sonazoid in the management of hepatocellular carcinoma. *Oncology*, **78**（Suppl 1）：40～45, Epub 2010 Jul 8.
2) 日本超音波医学会用語・診断基準委員会：肝腫瘍の超音波診断基準. 超音波医学, **39**：317～326, 2012.
3) Caturelli, E., et al.：Hemangioma-like lesions in chronic liver disease：diagnostic evaluation in patients. *Radiology*, **220**：337～342, 2001.

（西川　徹）

索 引

ア

アーチファクト 6, 32
アニサキス症 92
アミラーゼ 55
アミロイド 122
アミロイドーシス 122
アメーバ 76
アルコール性肝炎 120
アルコール性肝疾患 114
アルコール性肝障害 119, 145
悪性リンパ腫 163, 175, 237, 268

イ

イチゴゼリー状粘血便 96
イレウス 92
胃アニサキス症 92, 94
胃の観察法 67, 68
胃結腸静脈幹 205
胃切除後輸入脚症候群 92
異所性膵 211
異所性妊娠 103, 287
異常分葉 163
遺伝性腫瘍症候群 219
飲水法 67

ウ

ウイルソング管 205
うっ血肝 125

エ

エイリアシング 29, 32
壊死性膵炎 212
炎症性腸疾患 99

オ

オンコサイトーマ 252
黄色肉芽腫性胆嚢炎 187
黄疸 47, 57, 75, 83
嘔吐 49
嘔吐物 49

横断走査 4
折り返し現象 29, 32
音圧 292
音響レンズ 7
音響陰影 8
音響増強 8

カ

カラードプラ法 28, 29
ガストリノーマ 219
ガムナ・ガンディ結節 171
仮性動脈瘤 212
仮性嚢胞 212, 215, 221, 234
過誤腫 169
過敏性大腸症候群 42
画像加算法 295
画像表示法 4
回転走査 3, 4
海綿腎 244
潰瘍性大腸炎 99, 101
外側陰影 8
咳嗽試験 48
踵落とし試験 48
角度補正 27
隔壁胆嚢 180
褐色細胞腫 267
肝エキノコックス症 132
肝レンズ核変性症 121
肝炎ウイルス 106, 110
肝芽腫 157
肝外胆管結石 80
肝外門脈閉塞症 124
肝血管筋脂肪腫 140
肝血管腫 138, 300
肝後性黄疸 57
肝硬度測定 126
肝硬変 114, 164
肝細胞癌 75, 145
肝細胞障害性黄疸 57
肝細胞腺腫 141, 301
肝細胞腺腫症 142

肝腫瘍 75, 289
肝腫瘤 104
肝静脈 9
肝静脈内腫瘍塞栓 149
肝腎コントラスト 117
肝性ポルフィリン症 130
肝性黄疸 57
肝性脳症 108
肝線維化 116, 119, 126
肝前性黄疸 57
肝臓 9, 104
肝損傷 62, 159
肝動脈化学塞栓術 148
肝動脈塞栓術 172
肝内結石症 138, 195
肝内石灰化 137
肝内胆管癌 149, 296
肝内胆嚢 180
肝内脈管 9
肝内門脈 10
肝内門脈-肝静脈短絡 124
肝内門脈枝・肝静脈枝の不明瞭化 118
肝膿瘍 76, 133
肝嚢胞 134
肝脾コントラスト 117
肝葉 9
感染性肝嚢胞 76
関心領域 29
関連痛 38, 44
癌臍 155, 156

キ

キュンメル点 88
気腫性腎盂腎炎 257
気腫性胆嚢炎 79, 186
機器のメンテナンス 2
偽膜性腸炎 46, 98
急性胃粘膜病変 99
急性肝炎 75, 106
急性肝不全 108

急性限局性細菌性腎炎　256
急性腎障害　243
急性膵炎　44, 81, 211
急性胆管炎　196
急性胆囊炎　77, 185
急性虫垂炎　88
急性腹症　38, 41
虚血性腸炎　97
胸部腎　239
境界　105
鏡像　32
鏡面現象　6, 7
仰臥位　3
筋強直　48
筋性防御　48

ク

グループ膵炎　82, 217
グループ領域　230

ケ

ゲイン　5
けんしんエコー　33
下痢　49
経皮的ラジオ波焼灼療法　148
劇症肝炎　108
血液生化学検査　52, 54
血管筋脂肪腫　251
血管腫　168
血管相　293
血管肉腫　174
血性腹水　51
血尿　52, 58
月経歴　46
健診　33
検査着　2
検査準備　1
検査体位　3
検診　33
顕微鏡的血尿　52
限局性結節性過形成　143, 301
原発性硬化性胆管炎　197, 216
原発性胆汁性肝硬変　112
原発性胆汁性胆管炎　112

コ

コメットサイン　6
コレステロール過飽和胆汁　181
コレステロール系結石　181
コンピュータ断層撮影　25
呼吸法　3
交差性偏位腎　239
好酸性腺腫　252
後血管相　293
後天性囊胞性腎疾患　249
後腹膜線維症　264
高位腎　239
高異型度膵上皮内腫瘍性病変　234
高輝度肝　117
高精細ドプラ法　29
高分化型肝細胞癌　295
梗塞　172
硬化型血管腫　140
鉤状突起　13
骨髄脂肪腫　267
骨盤腎　239
骨盤内感染症　284
混合型肝癌　297

サ

サイトメガロウイルス　106
サイドローブ　6, 7
サルコイドーシス　169
サントリーニ管　205
左側胆囊　180
坐位　3
細胆管癌　152
細胆管細胞癌　152
臍下部痛　40
臍周囲痛　41

シ

子宮　16, 279
子宮外妊娠　103
子宮外膜　16
子宮筋腫　281
子宮筋層　16
子宮頸癌　283
子宮腺筋症　281
子宮体癌　283
子宮内膜　16
子宮内膜症　103, 281
子宮付属器　280
子宮留血腫　284
子宮留水腫　284
子宮留膿腫　284
至急検査　56
脂肪肝　116
脂肪変性　119
視診　47
自覚症状　2
自己免疫性肝炎　106, 111
自己免疫性肝疾患　114
自己免疫性膵炎　82, 215
磁気共鳴画像診断装置　25
色素系結石　181
車輻状構造　170
手術創　47
主膵管　14, 205
腫瘍マーカー　53
腫瘤形成性膵炎　215
周辺　105
十二指腸乳頭部　12
充実性偽乳頭状腫瘍　228
重複子宮　279
重複腎盂尿管　241, 264
縦断走査　4
消化管穿孔　44, 93
消化管病変　65
漿液性腫瘍　221
漿液性囊胞腺癌　223
漿液性囊胞腺腫　221
漿膜下方屈折胆囊　180
上腸間膜静脈　12, 13
常染色体優性多発性囊胞腎　250
常染色体劣性多発性囊胞腎　251
常用薬服用　1
情報収集　2
食事制限　1
触診　47
心窩部横断走査　19, 22
心窩部斜断走査　19, 22
心窩部縦断走査　17, 22
心窩部正中横断走査　25
心窩部正中縦断走査　25

心窩部痛　40
身体所見　2
神経因性膀胱　275, 277
神経芽腫　269
神経線維腫症　219
神経内分泌癌　219
神経内分泌腫瘍　218, 221
浸潤性膵管癌　229
進行肝細胞癌　294
深部減衰　118
滲出液　50
腎盂　15, 15
腎盂癌　58, 255
腎盂腎炎　87, 256
腎芽腫　255
腎外腎盂　245
腎形成不全　241
腎結核　258
腎結石　245
腎梗塞　60, 261
腎細胞癌　60, 236, 252
腎臓　14, 239
腎損傷　62, 258
腎柱　14
腎柱肥大　240
腎長径測定法　36
腎洞脂肪腫症　245
腎動静脈奇形　60, 260
腎動静脈瘻　260
腎動脈　15
腎動脈狭窄症　261
腎動脈・大動脈流速比　262
腎動脈瘤　60, 259
腎乳頭　14
腎膿瘍　257
腎嚢胞　247
腎杯　14, 15
腎杯憩室　247
腎葉　14

ス
ステロイド　46
スライス幅　7, 8, 32
水腎症　86, 244
膵萎縮　204
膵芽腫　236

膵管　14
膵管拡張　204, 205
膵管径測定法　35
膵管穿通徴候　205, 215
膵管走行異常　205
膵管内管状乳頭腫瘍　228
膵管内乳頭粘液性腫瘍　226
膵管内乳頭粘液性腺癌　226
膵管内乳頭粘液性腺腫　226
膵管癒合不全　205
膵癌　83
膵癌取扱い規約　209
膵癌神経叢　231
膵奇形　210
膵頸部　13
膵鉤部　13
膵脂肪腫　209
膵腫大　204
膵腫瘍　208, 209
膵周囲血管構造　205
膵上皮内腫瘍性病変　234
膵神経内分泌腫瘍　218
膵石　215
膵臓　13, 204
膵体部　13
膵・胆管合流異常　199, 210
膵転移　236
膵頭部　13
膵内副脾　220
膵内副脾類表皮嚢胞　166, 221
膵嚢胞性疾患　221
膵尾部　13
髄質　14
簾状エコー　9, 120

セ
星芒状中心瘢痕　145
赤脾髄　163
先天性胆道拡張症　198
疝痛　44
扇動走査　3, 4
腺房細胞腫瘍　235
前処置　1
前立腺　15, 271
前立腺炎　273
前立腺癌　274

前立腺結石　272
前立腺特異抗原　274
前立腺膿瘍　273
前立腺嚢胞　273
前立腺肥大症　272

ソ
ソナゾイド　291
双角子宮　279
走査手順　17
装置の選択　5
装置の調整　5
総胆管　205
総胆管結石　80
総胆管結石症　194
造影超音波検査　289
臓器損傷　62
側臥位　3
側副血行路　114, 116, 232

タ
ダイナミックレンジ　5
ダイナミック検査　25
多重反射　6
多嚢胞症　167
多嚢胞性異形成腎　249
多発性嚢胞症　221
多脾症　163
多包虫症　132
打診痛　47
体位変換　67, 70
体性痛　38, 43
胎児性分葉　240
大腸　70
大腸の観察法　70, 71
大腸憩室周囲炎　90
大腸壁　66
大動脈解離　102
胆管　11, 191
胆管炎　196
胆管過誤腫　136
胆管拡張　194
胆管癌　199
胆管径　12, 193
胆管径測定法　35
胆管細胞癌　149

305

胆管内乳頭状腫瘍　152, 203
胆管壁肥厚　194
胆石　181
胆石発作　42
胆道　11
胆道気腫　196
胆嚢　11, 178
胆嚢コレステロールポリープ　182
胆嚢萎縮　178, 180
胆嚢癌　189
胆嚢虚脱　178, 180
胆嚢憩室　180
胆嚢結石症　181
胆嚢腫大　178, 180
胆嚢腺筋腫症　183
胆嚢捻転症　186
胆嚢壁　11
胆嚢壁肥厚　178, 179, 181
単純性脂肪肝　119
単純性腎嚢胞　247
単包虫症　132
蛋白栓　214
断面像の厚み　7, 8

チ

遅発性肝不全　108
中隔子宮　279
中間尿　52
中心性瘢痕　223
中腸回転異常　206
肘膝位　3
貯留嚢胞　221
超音波エラストグラフィ　116, 126
超音波ドプラ法　27
超音波けんしん　33
超音波減衰法　116, 119
腸アニサキス症　92, 94
腸炎　42
腸肝循環　57
腸管壊死　160
腸重積　95
腸閉塞　42, 91, 92

テ

低位腎　239
低異型度膵上皮内腫瘍性病変　234
鉄過剰　121
鉄蓄積病　121
転移性肝腫瘍　154, 297
転移性腎腫瘍　256
転移性膵腫瘍　236
転移性脾腫瘍　175
転移性副腎腫瘍　268
伝染性単核球症　106, 164

ト

ドプラ効果　27
ドプラ装置調整法　29
陶器様胆嚢　188
動脈血流速波形解析　30, 31
動脈優位相　292
動脈瘤　173
銅沈着　121
特発性門脈圧亢進症　123

ナ

ナットクラッカー症候群　60
内臓痛　38, 42

ニ

ニクズク肝　125
日本住血吸虫症　131
肉眼的血尿　52
肉芽腫　169
尿溜め　2
尿管　15, 263
尿管癌　58
尿管狭窄　263
尿管結石　42, 85, 263
尿管腫瘍　263
尿管閉塞　263
尿管瘤　264
尿検査　52, 54
尿試験紙　52
尿潜血試験紙法　55
尿潜血反応　55
尿中 hCG 検査　55
尿噴流エコー像　32
尿路結石　60

ネ

粘液性嚢胞腫瘍　223
粘液性嚢胞性腫瘍　152
粘液性嚢胞腺癌　223
粘液性嚢胞腺腫　223
捻転による急性胆嚢炎　80

ノ

膿腎症　245
嚢胞内嚢胞　152

ハ

ハウストラ　91
パルスドプラ法　28, 29
パルス繰り返し周波数　29
パワードプラ法　28, 29
はみ出し現象　33
播種　165
馬蹄腎　241
背臥位　3
背側膵　14, 204, 210
背部痛　41
白脾髄　163
白血病　166
発熱　61
反跳痛　47
半坐位　3
板状硬　48

ヒ

ヒトパピローマウイルス　283
ビリルビン代謝　57
ピークホールド　295
びまん性肝疾患　104
皮質　14
皮様嚢胞　167
非アルコール性脂肪肝　119
非アルコール性脂肪肝炎　114, 119
非アルコール性脂肪性肝疾患　116
肥厚性幽門狭窄症　98
被包化壊死　212

索 引

脾サルコイドーシス　169
脾リンパ管腫　167
脾悪性リンパ腫　175
脾下垂　163
脾過誤腫　169
脾外傷　172
脾血管腫　168
脾血管肉腫　174
脾梗塞　83, 172
脾腫　84, 163, 164
脾症　165
脾静脈　12, 13
脾腎短絡路　163, 174, 176
脾石灰化　171
脾臓　12, 163
脾臓計測法　36
脾損傷　62, 172
脾転移　176
脾動脈塞栓術　171, 172
脾動脈瘤　173
脾膿瘍　171
脾嚢胞　166
脾 SANT　169
左下腹部痛　41
左上腹部痛　40
左肋間走査　21
左肋間〜左側腹部走査　24
左肋骨弓下横断走査　23
左肋骨弓下走査　19

フ

フォーカス　5
フォン・ヒッペル・リンドウ病　221
フラップ　102
フレームレート　292
ブルーミング　33
プリセット　5
プローブ走査　3
風船様変性　119
服用歴　46
副腎　15, 265
副腎出血　269
副腎石灰化　269
副腎腺腫　266
副腎嚢胞　267

副腎皮質癌　268
副膵管　14, 205
副脾　163, 164
腹臥位　3
腹腔内出血　75
腹式呼吸　3
腹水　50
腹水貯留　280
腹側膵　14, 204, 210
腹痛　38
腹痛の部位　39
腹部の9区分　39
腹部基本走査法　17
腹部深触診　47
腹部浅触診　47
腹部全体痛　41
腹部大動脈瘤　102
腹部膨満感　61
腹膜炎　44, 48
腹膜偽粘液腫　177
腹膜刺激徴候　48
複雑性腎嚢胞　248

ヘ

ヘモクロマトーシス　121
ヘモジデローシス　121
ヘルニア　74
ベルタン柱　14
平行走査　3, 4
閉塞性黄疸　57
辺縁　105
便秘　49, 101

ホ

ポルフィリン　131
放散痛　38, 44
紡錘状瘤径計測　36
傍十二指腸憩室　210
傍腎盂嚢胞　247
膀胱　15, 275
膀胱炎　61, 87, 276
膀胱癌　278
膀胱憩室　277
膀胱結石　276
膀胱腫瘍　58
膀胱充満法　2

膀胱肉柱形成　277

マ

マックバーニー点　88
マントルサイン　102
慢性ウイルス性肝炎　114
慢性肝炎　110
慢性腎臓病　242
慢性膵炎　214
慢性胆嚢炎　188
慢性非化膿性破壊性胆管炎　112

ミ

右下腹部痛　40
右季肋部横断走査　21
右季肋部縦断走査　21
右上腹部痛　40
右肋間走査　20
右肋間〜右側腹部走査　23
右肋骨弓下横断走査　21
右肋骨弓下斜断走査　21
右肋骨弓下縦断走査　21
右肋骨弓下走査　19, 23

ム

無石胆嚢炎　79
無脾症　163

メ

メインローブ　6
免疫チェックポイント阻害薬　216
免疫関連有害事象　216

モ

モーションアーチファクト　32
モニタ　5
門脈　12
門脈ガス血症　77, 160
門脈海綿状変形　124
門脈内腫瘍塞栓　149
門脈本幹　12, 13
門脈優位相　292
問診　45

ヤ

薬物性肝障害　106

ユ

遊走腎　239
遊走脾　163

ヨ

ヨード造影剤　25
陽電子放出断層撮影　26
溶血性黄疸　57

ラ

ランツ点　88
卵管　17, 280
卵管拡張　280
卵巣　17, 280
卵巣腫大　280
卵巣腫瘍茎捻転　285
卵巣腫瘤　280, 285
卵巣出血　103, 286
卵巣囊腫茎捻転　103
卵巣様間質　223

リ

リパーゼ　55, 212
リンパ管腫　167
リンパ腫　300
リンパ節転移　165
立位　3
輪郭　105
輪状膵　210

ル

類上皮囊胞　166, 221
類表皮囊胞　221

レ

レンズ効果　7

ロ

漏出液　50

数字

2D shear wave elastography　128
2D-SWE　128
^{18}F-FDG　26

A

AC sign　102
accessory spleen　164
ACCs　235
accumulation　295
ACDK　249
acinar cell neoplasms　235
acquired cystic disease of the kidney　249
acute cholecystitis　185
acute focal bacterial nephritis　256
acute hepatitis　106
acute kidney injury　243
acute pancreatitis　211
adenomyomatosis　183
ADPKD　250
adrenal cyst　267
adrenocortical adenoma　266
adrenocortical carcinoma　268
AFBN　256
AIH　106, 111
AIP　215, 237
AKI　243
alcoholic liver disease　119
ALD　119
AML　140
amplitude modulation imaging 法　290
amyloidosis　122
AM 法　290
aneurysm of renal artery　259
angiomyolipoma　251
annular pancreas　210
ARPKD　251
arterial [predominant] phase　292
arteriovenous malformation　260
autoimmune hepatitis　106, 111
autoimmune pancreatitis　215
autosomal dominant polycystic kidney disease　250
autosomal recessive polycystic kidney disease　251
AVF　260

AVM　260

B

Bence Jones 蛋白　122
benign prostatic hyperplasia　272
biliary hamartomas　136
bladder cancer　278
bladder diverticulum　277
bladder stone　276
bladder trabecular formation　277
Budd-Chiari 症候群　126
bull's eye pattern　156
B 型肝炎ウイルス　145
B 型慢性肝炎　111

C

calyceal diverticulum　247
Caroli 病　199
cavernous transformation　124, 232
CCC　149
centri-lobular pattern　75
cervical cancer　283
CEUS　289
CEUS による肝腫瘍の鑑別　294
chameleon sign　139
Charcot の三徴　81
cholangiocarcinoma　199
cholangiocellular carcinoma　149
cholangiolocellular carcinoma　152
cholangitis　196
choledocholithiasis　194
chronic cholecystitis　188
chronic hepatitis　110
chronic kidney disease　242
chronic pancreatitis　214
CKD　242
Clostridioides difficile　46, 98
Clostridium 属　80
cluster sign　156
CMV　106
CoCC　152
complicated cyst　248

computed tomography　25
congenital biliary dilatation　198
congestive liver　125
contrast enhanced ultrasonography　289
Couinaud の分類　10
Crohn 病　99, 101
CTPV　124
cyst-by-cyst　222, 223
cuff sign　233
cyst-in-cyst　152, 222, 223
cystitis　276
cytomegalovirus　106
C 型肝炎ウイルス　145
C 型慢性肝炎　110

D

DILI　106
disappearing sign　139
drug-induced liver injury　106
duplicated renal pelvis and ureter　241, 264

E

EBV　106
EB ウイルス　106
Echinococcosis　132
ectopic pregnancy　287
EHO　124
emphysematous cholecystitis　186
emphysematous pyelonephritis　257
encasement　231, 233
endometrial cancer　283
Epstein-Barr virus　106
extrahepatic portal obstruction　124
extrarenal pelvis　245

F

FAST　62, 64
fast Fourier transform 解析　29
fatty liver　116
FFT 解析　29
Fitz-Hugh-Curtis 症候群　103

flag sign　9, 120
FNH　143, 301
focal nodular hyperplasia　143, 301
focused assessment with sonography for trauma　62
fps　292
fulminant hepatitis　108

G

gain　5
gallbladder cancer　189
gallbladder stone disease　181
gallbladder torsion　186
Gamna-Gandy nodule　171
GCT　205
Gerota 筋膜　15
groove pancreatitis　217
groove 領域　213

H

harmonic imaging 法　289
HCA　141
HCC　144
Healey&Schroy の分類　10
hematometra　284
hemochromatosis　121
hepatic angiomyolipoma　140
hepatic cyst　134
hepatic hemangioma　138
hepatic injury　159
hepatoblastoma　157
hepatocellular adenoma　141
hepatocellular carcinoma　144
heterotopic pancreas　211
high-grade PanIN　234
high risk stigmatas　226
horseshoe kidney　241
HPV　283
human papillomavirus　283
hydrometra　284
hydronephrosis　244
hypoplastic kidney　241

I

ICC　149

idiopathic portal hypertension 123
IgG4 関連硬化性胆管炎 196
IgG4 関連胆管炎 216
IgG4 関連膵疾患 215
intraductal papillary mucinous adenoma 226
intraductal papillary mucinous carcinoma 226
intraductal papillary mucinous neoplasms 226
intraductal papillary neoplasm of bile duct 152
intraductal papillary neoplasm of the bile duct 203
intraductal tubulopapillary neoplasm 228
intrahepatic calcigication 137
intrahepatic calculosis 194
intrahepatic cholangiocarcinoma 149
intrahepatic porto-venous shunt 124
invasive ductal carcinoma 229
IPH 123
IPMA 222, 226
IPMC 222, 226
IPMN 221, 222, 226
IPNB 152, 203
irAE 216
ITPN 228

K

Kerckring 襞 91

L

lipoma 209
littoral cell angioma 169
liver abscess 133
liver cirrhosis 114
low-grade PanIN 234

M

magnetic resonance imaging 25
malignant lymphoma 237, 268
malignant lymphoma of the spleen 175
MASH 162
MASLD 162
mass-forming pancreatitis 215
MCA 222, 223
MCC 222, 223
MCDK 249
MCN 152, 219, 222, 223
MCNs 223
medullary sponge kidney 244
MEN 219
metastatic adrenal tumor 268
metastatic liver cancer 154
metastatic liver tumor 154
metastatic renal tumor 256
metastatic splenic tumor 175
metastatic tumors the pancreas 236
Mirizzi's syndrome 197
Mirizzi 症候群 197
MRI 25
mucinous cystadenocarcinoma 223
mucinous cystadenoma 223
mucinous cystic neoplasm of the liver 152
mucinous cystic neoplasms 223
multicystic dysplastic kidney 249
multiple concentric ring sign 97
Murphy 徴候 48, 78
myelolipoma 267
M 蛋白 122

N

NAFL 119
NAFLD 116, 119
NASH 114, 119, 145
NEC 219
NEN 218, 223
NET 218, 221, 228
neuroblastoma 269
neuroendocrine carcinoma 219
neuroendocrine neoplasm 218
neuroendocrine tumor 218
nonalcoholic fatty liver 119
nonalcoholic fatty liver disease 116
nonalcoholic steatohepatitis 119
NSAIDs 46
Nutcracker 現象 262

O

oncocytoma 252
ovarian hemorrhage 286
ovarian masses 285
ovarian torsion 285

P

pancreatic intraepithelial neoplasia 234
pancreaticobiliary maljunction 199
pancreatoblastoma 236
PanIN 234
parapelvic cyst 247
PBC 112
pelvic inflammatory disease 284
penetrating duct sign 205, 215
peribiliary cyst 137
periportal hypoechoic layer 123
PET 26
phase inversion harmonic imaging 法 289
pheochromocytoma 267
PIH 法 289
pneumobilia 195
point shear wave elastography 128
polycystic disease 221
porcelain gallbladder 188
porphyria 130
portal sandwich sign 123
portal venous gas 160
portal [predominant] phase 292
positron emission tomography 26
post vascular phase 293
power modulation 法 290

PPCS 120
PRF 29
primary biliary cholangitis 112
prostate specific antigen 274
prostatic abscess 273
prostatic cancer 274
prostatic cyst 273
prostatic stone 272
prostatitis 273
protein plug 214
PSA 274
PSC 197
PSE 171, 172
pseudo-parallel channel sign 120
p-SWE 128
pulse inversion harmonic imaging 法 289
pulse repetititon frequency 29
P-V shunt 124
pyelonephritis 256
pyelonephrosis 245
pyometra 284

R

radiofrequency ablation 148
RAR 262
RAS 261
region of interest 29
renal abscess 257
renal aortic ratio 262
renal arteriovenous fistula 260
renal artery stenosis 261
renal cell carcinoma 252
renal cyst 247
renal infarction 261
renal injury 258
renal pelvic carcinoma 255
renal stone 245
renal tuberculosis 258
retroperitoneal fibrosis 264

Reynolds の五徴 81
RFA 148
ROI 29
Rokitansky-Aschoff sinus 183

S

SCA 221
scalloping 177
SCC 223
schistosomiasis japonica 131
sclerosing angiomatoid nodular transformation 169
sensitivity time control 5
serous neoplasms 221
sinus lipomatosis 245
SN 221, 222
solid-pseudopapillary neoplasm 228
sonographic Murphy's sign 186
splenic abscess 171
splenic aneurysm 173
splenic angiosarcoma 174
splenic calcification 171
splenic cyst 166
splenic hamartoma 169
splenic hemangioma 168
splenic infarction 172
splenic injury 172
splenic lymphangioma 167
splenic sarcoidosis 169
splenomegaly 164
spleno-renal shunt 174
splenosis 165
SPN 222, 228
spoke wheel pattern 145, 170
starry-sky sign 75
STC 5
strain elastography 129

T

TACE 148

TAE 172
target pattern 156
target sign 97
TE 128
to and fro 91
transcatheter arterial chemoembolization 148
transient elastography 128
twinkling 32

U

ureteral stone 263
ureteral tumor 263
ureterocele 264
uterine adenomyosis 281
uterine leiomyoma 281

V

vascular phase 293
Vater 乳頭部 12
von Meyenburg's complex 136
von Hippel-Lindau 病 219, 221
von Recklinghausen 病 219

W

wax and wane sign 139
Wilms 腫瘍 255
Wilson's disease 121
Wilson 病 121
WON 212
worrisome feature 227

X

xanthogranulomatous cholecystitis 187
X 線 CT 25

Z

Zollinger-Ellison 症候群 219

日超検
腹部超音波テキスト　第3版　　　　　　ISBN978-4-263-22697-1

2002年 5 月10日　　第 1 版第 1 刷発行
2012年 6 月15日　　第 1 版第 9 刷発行
2014年 6 月15日　　第 2 版第 1 刷発行
2022年 6 月10日　　第 2 版第 9 刷発行
2024年 2 月10日　　第 3 版第 1 刷発行
2025年 3 月25日　　第 3 版第 3 刷発行

　　　　　　　　　　　　　　　　　　監　修　日本超音波検査学会
　　　　　　　　　　　　　　　　　　編　集　関　根　智　紀
　　　　　　　　　　　　　　　　　　　　　　南　里　和　秀
　　　　　　　　　　　　　　　　　　発行者　白　石　泰　夫
　　　　　　　　　　　　　　　　　発行所　医歯薬出版株式会社
　　　　　　　　　　　　　　　〒113-8612 東京都文京区本駒込1-7-10
　　　　　　　　　　　　　　　TEL.（03）5395-7620（編集）・7616（販売）
　　　　　　　　　　　　　　　FAX.（03）5395-7603（編集）・8563（販売）
　　　　　　　　　　　　　　　　　　https://www.ishiyaku.co.jp/
　　　　　　　　　　　　　　　　　　郵便振替番号 00190-5-13816

乱丁，落丁の際はお取り替えいたします　　　　印刷・壮光舎印刷／製本・皆川製本所
　　　　　　　　　　© Ishiyaku Publishers, Inc., 2002, 2024. Printed in Japan

本書の複製権・翻訳権・翻案権・上映権・譲渡権・貸与権・公衆送信権（送信可能化権を含む）・口述権は，医歯薬出版（株）が保有します．
本書を無断で複製する行為（コピー，スキャン，デジタルデータ化など）は，「私的使用のための複製」などの著作権法上の限られた例外を除き禁じられています．また私的使用に該当する場合であっても，請負業者等の第三者に依頼し上記の行為を行うことは違法となります．

JCOPY ＜出版者著作権管理機構　委託出版物＞
本書をコピーやスキャン等により複製される場合は，そのつど事前に出版者著作権管理機構（電話03-5244-5088，FAX 03-5244-5089，e-mail:info@jcopy.or.jp）の許諾を得てください．